現代歯科薬理学

第7版

Current Dental Pharmacology

監修
鈴木邦明

編集
戸苅彰史
青木和広
兼松　隆
筑波隆幸
八田光世

執筆（執筆順）

愛知学院大学名誉教授
戸苅彰史

明海大学歯学部教授
安達一典

元 日本歯科大学新潟生命歯学部教授
仲村健二郎

九州大学大学院教授
兼松　隆

大阪大学大学院教授
田熊一敞

九州歯科大学教授
竹内　弘

昭和大学歯学部教授
髙見正道

神奈川歯科大学歯学部教授
高橋俊介

朝日大学歯学部教授
柏俣正典

長崎大学大学院教授
筑波隆幸

神奈川歯科大学歯学部准教授
高橋聡子

北海道大学大学院教授
飯村忠浩

東京科学大学大学院教授
青木和広

神奈川歯科大学歯学部准教授
吉野文彦

松本歯科大学教授
十川紀夫

日本大学歯学部教授
小林真之

神奈川歯科大学歯学部准教授
吉田彩佳

鹿児島大学大学院教授
佐藤友昭

日本歯科大学生命歯学部教授
筒井健夫

東京歯科大学教授
笠原正貴

鹿児島大学大学院講師
富田和男

大阪歯科大学歯学部講師
佐々木由香

日本大学松戸歯学部教授
三枝　禎

徳島大学大学院教授
工藤保誠

大阪歯科大学歯学部主任教授
野﨑中成

九州大学大学院准教授
溝上顕子

北海道医療大学歯学部教授
谷村明彦

鶴見大学歯学部教授
二藤　彰

広島大学大学院教授
吾郷由希夫

北海道大学名誉教授
北川善政

岡山大学大学院教授
岡元邦彰

岩手医科大学歯学部教授
小笠原正人

北海道大学大学院教授
菅谷　勉

東北大学大学院教授
若森　実

福岡歯科大学教授
八田光世

愛知学院大学歯学部教授
濵村和紀

医歯薬出版株式会社

第7版の序

　本書『現代歯科薬理学』は，歯科薬理学の標準的な教科書として昭和54年に初版が発行された．その後，多くの歯学生に教科書あるいは参考書として利用され，最新の薬理学および関連分野の進歩を取り入れて版を重ねてきた．直近の改訂は平成30年の第6版であり，時代の要請にあわせて大幅な改訂が行われた．しかし，薬理学の進歩と歯科医学を取り巻く環境の変化は早く，記載内容も新しい薬物療法に対応できなくなってきたことから，第7版が企画された．

　学生，あるいは臨床に携わる歯科医師からも薬理学の教科書はとっつきにくいと思われがちなので，少しでもわかりやすく臨床につながる教科書にしたいと考え，編集にあたった．基本的には現在使用されている薬物について記載しているが，歴史的な重要性がある薬物や薬理学の実習などで使用されている薬物については記載を残した．薬理学に初めて接する学生が学びやすい順序を重視し，これまでの『現代歯科薬理学』とはかなり異なる章立てとした．薬理学総論と薬理学各論のみとし，歯科薬理学各論を廃したが，歯科薬物療法に直結する章として「口腔内科治療に用いる薬物」を加え，多くの章で歯科臨床との関連や臨床コラムを記載した．さらに，「ゲノム薬理学と医療ビッグデータの活用」，「臨床薬理学」，「薬物と法律」，「代謝性疾患治療薬」，「鎮痛薬」などの章を新設した．執筆は第6版と同様に，歯科大学・歯学部において薬理学教育の先頭に立っておられる先生がたにお願いし，最新の知見を加えつつ学生にとってわかりやすい教科書となるような記述をお願いした．

　本書の内容は歯科医師国家試験出題基準（令和5年度）および歯学教育モデル・コア・カリキュラム（令和4年度改訂版）など，日本の歯学教育の基準となるべき提言に沿っている．これらの提言に関連する項目がわかりやすいように国試コラムとして各章末にまとめた．また，最近の歯科医師国家試験で出題された語句は索引にてゴシックで強調したので，勉学の参考にしていただきたい．さらに，以前に増して和漢薬が注目されていることから，本書では歯科適応以外の和漢薬に関しても記載を広げた．

　本書は，歯学生の教科書としてだけでなく，歯科医師をはじめ医療従事者として活躍されている方がたの参考となるように，歯科臨床との関係を可及的に記載した．また，薬物相互作用や副作用なども含め歯科臨床と関連の深い薬物については，巻末に付表「主な商品名一覧」として商品名と薬物名との対照表にまとめた．さらに，本書で取り扱う薬物のうち代表的な薬物は，付表「主な掲載薬物一覧」にまとめ，薬物一般名と慣用的な略称との関係もわかりやすく記載した．索引では，薬物が記載されているページをできる限り網羅し，特に詳細に記載されているページはゴシックで明示した．学生ならびに医療従事者の方がたの座右に本書を置いて活用いただければ望外の喜びである．

　最後に，第7版はこれまでの『現代歯科薬理学』の延長にある．歴代の編集委員，執筆にあたった各位に深甚なる謝意を表する．

令和5年12月

編集委員　鈴木邦明　兼松　隆
　　　　　戸苅彰史　筑波隆幸
　　　　　青木和広　八田光世

補遺

『現代歯科薬理学』初版〜第7版：発刊，改訂にかかわる編集方針などの概略

　本書の初版は1979年8月に発刊された．歯学部における薬理学教育を一層充実させる目的で，同学の士の賛同を得て本書の刊行が企図された．初版では，昭和42年改訂歯科大学学長会議，歯学教育問題調査会編"歯科薬理学教授要綱"（これは主として歯科臨床で繁用される薬物に関するもの）ならびに昭和48年，全国歯科大学・歯学部の薬理学講座担当教官の合意によって補訂した"歯科薬理学教授要綱"に準拠して一応の内容項目の選定が行われた．各項目は，それぞれの専門分野にしたがって分担執筆されており，現代の歯科薬理学の水準が把握されるように工夫され，歯学における薬理学教育の大先達の岡田正弘先生（日本学士院会員）より「Goodman-Gilmanに匹敵する"現代歯科薬理学"が生まれた」との序文を賜った．編集責任者は，小椋秀亮（当時，東京医科歯科大学教授），小倉保己（当時，東北大学教授）である．

　第2版は初版から10年を経て1989年6月に発刊された．昭和59年改訂の歯学教授要綱（歯科大学学長会議 歯学教授要綱改訂委員会）に掲げられている歯科薬理学教授要綱の教授項目に準拠したかたちで編集されたものである．また昭和61年6月に第十一改正日本薬局方が公布されたので，これに基づいて薬物名を統一した点，および当時厚生省において進められていた歯科口腔用剤の再評価が従来臨床で使用されてきた多くの歯科用医薬品に及んできたので，その再評価結果を取り入れて編集作業が行われている点も特色といえる．オータコイド，救急用薬剤，ホルモン，ビタミンなどの多くの新項目が追加された．編集責任者は初版と同じく小椋，小倉の2教授である．

　第3版は第2版から9年を経て1998年3月に発刊された．平成6年に改訂された『歯科大学学長会議／歯科医学教授要綱，歯科薬理学』の教授項目に準拠したかたちで編集されていることと，平成8年4月に公布された第十三改正日本薬局方に基づいて薬物名を原則的に統一されている．また，各専門領域から新しい分担執筆者に加わっていただき，従来からの執筆者の分担領域を一部変更し，さらに歯科臨床的視点からの解説も加えられた．編集責任者は，小椋と，新たに加藤有三（当時，長崎大学教授），篠田　壽（当時，東北大学教授）が加わった．

　第4版は第3版から7年を経て2005年9月に発刊された．この間，「歯科医学教授要綱」の大改訂，「歯科医師国家試験出題基準」の4回目の改訂，平成13年3月に提出された「医学・歯学教育の在り方に関する調査研究協力者会議」の報告に基づいたモデル・コア・カリキュラムの設定，ならびに平成17年度からのCBT試験実施が予定された．これらの教育環境の変化に適切に対応した．また，時代背景として歯科臨床において，齲蝕予防の進展による齲蝕の減少，高齢者や全身性疾患を伴う患者の増加などに対応して大きく変化しつつあり，従来にも増して全身管理の知識を深めることが，歯科医師に対して強く求められた．時代の要請に沿うべく，2つの新しい章「ゲノム薬理」，「組織再生と薬物」を設けた．また，実験薬理学に関する代表的薬物は積極的に収載したが，特に臨床に使われる薬物については，現在わが国で実際に臨床適用されている薬物を中心に収載した．編集委員は，小椋，加藤，篠田と，新たに大谷啓一（当時，東京医科歯科大学教授）が加わった．

　第5版は第4版から7年を経て2012年2月に発刊された．「歯科医学教育モデル・コア・カリキュラム：教育内容ガイドライン（平成19年版）」をベースに項目立てを行ったと同時に，平成17年度より実施されている「臨床実習前の共用試験（CBT試験）」への標準的な学習・知識を提供できる内容となっている．さらに，平成19年に大幅な改訂が行われた「歯科医学教授要綱」の薬理学（生体と薬物）

の内容を最大限に盛り込んだ．平成22年版「歯科医師国家試験出題基準」への対応も行った．当時の歯学教育の基準となるべきこれらの提言を全て吸収し学習項目の整理を行った．また，歯科臨床薬理学とも言うべき「医薬品適用上の注意」に関して充実させ，学生諸氏が臨床現場において薬物応用の基礎知識を得られるようにした．薬物名に関しては，従来使用されている一般名を記述していることが多いが，日本医薬品一般名称データベースならびに平成23年に刊行された第十六改正日本薬局方にある局方名との対応表を巻末に付けた．編集委員は，加藤，篠田，大谷と，新たに鈴木邦明（当時，北海道大学教授），戸苅彰史（当時，愛知学院大学教授）が加わった．

第6版は第5版から6年を経て2018年2月に発刊された．超高齢社会を背景にチーム医療を基盤とした歯科医療が求められ，新しい薬物治療にも対応できるように構成されている．歯科医学を学ぶ学生への知識の教授のみならず，歯科医師をはじめ医療従事者として現在活躍されている方々への参考になるように，アップデートした．新しい章として「ゲノム薬理学とiPS細胞」，「歯科における漢方薬」を追加した．また，各章の冒頭に「学修目標とポイント」，「本章のキーワード」を挙げ，基礎的・臨床的話題を解説する「コラム」欄を随所に設けた．さらに薬物名を医薬品一般名で表記した．平成30年版歯科医師国家試験出題基準，平成28年度改訂版歯学教育モデル・コア・カリキュラムに沿った内容となっている．編集委員は，大谷，鈴木，戸苅と，新たに青木和広（東京医科歯科大学教授），兼松隆（九州大学教授），筑波隆幸（長崎大学教授）が加わった．

第7版は第6版から6年を経て2024年1月に発刊された．薬理学の進歩と歯科医学を取り巻く環境の変化に対応できるように構成されている．従来の薬理学総論，薬理学各論および歯科薬理学各論とする3部構成から，歯科薬理学各論を廃した2部構成とし，必要に応じて各論の章ごとに歯科臨床との関連や臨床コラムを記載し，新しく「口腔内科治療に用いる薬物」の章も加えた．臨床につながる教科書として，歯学生に留まらず，歯科医師をはじめ医療従事者として活躍されている方々にも参考となる工夫を凝らすとともに，薬物名と商品名の対照表「主な商品名一覧」なども設けた．さらに令和5年版歯科医師国家試験基準および歯学教育モデル・コア・カリキュラム（令和4年度改訂版）に沿った内容とし，関連する章末には国試コラムを新設し，その内容を記載している．編集委員は，鈴木，戸苅，青木，兼松，筑波と，新たに八田光世（福岡歯科大学教授）が加わった．

目次 ● CONTENTS

薬理学　総論　A. 医薬品と薬理作用

1章　薬理作用 …………………………………………………………………… 戸苅彰史 ● 2
- Ⅰ　薬物と医療…2
- Ⅱ　薬物療法の種類…3
- Ⅲ　薬理作用の様式…3
- Ⅳ　薬理作用の基本形式…4
- Ⅴ　薬理作用の分類…5

2章　用量と薬理作用 ……………………………………………………………… 兼松 隆 ● 7
- Ⅰ　用量-反応関係…7
  1. 段階的用量-反応関係…7
  2. 量子的用量-反応関係…8
  3. 薬物の用量を表す用語…9
- Ⅱ　治療係数…10

3章　薬物の投与経路・適用法 ………………………………………………… 髙見正道 ● 11
- Ⅰ　投与経路と投与方法…11
- Ⅱ　経口投与…11
- Ⅲ　注射投与…12
- Ⅳ　その他の投与方法…13

4章　薬物動態 …………………………………………………………………… 筑波隆幸 ● 15
- Ⅰ　薬物動態…15
  1. 定義…15
  2. 血中濃度-時間曲線…15
- Ⅱ　薬物の吸収…16
  1. 薬物の細胞膜通過…16
  2. 吸収における pH の影響…16
  3. 吸収における脂溶性と水溶性…17
  4. バイオアベイラビリティ…17
- Ⅲ　薬物の分布…18
- Ⅳ　薬物の代謝…20
  1. 薬物代謝反応…20
  2. 薬物代謝酵素…20
  3. 抱合反応…21
  4. 代謝酵素の誘導と阻害…21
  5. プロドラッグ…21
- Ⅴ　薬物の排泄…22

5章　薬物の効果に影響する諸因子 …………………………………………… 青木和広 ● 25
- Ⅰ　生体側の因子…25
- Ⅱ　薬物側の因子…28
- Ⅲ　人の責任分担や心理などに関与する因子…28

6章　薬物の連用 ………………………………………………………………… 小林真之 ● 31
- Ⅰ　耐性…31
  1. 酵素誘導…31
  2. 脱感作…31
  3. 過感受性…32
- Ⅱ　薬物依存…33
  1. 薬物依存の形成機序…33
  2. 身体依存, 精神依存, 離脱症候…34
  3. 薬物乱用…34
  4. 薬物中毒…35
- Ⅲ　薬物の蓄積…35

7章　薬物の併用・相互作用 …………………………………………………… 小林真之 ● 36
- Ⅰ　薬物の併用…36
  1. 協力作用…36
  2. 拮抗作用…37
- Ⅱ　薬物相互作用…37
  1. 薬力学的相互作用…37
  2. 薬物動態学的相互作用…38

8章　薬物による副作用・有害作用・有害事象 ……………………………………………… 青木和広 ● 42

- Ⅰ　副作用と有害作用・有害事象の定義…42
  - 1. 副作用および有害作用の定義…42
  - 2. 有害事象の定義…42
- Ⅱ　有害作用および有害事象の種類と機序…43
  - 1. 薬物の有害作用および有害事象の種類…43
  - 2. 有害作用および有害事象の機序…46
- Ⅲ　薬物による口腔領域の有害作用…47
- Ⅳ　副作用・有害事象への対応…49
  - 1. 予知と回避…49
  - 2. 副作用・有害事象への薬物治療…50

9章　医薬品適用上の注意 …………………………………………………………………… 筒井健夫 ● 51

- Ⅰ　妊婦に対する薬物投与…51
  - 1. 妊娠中の薬物療法の注意事項…51
  - 2. 薬物の胎盤通過性…52
- Ⅱ　授乳婦に対する薬物投与…53
  - 1. 母乳への薬物の移行性…53
  - 2. 哺乳による薬物移行…53
  - 3. 授乳中の女性に投与が禁忌もしくは授乳の一時停止が必要な主な薬物…53
- Ⅲ　小児に対する薬物投与…53
  - 1. 小児の薬物動態…53
  - 2. 小児薬用量の設定…54
  - 3. 小児に特有な有害作用…54
- Ⅳ　高齢者に対する薬物投与…54
- Ⅴ　全身疾患を有する患者への薬物投与…55

10章　ゲノム薬理学と医療ビッグデータの活用 ……………………… 佐々木由香, 野﨑中成 ● 57

- Ⅰ　ゲノム薬理学とは…57
- Ⅱ　iPS細胞を用いた創薬…58
- Ⅲ　がんゲノム医療…58
- Ⅳ　AI創薬…59
- Ⅴ　個人情報…59

11章　臨床薬理学 ……………………………………………………………………………… 二藤　彰 ● 60

- Ⅰ　医薬品の開発…60
  - 1. 新薬の開発プロセス…60
  - 2. 後発医薬品…61
- Ⅱ　臨床薬物動態学…62
- Ⅲ　個別化医療および治療薬物モニタリング…62
  - 1. 個別化医療…62
  - 2. 治療薬物モニタリング…63
- Ⅳ　医薬品の適用と処方箋…64
  - 1. 医薬品の適用…64
  - 2. 処方箋…64
  - 3. 内服薬処方箋の記載方法…65
  - 4. リフィル処方箋…65
- Ⅴ　医薬品・医療機器の安全対策…65
  - 1. 医薬品・医療機器の安全性の確保…65
  - 2. 医薬品による健康被害…65
  - 3. 薬害とそれに対する対応…65
  - 4. 医薬品や医療機器の安全な使用…67

12章　薬物と法律 ……………………………………………………………………………… 岡元邦彰 ● 68

- Ⅰ　医薬品医療機器等法…68
- Ⅱ　日本薬局方…68
- Ⅲ　医薬品の種類…69
- Ⅳ　医薬品の管理および法規…70
- Ⅴ　医薬品の保管…71

13章　薬理作用の機序 ……若森　実● 72
- Ⅰ　薬物受容体とリガンド…72
  1. 作動薬…72
  2. 拮抗薬…73
  3. 余剰受容体…73
- Ⅱ　受容体を介する薬理作用…74
  1. 細胞膜受容体…74
  2. 細胞質および核内受容体…75
- Ⅲ　受容体を介さない薬理作用…76
  1. 膜輸送タンパク質に作用する薬物…76
  2. 酵素に作用する薬物…79
  3. 核酸に作用する薬物…80
  4. 細胞膜・脂質に作用する薬物…80
  5. 代謝拮抗物質による作用…80
  6. 物理化学的作用…80

薬理学　総論　B.　薬理作用の機序と生理活性物質

14章　神経伝達物質とオータコイド …… 83
- Ⅰ　神経伝達物質…兼松　隆● 84
  1. アミン類…85
  2. 抑制性アミノ酸…85
  3. 興奮性アミノ酸…90
- Ⅱ　オータコイド…安達一典● 91
  1. 生理活性アミン…91
  2. 生理活性ペプチド…91
  3. 脂質…94
  4. 一酸化炭素…95
- Ⅲ　サイトカイン…96
- Ⅳ　成長因子…96

15章　ホルモンと関連薬 ……佐々木由香，野﨑中成● 97
- Ⅰ　ホルモン…97
  1. 分類…97
  2. 受容体と作用機序…97
  3. ホルモン分泌の調節…97
- Ⅱ　各種ホルモンの機能亢進症・低下症と治療薬…99
  1. 甲状腺ホルモン…99
  2. 副甲状腺ホルモン…99
  3. 副腎皮質ホルモン…103
  4. 副腎髄質ホルモン…103
- Ⅲ　その他のホルモン…103

16章　ビタミン ……田熊一敞● 105
[総論]
  1. ビタミンとは…105
  2. 脂溶性ビタミンと水溶性ビタミン…105
[各論]
- Ⅰ　脂溶性ビタミン…106
  1. ビタミンA…106
  2. ビタミンD…108
  3. ビタミンE…108
  4. ビタミンK…108
- Ⅱ　水溶性ビタミン…109
  1. ビタミンB群…109
  2. ビタミンC…113

薬理学　各論

17章　末梢神経系に作用する薬物 ……戸苅彰史●116
- Ⅰ　末梢神経の分類…116
  1. 体性神経系…116
  2. 自律神経系…117
- Ⅱ　ニューロン間の情報伝達と薬物…118
  1. アドレナリン作動性神経伝達…118
  2. コリン作動性神経伝達…121
- Ⅲ　交感神経に作用する薬物…123
  1. アドレナリン作動薬…123
  2. 抗アドレナリン薬…126
  3. 交感神経ニューロン遮断薬…128
- Ⅳ　副交感神経に作用する薬物…128
  1. コリン作動薬…128
  2. 抗コリン薬…130
- Ⅴ　自律神経節に作用する薬物…131
- Ⅵ　運動神経と骨格筋に作用する薬物…131
  1. 筋収縮を増強する薬物…131
  2. 筋弛緩薬…132

18章　局所麻酔薬 ……高橋俊介，高橋聡子，吉野文彦，吉田彩佳●134
- Ⅰ　局所麻酔薬とは…134
- Ⅱ　痛覚の伝導と局所麻酔薬の作用機構…134
  1. 疼痛による活動電位の発生と伝導…134
  2. 局所麻酔薬の作用機序…134
  3. 局所麻酔薬の解離型と非解離型の割合…135
  4. 作用部位での有効濃度に影響する因子…136
  5. 血管収縮薬の併用…136
- Ⅲ　局所麻酔薬…137
  1. 合成局所麻酔薬の開発…137
  2. 化学構造による分類…137
  3. 主なエステル型局所麻酔薬…138
  4. 主なアミド型局所麻酔薬…138
  5. 歯科領域で使用される局所麻酔薬…139
- Ⅳ　局所麻酔薬の適用法…139
- Ⅴ　局所麻酔薬の副作用・有害作用…140

19章　中枢神経系に作用する薬物 ……142
- Ⅰ　全身麻酔薬…笠原正貴●142
  [総論]
  1. 全身麻酔…142
  2. 全身麻酔薬の作用機序…143
  3. 吸入麻酔薬…143
  4. 静脈麻酔薬…145
  [各論]
  1. 吸入麻酔薬…145
  2. 静脈麻酔薬…146
- Ⅱ　アルコール…147
- Ⅲ　麻薬性鎮痛薬…三枝禎●148
  [総論]
  1. 痛みの発生と伝導…149
  2. 下行性疼痛抑制系による痛みの制御…149
  [各論]
  1. 麻薬性鎮痛薬…150
  2. 麻薬性鎮痛薬の関連事項…153
  3. 非麻薬性オピオイド鎮痛薬…154
  4. オピオイド拮抗薬…155
- Ⅳ　催眠鎮静薬，抗不安薬
       …兼松　隆，溝上顕子●155
  [総論]
  1. 催眠鎮静薬…155
  2. 抗不安薬…156
  [各論]
  1. ベンゾジアゼピン系薬物…157
  2. バルビツール酸系薬物…160
  3. その他…162
- Ⅴ　抗てんかん薬…162
- Ⅵ　向精神薬…田熊一敞●165
  1. 抗精神病薬…165
  2. 抗不安薬…168
  3. 抗うつ薬…168
  4. 気分安定薬…170
- Ⅶ　中枢興奮薬…吾郷由希夫●170
- Ⅷ　Parkinson病治療薬…172
- Ⅸ　脳循環代謝改善薬…173
- Ⅹ　認知症治療薬…174

20章　循環器に作用する薬物 ……小笠原正人● 175

- I 高血圧症治療薬…175
  - 1. 血圧調節因子と高血圧の病態生理…175
  - 2. 高血圧治療薬…175
- II 心不全治療薬…179
  - 1. 心不全の病因と病態生理…179
  - 2. 心不全治療薬…179
- III 抗不整脈薬…181
- IV 狭心症治療薬…183
  - 1. 虚血性心疾患の原因と病態生理…183
  - 2. 狭心症治療薬…183
- V 循環器作動薬と歯科臨床…184
  - 1. 抗腫瘍薬と心疾患…184
  - 2. 高齢者の高血圧と薬物…184

21章　腎臓に作用する薬物 ……髙見正道● 185

- I 腎臓の構造と機能…185
  - 1. 尿生成の過程…185
  - 2. 尿生成を調節するホルモン…187
- II 利尿薬…187
  - 1. ループ利尿薬…188
  - 2. チアジド系利尿薬…188
  - 3. 炭酸脱水酵素阻害薬…189
  - 4. カリウム保持性利尿薬…189
  - 5. 浸透圧利尿薬…189
  - 6. バソプレシン V_2 受容体拮抗薬…189
- III 利尿薬の注意点…190
- IV 抗利尿薬…190

22章　呼吸器系に作用する薬物 ……小笠原正人● 191

- I 気管支喘息治療薬…191
  - 1. 気管支喘息の病態生理…191
  - 2. 気管支平滑筋の収縮・弛緩と気管支喘息治療薬の種類…191
  - 3. 気管支喘息治療薬の特徴・作用機序と副作用・服薬指導…193
- II 慢性閉塞性肺疾患治療薬…195
- III 鎮咳薬…195
- IV 去痰薬…195
- V 呼吸促進薬…196
- VI 呼吸器系に作用する薬物と歯科臨床…196
  - 1. 喫煙の有害性と禁煙補助薬…196

23章　消化器系に作用する薬物 ……八田光世● 197

- I 消化性潰瘍治療薬…197
  - 1. 消化性潰瘍…197
  - 2. 消化性潰瘍治療薬…197
- II 健胃消化薬…199
- III 消化管運動改善薬…200
- IV 鎮痙薬…200
- V 止瀉薬…201
- VI 整腸薬…201
- VII 下剤…201
- VIII 利胆薬…201
- IX 肝庇護薬…201
- X 消化器系に作用する薬物と歯科臨床…202

24章　血液および造血器に作用する薬物 ……仲村健二郎● 203

- I 止血薬…203
  - 1. 止血-線溶機構…203
  - 2. 全身性止血薬…205
  - 3. 局所性止血薬…208
- II 抗血栓薬…209
  - 1. 血栓症…209
  - 2. 抗血小板薬…209
  - 3. 抗凝固薬…210
  - 4. 血栓溶解薬…213
- III 貧血に用いられる薬物…213
- IV 血液および造血器に作用する薬物と歯科臨床…214

25章　免疫機能に影響する薬物 ……………………………………………………… 竹内　弘● 215

- Ⅰ　免疫とは…215
  1. 免疫反応…215
  2. 免疫にかかわるサイトカイン…216
  3. アレルギー反応…217
  4. 免疫機能に影響する薬物の主な対象疾患…218
- Ⅱ　免疫抑制薬…219
  1. 細胞増殖阻害薬…219
  2. リンパ球機能阻害薬…219
  3. 生物学的製剤…220
- Ⅲ　免疫賦活薬…221
- Ⅳ　アレルギーの治療薬…221
  1. 抗ヒスタミン薬…221
  2. 抗アレルギー薬…222
  3. 糖質コルチコイド…223
- Ⅴ　抗リウマチ薬…223
  1. 免疫抑制薬…224
  2. 免疫調節薬…224
  3. 生物学的製剤…224
- Ⅵ　免疫系に作用する薬物と歯科臨床…224

26章　抗腫瘍薬 ……………………………………………………………………… 柏俣正典● 225

- Ⅰ　腫瘍とその薬物療法…225
- Ⅱ　化学療法薬，ホルモン療法薬，分子標的治療薬…225
  1. アルキル化薬…226
  2. 代謝拮抗薬…227
  3. 抗腫瘍性抗生物質…228
  4. 微小管阻害薬…229
  5. 白金化合物…230
  6. トポイソメラーゼ阻害薬…230
  7. ホルモン療法薬…230
  8. 分子標的治療薬…231
- Ⅲ　抗腫瘍薬と歯科臨床…234

27章　代謝性疾患治療薬 …………………………………………………………………………… 236

- Ⅰ　糖尿病治療薬…八田光世● 236
  1. 血糖調節とインスリン…236
  2. 糖尿病…236
  3. 糖尿病治療薬…237
  4. 糖尿病治療薬と歯科臨床…239
- Ⅱ　骨代謝と骨粗鬆症治療薬…飯村忠浩● 239
  1. 骨代謝…239
  2. カルシウム代謝調節ホルモン…240
  3. リン代謝調節ホルモン…243
  4. 骨粗鬆症…244
  5. 骨粗鬆症治療薬…244
  6. その他の骨組織作動薬…250
  7. 骨粗鬆症治療薬と歯科臨床…250
- Ⅲ　脂質代謝と脂質異常症治療薬…岡元邦彰● 250
  1. 脂質代謝と脂質異常症…250
  2. 脂質異常症治療薬…251
  3. 脂質異常症治療薬と歯科臨床…252
- Ⅳ　尿酸代謝と高尿酸血症・痛風治療薬…252
  1. 高尿酸血症・痛風…252
  2. 急性発作治療薬…253
  3. 尿酸降下薬…253
  4. 高尿酸血症・痛風治療薬と歯科臨床…253

28章　抗炎症薬　　　　　　　　　　　　　　　　　　　　　　　　　　　十川紀夫● 254

- I　炎症の基本概念…254
- II　炎症の経過と炎症性病理変化…255
- III　炎症のケミカルメディエーター…256
  1. 生体アミン類…256
  2. エイコサノイド…256
  3. 血漿キニン類…257
  4. その他…257
- IV　ステロイド性抗炎症薬…258
  1. 主な SAIDs…258
  2. SAIDs の作用機序…258
  3. SAIDs の薬理作用と適応症…259
  4. SAIDs の副作用と非適用患者…259
- V　非ステロイド性抗炎症薬…260
  1. 酸性 NSAIDs の作用機序と薬理作用…260
  2. 酸性 NSAIDs の副作用・有害作用…261
  3. 酸性 NSAIDs の薬物相互作用…262
  4. 酸性 NSAIDs の分類…262
  5. 塩基性 NSAIDs…266
  6. COX-2 選択的 NSAIDs…266
- VI　抗炎症薬と歯科臨床…267
  1. NSAIDs 投与時の特別な注意事項…267
  2. アスピリン喘息と治療薬…267

29章　鎮痛薬　　　　　　　　　　　　　　　　　　　　　　　　　　　　吾郷由希夫● 268

- I　非ステロイド性抗炎症薬…268
- II　解熱鎮痛薬…268
  1. ピリン系…268
  2. 非ピリン系…269
- III　麻薬性鎮痛薬…269
  1. モルフィナン系オピオイド…269
  2. フェニルピペリジン系オピオイド…270
  3. その他…270
- IV　片頭痛治療薬…270
  1. 急性期治療薬…270
  2. 予防薬…271
- V　神経障害性疼痛治療薬…272
  1. イオンチャネル遮断薬…272
  2. 抗うつ薬…272
  3. トラマドール塩酸塩…273
  4. ワクシニアウイルス接種家兎炎症皮膚抽出液…273
- VI　鎮痛薬と歯科臨床…273

30章　救急用薬物　　　　　　　　　　　　　　　　　　　　　　　　　　　笠原正貴● 274

- I　救急時に使用される薬物…274
  1. 呼吸器系に作用する薬物…274
  2. 循環器系に作用する薬物…274
- II　歯科治療中に起こる全身的偶発症の治療…277

31章　抗感染症薬　　　　　　　　　　　　　　　　　　　　　　　　　　　　　　　　　　279

- I　抗感染症薬の基礎的事項，作用機序，耐性獲得機序，副作用…筑波隆幸● 279
  1. 抗感染症薬の基礎的事項…279
  2. 抗感染症薬の作用機序…280
  3. 耐性獲得の機序…282
  4. 抗感染症薬の生体内分布…282
  5. 抗感染症薬の副作用…283
  6. 抗感染症薬による副現象…283
- II　主な抗菌薬…佐藤友昭，富田和男● 284
  1. サルファ薬…284
  2. β-ラクタム系抗菌薬…284
  3. アミノグリコシド系抗菌薬…288
  4. マクロライド系抗菌薬…289
  5. リンコマイシン系抗菌薬…290
  6. テトラサイクリン系抗菌薬…291
  7. クロラムフェニコール系抗菌薬…292
  8. ペプチド系抗菌薬…293
  9. ピリドンカルボン酸系抗菌薬…293
  10. ホスホマイシン系抗菌薬…295
  11. 抗結核薬…295

Ⅲ　抗真菌薬…**工藤保誠**● 296
　　1．ポリエン系抗真菌薬…296
　　2．アゾール系抗真菌薬…297
　　3．キャンディン系抗真菌薬…298
　　4．フルオロピリジン系抗真菌薬…299
　　5．その他の抗真菌薬…299
　Ⅳ　抗ウイルス薬…299
　　1．単純ヘルペスウイルスおよび
　　　水痘・帯状疱疹ウイルス治療薬…299
　　2．サイトメガロウイルス治療薬…301
　　3．インフルエンザウイルス治療薬…301
　　4．B型肝炎ウイルスおよび
　　　C型肝炎ウイルス治療薬…302
　　5．HIV治療薬…303
　　6．新型コロナウイルス治療薬…304

32章　消毒に用いる薬物　　　　　　　　　　　　　　　　　　　　　　三枝　禎 ● 306
　［総論］
　Ⅰ　消毒に用いられる薬物…306
　Ⅱ　院内感染の防止と消毒…306
　Ⅲ　消毒薬の用途と特徴…306
　　1．用途・使用法…306
　　2．特徴：消毒薬の作用に影響を与える因子…307
　Ⅳ　滅菌・消毒の対象となる器具の分類…307
　Ⅴ　消毒水準分類からみた消毒薬…309
　Ⅵ　消毒薬の作用機序…309
　Ⅶ　消毒薬の効力の比較…309
　［各論］
　Ⅰ　酸化剤…310
　Ⅱ　ハロゲン系…310
　　1．次亜塩素酸系…311
　　2．ヨードホール・ヨード系…312
　Ⅲ　アルコール類…313
　Ⅳ　アルデヒド類…314
　Ⅴ　フェノール類…316
　Ⅵ　精油類…316
　Ⅶ　第四級アンモニウム塩…317
　Ⅷ　クロルヘキシジングルコン酸塩…318
　Ⅸ　両性界面活性剤…319
　Ⅹ　その他の消毒薬…320
　　1．有機色素類…320
　　2．重金属…320
　Ⅺ　B型肝炎ウイルスの消毒…320
　Ⅻ　ヒト免疫不全ウイルスおよび
　　　新型コロナウイルスの消毒…321
　XIII　消毒薬と歯科臨床…322

33章　唾液腺に作用する薬物　　　　　　　　　　　　　　　　　　　　谷村明彦 ● 323
　Ⅰ　唾液の生理作用…323
　Ⅱ　唾液の分泌機構…324
　Ⅲ　唾液分泌の調節に関与する受容体と
　　　細胞内情報伝達…326
　　1．Ca^{2+}をセカンドメッセンジャーとする
　　　細胞内情報伝達系…326
　　2．cAMPをセカンドメッセンジャーとする
　　　細胞内情報伝達系…327
　Ⅳ　唾液分泌を促進する薬物と
　　　口腔乾燥症の治療薬…327
　　1．口腔乾燥症治療薬…327
　　2．副作用として唾液分泌を促進する薬物…327
　Ⅴ　唾液分泌を阻害する薬物…328
　Ⅵ　唾液腺に作用する薬物と歯科臨床…329

34章　口腔内科治療に用いる薬物　　　　　　　　　　　　　　　　　　北川善政 ● 330
　Ⅰ　口腔内科で用いる治療薬…330
　Ⅱ　代表的な疾患に対する治療法…330
　　1．ウイルス感染症…330
　　2．口腔カンジダ症…333
　　3．口腔扁平苔癬…334
　　4．皮膚の慢性水疱症…334
　　5．アフタ・再発性アフタ…334
　　6．口角炎…335
　　7．毛舌…335
　　8．白板症…335
　　9．口腔乾燥症…335
　　10．味覚障害…336

35章　歯内治療に用いる薬物 ……………………………………………………………… 菅谷　勉● 337
- I　歯内治療と薬物…337
- II　歯髄鎮痛・鎮静薬…337
- III　象牙質知覚過敏症治療薬…338
- IV　覆髄薬…338
- V　生活断髄薬…340
- VI　根管の化学的清掃薬…340
- VII　根管消毒薬…341
- VIII　根管充填材…342

36章　歯周治療に用いる薬物 ……………………………………………………………… 菅谷　勉● 343
- I　歯周病と歯周治療の概要…343
- II　洗口剤と歯磨剤…344
  1. 主成分…344
  2. 有効性…344
  3. 副作用…344
- III　抗菌薬…345
  1. 抗菌薬の局所適用…345
  2. 経口抗菌薬…346
- IV　歯周組織再生に用いられる薬物と材料…346

37章　齲蝕予防薬 …………………………………………………………………………… 八田光世● 348
- I　フッ化物とは…348
- II　フッ化物による齲蝕予防…348
  1. 齲蝕予防の機序…348
  2. フッ化物の臨床応用…348
- III　フッ化物の過剰摂取による影響…349
  1. 急性中毒…349
  2. 慢性毒性…350

38章　和漢薬（漢方薬） ………………………………………………………………… 濱村和紀● 351
- I　漢方とは…351
- II　漢方の特徴…351
  1. 和漢薬の構成…351
  2. 漢方の診断および治療法…352
  3. 証を決定するための概念…352
- III　生薬および和漢薬の副作用・有害作用…353
  1. 単一生薬の副作用・有害作用…353
  2. 和漢薬の副作用・有害作用…354
- IV　和漢薬と西洋薬との相互作用…354
- V　和漢薬適用上の注意…355
- VI　全身疾患で頻用される和漢薬…355
  1. 呼吸器疾患…356
  2. 消化器疾患…356
  3. 産婦人科領域疾患…357
  4. 泌尿器疾患…357
  5. 精神，神経疾患…358
- VII　歯科保険適用の和漢薬…358

臨床コラム
薬物と薬剤（製剤）…6／剤形…12／生体内生理活性物質による生体機能の多彩な調節…90／Gタンパク質共役型受容体と平滑筋収縮…124／アドレナリンの血圧反転…128／局所麻酔の注意すべき生体反応…141／アセトアルデヒド代謝能とALDH2の遺伝子多型…148／歯科診療における静脈内鎮静法…157／抗てんかん薬と三叉神経痛…164／パパベリン…200／イレッサ®…233／薬剤関連顎骨壊死：MRONJ…248／アスピリンの抗血小板作用とアスピリンジレンマ…263／症状の重篤化に伴う心停止への対応…277／チゲサイクリン…292／口腔カンジダ症…305／強酸性電解水…312／速乾性擦式消毒剤…319／微量有効作用…321

参考文献…361
付表　主な掲載薬物一覧…365
付表　主な商品名一覧…374
索引…379

薬理学

総論

A. 医薬品と薬理作用

B. 薬理作用の機序と生理活性物質

1章 薬理作用

薬理学 総論　A．医薬品と薬理作用

学修目標とポイント
- 薬理作用の基本原則，薬物療法の種類，作用様式，薬理作用の分類を説明できる．
- 薬物の主作用と副作用について説明できる．

本章のキーワード
原因療法，対症療法，興奮作用，抑制作用，直接作用，間接作用，主作用，副作用

　病気の診断，治療および予防を目的に使用する化学物質を薬物といい，生体に及ぼす作用を薬理作用（pharmacological action）という．薬理作用の発現は，投与された薬物が作用すべき部位に到達し，その部位における生理機能などに影響を及ぼすことによる．

　薬理学は，薬物が引き起こす薬理作用の様式や作用機序などの薬物の生体に対する働きかけを調べる**薬力学**（pharmacodynamics）と，投与された薬物の吸収，分布，代謝および排泄などの生体の薬物に対する働きかけを調べる**薬物動態学**（pharmacokinetics）からなっている．すなわち，生理学や生化学の発展とともに進展し，生体現象を把握しながら生体と薬物との相互作用の結果生じる生体応答を対象とする科学であり，この2つの作用の結果起こる現象を解析することにより，薬物を安全に使用し，病気の治療に役立たせることを目的としている（図1）．

I　薬物と医療

　薬物療法は薬理学を基礎とした薬物による治療であり，現代医療の中核をなしている．健康な状態では生体内部環境のホメオスタシスが維持されているが，このホメオスタシスが病原微生物，ストレス，免疫力の低下や過剰，遺伝的な要因などにより破綻すると病気の状態に陥る．

　一般的に薬物は，この内部環境のズレを修正してホメオスタシスを維持し，生体の機能を元に戻すように作用する．これにより，生体の自然治癒力（ホメオスタシスの乱れを回復させる自動調節機能）をサポートし，病気からの回復を促進する．しかし，薬物は生体にとっては外部から投与された異物であり，使い方を誤れば重大な有害事象や毒性が生じる．生体にとって

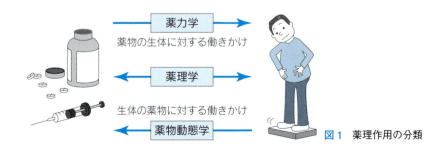

図1　薬理作用の分類

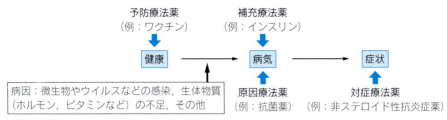

図2 薬物療法の種類

薬物は決して安全なものではないことを常に意識していなくてはならない．

II 薬物療法の種類（図2）

1) 原因療法（causal therapy）

薬物によって病気の原因を取り除く治療法である．例えば，病原微生物の殺滅や増殖を抑制する抗菌薬投与，癌組織や癌細胞の増殖抑制や除去する抗腫瘍薬投与，重金属中毒の際の金属キレート薬投与などがある．しかし，現代医療においても原因が不明の病気は多く，本態性高血圧症などに原因療法は適用できない．

2) 対症療法（symptomatic therapy）

病気に伴う不快症状を薬物によって抑え，緩和・軽減する治療法である．例えば，炎症に伴う痛み，腫れ，発熱などの症状を抑える非ステロイド性抗炎症薬投与，本態性高血圧症の血圧を下げる降圧薬投与などがある．病気の原因を直接取り除く薬物ではないが，患者に対症療法を適用することにより臨床上有益な効果がもたらされる．しかし，過度に対症療法を用いて症状を隠蔽してしまうこともあり，治癒の遅れや病因をわかりにくくする場合もある．

3) 補充療法（substitution therapy）

ホルモン，ビタミン，微量元素などの生体機能を維持するのに必要な物質が不足して起こる病気に，不足物質を補充する治療法である．例えば，糖尿病におけるインスリン注射，味覚異常に対する亜鉛製剤投与，口内炎や口角炎に対するビタミンB投与，鉄欠乏性貧血における鉄剤投与などがある．

4) 予防療法（prophylactic treatment）

病気の発症をあらかじめ防ぐ目的で用いる予防法である．例えば，インフルエンザ発症を予防するワクチン投与，結核予防のBCGワクチン，ウイルス性肝炎予防のワクチン投与，花粉症などの季節的なアレルギー反応を予防する抗アレルギー薬投与などがある．

III 薬理作用の様式

1) 器質的変化（structural change）

薬物には，適用した細胞・組織を構造的に破壊する**器質的変化**をもたらすものがある．例えば，うおのめなどの皮膚疾患に角質軟化，剥離作用を目的として用いられるサリチル酸や尿素などがある．ヒトを標的としない消毒薬などでは，微生物などへの器質的変化をもたらすものがある．

2) 機能的変化（functional change）

多くの薬物は，細胞における受容体，酵素，イオンチャネル，輸送体，核酸などの生体内機能分子と相互作用することにより，生体の**機能的変化**をもたらす．細胞レベルでの作用が組織

レベルの機能，さらに臓器レベルでの機能を強めたり弱めたり量的に変化させ，最終的には生体レベルでその薬理作用が発現する．ヒトを標的としない抗菌薬や抗ウイルス薬などにおいても，病原微生物やウイルスなどの機能的変化をもたらす薬物がある．

Ⅳ 薬理作用の基本形式

1）興奮作用（stimulant action）

カフェインの中枢神経への作用やジギタリスの心臓への作用など，薬物が特定の細胞・組織・器官の機能を強める作用をいい，その作用は可逆的である．生体の**興奮作用**はある一定レベルに至るとそれ以上は増強せず，プラトーに達する．また，その作用は持続しないことが多く，時間の経過とともに薬の作用は減弱する．

さらには抑制が起こり，この抑制に続いて**機能麻痺**あるいは不応期に移行する．これは生体が興奮を続けるための細胞情報伝達機構において**脱感作**が起こることが原因である．例えば，ジギタリスは強心作用により低下した心機能を高めるが，その作用が過剰になると不整脈を起こしやすくなり，心機能を弱めることになる．このように，過剰な興奮作用は抑制に移行し，麻痺に至るので薬物治療では用量が大切である．

2）抑制作用（depressant action）

全身麻酔薬や催眠薬の中枢神経への作用など，薬物が特定の細胞・組織・器官の機能を弱める作用をいう．この**抑制作用**も可逆的であるが，作用が強く現れて不可逆的な機能停止（麻痺）をもたらすことがある．薬理活性の強い薬物を用いると死に至ることがある．

中枢神経を抑制する麻酔薬は，投与初期の段階で中枢神経を興奮させることがあるが，これは麻酔薬により抑制される高次中枢の抑制の結果，下位中枢への抑制的制御機構が解除されるためである．飲酒した場合に見られる発揚感情も同じような反応である．生体における抑制機能を抑制する薬物は，やはり抑制作用を示しているのである．薬理作用を考える場合，薬物により生じる症状ではなく，薬物の生体機能に対する作用を理解することが大切である．

3）刺激作用（irritant action）

刺激性瀉下薬センナの便秘への作用など，薬物が非特異的に特定の細胞・組織・器官に作用して，その機能や構造を変化させる作用をいう．軽度の刺激を受けた組織は，興奮作用を起こして病気の治癒を促進するが，強すぎると炎症や壊死を起こす．

4）補充作用（replacement action）

インスリンのインスリン依存性糖尿病への作用や鉄剤の鉄欠乏性貧血への作用など，薬物が特定の細胞・組織・器官に働き，生体に必要なビタミン，ミネラル，ホルモンなどの不足を補う作用である．ホルモン分泌不全やビタミン欠乏症などに対し，その欠乏や不足を補うことで生体の正常機能を維持する．

5）抗感染作用（antimicrobial action）

抗菌薬の**抗感染作用**など，薬物がヒトに感染した病原微生物に対し機能抑制・増殖抑制・殺滅する作用である．病原微生物に特異的に作用し，生体の機能にはほとんど影響を及ぼさない抗菌薬，抗真菌薬，抗ウイルス薬などがある．また，非特異的に病原微生物に働く消毒薬もあり，歯科領域においては齲窩への消毒薬フェノールの適用などがある．

Ⅴ ─ 薬理作用の分類

1）局所作用と全身作用

（1）局所作用（local action）

　局所麻酔薬や外用薬のように，生体の適用部位に限局して効果を発揮する作用をいう．歯科領域では局所麻酔薬を始め，歯内療法薬など局所に使用する薬物が多い．抗炎症薬インドメタシンの軟膏や貼付剤はこの作用を目的としている．

（2）全身作用（systemic action）

　薬物が適用部位から吸収されて血液循環により全身の組織に分布し，標的部位で効果を発揮する作用をいう．吸収様式は内服，注射，口腔適用，経皮適用など薬物投与方法の違いにより異なる．インドメタシンの坐剤やカプセル剤はこの作用を目的としている．

2）直接作用と間接作用

（1）直接作用（direct action）

　薬物が標的組織に直接的に作用して生じた機能変化をいう．局所麻酔薬が神経線維に作用して神経衝撃の伝導を阻害することなどがあげられる．多くの薬は直接作用を想定して使用される．一次作用ともいう．

（2）間接作用（indirect action）

　直接作用の結果として間接的に他の組織にもたらされる機能変化をいう．間接作用は薬を投与後すぐに見られるのではなく，作用が生じるまでに時間がかかる場合が多い．強心薬ジゴキシンは心不全に用いられるが，直接作用は心筋に対する収縮力の増大であり，その結果，全身の血行改善が起こり，間接作用として利尿効果が発現する．これにより，浮腫の改善，肺うっ血の消失，代償性頻脈の改善などの病態が改善する．二次作用ともいう．

3）主作用と副作用

（1）主作用（principal action）

　治療の目的に有用な作用をいう．患者にとって有益な作用ともいえる．

（2）副作用（side action，side effect）

　治療上不要または障害となる作用であり，通常用いられる量において発現する意図されていない作用である．常用量で起こる有害でない作用も含まれるが，しばしば有害作用あるいは有害反応と同一の意味で用いられる．**副作用**のうち有害な作用をもつものが**有害作用**であり，副作用の延長線上にある作用である．

（3）薬物治療と主作用，副作用

　どのような薬物もただ1つの作用だけを現すことはなく，複数の作用を現す．そのうち治療目的に合うものを主作用といい，それ以外の作用を副作用という．そのため，その目的により，主作用だったものがある時には副作用になることがある．

　抗ヒスタミン薬ジフェンヒドラミン塩酸塩は抗炎症作用（蕁麻疹やアレルギー性鼻炎に作用）および中枢神経抑制作用（眠気を引き起こす作用）を有しているが，炎症の治療にジフェンヒドラミンを使用すると，主作用は抗炎症作用であり，眠気を誘う中枢神経抑制作用は副作用になる．しかし，ジフェンヒドラミンを催眠薬として使用すると，中枢神経抑制作用が主作用になる．このように，主作用と副作用はその薬物の使用目的により異なり，副作用が有益な主作用以外の薬理作用である場合もある．

4）選択的作用と一般作用

　薬物が特定の細胞・組織・器官に限定して働くことを選択的作用（selective action）という．

一般に，選択的作用の強い薬物が望まれているが，多くの薬物は他の生体組織にも作用を及ぼす．一方，どの細胞や組織にも一様に現れる作用を**一般作用**（general action）あるいは非選択的作用という．一般作用が弱ければ弱いほど選択的作用が強まると考えられるが，そのような薬物は少ない．選択的作用があると考えられる**分子標的治療薬**を応用しても他の組織への一般作用が見られることがある．

5）速効性作用と遅効性作用

薬理作用の発現時間を現し，薬物投与後速やかに発現する場合を速効性作用（immediate action）といい，数時間から数日を経て徐々に現れる場合を遅効性作用（delayed action）という．前者の例として投与直後に発現する狭心症治療薬ニトログリセリンなどが，後者の例として抗凝固薬のワルファリンカリウムなどがある．

6）一過性作用と持続性作用

薬理作用の持続時間を現し，薬物による作用の持続がきわめて短い場合を一過性作用（transient action），持続が長い場合を持続性作用（prolonged action）という．前者の例としてわずか20～30分の持続を示すニトログリセリン舌下錠の効果があり，後者の例として1週間に1回の服用で効果が持続する骨粗鬆症治療薬リセドロン酸ナトリウム水和物などがある．

臨床コラム

薬物と薬剤（製剤）

薬物は生体の機能に何らかの変化をもたらす単一の化学物質であり，単独で治療に用いることはない．薬剤（製剤）は，薬物に添加剤（製剤の安全性や有効性を高めたり，製剤化を容易にしたり，品質の安定化を図ったり，使用性を向上させるなどの目的で用いられる）を加えて，実際に使用できるように加工したもので，様々な成分を含んでいる．その中で薬理作用を示す主体となる成分のことを有効成分という．製剤化は，ただ単に臨床的に投与できる形（薬剤）にするだけでなく，薬効または期待する作用の改善，副作用の低減，投与回数の減少，効果発現時間の調整など，工夫により様々な利点をもたらしている．

1章　薬理作用

歯学教育モデル・コア・カリキュラム（令和4年度改訂版）では，生体と薬物の相互作用について個体，細胞，分子のレベルで理解し，有害事象に配慮した安全で的確な薬物療法を行うための基本的な考え方を身につけることを求めている．その上で，薬物の作用（和漢薬を含む）に関する基本的事項を理解するために，薬物療法の種類や薬理作用の基本型式と分類の理解を学修目標としている．

歯科医師国家試験出題基準（令和5年版）では，必修の基本的事項の「薬物療法」に「薬理作用（薬力学，主作用および副作用を含む）」を挙げ，歯科医学総論の「薬物療法・薬物の選択」に「薬物療法の種類と特徴（和漢薬（漢方薬）を含む）」を挙げている．実際の歯科医師国家試験では，薬物療法の目的と分類，全身作用と局所作用に関する出題などが見られる．

2章 薬理学 総論 A．医薬品と薬理作用

用量と薬理作用

学修目標とポイント
- 薬物と生体高分子（薬物受容体など）の相互作用による薬理作用を説明できる．
- 薬理作用の用量-反応関係と薬物受容体の関係を説明できる．
- 薬物の有効性や安全性および適切な投与量の範囲を決める方法を説明できる．

本章のキーワード

薬物受容体，用量-反応曲線，シグモイド（S字）曲線，効力，有効性，50％有効量（ED_{50}），50％致死量（LD_{50}），治療係数，治療薬物モニタリング（TDM）

　薬物は，生体の構成要素である高分子（薬物標的，drug target）と相互作用して，薬理効果を現す．薬物は，多くの場合，薬物標的に選択的に結合して生体の生理学的・生化学的機能を変化させ，一連の生体反応が開始する．これを**薬理作用**（pharmacological action）という．薬物標的は薬物受容体（広義）と呼ばれ，この概念は，薬物の薬理作用と臨床適応を理解する上で重要な基盤をなしている．**薬物受容体**（receptor）は，薬物の用量（dose）と薬理作用の定量的関係（用量-反応関係，dose-response relationship）をおおむね規定し，薬物作用の選択性を決めている．

I 用量-反応関係

　薬物の用量（濃度）に応じて生体反応の程度が変化する関係を論じる場合，①単一個体で各種薬物の反応を議論する場合（段階的用量-反応関係，graded dose-response relationship）と，②単一薬物のある一定の薬理効果を個体群全体の統計的性質で議論する場合（量子的用量-反応関係，quantal dose-response relationship）とがある．前者は薬物固有の性質に依存し，後者は個体間の薬物反応に対する多様性に依存する．

1．段階的用量-反応関係

　薬物治療において，目的とする治療効果（生体反応）に対して各種薬物がどのくらいの**効力**（potency）と**有効性**（efficacy）を有しているかを知ることが重要である．図1には，4種類の薬物（A〜D）の用量と生体反応の関係を示した段階的用量-反応曲線を示している．**用量-反応関係**を片対数グラフで表示すると，S字状の**シグモイド曲線**を描く．

①薬物AやBは，薬物CやDと比べて反応曲線が用量軸（X軸）上で左方に位置しているので効力が高い．薬物の効力は，各薬物の最大反応の50％を得るのに必要な薬物用量（effective dose 50％；ED_{50}）で決定される．したがって，ED_{50}の値が最も小さい薬物Bが薬理学的に最も効力が高く，B＞A＞C＞Dの順で効力が低下する．

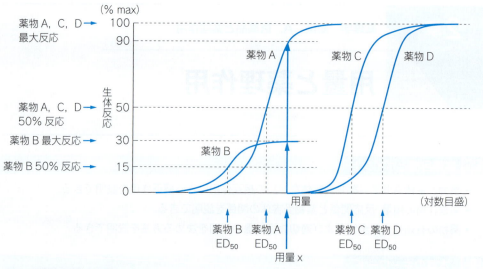

図1 段階的用量-反応曲線
薬物 A～D の用量に対する生体反応（Y 軸）の大きさを示す．ED_{50}：最大反応の 50％反応薬物用量．
X 軸：薬物用量の対数目盛表示．

②薬物 A の生体反応は，ある用量を超えるといかなる用量の薬物 B より高くなる．例えば薬物 A の用量 x での反応は生体反応の 90％に達するが，薬物 B では生体反応の 30％に留まる．これは，薬物 A の最大反応が生体反応の 100％に一致する[*1]のに対して，薬物 B の最大反応は生体反応の 30％と小さい[*2]ためである．よって，大きな反応が必要とされる臨床では，患者に投与する薬物の選択には，**効力**の高さより薬物の**有効性**（最大反応）が非常に重要である．薬物の有効性は，用量-反応曲線の反応軸（Y 軸）上の最大値で表され，薬物 A, C, D の有効性は等しく薬物 B よりも高い．

薬物の実際の臨床的有用性は，薬物の有効性に加えて，薬物の標的受容体への到達のしやすさによっても決まるため，実際には**薬物動態**[*3]も考慮する必要がある．

2. 量子的用量-反応関係

薬物治療では，単一個体から得た段階的用量-反応関係は，病態が異なる他個体では適用できない．図2 には，ある薬物が一定の薬理作用（生体反応）を現すのに必要な用量を多数の個体（実験動物や患者）で求め，用量と累積度数との関係を示した量子的用量-反応曲線を示している．50％の個体に量子的効果（治療効果，中毒効果，致死効果）が見られる用量を，それぞれ **50％有効量**（effective dose 50％；ED_{50}）[*4]，50％中毒量（toxic dose 50％；TD_{50}），**50％致死量**（lethal dose 50％；LD_{50}）という．

[*1] 薬物 A は**完全作動薬**（13 章 I-1. 参照）．
[*2] 薬物 B は**部分作動薬**（13 章 I-1. 参照）．
[*3] 薬物動態とは生体における薬物が処理される過程を表す（4 章 I 参照）．
[*4] 段階的用量-反応曲線（薬物の固有反応）と量子的用量-反応曲線（個体間の多様性）から得られる ED_{50} は意味合いが異なる．前者は最大の薬理作用を示す薬用量の半分量であり，後者は集団の半分の個体に薬理効果が現れる薬用量である．

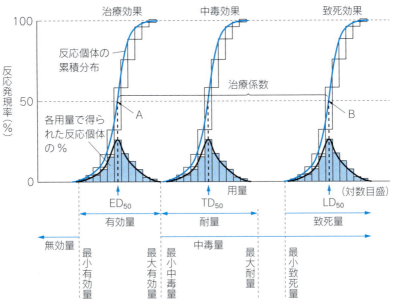

図2　量子的用量-反応曲線
実験動物に薬物を投与した時の生体反応（治療効果，中毒効果，致死効果）を観察し，量子的効果の頻度分布を対数用量表示でプロットした（棒グラフと黒曲線）．累積分布は，量子的効果を示した個体の百分率を対数用量表示で示した．

3．薬物の用量を表す用語

　薬物の用量を徐々に増やしていくと，やがて生体に何らかの反応が見られる用量に達する（図2）．臨床で用いる薬物では，まず期待する薬効が現れ，さらに用量を増加させると生体に様々な有害な反応が現れるようになり，やがて生体を死に至らせる．医薬品では，普通に用いた時に治療効果が期待できる安全量の目安として常用量（usual dose）が定められている．また，治療効果が期待できる用量を薬用量という．生体に現れる反応に対応づけて用いられる概念的な薬の用量を表す用語を整理した．

1) **無効量**（ineffective dose）
　薬物が薬効を現すには一定量以上の用量を必要とする．薬効を示さない用量を無効量という．

2) **最小有効量**（minimum effective dose）
　最小治療量（minimum therapeutic dose）ともいい，薬効が現れる最小の薬用量をいう．

3) **最大有効量**（maximum effective dose）
　最大治療量（maximum therapeutic dose）ともいい，これを超えると中毒作用が現れる薬用量をいう．

4) **有効量**（effective dose）
　最小有効量以上で最大有効量以下の薬用量の範囲のことで，治療量（therapeutic dose），治療域（therapeutic range）ともいう．

5) **中毒量**（toxic dose）
　中毒域（toxic range）ともいい，最大有効量（≒最小中毒量）を超えて用量を増やすと有害作用（adverse effect）が現れる．有害作用を示す用量範囲を中毒量という．

6) **最大耐量**（maximum tolerance dose）
　後遺症を残さないなど中毒作用が許容できる範囲（耐量，tolerated dose）での最大用量を

いう．

7) 致死量（lethal dose）

有害反応を示す用量で死亡する個体が現れる用量を最小致死量（minimum lethal dose）といい，致死量はこれを超えた用量範囲である．

II ─ 治療係数

量子的用量-反応曲線から，ある薬物を使用する際の安全性に関する情報を得ることができる．**治療係数**[*5]（therapeutic index）は，治療効果を得る用量に対する有害反応（致死効果）が現れる用量の比で求まり，図2のグラフ上の**LD$_{50}$**と**ED$_{50}$**のA-B2点間の距離で現される[*6]．

$$治療係数 = \frac{LD_{50}}{ED_{50}}\text{[*7]}$$

治療係数が大きい薬物の方が小さい薬物より安全性が高い．

2章　用量と薬理作用

　歯学教育モデル・コア・カリキュラム（令和4年度改訂版）では，薬物の作用（和漢薬を含む）に関する基本的事項を理解するために，薬物の用量-反応曲線を描き，有効量，中毒量および致死量の関係と治療係数を理解することを学修目標としている．歯科医師国家試験出題基準（令和5年版）では，歯科医学総論の「薬物療法，用法・用量」に「用量と反応」を挙げている．実際の歯科医師国家試験では，用量-反応曲線，50％有効量と50％致死量，治療係数に関する出題が見られる．

[*5] 治療係数は**安全域**（安全係数）ともいわれる．
[*6] 対数目盛上のA-B2点間距離 $\log(B) - \log(A) = \log(B/A)$
[*7] ある薬物のED$_{50}$，TD$_{50}$，LD$_{50}$は動物実験（非臨床試験）で求められる．しかし，ヒトに対するLD$_{50}$を求めることは不可能であり，また動物愛護に基づく実験動物福祉の観点から非臨床試験も困難となってきている．そこで，LD$_{50}$の代わりに取得できた中毒効果（軽微～重篤な反応）のTD$_{50}$を用いることがある．

3章 薬物の投与経路・適用法

薬理学　総論　A．医薬品と薬理作用

学修目標とポイント

- 経口投与と注射投与の違いと，それぞれの長所・短所を説明できる．
- 投与方法ごとに薬物が吸収される場所，初回通過効果の有無，投与方法に適した薬物の性質を説明できる．
- 剤形と投与方法の関係を説明できる．

本章のキーワード

投与経路，全身投与，局所投与，適用方法，経口投与，注射投与，舌下投与，吸入投与，経皮投与，直腸投与，初回通過効果，内服，頓服，剤形，ニトログリセリン

I 投与経路と投与方法

薬物の投与経路は，薬物が血液に入って全身をめぐる**全身投与**（全身適用）と薬物が投与された場所で作用を発揮する**局所投与**（局所適用）に分けることができる．薬物の投与方法（適用方法）として経口投与と注射投与が一般的に用いられている．それ以外にも口腔内や気管支，鼻腔，皮膚，直腸などへの投与方法がある．

II 経口投与 〔*per os*；PO（ラテン語）〕

経口投与とは，薬物を口から投与する方法を意味するが，飲み込まずに口腔粘膜から吸収させる薬物（舌下薬など）や口内炎など口腔内の局所作用を目的とする薬物は除外されることがある．経口投与された薬物は消化管粘膜（主に小腸）から吸収され，門脈・肝臓を経て全身循環に移行し標的組織に到達するが，一部の薬物は小腸や肝臓の薬物代謝酵素（CYP）により代謝される．門脈通過後の肝臓での薬物の代謝を**初回通過効果**（first pass effect）という．

薬物の全品目の半数以上が経口投与する薬物であり，**経口薬**と呼ばれる．経口薬のうち，**内服**は食間（食事と食事の間），就寝前，食前・食後のように薬物を定期的に飲むことを意味し，**頓服**（頓用）は症状が現れた時に飲むことを意味する．

経口投与の長所は，①特別な器具が不要で自宅でも投与可能である，②注射投与に比べると血中薬物濃度の上昇と作用の発現が穏やかで安全性が高い，③患者の苦痛が小さい，④様々な剤形があり薬物の吸収をコントロールできる，などがあげられる．短所として，①作用発現に時間がかかるため，緊急の際に速効性が期待できない，②**初回通過効果を受ける**，③消化液で分解される薬物は投与できない，④消化管の内容物や患者の背景（年齢，疾患など）の影響により吸収が不確実である，⑤意識障害や嘔吐のある患者に投与できない，などがあげられる．

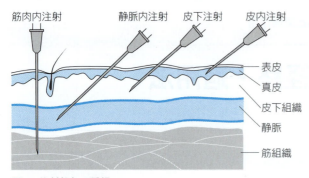

図1 注射投与の種類

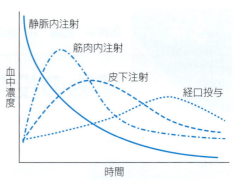

図2 投与経路と血中濃度–時間曲線

Ⅲ 注射投与

注射によって薬物を投与する方法であり，静脈内注射（静注），筋肉内注射（筋注），皮内注射，皮下注射（皮下注），動脈内注射などがあり（図1），いずれも**初回通過効果を受けない**．経口投与よりも速効性が期待できる点が長所（図2）としてあげられる一方，短所として，①原則，医師，歯科医師，看護師しか投与できないため患者は通院する必要がある，②注射時に痛みを伴う，③投与後の血中薬物濃度の上昇が速いため，投与量（用量）を誤ると中毒域に到達し副作用などの有害事象が発生しかねない，などがあげられる．なお，腹腔内注射，髄腔内注射，関節内注射など特定の組織への到達を目的とした注射投与方法もある．

1）静脈内注射（静注，intravenous injection；IV）

一部の抗腫瘍薬のように細胞毒性の強い薬物や静脈内麻酔薬など，経口投与が困難な薬物の投与に使用されることが多い．静脈内に針を刺して直接薬物を注入するため，①用量を正確に速く全身循環に移行させることができる，②血中薬物濃度が速やかに上昇するため速効性があり緊急時に役立つ．一方で，血中薬物濃度の急激な上昇による有害事象発現のリスクがあり，経口投与よりも安全性が低い．

臨床コラム

剤形

口から服用する薬物には，錠剤，カプセル剤，顆粒剤，散剤，経口液剤，シロップ剤，経口ゼリー剤，経口フィルム剤など様々な製剤の種類（**剤形**）があり，薬物の特性や疾患の種類や患者の背景に応じて使い分ける．

錠剤の種類として，唾液で速やかに溶ける**口腔内崩壊錠**や，噛み砕いて溶かす**チュアブル錠**，臼歯と頰の間に保持し口腔粘膜から直接吸収させる**バッカル錠**（初回通過効果を受けない），舌の上で溶かす**トローチ錠**，胃では溶けず腸で溶ける**腸溶錠**（例：バイアスピリン錠，オメプラゾール錠など），口腔内に付着して唾液により膨張し持続的に患部に薬物が作用する**付着錠**などがある．チュアブル錠や付着錠は口内炎の治療にも用いられる．また，投与後，薬物がゆっくり溶け出すことで効果が持続する**徐放性製剤**や，一定の時間が経過すると薬物が放出される**時限放出型製剤**などがある．

2）点滴静脈内注射（点滴，intravenous instillation）

　ボトルやバッグから輸液や薬液を少量ずつ持続的に投与する方法である．薬液の体積が大きいため，①薬物を低濃度で投与することで毒性発現を回避できる他，②水溶性の低い薬物の投与や複数薬物の混合投与も可能である．また，③滴下速度の調整により，血中薬物濃度を長時間にわたって維持・調節することができる．しかし，患者は注射針を刺した状態で長時間にわたり行動制限され，刺入部の感染にも注意が必要である．

3）筋肉内注射（intramuscular injection；IM）

　筋組織には血管が比較的多く分布するため，①筋肉内に注射投与された薬物は静脈内注射に次いで速く全身循環に移行する．②脂溶性や懸濁性の高い薬物や刺激性の強い薬物の投与が可能で，ワクチンや解熱鎮痛薬，ホルモン製剤などの投与に用いられる．一般的に血管や神経が少ない三角筋という肩の筋肉内に注射する．

4）皮内注射（intradermal injection；ID）

　表皮とその下の真皮の間に薬物を注射する方法であり，上皮組織からの吸収過程を経るため吸収が遅い．一般的に薬物による治療を目的とするのではなく，ツベルクリン反応やアレルギーなどの検査の際に用いられる．

5）皮下注射（subcutaneous injection；SC）

　皮下組織にはリンパ管が多く存在するため，①注射された薬物はリンパ管から吸収され全身へ移行する．静脈内注射や筋肉内注射よりも吸収速度は遅いため，②血中薬物濃度は緩やかに上昇し長時間維持される．③神経や血管の少ない上腕伸側の皮下に注射するが，インスリン自己注射の際は腹壁や大腿，肩，臀部の皮下が一般的である．

6）動脈内注射（intraarterial injection；IAI）

　動脈内にカテーテルという細いチューブを挿入し薬物を投与する方法である．抗腫瘍薬を標的に対して限局的に投与する際に用いられ，動注化学療法と呼ばれる．

Ⅳ　その他の投与方法

1）舌下投与

　薬物を舌下部に置くと口腔粘膜から吸収され，速やかに静脈から全身循環に移行するため，速効性がある．初回通過効果を受けない．狭心症の発作が起こった際に，その治療薬（血管拡張薬）であるニトログリセリンを舌の下に含んで自然に溶けるのを待つのは，速効性だけでなく，ニトログリセリンが消化管内で分解されるため経口投与困難であることも理由としてあげられる．すなわち，舌下投与には，①簡便性，②即効性，③消化管での分解や初回通過効果を受けないという利点がある．

2）吸入投与

　呼吸器（肺・気管支）からガス化または微粒子化させた薬物を吸入させる投与方法であり，気管支喘息治療薬（吸入ステロイド薬），吸入麻酔薬，抗ウイルス薬（ザナミビル水和物，ラニナミビルオクタン酸エステル水和物）などを投与する際に用いられる．初回通過効果を受けずに全身循環に移行する．

3）経皮投与（皮膚投与，transdermal administration）

　皮膚を介して薬物が体内に移行する投与方法であり，貼付剤，軟膏剤，クリーム剤などが使用される．局所投与を目的とした薬物が多いが，全身投与を目的としたニコチンパッチ剤（禁煙補助薬）やニトログリセリン（狭心症治療薬），ブチルスコポラミン臭化物（制吐薬）など

もある．

4）直腸内投与（rectal administration）

坐剤を投与する方法であり，肛門や直腸の粘膜から速やかに薬物が吸収され即効性がある．経口投与が困難な患者に対する投与方法としても有効であるが，急激な血中薬物濃度の上昇に伴う有害事象の発現に注意が必要である．直腸下部から吸収された薬物は初回通過効果を受けないが，直腸上部から吸収された薬物の一部は門脈・肝臓を経由するため初回通過効果を受ける．

3章　薬物の投与経路・適用法

　歯学教育モデル・コア・カリキュラム（令和4年度改訂版）では，投与された薬物の生体内運命を理解するために，薬物の投与方法の種類と特徴を理解していることを学修目標としている．歯科医師国家試験出題基準（令和5年版）では，必修の基本的事項の「薬物療法」に「薬物投与」を挙げている．また，歯科医学総論の「薬物療法，用法・用量」に「投与経路と剤形の種類と特徴」を挙げている．実際の歯科医師国家試験では，経口投与の特徴，経口投与とバイオアベイラビリティ，薬物の投与方法による血中濃度変化の相違に関する出題などが見られる．

4章 薬理学 総論 A. 医薬品と薬理作用

薬物動態

学修目標とポイント

- 薬物が生体内をどのように移動するかを理解する．
- 薬物の生体膜通過様式を説明できる．
- 薬物動態（吸収，分布，代謝，排泄）を説明できる．
- 血中濃度-時間曲線を説明できる．
- バイオアベイラビリティ，初回通過効果，コンパートメントモデルを説明できる．
- 薬物の代謝機構と排泄経路について説明できる．

本章のキーワード

ADME，血中濃度-時間曲線，バイオアベイラビリティ，初回通過効果，コンパートメントモデル，血液脳関門，薬物代謝酵素

I ── 薬物動態

1. 定義

薬物動態（pharmacokinetics）とは，投与された薬物が時間経過に伴い体内から消失するまでの過程を示すものである．薬物の薬理学的作用は主として薬物の血中濃度に依存して現れる．薬物が作用する速さおよび持続時間は，体内における薬物の動きと構造修飾にかかわる基本的な4つの過程によって調節されている．これら4つの過程は英語で **A**bsorption（吸収），**Di**stribution（分布），**M**etabolism（代謝），**E**xcretion（排泄）と表される．そのため，これら4つの頭文字をとって **ADME**（アドメ）と表現される．投与された薬物は一般的に血液への吸収，血中から体内の各組織への分布，代謝，体外への排泄という段階をたどる．

2. 血中濃度-時間曲線

薬物動態を知るための基本事項は，薬物投与後に血中濃度を測定することである．血中薬物濃度は血液を経時的に採取して薬物濃度を測定し，横軸に時間を縦軸に血中濃度を取った**血中濃度-時間曲線**（blood concentration-time curve）で表す．血中濃度-時間曲線では薬物投与後に血中濃度が最大となる点がある．この時の濃度を**最高血中濃度**（maximum blood concentration）（C_{max}）と呼び，時間を**最高血中濃度到達時間**（maximum drug concentration time）（t_{max}）という．また薬物の除去相（消失相）において任意の時点の血中濃度が半分になるのに要する時間を**生物学的半減期**（biological half-life）（$t_{1/2}$）という．血中濃度-時間曲線と横軸である時間とで囲まれた部分の面積を**血中濃度-時間曲線下面積**（area under the blood concentration-time curve；AUC）という（図1）．

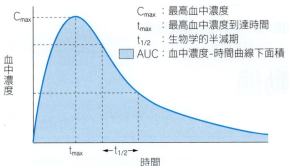

図1 血中濃度-時間曲線

Ⅱ 薬物の吸収

薬物の吸収（absorption）とは，薬物投与した部位から血中へ移行する過程を指す．吸収の速度と効率は投与方法に依拠する．例えば薬物が静脈内注射によって直接投与された場合には，すべての薬物は吸収される．しかし，それ以外の経路では，血中に入るまで様々な関門があるため吸収の効率が落ちる．細胞膜を通過するには大きく3つの過程があり，以下に述べる受動拡散，能動輸送，膜輸送に分けられる．

1. 薬物の細胞膜通過

1) 受動拡散（passive diffusion）

受動拡散とは濃度勾配に従って薬物が細胞の内部に輸送される．受動拡散はエネルギーを必要としない輸送機構である．脂溶性の高い薬物は脂質二重膜を通過するが，水溶性の高い薬物は水チャネルなどを通過して細胞膜を通過する．

2) 能動輸送（active transport）

能動輸送はエネルギー依存的であり，ATP（adenosine triphosphate）を加水分解することによるエネルギーを利用して輸送される．そのため，薬物を低濃度環境から高濃度環境へ輸送することができる．代表的な例であるトランスポーターによって薬物は細胞膜を通過し，血中に到達することができる．特に薬物を輸送できる分子を薬物トランスポーターという．代表例として，**P糖タンパク質**（P-glycoprotein；P-gp）がある．トランスポーターは肝臓，腎臓，消化管における薬物排泄や血液脳関門の機能に関係している．さらに，癌細胞の薬剤耐性獲得の原因ともなっている．

3) 膜輸送（membrane trafficking）

高分子の薬物が生体膜を通過する際には，飲食作用や貪食作用などにより薬物を細胞内に取り込む．細胞外へ分泌される場合には，開口分泌によって放出される．神経伝達物質などが代表的な例である．

2. 吸収における pH の影響

薬物の pH により膜通過機構は異なる．一般的に薬物は荷電していない方が膜を通過しやすい．酸性薬物（HA）の場合，H^+ を放出し，荷電した陰イオンを生成する．

$$HA \rightleftarrows H^+ + A^-$$

弱酸の場合は，非イオン型である HA は膜を通過できるが，A^- は通過できない．逆に塩基

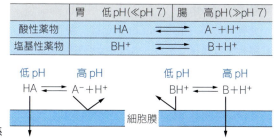

図2　薬物の吸収とpHの関係

性薬物（BH^+）の場合には，H^+を喪失することで非荷電塩基が生成される．

$$BH^+ \rightleftarrows B + H^+$$

この場合，非イオン型であるBは膜を通過できるが，BH^+は通過できない（図2）．したがって，薬物の膜通過の有効濃度はイオン型と非イオン型の濃度比で決定される．pHに対する酸–塩基濃度比とpKa（酸解離定数）の関係はHenderson-Hasselbalchの式で表される．

pH＝pKa　＋　log［非プロトン化分子］/［プロトン化分子］
酸の場合　　pH＝pKa　＋　log［A^-］/［HA］
塩基の場合　pH＝pKa　＋　log［B］/［BH^+］　となる．

3. 吸収における脂溶性と水溶性 (lipid solubility and water solubility)

細胞膜を通過して薬が血管内から体内へと吸収されるためには，薬物の脂溶性（疎水性）が高いほど通過しやすい．しかしながら，消化管から吸収されるには水に溶けていなければいけないので，脂溶性が高くなりすぎると，薬物の吸収が悪くなってしまう．したがって，適度な脂溶性と水溶性を併せもつ薬物が最も吸収効率が高い．

4. バイオアベイラビリティ (bioavailability，生物学的利用能)

バイオアベイラビリティ（F）とは投与した薬物のうち体循環に入る薬物の割合のことである．薬物を注射などによって投与した場合，薬物が体内から血液循環に移行する割合が高くなる．しかし，経口投与した場合には消化管による吸収率に依存し，肝臓で分解されるため，薬物が体循環にのって利用される割合が低くなる（**初回通過効果，3章Ⅱ参照**）．

したがって，投与経路が経口投与での場合，下の式で求められる（式中のAUCは**図1参照**）．

バイオアベイラビリティ(F)＝経口投与のAUC/静脈内投与のAUC

バイオアベイラビリティに影響を与える因子として，初回通過効果，薬物の溶解性，化学的安定性，製剤の性質，生物学的同等性[*1]，治療学的同等性などがある．

[*1] 生物学的に同等であるとは，吸収される薬物量と薬物濃度が同等であることを示している．たとえば，有効成分が同じ先発医薬品と後発医薬品の場合，薬物量としてのAUCと薬物濃度としてのC_{max}の両医薬品の比が0.80〜1.25である場合，両医薬品は"生物学的に同等である"という．

III　薬物の分布

薬物の分布（distribution）とは，薬物が可逆的に血管内から出て細胞間隙や組織の細胞内に移行する過程である．血液中から細胞間隙への移行は，血液量，血管透過性，薬物と血漿中タンパク質の結合程度および薬物の相対的な脂溶性に依存する．

1）血中での薬物の存在様式

血液中に移行した薬物は，血漿タンパク質に結合した結合型か，結合しない遊離型のどちらかで存在する．結合型は分子量の大きなタンパク質と結合していることが多く，血管内から細胞間隙へ移行することができない．主な結合タンパク質には，**アルブミンや$α_1$-酸性糖タンパク質**がある．アルブミンは主として弱酸性薬物と結合するが，$α_1$-酸性糖タンパク質は主に弱塩基性薬物と結合する．一方，遊離型は細胞膜を拡散して細胞内に移行できる．例えば，抗凝固薬のワルファリンカリウムはアルブミンとの結合性が90％以上あり，10％以下の遊離型が抗凝固作用を示す．

2）組織血流量

分布速度は組織血流量に比例する．血流量が多い組織である脳，心臓，肝臓，腎臓などの臓器は血中濃度に近い組織濃度で推移する．逆に血流量の少ない組織である脂肪組織や骨組織は，血中濃度よりも遅れて上昇，下降するため組織内濃度が血中濃度を上回り，薬物の貯蔵組織として作用する．

3）血管透過性

血管の透過性は部位によって異なる．血管透過性の高い組織としては，腎臓の糸球体や肝臓，骨髄，内分泌腺および外分泌腺などがある．これらの血管ではタンパク結合型薬物以外は通過することができる．血管透過性が低い組織には関門と呼ばれる装置がある．主な関門は**血液脳関門**（blood brain barrier；BBB），**血液脳脊髄液関門**，**血液胎盤関門**，**血液睾丸関門**である．血液脳関門に比べ胎盤や睾丸の関門は透過性が高く，多くの薬物が通過する．

4）組織移行性

特定の組織に強い親和性を示す薬物の組織移行性は高い．その組織には集中的に薬物が集まり，反復投与すれば，その組織に蓄積する．例えば，ヨウ素製剤は甲状腺に集積しやすい．

5）組織への蓄積

多くの薬物は組織に蓄積し，蓄積した組織での薬物の濃度は血中濃度よりも高くなる．たとえばチオペンタールナトリウムは脂溶性が高い薬物であるため，脂溶性が高い脂肪組織に蓄積する．その後，脂肪組織に集積した薬物は供給源となり脂肪組織から血中へと移行するため，薬物作用が持続することになる．

6）分布容積（distribution volume）

薬物を投与した後に，どれだけの体積に分散したかを表す見かけの容積が分布容積（Vd）である．この分布容積とは，投与された薬物が血液中から他の組織へどの程度移行するかを表す指標である．つまり，分布容積が小さければ薬物は血液中に留まっていることを示し，大きければ薬物は血中から外部の組織に移行したことを示す．分布容積は以下の式から求められる．

$$\text{分布容積（Vd）}＝\text{体内の総薬物量（X）}/\text{薬物の血中濃度（C）}$$

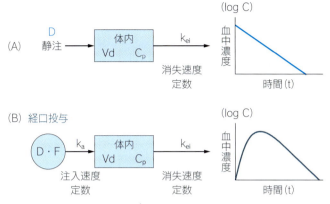

図3　1コンパートメントモデル

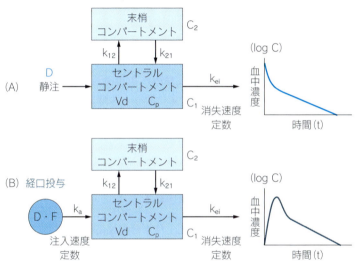

図4　2コンパートメントモデル
D：投与量，F：バイオアベイラビリティ，Vd：分布容積，C_p：血漿中の薬物濃度，k_{12}，k_{21}：コンパートメント間速度定数

7) コンパートメントモデル

　薬物の分布過程でそれぞれの臓器・組織に移行する速度は，臓器組織ごとの血液量や血管透過性が異なるため様々である．そこで，移行することがある範囲内にある領域をコンパートメントと単純化した方法を1コンパートメントモデルという．分布速度の速いセントラルコンパートメントと分布速度の遅い末梢コンパートメントの2つを考えるモデルを2コンパートメントモデルという．1コンパートメントモデルでの静脈内注射（静注）と経口投与での血中濃度-時間曲線は図3のようになる．これが，2コンパートメントモデルでは図4のようになる．2コンパートメントモデルでは2つのコンパートメントでの血中濃度-時間曲線を合わせた変化になる．

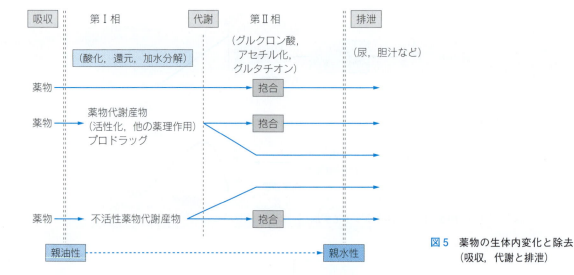

図5 薬物の生体内変化と除去
（吸収，代謝と排泄）

Ⅳ 薬物の代謝

　薬物が体内に入ると，生体では速やかに体外へ排出する働きがある．薬物の代謝（metabolism）は主として肝臓で行われ，薬物の代謝に関与する酵素を**薬物代謝酵素**（drug-metabolizing enzyme）という．

1．薬物代謝反応

　薬物代謝反応とは薬物を分解あるいは排泄する反応である．この反応には第Ⅰ相反応と第Ⅱ相反応の2種類があり，以下のように大別される．

　　第Ⅰ相反応：異化反応……酸化，還元，加水分解反応
　　第Ⅱ相反応：合成反応……グルクロン酸抱合，硫酸抱合反応

　第Ⅰ相反応に関与する酵素には多数のアイソザイムが存在し，1つの薬物は複数の酵素の基質となる．これらの反応は必ずしも第Ⅰ相反応→第Ⅱ相反応の順番で行われないこともある．親水性の高められた薬物は腎臓から尿中排出され，あるいは胆汁中に排出される（図5）．

2．薬物代謝酵素　[シトクロム[*2] P-450（cytochrome P-450；CYP）]

　薬物代謝は主に肝臓で行われる．代表的な**薬物代謝酵素**はシトクロム P-450 であり，CYP（シップ）とも呼ばれる．CYPは様々な分子種が存在し，多様な反応を触媒する．具体的には，酸化反応として水酸化，脱アルキル化，エポキシ化，脱硫黄化などの反応の他，還元反応として脱ハロゲン化などの反応を行う．このような反応により，脂溶性に富んでいる大多数の薬物は水溶性へと変換されて体外へと排出されやすくなる．

　CYPは肝臓以外にも腎臓，肺，消化管，副腎，脳，皮膚でも存在するため，経口投与による薬物では，肝臓だけではなく，消化管でも初回通過効果を受ける．CYP3A4は腸粘膜に多い酵素であり，クロルプロマジン塩酸塩やクロナゼパムの初回通過効果の原因となる．また

[*2] チトクロムとも表記される．

表 CYPアイソザイムと代謝される薬物

CYPアイソザイム	代謝される薬物
CYP1A2	アセトアミノフェン，カフェイン水和物，テオフィリン，プロプラノロール塩酸塩
CYP2A6	テガフール，ニコチン
CYP2B6	シクロホスファミド水和物，ケタミン塩酸塩，クロピドグレル硫酸塩
CYP2C9	イブプロフェン，カルベジロール，ジクロフェナクナトリウム，フェニトイン，ワルファリンカリウム
CYP2C19	ジアゼパム，オメプラゾール，ランソプラゾール，クロピドグレル硫酸塩，プロプラノロール塩酸塩
CYP2D6	タモキシフェンクエン酸塩，フルボキサミンマレイン酸塩，ハロペリドール，コデインリン酸塩水和物，プロプラノロール塩酸塩
CYP2E1	アセトアミノフェン，アセトン，エタノール，トルエン，ベンゼン
CYP3A4	アミオダロン塩酸塩，カルバマゼピン，エリスロマイシン，タクロリムス水和物，タモキシフェンクエン酸塩

CYPは遺伝子多型が存在するため，遺伝子型により薬物の感受性が異なる．例えば，薬物分解能力が低い遺伝子型があるため，麻薬性鎮痛薬のコデインリン酸塩水和物は低い薬物量でも中毒量に達することがある（表）．

3．抱合反応

薬物を体外へ排泄するためには水溶性を向上させる必要がある．酸化還元による第Ⅰ相反応の後，グルクロン酸，硫酸塩，アミノ酸などの水溶性物質と結合させる反応を**抱合反応**と呼ぶ．この反応は第Ⅱ相反応と呼ばれる．薬物とグルクロン酸を結合させる反応をグルクロン酸抱合と呼ぶ．他にも硫酸塩を結合させる反応を硫酸抱合，アミノ酸を結合させる反応をアミノ酸抱合と呼ぶ．

4．代謝酵素の誘導と阻害

薬物によって酵素を誘導することがある．誘導では1つまたは複数分子のCYP酵素の合成を促進させる．その結果，酵素分子数の増加により薬物代謝が促進するため，薬物の作用が弱まる．代謝酵素を誘導する薬物として抗結核薬のリファンピシン，抗てんかん薬のカルバマゼピンなどがある．逆に代謝酵素が薬物によって阻害されると，薬物の代謝が遅くなることで副作用が増強される．阻害物質の例として，抗菌薬であるエリスロマイシンやケトコナゾールは代謝酵素の中でCYP3A4を阻害する．通常の食物でも，グレープフルーツジュースにはCYP3A4を阻害する作用がある．

5．プロドラッグ

生体内で代謝を受けて活性型へ変化して薬理作用を発揮する薬物である．**プロドラッグ**を用いる目的として，副作用の低減，作用の持続化，生体への吸収率の向上，特定の臓器での作用などが挙げられる．プロドラッグは，大きく2つのタイプに分類されている．タイプ1は細胞内で活性化される薬物（例：テガフール，カプトプリル），タイプ2は細胞外で活性化される薬物（例：エトポシド，カンプトテシン，ドキソルビシン）である．

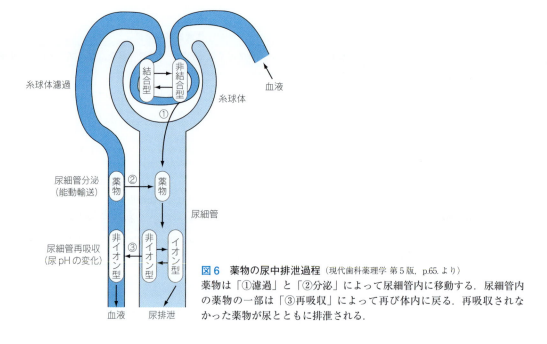

図6 薬物の尿中排泄過程（現代歯科薬理学 第5版, p.65. より）
薬物は「①濾過」と「②分泌」によって尿細管内に移動する．尿細管内の薬物の一部は「③再吸収」によって再び体内に戻る．再吸収されなかった薬物が尿とともに排泄される．

V ─ 薬物の排泄

　多くの薬物は尿中か胆汁中へ排泄（excretion）される．その他は糞便，外分泌液，呼気，皮膚，毛髪などに放出される．薬物が尿中排泄される速度は，血液組織などの体内に存在する薬物量に比例することが多い．つまり薬物の排泄速度は，体内の薬物量が多い時には速く，少ない時には遅くなる．一定の速度でしか排泄できない薬物もある．例えばメタノールは体内量にかかわらず排泄速度は一定である．そのため血中濃度が中毒量に達するとなかなか排泄されず中毒症状が長引く．

1）尿中への排泄

　薬物の尿中への排泄では，腎臓が重要な働きをもっている．水溶性になった薬物は尿と一緒に体外へと排泄される．腎臓の中でも血液を濾過することにより原尿を作る組織を糸球体と呼ぶ．糸球体で作られた尿は糸球体のすぐ後に続く近位尿細管を経て，膀胱側に存在する遠位尿細管へと輸送される．尿中への排泄には以下に述べる糸球体濾過，尿細管分泌，尿細管再吸収の3つの機構が関与している（図6）．

（1）糸球体濾過

　濾過の過程では，水以外にも様々な分子が濾過され，水とともに尿細管に送られる．糸球体の毛細血管は分子量約2万以下の物質を濾過することができるため，遊離型の薬物はほとんど濾過される．しかし，アルブミンと結合した薬物は分子量約68,000以上であるため濾過されない．したがって，糸球体濾過による薬物の排泄はアルブミンとの結合によって大きく左右される．

（2）尿細管への分泌

　アルブミンと結合した薬物は，糸球体で濾過されずに近位尿細管に運ばれてエネルギーを使ったポンプ機能により尿細管に分泌される．しかし，このポンプは特異性が低いため，複数

の薬物を通過させてしまう．そのため，同じ輸送系で分泌される薬物の間で競合が起こり，分泌が制御されることがある．

(3) 尿細管再吸収

近位尿細管での原尿には，糖やアミノ酸などの栄養素が含まれている．そのため，近位尿細管では糖やアミノ酸などの栄養素を能動輸送によって尿中から血液中へと再吸収する．この過程では種々のトランスポーターを利用している．遠位尿細管でも薬物の再吸収が行われる．この時の再吸収は受動拡散によって行われる．

2) 腸肝循環 (enterohepatic circulation)

薬物が胆汁とともに十二指腸管内にいったん分泌された後，腸管から再度吸収され，門脈を経て肝臓に戻る循環のことである．すなわち，薬物が肝臓で抱合を受けて胆汁中に排泄された後，腸内細菌のβ-グルクロニダーゼ，アゾ還元酵素などによる還元と加水分解によって脱抱合され，再び腸管から吸収されるという過程を経る．腸肝循環を起こしやすい薬物にはインドメタシン，クロルプロマジン塩酸塩，モルヒネ塩酸塩水和物などがある．

3) 全身クリアランス (CL_{tot})

全身クリアランスとは薬物の血中濃度と消失速度の関係を表す基本的な指標で以下の式から求められる．

$$薬物の消失速度 = 全身クリアランス(CL_{tot}) \times 血中薬物濃度(C)$$

全身クリアランスは薬物の全身からの排泄能力を示すため，薬物の種類ごとに決まった数値を取る．しかし，肝機能や腎機能の状態によって排出能力は変動するため，それらの臓器障害を有する患者では，全身クリアランスの値に補正が必要となる．

4) クレアチニンクリアランス (CL_{cr})

クレアチニンは糸球体で濾過された後，尿細管で再吸収されることも分泌されることもない分子である．そのため，尿中のクレアチニン量を測定すれば，糸球体による濾過機能を測定することができる．腎臓の機能が低下すればクレアチニンクリアランスが低下していくため，クレアチニンクリアランス値は腎機能のよい指標となる．

5) その他の排泄経路

その他の薬物の排泄経路としては，糞便，肺から呼気，唾液，乳腺，汗腺，涙腺，毛髪などがある．糞便中には消化管で吸収されなかった薬物，もしくは消化管や胆汁中に分泌された薬物が含まれる．肺から呼気中にはエタノールや吸入麻酔薬が排出される．唾液中には微量ながら比較的多くの薬物が排泄されるため，簡便に測定できる場所である．乳汁中にはエタノールや尿素などが排泄されるため，乳児への配慮が必要である．毛髪中にはヒ素，麻薬，覚醒剤が排出されるため，残留薬物は服用の指標となる．

6) 定常状態

薬物を持続的に投与すると，血中濃度を有効な範囲で維持する必要がある．そのため，薬物投与量と排泄量のバランスをとる必要がある．例えば，点滴静注を行う場合，薬物は投与開始から血中濃度が上昇していく．その後，上昇速度が次第に遅くなり，投与量と排泄量が釣り合う**定常状態**となる．

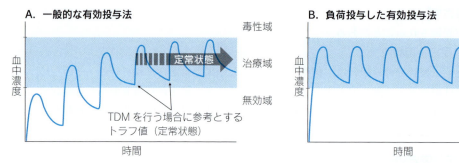

図7 有効投与法の違いによる薬物の血中濃度変化

7）反復投与

点滴投与では，血中濃度が徐々に増加していくが，その他の投与経路では反復投与を行った場合，血中濃度は一時的な上昇と下降を繰り返しながら次第に上昇していく．反復投与において，有害作用を回避しながら薬物を効かせるために採血をして血中薬物濃度をモニタすることがある．次回投与直前の血中濃度をトラフ値と呼ぶ．治療薬物モニタリング（therapeutic drug monitoring；TDM，**11章Ⅲ-2. 参照**）を行う際は，反復投与で薬物の血中濃度が定常状態になったタイミングのトラフ値を薬物投与計画策定時の参考とする（**図7A**）．

8）負荷投与量

緊急時では，いかに迅速に治療濃度に到達させられるかが重要となる．そのため，初回の薬物投与量のみを意図的に増やし血中濃度を一度で急上昇させることがある．これを**負荷投与量**（**負荷用量**，**負荷量**，loading dose）という（**図7B**）．

国試コラム　　　　　　　　**4章　薬物動態**

歯学教育モデル・コア・カリキュラム（令和4年度改訂版）では，投与された薬物の生体内運命を理解するために，薬物動態（吸収，分布，代謝，排泄）について理解することを学修目標としている．また，薬物の副作用・有害事象の種類および連用と併用の影響を考慮した薬物治療の基本的事項を理解することを目的として，主な薬物について，薬物動態の特徴や有害事象を考慮して投与時の注意事項を理解していることを学修目標としている．

歯科医師国家試験出題基準（令和5年版）では，必修の基本的事項の「薬物療法」に薬物動態を挙げ，歯科医学総論の「薬物療法・薬物の選択」に「薬物動態」を挙げている．実際の歯科医師国家試験では，薬物の生体膜通過，血液脳関門，薬物代謝酵素，代謝とプロドラッグ，腎臓からの排泄における腎臓疾患や加齢の影響，初回通過効果，バイオアベイラビリティに関する出題などが見られる．

5章 薬理学 総論 A. 医薬品と薬理作用

薬物の効果に影響する諸因子

学修目標とポイント

- 薬物の効果発現に対する生体内薬物濃度および薬物感受性の影響について説明できる．
- 薬物の効果に影響する生体側の因子（年齢，性差，人種差，遺伝的素因，疾病など）について説明できる．
- 薬物の効果に影響する薬物側の因子（剤形やドラッグデリバリーシステム）について説明できる．
- 薬物の効果に影響する人の責任分担や心理などに関与する因子（服薬遵守，薬物の服薬時刻と回数，プラセボ効果など）について説明できる．

本章のキーワード

薬物濃度，薬物感受性，ドラッグデリバリーシステム，服薬遵守

　薬物の効果は，生体組織の薬物濃度と生体の薬物感受性によって左右される．本章では，薬物の効果に影響する諸因子を生体側の因子，薬物側の因子，および人の責任分担や心理などに関与する因子として大きく3つに分類している．薬物の効果に影響する諸因子は，薬理学総論の多くの項目と関連するため，他の章に記載してある内容はその部分を参照するに留める．

I 生体側の因子

　期待した薬物効果を得るためには，作用部位における必要十分量の薬物濃度の存在が不可欠である．以下に記載する多くの生体側の因子により，薬物濃度を規定する吸収・分布・代謝・排泄などの**薬物動態学的因子**も生体の薬物感受性を規定する**薬力学的因子**も変動する．このため，作用部位の薬物濃度と生体組織の薬物感受性により左右される薬物の効果も以下の因子により大きく影響を受けることになる．

1) 年齢（age）

　臨床的な薬物の投与量は，一般に成人に対する投与量で示されており，適応や副作用に関する記載も成人に対する内容を基本としている．**小児**と**高齢者**の薬物動態や薬物感受性は成人と異なっているので，従来から薬物投与に際しての様々な注意がなされている（**9章Ⅲ，Ⅳ参照**）．

2) 性差

　動物によっては性差（sexual difference）が著しい例がある．ラットではヘキソバルビタール投与後の睡眠時間が雌に比べて雄の方が約1/4と著しく短い．ラットの薬物代謝酵素活性は**性的成熟期**（生後2か月から20か月前後）の間，雌に比べて雄の方が高いことが知られている．つまり，この間投与された睡眠薬による睡眠時間の違いは，エストロゲンが薬物代謝酵素活性を低下させるのに対してテストステロンは上昇させるために引き起こされると考えられている．

ヒトにおいても性差が報告されている．例えば，イブプロフェンの鎮痛効果は女性に比べて男性の方が高く，向精神薬の効果は逆に女性の方が高い．しかし，ヒトにおける性差は動物で見られるほど顕著ではなく，その差は小さい．また，同量の薬物を与えた場合，一般に女性は男性よりも感受性が高く薬物が効きやすく，有害作用は女性に出現しやすいといわれている．これは**体格**や**体重**の男女差により生じる薬物動態における性差が原因である．特に肝臓や腎臓が女性の方が総じて小さいため，薬物の代謝や排泄が低くなるためと考えられる．

降圧剤のカルシウム拮抗薬による下肢の浮腫は女性によく認められる有害作用である．糖尿病治療薬であるピオグリタゾン塩酸塩の副作用の1つにも下肢の浮腫があり，添付文書に女性に投与する場合には，低用量から投与を開始することが望ましいと記載されている．しかし，添付文書にこのような性差に配慮した常用量の設定が記載されている薬は少ない．

薬物代謝の違いだけでなく，女性に対して薬物を処方する際には，男性に対する場合とは異なる配慮が必要である．例えば，男性ホルモンを男性に対して使用する場合には比較的安全であるが，女性には男性化（例：声が太くなる）をもたらすなどの副作用があり，十分留意する必要がある．また，女性には，妊娠，月経，授乳など女性特有の生理現象があり，薬物の適用には慎重でなければならない．特に**妊娠中**は胃酸分泌の低下に伴う薬物溶解速度の遅延，血漿アルブミン濃度低下による遊離薬物濃度の上昇，薬物代謝酵素活性の増減による薬物半減期の変化，循環血液量増加に伴う糸球体濾過速度の上昇など薬物動態が大きく変化することに留意する必要がある（8章Ⅲ-1., 9章Ⅰ, Ⅱ参照）．

3）動物の種差

薬物に対する感受性は，動物の種差（species difference）によって異なることが多い．この問題は，新薬の開発，薬物の作用機序の研究など，実験薬理学の領域において特に問題となる．種差は特に温血動物と冷血動物で大きい．例えば麻酔を生じるモルヒネ塩酸塩水和物の量（皮下注射）は体重1 kg当たりイヌでは10〜20 mgであるのに対し，カエルでは1,000 mgである．温血動物間においても薬物に対する感受性の種差は存在する．例えばヒスタミンの致死量は体重1 kg当たりモルモットでは0.3 mgであるが，マウスでは250 mgである．

このような薬物に対する動物の種差が，薬物代謝活性の違いに基づく例が知られており，ヘキソバルビタールはその典型的な例である．**胎生期の薬物感受性**が高まる期間が，動物の種差によって異なることも特記すべき点である．例えば，齧歯類のラットでは催奇形性を生じる期間が非常に短く，**胚・胎児毒性試験**ではウサギなど催奇形性を生じる期間が長い**非齧歯類**も用いている．

4）人種差，動物の系統差（racial difference, strains difference）

人種によってある種の薬物に対する感受性が異なる場合が知られている．例えば，エフェドリン塩酸塩の散瞳効果は，一般に有色人種の場合には軽度であるが，白人の場合にはその作用がよく現れる．これはエフェドリンの作用発現の過程に関与する**酵素活性に遺伝的な違い**があるためと考えられる．

ヒトにおいて薬理作用の発現や持続時間に人種差が見られるように，同じ動物種であってもその系統により同様な差が見られることが知られている．マウスにおけるヘキソバルビタールによる睡眠の持続時間は，**シトクロムP-450（CYP）**の活性に依存することが知られている．実験薬理学の領域において重要となる正常値は，薬物の効果を判定する際に考慮すべき点であるが，同一種，同一週齢の動物であっても系統が違えば正常値は異なる．このため，同一週齢の動物の薬物効果を比較する場合は，雌雄を揃えた上で，同一種，同一系統を用いることが必

要である．

5）個体差，遺伝的素因

　動物実験であっても，人に対する薬物の投与であっても，個体によって薬効にばらつきが生じることが知られている．このため動物実験において薬物の効力を比較する場合には，できるだけ個体差（individual difference）の少ない近交系（近親交配系），あるいはクローズドコロニー（closed colony）などの動物群を用いて測定値のばらつきを抑える努力がなされる．

　生体の薬物に対する反応性に個体差が見られるのは，遺伝因子にも起因している．薬物に対して異常な反応を示す場合があり，昔から特異体質（idiosyncrasy）と呼ばれていたが，現在ではこれも**遺伝的素因**（hereditary factor）に関連して発現すると考えられている．**遺伝子多型**が薬物代謝酵素に見られる場合には，薬物動態に影響を与える．また，受容体や薬物代謝酵素にも遺伝子多型は起こるので，生体の感受性を変化させ，薬効や副作用の発現に個人差が生じる原因となることが考えられる（11章Ⅲ参照）．以下に，遺伝的素因により薬物効果が大きく異なる例を示す．

①イソニアジド（抗結核薬），ヒドララジン塩酸塩（降圧薬）など，肝臓で**N-アセチルトランスフェラーゼ**という酵素によりアセチル化を受けて不活性化される薬物の代謝には個体差がある．肝アセチル化酵素の低下が原因である遅い代謝形質は，家系調査の結果が速い代謝形質に対して劣勢であることが判明している．日本人では遅い代謝形質は10％であるが，白人は50％以上となっている．

②スキサメトニウム塩化物水和物（筋弛緩薬）に過敏に反応し，呼吸困難を生じるような個体がある．これは，この薬物を加水分解する血清中の**偽性コリンエステラーゼ活性**が極端に低いためである．

③エタノール（アルコール飲料，酒）による酩酊には大きな個人差や人種差がある．これはエタノールを酸化する代謝酵素に遺伝子多型が存在することに起因している．すなわち，エタノールを代謝する**アルコール脱水素酵素**には定型型と非定型型があり，遺伝的にどちらの酵素をもっているかによりエタノールを分解する速度が異なってくる．また，アルコール脱水素酵素によって生じたアセトアルデヒドを酢酸に分解するアルデヒド脱水素酵素にはⅠ型とⅡ型があり，日本人のおよそ半分ではⅠ型が欠損しているため，これらの個体では高い濃度で血中にアセトアルデヒドが貯留する．そのために，悪酔い（悪心，嘔吐，頭痛，二日酔いなど）を生じやすく，いわゆる「酒に弱い体質」ということになる（19章Ⅱ参照）．

④抜歯窩や粘膜・皮膚の潰瘍部を洗浄する際に，過酸化水素水（オキシドール）を用いることがある．過酸化水素は組織の**カタラーゼ**により，水と発生期の酸素に分解されて発泡し，これにより適用部位の清掃・消毒効果が得られる．しかし，無カタラーゼ症の患者では遺伝的にカタラーゼを欠損しており，そのために過酸化水素による所定の効果を得ることができない．

6）疾病（diseases）

　一般に薬物は，健康人に対して目立った作用を現さないが，病人に対しては著明な効果を発現する場合が多い．例えば解熱薬は発熱状態にある場合には体温を著しく下降させるが，正常の体温はほとんど下降させない．甲状腺機能亢進状態においては，アドレナリンの効果は強く増強される．一般に降圧薬による血圧低下作用は，高血圧の状態において効果が高い．また，肝機能障害や腎機能障害のある場合には薬物代謝や排泄能が低下し，薬物の作用持続時間が延長したり，毒性が上昇したりする（9章Ⅴ参照）．

7) 栄養状態, 体重 (nutritional conditions, body weight)

一般に**体脂肪**が増加すると薬物動態も変化することが知られている．例えば，**肥満**した人は麻酔薬に対する感受性が低い．それは麻酔薬が脂溶性であるため脂肪組織に分布する割合が大きくなり，相対的に神経組織への分布が少なくなるためである．逆に水溶性薬物の分布する割合は減少して血中濃度が上昇する．また，多くの薬物はグリシンやシステインと抱合されて排泄されるので，タンパク質の摂取不足の状態では薬物の排泄が遅くなる．また，タンパク質の摂取が不足すると高齢者における生理的変化に似て血中アルブミン量が減少するため，血中アルブミンと結合していない遊離型の薬物量が増加し，薬物は血中から組織に移行しやすくなるので，薬理作用の発現が強くなりやすい（**9章IV参照**）．

8) 外部環境 (circumstances)

気圧の低い高山地帯では，呼吸量増加により気体の吸収も排泄も速くなる．また，酸素不足の状態においては，アルコール，モルヒネ，睡眠薬などの作用が増強される．光線も薬物その他の化学物質の毒性に影響を及ぼし，ある種の薬物が光線過敏症を引き起こすことも知られている（**8章II-1.-2) 参照**）．

II — 薬物側の因子

1) 薬物の剤形

剤形（formulation）を工夫することにより，薬物の吸収速度や主薬の放出時間を制御し，**バイオアベイラビリティ**（4章II-4参照）を高める試みは広く行われている．薬物の剤形の違いは，特に経口投与の場合に大きな影響を与える．同一主薬の同一量を含有する薬剤であっても，剤形の違いにより吸収速度に差を生じてバイオアベイラビリティに影響し，結果として薬物の効果に影響を及ぼすことになる．具体的には，結晶粒子の大きさ，結晶の形状，緩衝剤のpH，塩の種類，製剤の添加物（賦形剤，結合剤，崩壊剤など）と剤皮の性質，剤形（錠剤，カプセル剤，散剤，液剤など）などの要因が挙げられる．一般に，カプセル剤より錠剤を経口投与すると吸収効率がよいといわれている．

2) ドラッグデリバリーシステム

薬物の効果を上げる工夫の一つとして，薬物の目標とする患部や組織にのみ（例えば癌組織にのみ）必要十分量を必要期間だけ作用させ，その他の部位や組織の機能にはできる限り影響を与えない技術が進歩してきた．このような製剤学的な技術は**ドラッグデリバリーシステム**（drug delivery system；DDS）と呼ばれ，鎮痛薬や気管支拡張薬，あるいは向精神薬などにも応用されている．DDSを進歩させることにより，薬物投与量を減少させ，副作用を減らし，薬物を選択的に目的部位に作用させることが可能となる．

また，タンパク質製剤やペプチド薬などは，生体内の酵素により分解されやすく血中半減期が短い．このため，血中半減期の低下を防ぐDDSの1つとして，徐々にタンパク質やペプチド薬を放出する薬物徐放担体の開発が進んでいる．

III — 人の責任分担や心理などに関与する因子

1) 患者の医療へのかかわり

患者が医師の指示に従うか否かという服薬のコンプライアンス（compliance，服薬遵守）は患者の責任分担であり，コンプライアンスの有無により薬物の効果は左右される．骨吸収抑制薬であるビスホスホネートは，服薬後30分の食事制限や乳製品の飲食禁止，姿勢も立位を保

つなど服薬後のコンプライアンスが得られにくい薬物の1つである（第11章Ⅳ-1., 第27章Ⅱ-5.-2）参照）．

コンプライアンスが医療者側から患者に対する責任を問う術語である一方で，患者が積極的に与えられた責任分担を果たしていこうとする服薬遵守の姿勢をアドヒアランス（adherence, 服薬堅持）という．服薬による治療効果を十分に得るためには，患者の自発的な意志から服薬方法を守ろうとする積極的な治療への参加が必要であり，同時に自ら治そうとする患者の積極的な気持ちへと導く医療者側の責任分担も問われている．このような意味合いからアドヒアランスという術語は，コンプライアンスに代わる新たな服薬遵守の概念として生まれてきた．

さらに近年では，患者が自身の治療方針に医療者と共同してかかわるコンコーダンス（concordance, 調和・一致）という概念がチーム医療の発達につれて浸透してきており，患者の主体性が治療に生かされる時代を迎えている．

2）薬物の投与時刻と回数

薬物の効果は，その投与時刻（administration time）によって影響を受ける．生体の様々な生理過程に**サーカディアンリズム**（概日性リズム）が存在し，睡眠中の睡眠・覚醒の繰り返しだけでなく，ホルモンの分泌，神経系の活動，呼吸・循環器系の動態，各組織や器官の代謝，電解質の排泄，細胞内情報伝達系など，きわめて広汎に認められることが明らかとなってきた．

服薬時刻によって薬物の効果に**日内変動**が生じる原因には2つの可能性が考えられる．1つは，薬物の標的となる受容体，酵素，細胞内情報伝達系，核酸・タンパク質の合成系などに日内変動があるためと考えられ，他方は，薬物の吸収・分布・代謝・排泄などの薬物動態に日内変動があり，これが，標的部位における薬物濃度に日内変動を生じさせるためと考えられる．

薬物の服薬回数（frequency）によっても，薬物の効果が影響を受ける．例えば，ペニシリン系，セフェム系などの時間依存性抗菌薬を投与する場合は，血中の最少発育阻止濃度（MIC）を超えている時間が長ければ長いほど，より強い抗菌作用を示す．

3）食事

患者の飲み物，食事（food）の内容も薬物動態に影響を与え，薬物の効果を左右する因子となる場合も多い．脂肪を多く含む食事を摂取すると，脂溶性の高い薬物である免疫抑制薬のシクロスポリンや抗てんかん薬のフェニトインなどは，薬物の溶解性が向上して薬物の吸収が増加する．また，炭酸水などの酸性飲料により胃内pHが低下すると，吸収しやすくなる薬物もある．カフェイン水和物を多く含む飲み物ではテオフィリンなど気管支拡張薬の副作用が強く出る場合がある．

また，摂取する食物により尿のpHが変化すると薬物の排泄が阻害され，効果が増強される場合もある．例えば，弱酸性薬物であるアスピリンなどの非ステロイド性抗炎症薬（NSAIDs）は，肉や卵など酸性食品の多量摂取により尿のpHが下がると，イオン型薬物の増加により腎臓での排泄が減少するため，血中濃度が上昇する可能性がある．グレープフルーツやその果汁摂取により，薬物代謝酵素の活性が阻害され，薬物効果に影響があることはよく知られている（7章Ⅱ-2.-3）参照）．空腹時投与の薬を食後に服用することにより，作用が強く出現する薬と効果が減弱する薬がある．

患者の食事によって変化する**胃内容物排出速度**（gastric emptying rate；GER）は，胃から小腸への移動速度のことであり，薬物の吸収に大きな影響を与える因子である．食事を摂取するだけでGERは遅くなり，薬物の小腸における吸収を遅延させる．特に，固形物を多く含む食事をした場合には，GERは遅くなり薬物の吸収遅延が起こる．なお，緊張など生体のコン

ディションによっても GER は遅延し，薬物の吸収を阻害する．GER を遅延させる薬物として，抗コリン薬，アルミニウム製剤，オピオイド薬などがある（7章Ⅱ-2.-1)-(5) 参照）．

4）薬物の連用と併用

臨床的に薬物を適用する場合には，様々な目的で，同じ薬物の**連用**や，種類の異なる複数の薬物の併用がなされる（continuous or combined applications of drugs）．このような薬物適用の結果，薬物動態や薬物感受性が影響を受け，薬物の効果が量的ばかりでなく，質的にも変化する可能性がある．これらは**薬物耐性**，**薬物依存**，あるいは**薬物の蓄積**などの副作用発現にも関与する（6章，7章参照）．

5）プラセボ効果

薬理学的に活性のない乳糖のような物質でも，ヒトに投与した時に薬としての効果を示すことがあり，**プラセボ（偽薬）効果**（placebo effect）として知られている．医師が薬物を処方するという行為が，患者に対して暗示的影響を与える結果である．鎮痛，催眠，覚醒，鎮静，かゆみの抑制など，大脳皮質機能が直接，間接に関連している現象の抑制や促進にプラセボ効果が発現する．そのため，薬物の真の臨床の効果を客観的に検討するためには，患者の側のプラセボ効果と，投薬する側の心理的動機の介入を除くように検定法が計画されなければならない．この目的で一般に用いられているのが，臨床試験の第Ⅲ相試験で多く用いられる**二重盲検法**（double blind test）である（11章Ⅰ参照）．

6）医療面接と情報不足

医師が薬剤を処方する際に，医師側が**医療面接**（medical interview）を通した十分な聞き取りを行わず，あるいは患者がすでに服薬している情報を医師に伝えないことにより，処方した薬物の効果に併用薬が影響を及ぼす．あるいは，厚生労働省から発信される薬物相互作用による**副作用情報**（医薬品等安全性関連情報）を医師が知らないなど，医療者側の情報不足（lack of information）により，期待した薬物効果が得られないばかりか，副作用が発現しやすくなる場合もある．これは薬剤が併用された場合に起こる薬剤同士の増強作用や拮抗作用によることが多い（7章参照）．

7）薬物の保管方法

冷暗所など定められた保管方法に従って保管しているのか，あるいは使用期限内に用いているかなど，**薬物の保管方法**（drug storage）も薬物の効果に影響する．

5章　薬物の効果に影響する諸因子

歯学教育モデル・コア・カリキュラム（令和4年度改訂版）では，薬物の作用（和漢薬を含む）に関する基本的事項を理解するために，薬理作用を規定する要因を理解していることを学修目標としている．また，投与された薬物の生体内運命を理解するために，遺伝的素因が影響する薬物動態の特徴を理解していることを学修目標としている．歯科医師国家試験出題基準（令和5年版）では，歯科医学総論の「薬物療法，用法・用量」「薬物適用の注意」に「薬効に影響を及ぼす身体的要因」を挙げている．実際の歯科医師国家試験では，薬物の効果に影響するさまざまな要因に関する出題などが見られる．

6章 薬理学 総論 A. 医薬品と薬理作用

薬物の連用

学修目標とポイント
- 薬物の連用による効果と反復投与において注意すべき点を説明できる.
- 薬物の連用による依存の形成と薬物の乱用, 依存性薬物の規制について説明できる.
- 薬物の連用による耐性や過感受性の形成機構を説明できる.

本章のキーワード
耐性, 脱感作, タキフィラキシー, 過感受性, 逆耐性, 身体依存, 精神依存, 離脱症候群, 蓄積, 乱用

　多くの薬物は, 反復投与することによって治療効果を上げることができる. 例えば, 時間依存性抗菌薬は一定の薬物血中濃度を維持することが必要であり, そのために適量を適切な時間間隔で投与する.

　薬物の連用は, 生体の反応性を減弱させたり, 逆に増強することがあるため注意を払う必要がある. また薬物によっては, 連用によって薬物依存が形成される結果, 薬物を乱用するようになり, 個人の健康を害する他に, 社会に弊害を及ぼすことが古くから問題となっている.

I ─ 耐性

　薬物を時間, 日, 週単位で反復投与すると, 薬理作用が減弱することがある. これを**耐性**（tolerance）という. 耐性が獲得されると, 同じ薬理作用を得るためには, 投与量を増加させる必要がある. 代表例として, 麻薬性鎮痛薬であるモルヒネ塩酸塩水和物（モルヒネ）の連用は著明な鎮痛作用の減弱が認められる. 耐性は, 作用メカニズムや構造が類似した薬物間で共通して見られることがあり, これを**交叉耐性**（cross tolerance）と呼ぶ. 例えばアルコール耐性をもつ場合, エーテルに対しても耐性が認められる. 耐性の原因は, **薬物動態学的耐性（代謝性耐性）** と**薬力学的耐性（機能的耐性）** により説明される.

1. 酵素誘導

　薬物動態学的耐性とは, 薬物を代謝する酵素が誘導される結果, 薬物代謝酵素の産生量が増加したり, 薬物の排泄能力が増加することによって薬理作用が減弱することを指す. 例えば, 抗腫瘍薬を長期投与すると, P糖タンパク質の発現によって細胞外への排出が増加したり, 薬物代謝酵素の産生量の増加などにより耐性を起こす. また, バルビツール酸系薬物はシトクロムP-450を誘導し, 薬物の代謝を促進することで効果が減弱する.

2. 脱感作

　薬力学的耐性は, 細胞に発現する受容体数の減少や, 薬物と受容体との結合親和性低下, あ

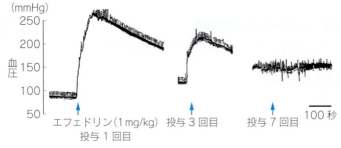

図1 エフェドリンによるタキフィラキシー
エフェドリン1 mg/kgをイヌ大腿静脈から30分間隔で反復投与すると，エフェドリンによる血圧の上昇が投与するたびに減弱する．
(Takasaki K, et al. *Kurume Med J.* 1972)

るいは細胞内情報伝達系の活性が低下することで生じる．薬物を短時間に反復投与すると，その薬理作用が急激に減弱することがある．これを**脱感作**（desensitization）あるいは**急性耐性**（acute tolerance）という．特に，短時間（分単位以内）で生じる急激な薬理作用の低下を，**タキフィラキシー**（tachyphylaxis）と呼ぶ．よく知られたタキフィラキシーの例として，エフェドリン塩酸塩による血圧上昇がある．エフェドリンは，交感神経終末に取り込まれて，カテコラミン貯蔵部位からノルアドレナリンを遊離させることで血圧を上昇させる．しかし反復投与すると，神経終末に貯蔵されたノルアドレナリンが枯渇することで血圧上昇作用が急激に減弱する（**図1**）．また，バソプレシンによる血圧上昇もタキフィラキシーを引き起こす．これは，バソプレシン受容体（V_{1a}受容体）へのバソプレシンの結合によるGタ

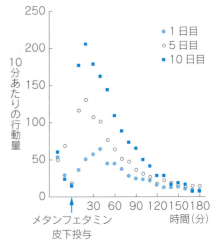

図2 メタンフェタミンに対する逆耐性
マウスにメタンフェタミン1 mg/kgを10日間反復投与して誘発される運動量は，投与回数に応じて増加する．
(Hirabayashi M, et al. *Pharmacol Biochem Behav.* 1981)

ンパク質の活性化によって，同受容体がリン酸化されて細胞内へ取り込まれる（internalization）結果，細胞膜上に発現するV_{1a}受容体が減少する（down regulation）．その他，受容体の活性化に続く細胞内情報伝達系の脱共役（uncoupling）や薬物代謝酵素の誘導もタキフィラキシーの原因となる．

3. 過感受性

　生体には，外部の環境に応じて機能を調節することによって**恒常性**（homeostasis）を維持する機構がある．薬物による生体機能の変調に対しても，恒常性を維持しようとする結果，その薬物に対する反応性が減弱したり（**脱感作**），逆に著しく亢進したりすることがある（**過感受性**, supersensitivity）．

　過感受性の原因としては，受容体数の増加（up regulation）や受容体からの情報伝達系の亢進などがある．過感受性を起こす代表的な薬物はメタンフェタミン塩酸塩などの覚醒剤である．メタンフェタミンを反復投与すると，陶酔感といった症状には耐性が形成される一方，幻覚や妄想などの覚醒剤精神病と呼ばれる症状は増強される，すなわち**逆耐性**を形成する．マウスを用いた動物実験では，メタンフェタミンが誘発する自発運動量が反復投与によって増加されることが明らかになっている（**図2**）．また，海馬などの大脳辺縁系に微弱な電気刺激を反

表 WHOによる主な依存性薬物の分類

分類	薬物	身体依存	精神依存	耐性	離脱症候	法規制
アルコール	アルコール	+++	++	++	振戦，せん妄，けいれんなど	未成年者飲酒禁止法
バルビツレート	バルビツール酸系薬物，ベンゾジアゼピン系薬物	+++	++	++	振戦，せん妄，けいれんなど	麻薬及び向精神薬取締法
オピオイド	モルヒネ，ヘロイン，コデインリン酸塩水和物，ペチジン塩酸塩，フェンタニルクエン酸塩	+++	+++	+++	流涙，食欲低下，下痢など	麻薬及び向精神薬取締法
アンフェタミン	アンフェタミン，メタンフェタミン，メチルフェニデート	−	+++	++		覚せい剤取締法，麻薬及び向精神薬取締法
コカイン	コカイン	−	+++	−		麻薬及び向精神薬取締法
大麻	マリファナ（ハシシュ）	−	++	−		大麻取締法
幻覚発現薬	LSD-25，メスカリン，シロシビン	−	+++	++		麻薬及び向精神薬取締法
有機溶媒	トルエン，シンナー，アセトン，エーテル，クロロホルム	?	+	+		毒物及び劇物取締法
ニコチン	ニコチン	±	++	+	イライラ，不快感	未成年者喫煙禁止法

＋：依存および耐性を有することを示し，その強さを数で表す．−：依存性および耐性がないことを示す．

復して与えるとけいれんを誘発するようになり，最終的には永続的かつ非可逆的なけいれん反応が獲得される．これを**燃え上がり現象**（kindling）と呼ぶ．これも，NMDA（N-methyl-D-aspartic acid）型受容体などの過感受性によるものと考えられている．

薬物を長期投与して治療効果を得た際，投与を急に止める（断薬）と，症状が服用前より一過性に悪化することがある．これを**反跳現象**（rebound phenomenon）と呼ぶ．

II ― 薬物依存

薬物依存（drug dependence）とは，薬物の投与を繰り返した結果，脳の様々な領域で慢性的な異常が生じ，精神・身体依存を形成した状態を指す．乱用した場合には，自ら薬物を摂取するという渇望をコントロールできないため，さらに薬物を乱用し，慢性中毒に陥ってしまう．このような薬物依存を生じる薬物は，**依存性薬物**と呼ばれ（表），「麻薬及び向精神薬取締法」，「覚せい剤取締法」，「大麻取締法」などで法的に厳重に規制されている．

1. 薬物依存の形成機序

中脳の腹側被蓋野から側坐核へ投射する中脳辺縁ドパミン神経系（A_{10}神経系）は，脳内報酬系と呼ばれ，この系の活性化は側坐核におけるドパミン量を増加させて快感を引き起こす．ドパミン受容体拮抗薬を投与すると，精神依存の形成が抑制されることは，精神依存の形成・維持にドパミン神経系の活性化が重要であることを示している．

また，ドパミン神経は，グルタミン酸作動性神経，セロトニン作動性神経，GABA作動性神経などによって興奮性を調節されていることから，これらの神経の活動性を変調させる薬物も依存を形成する．例として，麻薬性鎮痛薬であるモルヒネは，腹側被蓋野のGABA作動性

神経のオピオイドμ受容体に結合してその神経活動を抑制することで，ドパミン神経を脱抑制させる．その結果，ドパミン神経系の活動性が亢進して側坐核におけるドパミン遊離を増加させて精神依存を発現すると考えられている．

2. 身体依存，精神依存，離脱症候

依存には**身体依存**（physical dependence）と**精神依存**（psychological dependence）があり，依存性薬物はすべて身体依存を形成するわけではなく，アルコールやオピオイド系薬物，バルビツール酸系薬物，ベンゾジアゼピン系薬物などに限られる．一方，精神依存は，すべての依存性薬物に発現する．

依存性薬物は，多幸感を得るためにしばしば連用され，その結果として耐性が生じる．そのため薬物の使用量や頻度を増加させ，なりふり構わず薬物を入手しようとする．一方，メタンフェタミンなどの覚醒剤やメスカリンなどの幻覚薬は，少量の薬物摂取で快感を得るようになることがある（逆耐性）．また，覚醒剤の使用を中止した後に，ストレスや疲労，飲酒などをきっかけとして幻覚や妄想などの精神症状に襲われることがある．これを**再燃**（フラッシュバック現象）という．

身体依存は，アルコールによる依存を考えると分かりやすい．長年多量に飲酒すると，飲酒の中断によって手指振戦や幻覚，意識障害など振戦せん妄と呼ばれる離脱（退薬）症候を呈する．このように身体依存は，離脱症候によって特徴付けられる．

アルコール以外にも，断薬によって以前には認められなかった症状が出現する場合があり，これを**離脱症候群**（withdrawal syndrome）もしくは**退薬症候群**という．例えば，ゾルピデム酒石酸塩やベンゾジアゼピン系薬物を抗不安薬として長期服用した後に断薬すると，中枢神経系のGABA（gamma-aminobutyric acid）受容体による機能が急激に低下することによって，強い不安（反跳性不安）や不眠（反跳性不眠），離脱症候として感覚過敏や振戦などが生じる．また，ステロイド性抗炎症薬の長期投与では，副腎皮質のコルチコステロン産生能力が低下するため，断薬によって投与前の症状（発熱や関節痛，鼻閉，乾癬など）の悪化（反跳現象）や全身倦怠感や低血圧などの離脱症候群を引き起こす．したがって，このような薬物の投与を中止する際は，漸減的に投与量を減らすことが必要である．ヘロインやモルヒネなどのオピオイドの離脱症候は，不快，嘔吐，筋肉痛，流涙，散瞳，立毛，発汗，不眠など様々な自律神経の嵐と呼ばれる激しい症状が出現する．その苦しみから逃れるために，さらに薬物を入手しようと強迫的に行動を起こす（薬物探索行動）．なお離脱症候を以前は禁断症状と呼んだ．

精神依存とは，薬物による満足感や快感を得ようとする渇望に抗しきれず，繰り返し薬物を使用する状態である．身体依存とは異なり，精神依存だけでは原則として離脱症候を生じない．例として，喫煙によるニコチンの摂取が挙げられる．ニコチンは強い身体依存は生じないものの，持続的に禁煙することは困難であることが多い．また，コカインや覚醒剤の使用は，大きな社会問題になっているが，これらの薬物は精神依存のみで身体依存はない．すなわち，使用時の陶酔感や幻覚，妄想を渇望して，強迫的に入手しようとするが，使用中断による離脱症候はない．

3. 薬物乱用

薬物乱用（drug abuse）とは，薬物を医療目的以外に，多くの場合，意識の変容のために使用する行為であり，社会規範から逸脱して自ら薬物を使用することを指す．また，薬物でない化学物質，例えばシンナーなどの有機溶剤の吸引や，未成年者の飲酒・喫煙なども乱用にあ

たる．このように，薬物乱用は文化的・社会的価値基準を含んだものであるため，医学用語として厳密に規定されるものではない．世界保健機関（WHO）の国際疾病分類 第10版（ICD-10）では，薬物乱用という用語を廃止しており，代わりに精神的・身体的意味での有害な使用については「有害な使用」という表現を用いている．

なお，従来使用されていた用語である**耽溺**（嗜癖，addiction）および**習慣**（habituation）は，WHOの薬物依存に関する専門家委員会の報告（2003）で薬物依存に置き換えられた．

4．薬物中毒

薬物中毒は，急性中毒と慢性中毒に分けられる．ここでは，依存性薬物に関する薬物中毒について説明する．**急性中毒**は，薬物乱用の結果，その直接的薬理作用によって引き起こされた緊急な治療を要する身体および精神の状態を指す．例えばアルコールを短時間に大量に摂取すると，意識障害や運動失調が出現し，さらに進むと昏睡状態に陥り呼吸麻痺をきたして死に至る．**慢性中毒**は，薬物乱用を繰り返すことで健康に有害な反応が生じる状態を指す．この場合，薬物の使用を中止しても，身体的，精神的不調を呈する．例として，覚醒剤の乱用を繰り返すことで幻覚（幻視や幻聴）や被害妄想などを生じる覚醒剤精神病や，大麻の繰り返し乱用による幻覚や妄想，感情の平板化などの無動機症候群がある．

III 薬物の蓄積

多くの薬物は，その薬理作用を得るためには薬物の有効血中濃度を維持しなければならない．しかし，連用した際の吸収速度が代謝，排泄速度を超えると，体内に薬物が**蓄積**（accumulation）されていく．その結果，中毒量を上回り有害作用が発現することがある．脂溶性の高い薬物も蓄積しやすく，腎機能が低下している患者では薬物の排泄速度が低下しているため蓄積を起こしやすい（4章V-7．参照）．

代謝・排泄速度の指標になるのが**生物学的半減期**であり，ジギタリスのように生物学的半減期が長い薬物を生物学的半減期を考慮しない投与間隔で使用すると蓄積を起こしやすい．したがって，ジギタリスを投与する場合は，血中濃度を測定して有効血中濃度に維持するよう**治療薬物モニタリング**（therapeutic drug monitoring；TDM）を行う（11章III-2．参照）．また，テオフィリンやバンコマイシン塩酸塩など治療域の狭い薬物や中毒量と有効量が接近していて投与方法・投与量の管理の難しい薬物もTDMの対象となる．

鉛やカドミウム，水銀などの重金属類も排出速度が遅いため，骨や歯などの硬組織に蓄積することが知られており，中毒症状を呈することがある．

6章　薬物の連用

歯学教育モデル・コア・カリキュラム（令和4年度改訂版）では，薬物（和漢薬を含む）の副作用・有害事象の種類および連用と併用の影響を考慮した薬物治療の基本的事項を理解することを目的として，薬物の連用の影響（耐性，蓄積および薬物依存）を理解していることを学修目標としている．歯科医師国家試験出題基準（令和5年版）では，必修の基本的事項の「薬物療法」に「薬物投与（連用を含む）」を挙げ，歯科医学総論の「薬物療法，用法・用量」「薬物適用の注意」に「薬物の連用」を挙げている．実際の歯科医師国家試験では，薬物の連用による身体的依存に関する出題などが見られる．

7章 薬理学 総論 A. 医薬品と薬理作用
薬物の併用・相互作用

学修目標とポイント
- 薬物の併用による効果（相加作用，相乗作用，拮抗作用など）を説明できる．
- 薬力学的相互作用を説明できる．
- 吸収，分布，代謝，排泄過程における薬物動態学的相互作用について説明できる．

本章のキーワード
相加作用，相乗作用，競合的拮抗，非競合的拮抗，用量−反応曲線，薬物相互作用

I ── 薬物の併用

臨床では，複数の薬物を併用して治療にあたることがしばしばある．薬物を併用すると，薬理作用が増強する場合（**協力作用**）と，逆に作用が減弱する場合（**拮抗作用**）がある．協力作用は，さらに**相加作用**と**相乗作用**に分けられる（図1）．

1．協力作用（synergism）
1）相加作用（additive effect）
各薬物がもつ薬理作用の和に相当する作用が生じるもので，作用機序が同じ薬物の併用で見られることが多い．
2）相乗作用（potentialization）
各薬物の薬理作用の和より大きな反応が生じるものであり，作用機序が異なる薬物の併用で見られる．

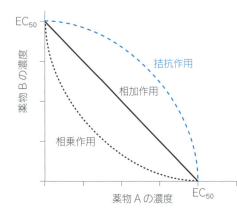

図1　薬物AとBの相加，相乗，拮抗作用を示すアイソボログラム
同じ薬理作用をもつ薬物AとBが相加作用をもつ場合，薬物Bに対して薬物Aを増量して50％の薬理作用を得るために必要な薬物Bの用量は，そのEC_{50}から直線的に減少する（実線）．薬物AとBが相乗作用をもつ場合は，急激に減少する（点線）．一方，拮抗作用がある場合，薬物Bの必要量はそのEC_{50}から著明に低下することはなく（破線），場合によってはEC_{50}を上回る用量が必要となる．すなわち，50％の薬理作用を得るのに必要な薬物AとBの用量が，直線より下にある場合は相乗作用があり，直線より上にある場合は拮抗作用があるとみなされる．

2. 拮抗作用 (antagonism)

各薬物の薬理作用が相互に作用を減弱することを拮抗作用という．

1) 薬理学的拮抗

同じ受容体やイオンチャネル，酵素，トランスポーターなどに作用する薬物を併用すると，作用が減弱することがある．

(1) 競合的拮抗

2つの薬物が同じ結合部位に作用する場合，一方の薬物が結合していると，他方の薬物は結合できない．先に結合した薬物が薬理作用をもたなければ，他方の薬物の作用は減弱する．このように，同じ部位に結合して他方の薬物の作用を減弱させるものを競合的拮抗薬（competitive antagonist）と呼ぶ．部分作動薬と完全作動薬を併用しても，完全作動薬の薬理作用は減弱することになる．競合的拮抗では，**用量-反応曲線の右方移動**が見られる（13章図2参照）．

(2) 非競合的拮抗

本来の薬理作用を発揮する受容体結合部位とは異なる部位に結合することによって，受容体の構造を変化させて活性化を抑制することがある（アロステリックアンタゴニスト）．また，受容体と不可逆的に結合する薬物を作用させると，作動薬が結合できなくなる．これらの拮抗様式を非競合的拮抗という（図2）．非競合的拮抗では，用量-反応曲線の最大反応量が低下する（13章図2参照）．

2) 生化学的拮抗

シトクロム P-450（CYP）などの**薬物代謝酵素**を誘導する薬物は，同酵素で分解される薬物の分解が促進されることによって作用が減弱する．これを生化学的拮抗という．

3) 生理学的拮抗（機能的拮抗）

異なる作用点をもち，生理的機能について相反して作用する薬物を併用すると，互いの薬理作用が減弱する．これを生理学的拮抗あるいは機能的拮抗と呼ぶ．

4) 化学的拮抗

薬物同士が化学的に結合することによって，互いの薬理作用を弱めることを化学的拮抗と呼ぶ．例として，テトラサイクリン塩酸塩が金属イオンとキレート結合し，抗菌作用が減弱されることがあげられる．

II ― 薬物相互作用 (drug interaction)

1. 薬力学的相互作用

薬力学とは，体内に取り込まれて作用部位に到達した薬物が，血圧や呼吸，行動などの生体機能や生体成分をどのように変化させるか，その機序を含めて明らかにする学問分野である．言い換えると，薬物と生体の関係を生体側に立って研究する学問といえる．薬物の併用によって生じる生体側の変化を薬力学的相互作用と呼ぶ．

例えば，**ニューキノロン系抗菌薬**であるエノキサシン水和物と**酸性非ステロイド性抗炎症薬（NSAIDs）**を併用すると，けいれんを生じることがある．これは，エノキサシンがもつγ-アミノ酪酸（GABA）のGABA$_A$受容体への結合を遮断する作用を酸性NSAIDsが増強するために生じる．血液凝固阻害作用をもつワルファリンカリウムは，抗菌薬と併用すると出血傾向が増強される．この機序は，ビタミンKの活性型への変換をワルファリンが阻害することで血液凝固が阻害される一方で，抗菌薬によって腸内のビタミンK産生細菌が減少して活性型ビタミンKが減少するというものである．

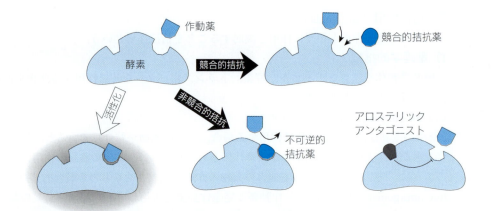

図2 酵素における競合的拮抗と非競合的拮抗
酵素に作動薬が結合すると，活性化されて酵素としての効果を生じる．作動薬が競合的拮抗薬と共存する場合，同じ結合部位への競合が生じて作動薬の結合が妨げられる結果，効果が抑制される（競合的拮抗）．作動薬の結合部位へ不可逆的に結合する拮抗薬やアロステリック部位に結合して作動薬の受容体への結合を妨げるアロステリックアンタゴニストは酵素の効果を抑制する（非競合的拮抗）．

2．薬物動態学的相互作用

生体に投与された併用薬物が，薬物動態（吸収，分布，代謝，排泄）の過程に影響を及ぼし，血中薬物濃度が変化することを薬物動態学的相互作用と呼ぶ．

1）吸収過程における薬物相互作用

(1) pH

経口投与された薬物は，胃，十二指腸，小腸を通過する間に消化管粘膜から吸収される．薬物が**受動拡散**によって上皮組織を通過する場合，荷電した薬物（イオン型）はリン脂質二重層を通過できず，極性があるものも通過しにくい．一方，疎水性の脂溶性薬物（非イオン型）は通過しやすい．したがって，弱酸性もしくは弱塩基性薬物の吸収は，消化管内のpHによって影響を受ける．

(2) P糖タンパク質

P糖タンパク質は，細胞に取り込まれた薬物を排出する薬物排出トランスポーターであり，小腸における薬物の吸収においてその働きが阻害されると消化管側に排出される薬物が減少し，吸収される薬物は増加する．P糖タンパク質の働きを阻害する薬物としては，キニジン硫酸塩水和物やベラパミル塩酸塩，アミオダロン塩酸塩，イトラコナゾールなどが知られており，例えばジゴキシンやダビガトランは，これらの薬物との併用により血中濃度が上昇する．

(3) キレート

制酸薬や**鉄剤**は，Fe^{2+}，Al^{3+}，Ca^{2+}，Mg^{2+}などの金属イオンを含んでおり，**テトラサイクリン系抗菌薬**やニューキノロン系抗菌薬は，これらの金属イオンと配位結合して不溶性のキレートを形成する．その結果，消化管での吸収が阻害される．

(4) 吸着

脂質代謝異常治療薬の**コレスチラミン**は，**陰イオン交換樹脂**であるため，陰イオン性の薬物（ワルファリン，**メフェナム酸**，ジギタリスなど）を吸着して吸収を遅らせる．

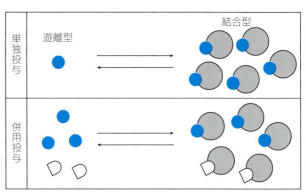

図3 血漿タンパク質への競合的結合による遊離型薬物の増加
血中において薬物は，血漿タンパク質に結合していない遊離型と結合している結合型が平衡状態にある．血漿タンパク質の同じ部位に結合する薬物を併用すると，血漿タンパク質の結合部位で競合が生じ，遊離型薬物の割合が増加する．元々結合型薬物の割合が高い場合，薬物併用による遊離型薬物の増加割合は2倍，3倍と大きく，薬効の重大な変化をきたす．

(5) 消化管運動

　消化管における薬物の吸収は主に小腸で行われるため，**胃内容物排出速度**（gastric emptying rate；**GER**）が減少すると，薬物の吸収も遅くなる．例えば，**麻薬性鎮痛薬**の1つである**モルヒネ塩酸塩水和物**は消化管運動を抑制するため，胃内容排出速度が減少し，アセトアミノフェンの吸収が遅くなる．

2) 分布過程における薬物相互作用

　薬物は血中に取り込まれると，血漿タンパク質であるアルブミンやα_1-酸性糖タンパク質と結合した結合型と，単独で存在する遊離型が平衡状態を維持している（図3）．結合型薬物は薬理作用をもたず，代謝も排泄も受けにくい一方，遊離型薬物は薬理作用をもち，代謝され排泄される．薬物を併用して結合タンパク質との結合率が減少すれば，遊離型が増加するために薬理作用が増強される一方で，代謝もしくは排泄される割合も増加する．したがって，遊離型増加による薬効の増強は一過性であるものが多く，臨床上留意すべき薬物は，血漿タンパク質との結合率が90％を上回るものや安全域がきわめて狭いもの，投与量が多いものなどに限られる．

　特に，血液凝固阻害薬であるワルファリン（結合率97％）や，スルホニル尿素系経口血糖降下薬であるグリベンクラミド（結合率99％）などを酸性NSAIDsと併用すると，アルブミン結合部位において競合し，結果的に遊離型のワルファリンやグリベンクラミドの割合が顕著に増加するため，過剰な出血傾向や低血糖を招くことになる．

3) 代謝過程における薬物相互作用

　生体に取り込まれた薬物の多くは，CYPによって代謝される．CYPには30種類以上の分子種があり，CYP3Aが約30％，CYP2Cが20％を占めている．薬物や食物の中には，これらの代謝酵素を阻害したり，逆に誘導したりするものがあるため，あるCYPに影響する薬物を同じCYPで代謝される薬物（基質薬）と併用すると，基質薬の薬効が増強したり減弱したりする．薬物動態学的相互作用の大半は，このような代謝に関連したものであり，特に代謝阻害による相互作用が多い．

(1) 代謝阻害による相互作用

基質薬がCYPと共有結合もしくは配位結合によって強固に結合する場合，他の薬物がCYPと結合できず，代謝が遅延する．例えば，グレープフルーツジュースにはフラノクマリン類が含まれており，CYP3Aと結合してその活性を抑制する．高血圧治療などを目的に用いられるニフェジピンはCYP3Aによって代謝されるため，併用すると血圧が著しく低下することがある．また，同じCYPで代謝される薬物を併用すると，CYPの活性中心で競合し，その結果，代謝が遅延することもある．例えば，プロトンポンプ阻害薬であるオメプラゾールとジアゼパムは，ともにCYP2C19で代謝されるため競合阻害が生じる．

(2) 代謝促進による相互作用

薬物などによるCYP産生量の増大は，**酵素誘導**と呼ばれる．酵素誘導は遺伝子発現レベルで調節されており，異物応答性の転写因子であるプレグナンX受容体は代表的な調節因子である．活性化されると，細胞質から核内へ移行してレチノイドX受容体とヘテロ二量体を形成し，プロモーター配列に結合して標的遺伝子の転写を亢進する．その結果，CYP2CやCYP3Aの産生が増加する（図4）．例えば，**リファンピシン**はCYP2CやCYP3Aを誘導することで併用投与したトリアゾラムやワルファリンの代謝を促進し，それらの薬効を低下させる（図5）．

(3) その他の代謝における相互作用

薬物代謝酵素はCYP以外にもある．抗ウイルス薬である**ソリブジン**の代謝産物であるブロモビニルウラシルは，抗腫瘍薬である**フルオロウラシル（5-FU）**の代謝酵素であるジヒドロピリミジンデヒドロゲナーゼと共有結合して不可逆的に活性を阻害する．かつて，併用投与によって5-FUの血中濃度が異常に上昇し，副作用である骨髄抑制が発現し，死亡に至る事故があった．

4) 排泄過程における薬物相互作用

薬物の排泄経路には尿や胆汁などがあり，それぞれの経路において薬物相互作用が知られている．

(1) 腎臓からの排泄

腎臓からの排泄機序は，**糸球体濾過**と**尿細管分泌**に分けられる．糸球体濾過は，低分子化合物が加圧濾過される機構であるため，血漿タンパク質と結合した薬物は濾過されない．したがって，薬物併用によって遊離型薬物の割合が変化すれば，糸球体濾過へ影響する．

一方，尿細管から排出される薬物は尿細管上皮細胞に取り込まれ，さらに管腔側へ刷子縁膜を介して排出される必要がある．極性の高い酸性もしくは塩基性薬物は受動的に細胞膜を通過できないため，トランスポーターを介した能動輸送によって膜を透過する．したがって，同じトランスポーターにより分泌される薬物を併用すると，競合阻害が生じることがある．例えば，強心配糖体で心不全治療薬に用いられるジゴキシンは，刷子縁膜に存在する多薬排出トランスポーターの1つであるP糖タンパク質の基質であるため，P糖タンパク質阻害作用をもつキニジンと併用すると排泄が阻害され，ジゴキシンの血中濃度が上昇する．また，有機アニオントランスポーターの阻害作用がある薬物は，同トランスポーターで分泌される薬物の排泄を阻害する．例えば，尿酸排泄促進薬である**プロベネシド**は有機アニオントランスポーター阻害によって，ペニシリンの排泄を阻害する．

原尿内の薬物の一部は，**尿細管で再吸収**される．この過程は受動拡散によるため，非イオン型で脂溶性の薬物が再吸収されやすい．原尿のpHを変化させる薬物と併用すると，再吸収される薬物のイオン型と非イオン型の割合が変わるため，再吸収される量が変化する．例えば，

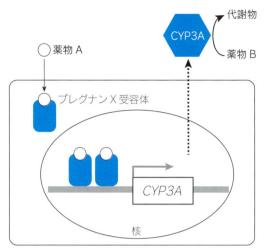

図4 プレグナンX受容体を介したCYP3Aの誘導と薬物代謝の亢進

薬物Aは細胞内のプレグナンX受容体と結合すると，複合体は核内へ移行しCYP3Aを誘導する．CYP3Aの基質になる薬物Bを薬物Aと併用した場合，薬物Bの作用は減弱することになる．

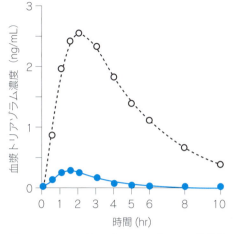

図5 リファンピシンとトリアゾラムの併用投与による血漿トリアゾラムの濃度変化

600 mgリファンピシン（青丸）とプラセボ薬（白丸）を1日1回，計5日投与したヒトに0.5 mgのトリアゾラムを投与した時の血漿中トリアゾラムの濃度変化を示す．

(Villikkaら，1997を改変)

炭酸水素ナトリウムは尿をアルカリ化するため，アスピリンやインドメタシン，ペニシリンなど酸性薬物が解離する（イオン化する）割合が増加し，再吸収が抑制される．

(2) 肝臓からの排泄

　肝臓は薬物代謝で主要な役割を担う一方で，胆汁への薬物を排泄する作用もある．胆汁へ排泄される薬物は，肝細胞の血管側から取り込まれ胆管側へ排泄される必要があるため，尿細管での排泄と同じく薬物トランスポーターを介した機構が存在する．

7章　薬物の併用・相互作用

　歯学教育モデル・コア・カリキュラム（令和4年度改訂版）では，投与された薬物の生体内運命を理解するために，併用薬物が影響する薬物動態の特徴を理解していることを学修目標としている．また，薬物の作用（和漢薬を含む）に関する基本的事項を理解するために，薬力学的相互作用（協力作用，拮抗作用，作動薬，拮抗薬）について理解していることを学修目標としている．さらに，薬物の副作用・有害事象の種類および連用と併用の影響を考慮した薬物治療の基本的事項を理解することを目的として，薬物動態学的相互作用を理解していることを学修目標としている．

　歯科医師国家試験出題基準（令和5年版）では，必修の基本的事項の「薬物療法」に薬物投与（併用を含む）を挙げ，歯科医学総論の「薬物療法，用法・用量」「薬物適用の注意」に「薬物の併用（ポリファーマシー）」，「薬物・食物・嗜好品との相互作用」を挙げている．実際の歯科医師国家試験では，併用により相互作用する薬物の組み合わせ（作動薬と拮抗薬など）とその結果生じる作用，相互作用の原因に関する出題が見られる．また，競合的拮抗作用と用量-反応曲線との関係についても出題されている．

8章 薬理学 総論 A．医薬品と薬理作用

薬物による副作用・有害作用・有害事象

学修目標とポイント
- 副作用と有害作用・有害事象の定義について説明できる．
- 副作用および有害事象の種類と機序（原因）を列挙できる．
- 口腔領域に現れる有害作用およびその対策について説明できる．
- 一般的有害作用を説明できる．

本章のキーワード
副作用，有害作用，有害事象，過敏症，皮膚障害，肝障害，腎障害，歯肉増殖，口腔乾燥症，歯の形成障害，口腔粘膜炎（口内炎）

I ── 副作用と有害作用・有害事象の定義

　薬物が人に使用されるまでには発がん性，催奇形性，あるいは各臓器への毒性など，実験動物を用いた厳重な毒性試験が行われている．しかしながら，人に応用した場合には薬物に期待された作用を示さないばかりか，人に有害な作用を引き起こすことがある．

1．副作用および有害作用の定義

　薬物による**副作用**という言葉は，**有害作用**（drug adverse effect）と同義として使用される場合と，治療目的に合致しない作用（side effect）として使用される場合がある．WHOでは副作用を「有害かつ意図されない反応で，疾病の予防，診断，治療または身体的機能の修正のために人に通常用いられる量で発現する作用」とし，副作用が有害作用と同義で使用されている．また，日本のGCP（good clinical practice）基準でも，有害事象のうち薬物との関連性を否定できないものを副作用とし，こちらも有害作用と同義で使用されている．

　しかし，1章 V-3. で述べたように，主作用に対する副作用（side action, side effect）という概念では，有害ではない作用も含めて副作用という言葉が使用される．薬理学的観点から，本書では**通常用いられる量（薬用量）**において現れる治療目的から外れた作用を**副作用**と定義する．WHOやGCP基準で定義される副作用は，医薬品に対する用語として理解される．このため，**不利益な作用**であることを明示するためには，副作用という用語を使用するより，**有害作用**という用語を使用することが望ましい．なお，有害作用と有害反応（drug adverse action）は同義であるが，有害作用は医薬品に対する用語であり，有害反応は患者（生体）に対する用語として使用される．

2．有害事象の定義

　薬物の使用と有害作用との関連性が不明なものまで含め，薬物の使用後に生じた人に有害な

問題のことを**有害事象**（adverse event）と呼ぶ．このため，有害事象は医薬品と無関係な事例も含有する．この有害な問題が，投与した薬物によるものかどうかを判別することは容易ではないが，重篤な有害事象に対しては薬物との因果関係を調べる疫学調査などが必要となる．なお，有害事象の中でもワクチンが原因で起きた有害事象を米国の疾病予防管理センター（CDC）では adverse events と呼び，日本では副反応と呼んでいる．

II ― 有害作用および有害事象の種類と機序

1．薬物の有害作用および有害事象の種類

　厚生労働省の委託により取りまとめられた重篤副作用疾患別対応マニュアルでは，有害作用の種類を 19 の疾患部位に大別している．ここでは，歯科医師が処方する薬剤によって引き起こされる主な有害作用のうち，口腔領域以外の有害事象について解説する．各症状・出現部位別の原因薬物を**表**にまとめた．

1）過敏症

　即時型アレルギーである**アナフィラキシー**および**非ステロイド性抗炎症薬**（NSAIDs），解熱鎮痛薬による**じんま疹/血管浮腫**は，歯科医師が日々処方する薬物により発症する．**アナフィラキシーショック**とは，血圧低下や意識障害を伴うアナフィラキシーの重篤な場合を指し，アンジオテンシン変換酵素（ACE）阻害薬による血管浮腫では，喉頭浮腫となって死亡する例が報告されている．アレルギー反応の判定は**プリックテスト**と**皮内テスト**で行うが，アレルゲン検索のための皮内テストでアナフィラキシーを生じることが指摘されているので注意が必要である．また，重症皮疹Ⅳ型アレルギーや金属アレルギーに対する原因特定には，症状が緩解してから**パッチテスト**が行われる（18 章 V，24 章 I，Ⅱ，25 章 I，26 章 Ⅱ，28 章，30 章 Ⅱ，36 章参照）．

2）皮膚

　皮膚に現れた薬物アレルギーである**薬疹**は，最も頻度の多い有害作用である．皮膚障害を伴う代表的な遅延型アレルギーである **Stevens-Johnson 症候群**（Stevens-Johnson Syndrome；SJS，皮膚粘膜眼症候群）は，発見が遅れれば死に至る重篤な薬物の有害事象である．多形紅斑の一種であり，口唇や眼の症状が強い場合に SJS と診断される．初期症状として，医薬品服用後の 38℃以上の高熱，口唇，眼結膜，外陰部など皮膚粘膜移行部における重症の粘膜疹および皮膚の紅斑，しばしば水疱，表皮剝離などの表皮の壊死性障害がある．広範囲の口腔内潰瘍，唇や歯肉の炎症，嚥下困難を伴うことが多い．

　SJS よりさらに重篤な皮膚障害を伴う**中毒性表皮壊死融解症**（toxic epidermal necrolysis；TEN）は，顕著な表皮の壊死性障害を認め，多くが SJS の進展型と考えられている．TEN の同義語として **Lyell 症候群**（Lyell's syndrome）がある．即時型アレルギーとして引き起こされることが多い薬剤による接触皮膚炎であるが，光接触皮膚炎も含まれる．

3）血液

　薬物が造血器を障害した場合に惹起される．血球異常と凝固異常とに大別され，血球異常では**薬剤性貧血**，**血小板減少症**（24 章 Ⅱ参照），無顆粒球症，凝固異常では**出血傾向**が挙げられる（24 章 Ⅱ参照）．薬剤性貧血では赤血球産生障害と溶血亢進が挙げられ，赤血球産生障害では**再生不良性貧血**（幹細胞の障害による汎血球減少症）や**ビタミン B_{12} 欠乏性貧血**などの巨赤芽球性貧血などが挙げられる．一方，赤血球が破壊されることによって起こる溶血亢進（溶血性貧血）では**メトヘモグロビン血症**（18 章 V，30 章 Ⅱ参照）が代表的である．

表　厚生労働省の重篤副作用疾患別対応マニュアルに基づく主な副作用の種類と原因薬物

出現部位	疾患名：症状	主な原因薬物
過敏症	アナフィラキシー：「皮膚の赤み」，「じんま疹」，「のどのかゆみ」，「吐き気」，「くしゃみ」，「せき」，「ぜーぜー」，「声のかすれ」，「息苦しさ」，「どうき」，「ふらつき」	β-ラクタム系抗菌薬（ペニシリン系：アンピシリン水和物，セフェム系，カルバペネム系），NSAIDs，抗腫瘍薬，局所麻酔薬，筋弛緩薬，ヨード系造影剤，生物学的製剤，漢方薬，アレルゲン検索のための皮内テスト
	じんま疹/血管性浮腫：「急に，くちびる，まぶた，舌，口の中，顔，首が大きく腫れる」，「のどのつまり」，「息苦しい」，「話しづらい」	NSAIDs（アスピリンやインドメタシンなど），ACE阻害薬，抗菌薬，造影剤，筋弛緩薬，オピオイド，経口避妊薬，線溶系酵素，DPP-4阻害薬，カルシウム拮抗薬，mTOR阻害薬，TNF-α阻害薬，タートラジン・安息香酸塩などの医薬品添加物など
皮膚	Stevens-Johnson症候群（SJS）/皮膚粘膜眼症候群：「高熱（38℃以上）」，「目の充血」，「目が開けづらい」，「唇や陰部のただれ」，「排尿・排便時の痛み」，「のどの痛み」，「皮膚の広い範囲が赤くなる」，「水ぶくれ」 中毒性表皮壊死融解症（TEN）/ライエル症候群：SJSの進展型と考えられる	抗菌薬（レボフロキサシン水和物，アモキシシリン水和物，サルファ薬など），酸性NSAIDs（ロキソプロフェンナトリウム水和物，ジクロフェナクナトリウム，セレコキシブなど），解熱鎮痛薬（アセトアミノフェン），抗けいれん薬・抗てんかん薬（フェニトイン，ラモトリギン，カルバマゼピン，バルプロ酸ナトリウム，クロナゼパムなど），痛風治療薬（アロプリノール），消化性潰瘍治療薬，催眠鎮静薬・抗不安薬，精神神経用薬，緑内障治療薬，高血圧治療薬，去痰薬（カルボシステイン）など広範囲の薬物．なお，感冒薬やNSAIDsによるSJSやTENでは眼障害が強い
	薬剤による接触皮膚炎：「ひりひりする」，「かゆくなり，塗ったところにじんま疹が出た」，使用していてある時から「かゆみや赤みが出る」，「汁などが急に出てくる」 光接触皮膚炎	抗菌外用薬，抗真菌外用薬，消炎鎮痛外用薬，ステロイド外用薬，点眼薬，消毒薬 光接触皮膚炎（接触性皮膚炎の一つ．外用薬を塗布した部分に紫外線があたることでかぶれる）：特にNSAIDsのケトプロフェン，ピロキシカムにより発症しやすい．
血液	出血傾向：「手足に点状出血」，「打撲などで青あざができやすい」，「皮下出血」，「鼻血」，「過多月経」，「歯ぐきの出血」	抗凝固薬（ワルファリン，ヘパリン），線溶因子（tPA，ウロキナーゼ），血小板機能抑制薬（酸性NSAIDs），抗菌薬（菌交代症としてのビタミンK欠乏症による）
	ヘパリン起因性血小板減少症：「急な呼吸困難」，「意識障害，けいれん，運動・感覚障害」，「四肢の腫れ・疼痛・皮膚の色調の変化」	ヘパリン：血小板の消費亢進による血小板減少症といえる．
	血小板減少症：出血傾向と同じ症状	抗腫瘍薬など骨髄抑制作用のある薬物，リファンピシン，ペニシリンなど血小板の膜タンパク質を変化させ，薬剤依存性抗血小板抗体を産生させる薬物
	再生不良性貧血：「顔色が悪い」，「疲れやすい」，「だるい」，「頭が重い」，「どうき」，「息切れ」	ジクロフェナクナトリウムなどの酸性NSAIDs，クロラムフェニコール，メトトレキサート，ペニシリン，セファロスポリン
	メトヘモグロビン血症：再生不良性貧血と同じ症状	アミノ安息香酸エチル，プリロカイン塩酸塩，リドカイン塩酸塩
呼吸器	アスピリン喘息（NSAIDs過敏喘息：N-ERD）：「息をするときゼーゼー，ヒューヒュー鳴る」，「息苦しい」，「鼻や喉が詰まって苦しい」，「匂いがわからない」	総合感冒薬，COX-1阻害作用の強いNSAIDsはN-ERD患者で呼吸機能低下の報告あり．COX-2選択的阻害薬であるセレコキシブは安全といわれている．アセトアミノフェンは安全とされてきたが，N-ERD患者で呼吸機能低下の報告あり．
消化器	消化性潰瘍：「胃のもたれ」，「食欲低下」，「胸やけ」，「吐き気」，「胃が痛い」，「空腹時にみぞおちが痛い」，「黒色便」，「吐血」	NSAIDs（アスピリン，ロキソプロフェンナトリウム水和物など），ステロイド薬（プレドニゾロンなど），骨粗鬆症治療薬（アレンドロン酸など）

表　厚生労働省の重篤副作用疾患別対応マニュアルに基づく主な副作用の種類と原因薬物（つづき）

出現部位	疾患名：症状	主な原因薬物
消化器	偽膜性腸炎：「頻繁あるいは持続性に下痢が起きる」、「粘性のある便」、「お腹が張る」、「腹痛」、「発熱」、「吐き気」	主に広域抗菌スペクトルを持つ抗菌薬、カルバペネム系抗菌薬や複数の抗菌薬を使用している場合は発症リスクが高い。
肝臓	薬物性肝障害：「倦怠感」、「食欲不振」、「発熱」、「黄疸」、「発疹」、「吐き気」、「かゆみ」	解熱鎮痛薬（アセトアミノフェン）、NSAIDs、抗腫瘍薬、抗真菌薬、漢方薬など
腎臓	薬剤性急性腎障害（急性尿細管壊死）：「尿量が少なくなる」、「ほとんど尿が出ない」、「一時的に尿量が多くなる」、「発疹」、「むくみ」、「体がだるい」	NSAIDs（ジクロフェナクナトリウムなど）、高血圧治療薬（ACE 阻害薬など）、抗菌薬（ゲンタマイシン硫酸塩やストレプトマイシン硫酸塩などのアミノグリコシド系、オフロキサシンなどのニューキノロン系抗菌薬）、造影剤（ヨード造影剤）、抗がん薬（シスプラチン等の白金製剤）など
腎臓	薬剤性間質性腎炎（尿細管間質性腎炎）：「発熱」、「発疹」、「側腹部の痛み」、「腰部の張り」、「血尿」など、進行すると、「むくみ」、「尿量減少」、「体重減少」	抗菌薬、プロトンポンプ阻害薬（PPI）、NSAIDs、抗痛風治療薬など広範囲にわたる。アレルギーが関与していると考えられており、どのような医薬品でも発症する可能性がある
神経・筋骨格系	中枢神経障害（けいれん・てんかん）：「顔や手足の筋肉がぴくつく」、「一時的にボーっとして意識が薄れる」、「手足の筋肉が硬直しガクガクと震える」	インターフェロン（IFN）製剤、抗うつ薬、イソニアジド（INH）、ヒスタミン H_1 受容体拮抗薬、シクロスポリン、テオフィリン、ニューキノロン系抗菌薬によるけいれんは GABA 受容体に対する阻害作用によるとされ、NSAIDs の共存によりけいれんが増強する。
神経・筋骨格系	中枢神経障害（ジスキネジア）：「繰り返し唇をすぼめる」、「舌を左右に動かす」、「口をもぐもぐさせる」、「口を突き出す」、「歯を食いしばる」	抗精神病薬、パーキンソン病治療薬（レボドパなど）口腔症状以外の症状「勝手に手が動いてしまう」、「足が動いてしまって歩きにくい」、「足が突っ張って歩きにくい」
神経・筋骨格系	横紋筋融解症を伴う悪性高熱症：「筋肉が痛む」、「手足がしびれる」、「手足に力が入らない」、「こわばる」、「全身がだるい」、「尿の色が赤褐色になる（ミオグロビン尿）」、「口が開かない（筋硬直による開口障害）」	HMG-CoA 還元酵素阻害薬（シンバスタチンなど）、フィブラート系高脂血症薬、ニューキノロン系抗菌薬、抗精神病薬、抗パーキンソン病薬、揮発性麻酔薬（セボフルランなど）、脱分極性筋弛緩薬（スキサメトニウムなど）、CYP3A4 で代謝されるシンバスタチンと CYP3A4 酵素活性を阻害するエリスロマイシンなどのマクロライド系抗菌薬との併用で頻度は上昇する。

4）呼吸器

成人気管支喘息の中でも、NSAIDs を投与されると激しい過敏反応が誘発される患者群が存在する。COX 阻害によりロイコトリエン類の産生が増加し、その作用が過剰になると喘息が誘発されると考えられている。一般にアスピリン喘息と呼称されるが、ほとんどの NSAIDs が原因薬物となりうるため、NSAIDs 過敏喘息（NSAIDs-exacerbated respiratory disease；N-ERD）という用語が使用されている。治療に関しては 22 章 I 参照。

5）消化器

NSAIDs による消化性潰瘍は、痛みがなく無症候性のままに進行する傾向が強い。抗凝固薬として用いる低用量アスピリンでも消化性潰瘍を起こす（23 章参照）。また、NSAIDs と抗血小板薬であるチクロピジンやクロピドグレルとの併用により、消化性潰瘍発症リスクが高まることが示されている。薬剤誘発性の偽膜性腸炎は、抗菌薬服用による菌交代症（腸内細菌叢の乱れ）が原因である。異常に増殖した *Clostridium difficile*（クロストリジウム・ディフィシル菌）などが産生する毒素により粘膜が傷害されるという発症機序である。

6) 肝臓

薬物性肝障害は，中毒性障害と特異体質性障害に大別される．**中毒性障害**は用量依存的に引き起こされる．**特異体質性障害**には，T 細胞依存性細胞障害によるアレルギー性特異体質と，薬物代謝酵素の個人差による代謝性特異体質とがある．慢性的なアルコール摂取やアセトアミノフェンなど特定薬物の長期使用によって薬物代謝酵素の一つである CYP2E1 活性が亢進することが知られている（**19 章 II 参照**）．アセトアミノフェンの一部は CYP2E1 によって代謝されるが，代謝産物である N-アセチル-p-ベンゾキノンイミン（NAPQI）は肝細胞壊死を誘導する．NAPQI はグルタチオン抱合により解毒されるが，代謝が亢進して増加する NAPQI 解毒に必要なグルタチオンが不足することなどにより肝障害のリスクが高まる．

7) 腎臓

急性腎不全とは短期間に腎機能が低下した状態をいう．慢性腎炎とは異なり，早期発見から原因薬物の投与中止により回復が期待できる．**間質性腎炎**とは腎臓の間質組織が主病変となる腎炎で，尿細管障害を伴うことから尿細管間質性腎炎ともいう．ほとんどは薬物が原因で，アレルギー反応による全身症状や一般的なかぜのような症状が先行する．

8) 神経・筋骨格系

薬物による**中枢神経障害**は，けいれん・てんかん，ジスキネジア（**19 章 VI，VIII 参照**），横紋筋溶解症を伴う悪性高熱症（**17 章 VI 参照**），第 VIII 脳神経障害（難聴，**本章 III 参照**）が代表的である．悪性高熱症は多臓器障害を引き起こし，心停止に至ることもある．

2. 有害作用および有害事象の機序

有害作用が引き起こされる機序には，以下の 5 つが考えられる．なお，薬物が原因かどうかを特定できない有害事象は，その発生機序まで述べることは難しい．

(1) 主作用が予想外の強度で発現

一般的な薬物は治療係数（ED_{50} と LD_{50} との比）が十分に大きく設定されているが，代替の選択肢が少ない抗腫瘍薬などは治療係数が小さくても使用せざるをえないために有害作用の発現頻度が高くなる．アドレナリン α_1 受容体遮断薬投与による起立性低血圧や抗凝固薬による出血など主作用が強く発現することが原因となる場合や，長期にわたる薬物の服用や過大な投与量による場合，薬物動態の異常による作用部位での濃度増加，あるいは生体の薬物に対する異常な感受性の増大による場合である．

(2) 主作用が目的外の臓器・組織に作用

アトロピンによる口渇，NSAIDs による消化器障害，あるいは抗腫瘍薬による造血器障害が引き起こされる場合である．

(3) 主作用とは別の作用機序で発現

アセトアミノフェンによる肝毒性，アミノグリコシド系抗菌薬による耳毒性の場合などである．

(4) 併用薬の効果を増強あるいは低下させる

7 章参照．

(5) 患者のアレルギー体質などの素因

代謝性障害や特異体質性（アレルギー性）により発現する．代謝性障害は生体の代謝系酵素が遺伝的に障害されている場合に誘発され，特異体質性は薬物またはその代謝産物が抗原として認識され，抗体や感作リンパ球が産生された場合に発現する．

III ― 薬物による口腔領域の有害作用

口腔領域の有害作用は，歯科医師が発見し治療することが求められる．重篤副作用疾患別対応マニュアルには歯の変色や形成不全に関する情報は掲載しておらず，添付文書にも副作用情報としてではなく注意事項など副作用以外の項目に記載されている．また，添付文書には，歯の変色は歯牙の着色として記載されることが多い．

1）歯の変色

乳歯あるいは，永久歯の形成期に母親あるいは小児の摂取する**フッ素濃度が1ppmを超えると，白濁色の歯となる**場合がある．これは象牙質の色調変化が主な原因である．また，同時期にミノサイクリン塩酸塩などの**テトラサイクリン系抗菌薬**を摂取すると黄褐色の歯となる．胎児に対する影響は，母親の摂取するフッ素やテトラサイクリン系抗菌薬が血液胎盤関門を通過するために引き起こされる．治療法としては，Feinman分類による2度までの変色であれば，バイタルブリーチングなどによる漂白により改善する可能性がある．

2）歯の形成不全

乳歯や永久歯の形成期にフッ化物を長期摂取すると**斑状歯**と呼ばれる歯の形成不全が起こる．これはエナメル質の形成不全が原因である．象牙質の形成不全もフッ素の過剰投与により引き起こされる．テトラサイクリン系抗菌薬も歯の形成不全を起こす．歯牙形成期にある8歳未満の小児等に投与した場合，歯の着色・**エナメル質形成不全**を起こすことがある．治療としては保存修復および補綴処置による審美性の改善処置が施される．

3）歯肉の肥大（歯肉増殖）

抗てんかん薬（フェニトイン，バルプロ酸ナトリウム，カルバマゼピン），また主に降圧薬として使用される**カルシウム拮抗薬**（ニフェジピン，アムロジピンベシル酸塩，ニカルジピン塩酸塩，ベラパミル塩酸塩），**免疫抑制薬**（シクロスポリン）などを長期にわたって服用した場合に引き起こされる．歯肉増殖の程度は歯間乳頭が腫れた程度から歯を覆うほどの肥大まで様々であるが，プラークによりさらに重症化するので口腔ケアが重要である．

4）多形（浸出性）紅斑（薬疹）

多形浸出性紅斑は主に皮膚や粘膜に現れるアレルギー疾患であり，口腔領域では口内炎（口腔粘膜炎），舌・口腔粘膜の丘疹，あるいは乾燥感や痛みとして現れる．原因薬物としてピラゾロン（ピリン）系鎮痛・解熱薬である**スルピリン，イソプロピルアンチピリン**，アニリン系鎮痛薬のアセトアミノフェン，ペニシリン系，セフェム系，マクロライド系，ニューキノロン系抗菌薬，ジクロフェナクナトリウム，ロキソプロフェンナトリウム水和物などのNSAIDsやカルバマゼピンなどの抗てんかん薬の報告が多い．治療には**抗ヒスタミン薬**やステロイド性抗炎症薬の外用薬を用いる．

5）抗腫瘍薬による口内炎（口腔粘膜炎）

抗腫瘍薬投与後，数日〜10日目ごろに発生しやすい．口腔粘膜炎の発生頻度は単独服用者でも30〜40％，抗腫瘍薬と頭頸部への放射線治療併用時には97％と高くなる．原因薬物としてフッ化ピリミジン系（**フルオロウラシル：5-FU**），**メトトレキサート**，アントラサイクリン系（ダウノルビシン，ドキソルビシン，エピルビシン），**シスプラチン**，パクリタキセルなどがある．口腔粘膜炎の管理を目的として含嗽に保湿剤，また粘膜保護剤や局所麻酔薬，冷却ゲルなどを用いた冷却法や鎮痛薬を用いるといった支持療法的治療を行う．発症予防には口腔ケアが重要である．

6）菌交代症に伴う症候（化学療法薬による副作用）

広域抗菌スペクトルをもつ**抗菌薬**により常在菌叢が崩れ，異常な微生物叢が形成されるという菌交代症が引き起こされる．また，抗腫瘍薬などの投与で免疫機能が低下したり変動したりすると，免疫系の微生物制御能力が低下し菌交代症のリスクが高まる．口腔領域では菌交代症に伴い，**口腔カンジダ症**や**黒毛舌**が発症しやすくなる．この場合，症状に応じて抗真菌薬投与などで治療する．なお，化学療法薬で大量の細菌や真菌の死滅が引き起こされるが，その結果として一時的に炎症反応や症状が悪化する現象を Herxheimer 現象と呼ぶ．

7）顎骨壊死

顎骨壊死を引き起こす原因薬物の中でも，特に骨吸収抑制薬である**ビスホスホネート系薬物**や**ヒト型抗 RANKL モノクローナル抗体製剤**であるデノスマブが主な原因薬物として挙げられる．また，骨吸収抑制薬以外にも，血管新生抑制作用をもつ抗 VEGF（血管内皮細胞成長因子）抗体製剤によっても生じることが報告されている．これら一連の副作用は，薬剤関連顎骨壊死（medication-related osteonecrosis of the jaw；MRONJ）と呼ばれるようになった．一度発症すると治癒が難しい疾患であり，発症予防が必要となる．予防では，骨吸収抑制薬を処方する医師と，定期的な口腔ケアを行う歯科医師が綿密に協力する必要がある．顎骨壊死の一般的な治療法は壊死骨の削除，抗菌薬の経口投与，洗口液の使用などである（**p.249 臨床コラム参照**）．

8）唾液分泌量の減少（口腔乾燥症）

Sjögren（シェーグレン）症候群の一症状として知られている**口腔乾燥症**（dry mouth, xerostomia）は，放射線治療や化学療法によっても，あるいはストレスなど心理的要因によっても引き起こされるが，薬の有害作用としても引き起こされる．抗うつ薬のデシプラミン，抗精神病薬のクロルプロマジン塩酸塩やフルフェナジン，抗コリン薬のスコポラミン臭化水素酸塩水和物やアトロピン硫酸塩水和物，抗てんかん薬のカルバマゼピン，利尿薬のヒドロクロロチアジドやフロセミド，抗腫瘍薬のシスプラチン，抗ヒスタミン薬のジフェンヒドラミンなど多くの薬物が口腔乾燥症の原因となる可能性がある．原因薬物の服用中止で緩解するが，服用を中止できない場合は口腔ケアや口腔保湿剤の使用，あるいは**ピロカルピン塩酸塩**などコリン作動性薬物の投与を行う．

9）唾液分泌量の増加

口から唾液が流れ出すほどの唾液分泌量過剰（流涎（りゅうぜん）；hypersalivation, ptyalism）は，抗てんかん薬のクロナゼパム，抗精神病薬のハロペリドール，禁煙補助薬としてのニコチン，抗結核薬のエチオナミドなどにより引き起こされる．ヨウ素，水銀，アンモニウムなどの薬物中毒でも見られる．治療は原因薬物の種類や用量の調整，抗コリン薬の使用，口腔ケアなどを行う．

10）感覚異常

(1) 味覚の異常

味覚障害を起こす可能性のある薬物は 400 種類以上と数多く，原因となる薬物の服用後 2～6 週間以内に味覚障害が起こるものが多い．男女比は 2：3 の割合で女性に多く，また男女とも高齢者に多い．精神神経疾患，高血圧症などの循環器疾患，胃疾患，肝障害，腎障害，癌などの疾患を有する患者は薬物性味覚障害の誘因となる．発症リスクは薬剤の服用期間が長期にわたるほど，服用量が増加するほど高くなる．

主な薬物性味覚障害の発生機序は，味物質の運搬の障害と味覚受容器への影響である．このため，味物質の運搬を阻害する唾液分泌を低下させる降圧薬，抗ヒスタミン薬，抗てんかん薬などが原因薬物となる．味蕾の機能低下や異常により味覚受容器への影響が現れるが，舌苔，舌炎，放射線障害などが関連している．また，薬物の亜鉛に対するキレート作用に続く**亜鉛欠乏**が味細胞のターンオーバー（作り替わり）に影響を与え，味覚障害を誘導する．**薬物性味覚障害**を誘導する原因薬物として，テトラサイクリン系抗菌薬のミノサイクリン塩酸塩，副腎皮質ホルモンのデキサメタゾンや気管支拡張β_2刺激薬と吸入ステロイドの配合剤であるサロメテロールキシナホ酸塩・フルチカゾンプロピオン酸エステルも挙げられる．治療に関しては **34 章参照**．

（2）聴覚の異常

薬物性難聴とは薬物の投与によって惹起される難聴を指す．アミノグリコシド系抗菌薬（ストレプトマイシン硫酸塩，カナマイシン硫酸塩，ゲンタマイシン硫酸塩），白金製剤（シスプラチン），サリチル酸系酸性 NSAID（アスピリン），ループ利尿薬（フロセミド）などが原因薬物となる．アミノグリコシド系抗菌薬およびシスプラチンによる難聴は，発症すると多くが改善が難しい不可逆性難聴であり，一方，サリチル酸系薬やループ利尿薬による難聴は投薬中止により改善する可逆性難聴である．シスプラチンは投与直後から発症するが，有害作用の好発時期は薬剤により異なる．ループ利尿薬は投与開始直後から 10～20 分以内に発症し，4～5 時間で正常に回復する．なお，ミトコンドリア遺伝子変異をもつ患者では感受性が高く，少量投与あるいは少ない投与回数でも難聴をきたす．

副作用・有害事象への対応（予知と回避および薬物治療）

1. 予知と回避

薬物の主作用が強く発現するタイプの副作用ならば予知は容易である．しかし，副作用は原疾患とは異なる臓器で発現することがありうること，また重篤な副作用は一般に発生頻度が低く，臨床現場において医療関係者が遭遇する機会が少ないことなどから，副作用の発見が遅れ重篤化することがある．医療者は副作用特有の初期症状に精通し，副作用の早期発見・早期対応に努める責務がある．

この「予測・予防型」の安全対策のために整備されたのが，重篤副作用疾患別対応マニュアルである．医薬品医療機器総合機構（PMDA）が公表する医薬品・医療機器等安全性情報も併せて注視することにより，副作用の予知・回避を行う．医療を受ける患者とその家族も**副作用の初期症状**の存在を知ることにより，副作用の重篤化回避が期待されている．発現した有害事象に関して検索した結果は，医療者向けの説明だけでなく一般に向けた平易な言葉でも説明されている．

薬物の適応に関しては，投与方法を考慮したり，**治療薬物モニタリング**（therapeutic drug monitoring；TDM）により投与量を調整する必要がある（**11 章Ⅲ参照**）．ごく少量でも惹起される薬物アレルギーは予測不能の場合も多いが，歯科医師と薬剤師など医療者が連携することにより有害事象の発生頻度をある程度抑えることは可能である．最近では，ゲノム情報から薬物感受性に対する情報[*1]を得ることが可能となり，投与前からアレルギーが引き起こされる可能性が高い場合はその薬剤の投与を避けたり，投与量を調整することが可能な時代を迎えている（**11 章Ⅲ参照**）．

[*1] 薬物代謝酵素の遺伝子変異や一変異多型と特定のアレルギー感作との関連情報．

薬物の副作用や有害事象が疑われる場合であって，保健衛生上の危害の発生または拡大を防止するため必要があると認めるときは，医療者[*2]はその旨を厚生労働大臣に報告する義務がある（薬機法第77条4の2）．なお，日本では医薬品医療機器総合機構法に基づく公的制度として**医薬品副作用被害救済制度**があり，副作用に対する補償を行っている（**11章V参照**）．本制度は，医薬品を適正に使用したにもかかわらず有害作用が発生し，それによる疾病，障害などの健康被害を受けた方を迅速に救済することを目的としている．具体的には医療費，医療手当，障害年金，遺族年金などの救済給付が行われるが，医師，歯科医師は救済給付に必要な診断書の交付を行う．

2. 副作用・有害事象への薬物治療

副作用に遭遇した場合の薬物治療例が重篤副作用疾患別対応マニュアルに記載されている．アナフィラキシーに対しては，**アドレナリン自己注射**・抗ヒスタミン薬・ステロイド薬・β_2刺激薬など症状に合わせて治療薬を選択する．アドレナリン自己注射は，大腿前外側（外側広筋）に筋肉内注射，抗ヒスタミン薬やステロイド薬は静脈内投与，β_2刺激薬は吸入させて初期処置を行う．皮膚の薬疹に対しては**ヒスタミン H_1 受容体拮抗薬**，消化性潰瘍に対しては**プロトンポンプ阻害薬**，高血圧緊急症に対しては**カルシウム拮抗薬**などの降圧薬，局所麻酔薬中毒に対してはミダゾラムなどの**ベンゾジアゼピン系鎮静薬**，悪性高熱症に対しては**ダントロレンナトリウム水和物**が用いられる．メトヘモグロビン血症に対しては，パルスオキシメーターにより SpO_2 を測定しながら，**酸素吸入**や**メチレンブルー**の静脈内投与あるいは経口投与を行う．

8章　薬物の副作用・有害作用

歯学教育モデル・コア・カリキュラム（令和4年度改訂版）では，薬物（和漢薬を含む）の副作用・有害事象の種類および連用と併用の影響を考慮した薬物治療の基本的事項を理解することを目的として，薬物の一般的な副作用と有害事象および，口腔および顎顔面領域における副作用と有害事象を理解していることを学修目標としている．

歯科医師国家試験出題基準（令和5年版）では，必修の基本的事項に「薬物に関連する口腔・顎顔面領域の症候」として「口腔および顎顔面領域における副作用と有害事象」を挙げている．また，歯科医学総論の「薬物療法，用法・用量」に「薬物の副作用・有害事象の種類・機序・対策」を挙げている．さらに，歯科医学各論では特に，薬物性歯肉増殖症を挙げている．実際の歯科医師国家試験では，さまざまな薬物とその副作用・有害作用の組み合わせに関する出題，特に口腔および顎顔面領域における副作用の出題は多い．なお，副作用情報は追加されることがあり，過去の正解が不正解となる場合もある．過去問を参考にする際には留意すること．

[*2] 薬機法では「薬局開設者，病院，診療所若しくは飼育動物診療施設の開設者又は医師，歯科医師，薬剤師，獣医師，その他の医薬関係者」としている．

9章 薬理学 総論 A. 医薬品と薬理作用
医薬品適用上の注意
（ライフステージと薬物）

学修目標とポイント
- 薬物を患者へ適用する際，患者の状態の適正な把握を説明できる．
- 患者のライフステージにおける薬物動態の特徴を説明できる．
- 患者の病態（全身的疾患）に応じた薬物投与上の注意点を説明できる．

本章のキーワード
催奇形性，胎盤通過性，小児の薬物動態，高齢者の薬物動態，全身疾患患者の薬物動態

I — 妊婦に対する薬物投与

1. 妊娠中の薬物療法の注意事項

1) 妊娠週日と妊娠月数
妊娠週日は月経周期 28 日型より，排卵・受精日は妊娠 2 週 0 日，分娩予定日は 40 週 0 日（280 日）となる．妊娠月数は，4 週間（28 日間）を 1 か月とし，数え表現を用いるため，妊娠第 1 か月は妊娠 0 週 0 日から 3 週 6 日，第 2 か月は 4 週 0 日から 7 週 6 日となる．

2) 妊娠中の生理学的変化
循環血漿量は，非妊娠時と比較して約 40％増加する．薬物クリアランスが増加することで，平均血漿中薬物濃度が下がる．さらに，分布容積の増大により最高薬物血中濃度が低下する．また，アルブミン濃度は妊娠後半に 20～30％低下する．そのため，遊離型薬物濃度が増加し，薬効や副作用が増強される可能性がある．

3) 薬物代謝酵素の変化
シトクロム P-450 において，CYP2A6, CYP2C9, CYP3A4 などの活性は亢進し，CYP1A2, CYP2C19 の活性は低下する．また，グルクロン酸抱合も亢進する．

4) 腎機能の変化
腎血漿流量は妊娠初期・中期に約 25％増量し，妊娠末期には非妊娠時の値となる．腎糸球体濾過率は妊娠初期に 50％上昇して持続する．

5) 薬物の影響
薬物の胎児への影響として**催奇形性**（表 1）に注意が必要である．また妊娠 16 週以後においては**胎児毒性**にも注意を要する（表 2）．

表 1 催奇形性に注意を要する薬物

メトトレキサート	カルバマゼピン	抗腫瘍薬
サリドマイド	男性ホルモン	アンジオテンシン変換酵素阻害薬
テトラサイクリン塩酸塩	クマリン化合物	喫煙（ニコチンなど）

表2 妊娠16週以降に注意を要する薬物

薬物	副作用
多くの非ステロイド性抗炎症薬	動脈管早期閉鎖，新生児高血圧症，新生児出血傾向など
アミノグリコシド系抗菌薬	妊婦・胎児の第Ⅷ脳神経障害
テトラサイクリン系抗菌薬	胎児の歯・骨の変色や形成不全，妊婦の肝機能障害
クロラムフェニコール	新生児のグレイ症候群（Gray-baby症候群）
バソプレシン	子宮筋収縮
糖質（グルコ）コルチコイド	胎児・新生児の副腎皮質機能不全
マクロライド系抗菌薬	妊婦の肝機能障害
ベンゾジアゼピン系鎮静薬	新生児筋緊張低下・嗜眠

6）薬物の胎児への影響を考慮する期間
（1）受精から妊娠3週6日（妊娠第1か月）
　薬物の影響により着床しないか，着床しても流産して妊娠が成立しない（all or noneの法則）．この期間を超えて母体と胎児に残る薬物でなければ，出生児と奇形の関連性は少ないと考えられている．
（2）妊娠4週0日から7週6日（妊娠第2か月）
　器官形成の重要な時期であり，催奇形性の疑われる薬物の使用は，胎児へのリスクを大きく上回る際にのみ投与を考慮する．
（3）妊娠8週0日から15週6日（妊娠第3か月から4か月）
　器官形成はほぼ終了しているが，性器の分化や口蓋の閉鎖など形態形成の時期である．
（4）妊娠16週0日から分娩（妊娠第5か月から分娩）
　胎児の発育は行われているため，薬物の副作用（胎児毒性）として機能的な発育の障害が問題となる．

2．薬物の胎盤通過性
　母体からの栄養や代謝物は胎盤を通過して胎児へ輸送される．母体に投与された多くの薬物は母体血液と胎児血液の間にある絨毛細胞層と血管内皮細胞を通過する．その際の通過様式は多くの薬物では単純拡散により通過する．通過しやすい薬物の一般的特徴を示す．
- 分子量が小さい（600以下）薬物
- 血漿タンパク質結合率が低い薬物
- 脂溶性の高い薬物
- 塩基性の薬物

II ─ 授乳婦に対する薬物投与

1. 母乳への薬物の移行性
薬物が母乳へと移行すると，乳房組織内の血流状態や代謝などの影響を受ける．乳汁への移行性が高い薬物の一般的な特徴を示す．
- 分子量が小さい（200以下）薬物
- 血漿タンパク質結合率が低い薬物（遊離型薬物は通過しやすい）
- 脂溶性の高い薬物
- 塩基性の薬物

母乳中への薬物移行性の指標として，**乳汁/血漿薬物濃度比**（milk-to-plasma drug concentration ratio；M/P比）があり，乳児への母乳による薬物の影響を間接的に評価している．

M/P比＝母乳中の薬物濃度／母体血漿中の薬物濃度

例）M/P比が1未満である場合は，母乳への蓄積性がないことを示している．

2. 哺乳による薬物移行
母乳を介した乳児が受ける薬物の影響を評価する指標としては，**相対摂取量**［**相対的乳児投与量**］（relative infant dose；RID）がある．

RID＝乳児が母乳を介して摂取する薬物の用量（mg/kg/日）／授乳婦への薬物投与量（mg/kg/日）×100

例）RIDが10％である場合，乳児は哺乳により治療量の1/10の曝露を受けることになる．

3. 授乳中の女性に投与が禁忌もしくは授乳の一時停止が必要な主な薬物
(1) 禁忌薬
アンフェタミン，コカイン，ブロモクリプチンメシル酸塩，シクロスポリン，ドキソルビシン塩酸塩，エルゴタミン，ヘロイン，メトトレキサート，ニコチン（喫煙），シクロホスファミド水和物
(2) 授乳の一時停止が望まれる薬物
メトロニダゾール
(3) 乳児への副作用または影響を考慮すべき薬物
アスピリン，フェノバルビタール，ジアゼパム，クロラムフェニコール，イミプラミン塩酸塩，クロルプロマジン塩酸塩

III ─ 小児に対する薬物投与

1. 小児の薬物動態
(1) 吸収
新生児における**胃内容排出時間**は長いため，血中濃度の最高値を低下させ，最高値に到達するまでの時間が延長する．母乳・人工乳ともに脂肪が多いので，脂溶性薬物の吸収は低下する傾向にある．小児では成人と比べて体重に対する体表面積が大きくなることを考慮する．

(2) 分布

成人に比べ、水分の含有量が大きく水溶性の薬物は比較的低濃度に分布する。しかし、新生児では脳重量の体重に対する割合が大きいため、脂溶性薬物は中枢神経系に分布しやすい。新生児ではアルブミンなどの血漿タンパク質総量が少ないため、遊離型薬物の濃度が増加し得る。

(3) 代謝

CYP3A4 は乳児期に発現が増加するため新生児では発現が低く、**CYP1A2** は乳児期では発現が低い。しかし、薬物代謝は代謝酵素の活性のみに依存するものではなく、体重あたりの肝重量および肝血流量、血漿タンパク質の結合率などの因子がかかわる。薬物の除去能力（クリアランス）が成人値を超える場合があるが、これは乳幼児では体重あたりの肝重量が大きいためである。しかし、一般的に肝代謝型薬物では、乳児において血中濃度が上がりやすい。

(4) 排泄

腎排泄型薬物では、新生児では糸球体濾過率が低く、また腎血流量も少ないため半減期の延長が考えられる。

2. 小児薬用量の設定

体表面積から計算される値が、薬物動態から得られる値に近いとされており、**体表面積**からの換算式に近い値が得られる **Augsberger 式**は有用である。また、von Harnack 表（**表3**）や Young 式も簡便であるため用いられる。

表3 von Harnack 表

年齢（歳）	1/4	1/2	1	3	7.5	12	成人
成人量比	1/6	1/5	1/4	1/3	1/2	2/3	1

Augsberger II 式　小児薬用量＝（年齢×4＋20）/100×成人薬用量

Young 式　小児薬用量＝$\dfrac{年齢}{年齢＋12}$×成人量

3. 小児に特有な有害作用

- テトラサイクリン系抗菌薬による骨や歯の形成不全と歯の着色
- クロラムフェニコール系抗菌薬による新生児のグレイ症候群（gray-baby 症候群）
- 副腎ステロイドホルモン製剤による発達抑制
- 筋肉内注射による大腿四頭筋拘縮症への注意
- インフルエンザや水痘時のアスピリンの服用は Reye（ライ）症候群を引き起こす可能性があるため、原則 15 歳未満には投与しない。

IV 高齢者に対する薬物投与

(1) 生理学的変化と薬理学的影響

高齢者では、加齢に伴う薬物動態の変化が起こりやすいため、薬物の投与の際には肝機能と腎機能を正確に把握する必要がある。高齢者における一般的な生理学的変化と薬理学的影響を示す（**表4**）。

(2) 薬物治療上の注意点

高齢者では多くの薬物を服用していることがあり、一般に 5～6 種類以上の薬物を使用している場合をポリファーマシー（polypharmacy）という。患者個人の特有な薬物動態と、病態に

表4　高齢者における一般的な生理学的変化と薬理学的影響

生理学的変化	薬理学的影響
胃粘膜の萎縮・消化管運動の低下	薬物吸収能の低下
肝機能の低下	薬物代謝能の低下・生物学的半減期の延長
血清アルブミン量の減少	遊離型薬物濃度の上昇
体内水分量の減少と体脂肪率の増加	脂溶性薬物の体重あたりの分布容積の増加・水溶性薬物の体重あたりの分布容積の減少
糸球体濾過速度の低下	薬物の腎クリアランス低下

適した薬物選択が必要となり，個々の薬物における主作用のみならず副作用についても適応性を考慮する．また，若年者と比較して，高齢者では一般的に生理的機能が低下しているため，薬物による危険性と治療効果を十分に検討する必要がある．薬物の治療効果が適切に発揮され，安全に使用されるためには**服薬管理**が重要である．生活環境の把握により，協力者の有無などを含め，薬物の誤用を防ぐ注意が必要である．

― **全身疾患を有する患者への薬物投与**

1）肝障害

重度の急性肝炎や進行した肝硬変において薬物動態へ影響を及ぼす．肝障害に伴う，肝臓のアルブミン産生能の低下による血清アルブミンの減少は，遊離型薬物の増加を招く．肝硬変においては，肝実質細胞量の減少と門脈高血圧症による肝外シャント路のため，初回通過効果が減少する．

2）腎障害

腎臓から排泄される腎排泄型薬物で水溶性の高いものは，腎障害時において排泄の遅延と薬効の延長に注意が必要となる．また，長期投与においては，薬物の体内蓄積量の増加による有害反応が発現しやすくなる．アルブミンにおいては，腎疾患により**低アルブミン血症**になると，相対的に遊離型薬物濃度が増加する．尿中未変化排泄率が高い薬物では投与時に注意が必要となる．

3）循環器障害

高血圧治療薬として降圧薬のアンジオテンシン変換酵素阻害薬［ACE（angiotensin-converting enzyme）阻害薬］が処方されている患者では，非ステロイド性抗炎症薬（NSAIDs）との併用により，降圧効果の減弱が相互作用として現れる．また，高血圧患者への**アドレナリン含有歯科用局所麻酔薬**の投与は注意が必要である．

4）呼吸器障害

喘息発作を誘発する代表的な薬物にアスピリンなどのNSAIDsによる，**アスピリン喘息**がある．

5）糖尿病

糖尿病患者へのアドレナリン含有歯科用局所麻酔薬の投与は注意が必要である．また，経口血糖降下薬（アセトヘキサミドやグリベンクラミドなど）を処方されている患者では，サリチル酸製剤（アスピリンなど）との併用により血糖降下作用が増強され，アドレナリンとの併用では血糖降下作用が減弱されるので注意を要する．

6）甲状腺機能亢進症

甲状腺機能亢進症患者へのアドレナリン含有歯科用局所麻酔薬の投与は注意が必要である．

7）うつ病・統合失調症

抗うつ薬である**アミトリプチリン塩酸塩**や**イミプラミン塩酸塩**などとアドレナリンとの相互作用により，アドレナリン作動性の増強が見られる．統合失調症の治療薬である**ハロペリドール**や**クロルプロマジン塩酸塩**とアドレナリンとの併用では，ハロペリドールやクロルプロマジンのα遮断作用によりβ刺激作用が優位となり，アドレナリンの作用を逆転させて血圧降下が起こるため併用禁忌である．

国試コラム　9章　医薬品適用上の注意（ライフステージと薬物）

歯学教育モデル・コア・カリキュラム（令和4年度改訂版）では，投与された薬物の生体内運命を理解するために，年齢，妊娠，病態が影響する薬物動態の特徴を理解していることを学修目標としている．歯科医師国家試験出題基準（令和5年版）では，歯科医学総論の「妊婦・授乳婦への対応」，「歯科治療上留意すべき事項」に「投薬上の注意」を挙げている．また，「全身疾患を有する者への対応」として「医療情報の収集」に「薬剤情報の収集（和漢薬を含む）」を挙げている．さらに，「薬物療法，用法・用量」，「薬物適用の注意」に「ポリファーマシー」を挙げている．実際の歯科医師国家試験では，高齢者の薬物動態の特徴と高齢者への抗菌薬の投与，薬物の全身投与とライフステージの関係，小児の薬用量と薬物動態，Augsbergerの式とvon Harnackの換算表，腎疾患患者の薬物動態，妊婦に投与可能な抗菌薬などに関して出題されている．

10章 ゲノム薬理学と医療ビッグデータの活用

薬理学　総論　A．医薬品と薬理作用

学修目標とポイント

- ゲノム薬理学と個別化医療について説明できる．
- iPS細胞を用いた創薬について説明できる．
- がんゲノム医療について説明できる．
- AI創薬について説明できる．
- 個人情報の保護について説明できる．

本章のキーワード

ゲノム薬理学，個別化医療，iPS創薬，がんゲノム医療，AI創薬，医療ビッグデータ，個人情報

I ゲノム薬理学とは

　ゲノム薬理学（pharmacogenomics）は，「薬物応答と関連するDNAおよびRNAの特性の変異に関する研究」と定義される．ゲノム薬理学研究では，遺伝子の情報を基に薬物の有効性・安全性との関連性を解析する．2003年，ヒトゲノムプロジェクトにより全ゲノムが解読されて以降，次世代シーケンサーの開発などゲノム解読技術の進歩により，簡便に個々の遺伝子情報を取得できるようになった．

　約30億の塩基対が含まれるヒトゲノムは，個体間で約99.9％が同一で，残りの0.1％に違いが認められる．塩基配列変化が1％以上の頻度で認められる塩基配列の個体差を遺伝子多型と呼ぶ．遺伝子多型の中には，1つの塩基が他の塩基に置き換わる**一塩基多型**（single nucleotide polymorphism；SNP）などが含まれており，薬物代謝や薬物応答性の違いを引き起こす原因となることがある．

　ゲノム薬理学の臨床への応用が進んでおり，遺伝子多型など生まれつき持っている遺伝子の配列を調べる生殖細胞系列遺伝子検査と，がん細胞で生じている遺伝子の配列を調べる体細胞遺伝子検査に大別される．薬物代謝酵素の遺伝子多型は，薬物の代謝速度を変化させ，薬物動態や薬力学的効果などに影響を与えることが知られている．例えば，抗腫瘍薬であるイリノテカン塩酸塩水和物の薬物代謝酵素であるウリジン二リン酸-グルクロン酸転移酵素（UGT1A1）の遺伝子多型は，骨髄抑制や下痢などの副作用の発現率が高くなることから，薬物投与時にはUGT1A1の遺伝子多型を検査し，個人の遺伝子情報に基づいて投与量を調整することが推奨されている（生殖細胞系列遺伝子検査）．また，ゲノム薬理学の概念を用いて開発された一部の分子標的治療薬の効果は，薬物の標的部位の遺伝子変異が薬物応答性に大きく影響する．例えば，抗腫瘍薬のゲフィチニブは上皮成長因子受容体（EGFR）に遺伝子変異を有する場合に高い効果を発揮する（体細胞遺伝子検査）．

　このようにゲノム薬理学は，個々の遺伝子の情報に基づいて安全で有効な治療を行う**個別化**

医療の確立に繋がるものである．

iPS 細胞を用いた創薬

iPS 細胞（induced pluripotent stem cell，人工多能性幹細胞）は，2006 年に京都大学の山中伸弥博士らにより見出された．iPS 細胞は，神経細胞，心筋細胞，肝細胞，骨格筋細胞など様々な組織や臓器の細胞に分化する能力と無限に増殖する能力をもつ多能性幹細胞（pluripotent stem cell）である．ヒトの血液や皮膚の体細胞に 4 種類の転写因子（Oct3/4, Sox2, Klf4, c-Myc）を導入することにより，様々な細胞に分化できる iPS 細胞へとゲノムの初期化（リプログラミング）が起こる．

近年，iPS 細胞は，疾患，創傷などで失われた臓器の機能を補完する再生医療への実用化を目指し研究が進められている．iPS 細胞を用いた再生医療には，特定の組織の細胞に分化させた iPS 細胞を細胞移植する形で用いられるが，患者自身の細胞から iPS 細胞を樹立し，細胞移植に用いると，時間とコストがかかるという問題が生じる．そこで，京都大学 iPS 細胞研究財団が中心となって，再生医療用の iPS 細胞を保管する事業が進んでおり，日本の人口の約 40％に対して細胞移植において拒絶反応が少ない iPS 細胞が保管されている．iPS 細胞由来ドパミン神経前駆細胞を用いた Parkinson 病治療に関する臨床試験を含む複数の臨床研究が実施されており，iPS 細胞を用いた細胞医薬の開発が行われている．

さらに，iPS 細胞を用いて疾患を再現し治療薬を見出す iPS 創薬の開発が進められている．iPS 細胞から作り出された臓器や細胞を用いることで，臨床試験の前に，ヒトにおける副作用をある程度予測することが可能になり，新薬開発の安全性向上と効率化が期待される．また，難病指定された希少疾患においては，動物モデルが開発されていないことや，患者数が少ないために，多くの被験者が参加する臨床試験を行うことが難しく，病態の解明や医薬品開発が遅れている．そこで，患者の血液などから疾患特異的な iPS 細胞を作製し，その病態を再現することで新薬開発のための化合物探索が行われている．

Alzheimer（アルツハイマー）病など複数の疾患では，病態を再現した細胞を用いて，他の疾患で治療薬として用いられている既存薬の中から，その病態を抑える薬物の探索が行われている．ある疾患に有効な治療薬や治験薬から，別の疾患に有効な薬効を見つけ出す**ドラッグリポジショニング**による創薬は，薬物のヒトにおける安全性や薬物動態に関する情報が利用可能であり，前臨床試験や第 I 相試験などの医薬品開発における早期の過程を省略できる．また，薬剤の製造方法がすでに確立しているため，治療薬開発の期間短縮や新薬開発コストを抑えることができる．

がんゲノム医療

がんの治療においては，分子標的治療薬の効果を予測する特定の遺伝子異常（**バイオマーカー**）を検出して，最適な治療法を選択する個別化医療が進んでいる．一部の分子標的治療薬については，がん遺伝子検査が行われており，特定の遺伝子異常が検出されたがんに対して，高い効果を示す治療薬を選択できるようになった．このように，特定の遺伝子異常を検出し，特定の分子標的治療薬の効果や副作用をあらかじめ調べる検査を**コンパニオン診断**と呼ぶ．コンパニオン診断では，特定の遺伝子変異が検出されなかった場合には，その薬物の効果は期待できないと判断され，別の治療法を検討する必要がある．

近年，腫瘍組織を用いて，がん細胞のゲノム情報を次世代シーケンス解析することで，検査対象となる多数の遺伝子異常を一度に調べる検査（**がん遺伝子パネル検査**）を行い，個々の体

質や病状に合わせて治療方針を決定する**がんゲノム医療**が推進されている．

がん遺伝子パネル検査の結果は，医師および多職種の専門家などで構成される専門家会議（エキスパートパネル）で検討され，推奨される治療方針が決定される．がん遺伝子パネル検査のデータのうち，患者の同意が得られた検査データおよび診療データについては，直接個人を特定できない形で，がんゲノム情報管理センター（C-CAT）のデータベースに登録される．C-CATに蓄積した情報を，研究機関や企業が利用することで，ゲノム情報に基づいた創薬や新たな医学的知見の創出に繋がることが期待される．

現在，保険診療によるがん遺伝子パネル検査は，標準治療がない症例や標準治療が終了した症例などに限定されており，厚生労働省から指定を受けたがんゲノム医療中核拠点病院，がんゲノム医療拠点病院，がんゲノム医療連携病院でのみ実施されている．

Ⅳ ── AI 創薬

医療の分野では，従来の膨大な医療情報に加えて，網羅的なゲノム情報，生体内のタンパク質動態に関するプロテオームや代謝産物に関するメタボロームなど様々なオミックス情報[*1]の蓄積などにより**医療ビッグデータ**が急速に拡大している．AI（artificial intelligence，人工知能）は，一般社団法人 人工知能学会において，「大量の知識データに対して，高度な推論を的確に行うことを目指したもの」と定義されており，創薬の過程でAIを活用する**AI 創薬**の実用化に向けて開発が進められている．

従来の医薬品開発プロセスは，標的分子の探索から非臨床試験，臨床試験を経て新薬が承認され，実際に治療に使われるまでには長い年月が必要とされる（**11章Ⅰ参照**）．核酸医薬や抗体医薬など多様化する**創薬モダリティ**において，薬剤標的の探索や安全性・有効性の確立など様々な乗り越えるべき問題がある．そこで，AI 技術を導入することにより創薬のスピードを速め，開発期間を短縮することにより低コストで新薬開発を行うことを目指して，製薬企業などがAI 創薬に着手している．AI 創薬による新薬開発は発展途上にあるが，日本において，AI 創薬に関する複数のプロジェクトが発足している．LINC（Life Intelligence Consortium）は，アカデミア，製薬・ライフサイエンス企業，IT 企業など100 以上の機関が参画して設立され，AI を用いた医薬品の標的分子の探索や化合物の分子設計および最適化，画像病理診断，薬物動態の予測などを行う AI 創薬プラットフォームの構築を目指した技術開発を行っている．

Ⅴ ── 個人情報

個別化医療のための遺伝子検査や医薬品開発が推進されるにつれて，研究および臨床において**個人情報**が取り扱われるようになった．解析で得られたゲノムおよび遺伝子の情報は個人情報であることから，これらを利用・保管する場合，倫理面，個人情報保護の観点から慎重に取り扱う必要がある．日本では2021 年に，「人を対象とする生命科学・医学系研究に関する倫理指針」（令和3年文部科学省，厚生労働省，経済産業省，令和5年一部改訂）が定められた．この指針は，ゲノム情報などを含む試料の取り扱いなどの個人情報保護に関する内容や**インフォームド・コンセント**[*2]の取得，遺伝カウンセリングの実施などについて定めている．

[*1] 網羅的な生体分子に関する情報のこと．
[*2] 研究者が被験者に研究内容を説明し，内容を十分に理解した被験者から研究参加への同意を得ること．

11章 薬理学 総論 A. 医薬品と薬理作用

臨床薬理学

学修目標とポイント
- 医薬品の開発プロセスについて説明できる．
- 治験について説明できる．
- 後発医薬品について説明できる．
- 薬物動態解析の方法論の概略について説明できる．
- 服薬指導と医薬品添付文書について説明できる．
- 処方箋の記載事項，記載方法について説明できる．
- 医薬品・医療機器の安全対策について説明できる．

本章のキーワード
臨床試験，非臨床試験，治験，後発医薬品，薬物動態解析，個別化医療，治療薬物モニタリング，処方箋，医薬品・医療機器の安全対策，薬害

I 医薬品の開発

新しい医薬品の開発では，まずはスクリーニングによって候補となる化合物を選ぶ．その上で主として動物を用いた非臨床試験を行い，それからヒトを用いた臨床試験を実施する．新薬の開発には多くの費用と時間を要する．日本国内で新しい医薬品を開発し，市場で販売するために必要な研究開発費は約500億円，同様に米国で開発・販売された医薬品の開発費は中央値で10億ドル，平均値で13億ドルと報告されている[1]．期間も10〜17年必要とされる．

1．新薬の開発プロセス

1）基礎研究
天然に存在する物質からの抽出や，化学合成した物質，さらにゲノム情報を基にした計算・AIによるシミュレーションなど様々な科学技術を活用して，薬の候補となる化合物を作り，その可能性を調べる．

2）非臨床試験
薬になる可能性のある新規物質の有効性と安全性を，主として細胞を用いて *in vitro* で解析・試験を行う．その物質が体内でどのように吸収され分布していくのか，また代謝・排泄されていくのかといった薬物動態を動物実験によって調べ，さらに物質自体の品質，安定性に関する試験も行う．

3）臨床試験
ヒトにとって有効で安全なものかどうかを調べるのが臨床試験である．非臨床試験によって有効性，副作用を十分に評価した上で医薬品として有用性が期待できると判断された薬の候補

だけが，臨床試験に進む．新薬の承認審査を受けるための試験を**治験**という．なお，臨床試験の実施にあたっては，医薬品の臨床試験の実施に関する基準（GCP）を遵守する．治験は第Ⅰ相，第Ⅱ相，第Ⅲ相に分かれる．

(1) 第Ⅰ相試験

治験薬を初めてヒトに適用する試験で，原則として少数の健康男性ボランティアを対象に，治験薬について臨床安全用量の範囲を推定することを目的とし，合わせて吸収・排泄などの薬物動態学的検討を行う．次に，第Ⅱ相試験に進みうるか否かの検討資料を得るための試験を行う．抗腫瘍薬のような薬そのものに細胞毒性がある場合は，健常人ではなく癌患者などを対象にする．

(2) 第Ⅱ相試験

限られた数の患者において治験薬の有効性と安全性とを検討し，適応疾患や用法・用量の妥当性など，第Ⅲ相試験に進むための情報収集を目的とする試験である．第Ⅱ相試験は通常，前期と後期に分けられる．前期第Ⅱ相試験は，患者を対象に安全性，有効性および薬物動態などについて検討する．後期第Ⅱ相試験は，前期に引き続き治験薬の薬効の適応範囲を明らかにするための探索的検討を行うとともに，用量反応試験（必要な場合にはプラセボを含める）を行い，最小有効量および最大有効量の範囲を検討する．

(3) 第Ⅲ相試験

第Ⅲ相試験は，さらに多くの臨床試験成績を収集し，対象とする適応症に対する治験薬の有効性および安全性を明らかにし，治験薬の適応症に対する臨床上の有用性の評価と位置づけを行うことを目的とする試験である．

4) 承認申請と審査ならびに第Ⅳ相試験

治験結果を基に申請資料を作成し，PMDA（pharmaceuticals and medical devices agency, 医薬品医療機器総合機構）に提出し，承認審査を受ける．PMDAでの審査を通過した後に，厚生労働省に報告書を提出し，薬事・食品衛生審議会の審議を経て，答申によって厚生労働大臣が判断，許可すると，医薬品として製造・販売できる．なお，市販後には第Ⅳ相試験を行う．すなわち，治療的使用に伴う医薬品承認後に行われる試験であり，承認された適応，用法・用量においての有効性・安全性についての情報収集を目的とする．製造販売後臨床試験とも呼ばれ，**市販直後調査**および市販後調査を含むが，治験とはいわない．

2. 後発医薬品（ジェネリック医薬品）

先発医薬品の特許期間（20～25年）が終了すると，他の製薬会社は同じ有効成分の医薬品を製造販売できる．これが**後発医薬品（ジェネリック医薬品）**である．先発医薬品と同一の有効成分を同一量含み，同一経路から投与する製剤で，効能・効果，用法・用量が原則的に同一であり，先発医薬品と同等の臨床効果・作用が得られる．しかしながら有効成分は同じでも製造方法などに違いがあり，全く同じ効能であるかについては，必ずしも確かではない場合もある．

また，先発医薬品メーカーから許諾（authorize）を受けて製造販売する医薬品を**オーソライズドジェネリック**といい，製造方法のプロセスにおいて，さらに3種類に分類される．①先発医薬品メーカーの原薬，製法，技術，製造ラインを用いて製造し，後発医薬品メーカーが販売するもの，②先発医薬品メーカーと同じ原薬を用いて後発医薬品メーカーが製造するもの，③異なる原薬を用いて同じ製法で後発医薬品メーカーが製造するものである．

II ── 臨床薬物動態学 ── ヒトを対象とした薬物動態解析の方法論

新たに開発された医薬品のヒトを対象とした臨床薬物動態試験については，方法論も含めたガイドラインが2001年に通知された．下記の項目を考慮しつつ，薬物動態試験を行う．

1）薬物の定量分析法

医薬品 GLP（good laboratory practice）基準に従う．**GLP 基準**については「医薬品，医療機器等の品質，有効性及び安全性の確保等に関する法律」において，医薬品の安全性に関する非臨床試験の実施の基準に関する省令として，責任体制の明確化，試験方法の標準化，信頼性保証部門の設置，適切な施設設備・機器の使用と管理などについて遵守すべき事柄を定めている．とりわけ試験データの記録，資料保存施設，試験施設の体制について，細かく定めている．

2）GCP の遵守

臨床薬物動態試験の実施に際しては，被験者の安全を確保し，人権を保護するとともに，治験の科学的な質と成績の信頼性を保持するために，GCP の遵守が重要である．

3）臨床薬物動態データ

被験薬の体内動態を明らかにするために，その吸収，分布，代謝，排泄に関する情報をボランティアおよび患者から得る．これらを基に薬物動態パラメータを計算する．

4）試験方法

まず被験者について初期段階，開発が進んだ段階，承認申請後あるいは承認後試験における被験者それぞれにおいて様々な条件を考慮に入れる．被験者ごとにパラメータ値を推定する標準的な薬物動態試験法（standard pharmacokinetic study）と，被験者が属する母集団におけるパラメータ値を推定する母集団薬物動態試験法（population pharmacokinetic approach）に大別される．母集団解析は，被験者あたりの検体採取頻度を軽減することで被験者への負担を少なくしつつ，幅広い背景を有する多数の被験者から得られた薬物濃度や臨床評価指標から薬物動態および薬力学を解析することが可能である．

5）Pharmacokinetics/Pharmacodynamics 試験（PK/PD 試験）

Pharmacokinetics とは薬物の体内での薬物動態を調べること，Pharmacodynamics とは薬物に対する生体の反応を調べることである．薬物による薬理反応の強度を生体内における薬物の濃度と関連づけて解析する PK/PD 試験を実施することは，用量反応関係を明確に捉え，用法・用量と薬物濃度，薬効強度または有害反応の間に存在する法則性を見出す上で有用である．

6）解析方法

薬物動態試験では十分な測定時点数を確保し，モデルに依存しない解析法により，血中濃度－時間曲線下面積（AUC），クリアランス，最高血中濃度（C_{max}），最低血中濃度（C_{min}），最高血中濃度到達時間（T_{max}），定常状態分布容積（Vd_{ss}），平均滞留時間（MRT），半減期（$t_{1/2}$）などを求める．さらに，コンパートメントモデルなどに基づくモデル解析を利用することで，上記のパラメータに加え，速度定数，分布容積（V_1；中心コンパートメントの分布容積，Vd_β；β 相から求めた分布容積）に関する情報が得られる（4 章Ⅲ-6, 7 参照）．

III ── 個別化医療および治療薬物モニタリング

1．個別化医療（10 章 I 参照）

標準的な治療法では，診断された疾病が同じであれば，同じ薬物を適切な用量で投与する．ところが同じ薬物であっても，その作用の強さ，効果，副作用などの点で個人によって大きく異なる場合がある．その背景には個々の患者の遺伝的特徴に差異があることが考えられるので，

その差異と生体における反応の違いの関連を把握することにより，個々に最適な薬物投与を実施することを薬物治療における個別化医療という．すなわち遺伝子レベル，タンパク質レベルでの個人の解析情報に基づき，その差が薬物効果や副作用とどう関連するか調べる研究を蓄積し，ある患者個人に最適な治療方法を計画する．

そのような個別化医療の基盤を目指したオーダーメイド医療実現化プロジェクトが，日本では2003年より文部科学省によりスタートした．全国の多くの病院から血液サンプル，DNA，臨床情報を収集し，2013年からはオーダーメイド医療の実現プログラムとして第三期の5年計画をスタートしている．そのプロジェクトが2018年からはゲノム研究バイオバンク事業として継続している．

米国ではオバマ大統領が2015年1月に行った一般教書演説で，科学技術施策の1つとして，個人の医療情報を活用してPrecision Medicine Initiativeを始めることを発表した．その中で，Personalized Medicine（個別化医療）という言葉から一歩進んだPrecision Medicine，つまり「個人の詳細な情報を基にした医療」を進めるとし，100万人以上のボランティアからのゲノム情報（whole genome sequence），代謝物質情報，体内の微生物情報，生活環境・生活習慣データを含む様々な情報を蓄積する全米研究コホートの創設を開始した．これにより，個別の遺伝情報のみならず，環境・生活習慣による違いを考慮した医療を目指している．なお，2022年の時点で100,000人以上のゲノム情報と165,000人以上のgenotyping arraysが公開されている．

英国では100,000 genomes projectが2012年に発表され，このプロジェクトのために英国政府によって設立されたGenomics England社が100,000人の遺伝子解析を行うことが示された．このプロジェクトはゲノム情報とその個人の病歴，治療，健康状態を結びつけ，個人レベルでの医療情報を集積する．解析データが2018年に100,000人に到達し，2019年にはそのゲノム情報が研究者向けに公開された．さらに，新型コロナウイルス感染症（COVID-19）において重篤な症状が発現した20,000人のゲノム情報と，軽症ないし無症状の15,000人のゲノム情報を，COVID-19パンデミック以前のゲノムデータと照らし合わせて検討し，治療法の開発に繋げるプロジェクトが進行している．

2. 治療薬物モニタリング

治療薬物モニタリング（therapeutic drug monitoring；**TDM**）とは，投与後の薬物の血中濃度を測定・解析し，個々の患者における薬物の適正な用法・用量を設定することである．薬物による効果や副作用は投与量に比例する．しかしながら，同じ投与量でも血中濃度を測定すると，その値には個人差が生じ，この個人差の大きい薬物では投与量よりも薬物の血中濃度が重要となる．用量依存性に重大な有害作用を現す薬物の投与，代謝排泄機能が低下している患者への投与にはTDMが必要な場合がある．特に治療域が狭い薬物に関しては，薬物の血中濃度を測定して用法・用量を調節することで効果を高めるとともに，副作用のリスクも減らすことができ，最適な薬物療法を行うことができる．個別化医療による個別化投与では薬物動態と薬力学の相関解析から，TDMに基づく最適な投与量を設定する（**4章Ⅴ-6.参照**）．TDMが行われる代表的な薬物を表に示す．

表　TDMが行われる代表的な薬物

抗てんかん薬	**フェニトイン**，**カルバマゼピン**，ガバペンチン，バルプロ酸ナトリウム，プリミドン，ゾニサミド
強心配糖体	ジゴキシン
抗不整脈薬	**リドカイン**，キニジン硫酸塩水和物，メキシレチン
免疫抑制薬	**シクロスポリン**
アミノグリコシド系抗菌薬	ゲンタマイシン硫酸塩，アミカシン硫酸塩，アルベカシン硫酸塩
グリコペプチド系抗菌薬	**バンコマイシン塩酸塩**
抗腫瘍薬	メトトレキサート
分子標的抗がん薬	イマチニブメシル酸塩，スニチニブ
統合失調症治療薬	ハロペリドール，ブロムペリドール
喘息治療薬	テオフィリン

Ⅳ　医薬品の適用と処方箋

1. 医薬品の適用

　医薬品を適用して有効かつ安全に作用させるには，医薬品を用法・用量通りに服用すること，すなわち服薬遵守が重要である．指示通り服薬遵守することを**服薬コンプライアンス**（medication compliance）という．一方，指示通りに服薬しないなど，服薬状態は様々な要因によって変化する．それを解決するために，十分な説明に基づく医療者・患者間の信頼関係により，患者が自ら協調的にかつ積極的に服薬行動を示すことを**服薬アドヒアランス**（medication adherence）という．

　2021年からオンライン服薬指導が可能となった．オンライン服薬指導では，薬剤師と患者の信頼関係が築かれていること，薬剤師と医師または歯科医師との連携が確保されていること，患者の安全性確保のための体制を整えることが必要とされる．オンライン服薬指導における服薬指導計画では患者ごとの状況に応じ，オンライン服薬指導と対面による服薬指導の組み合わせ（頻度やタイミングなど）について具体的な服薬指導計画を記載することが必須とされている．

　医療用医薬品の添付文書とは，医薬品医療機器等法の規定に基づき，医薬品の適用を受ける患者の安全を確保し適正使用を図るために，医師，歯科医師，薬剤師などの医薬関係者に対して必要な情報を提供する目的で，当該医薬品の製造販売業者が作成するものである．医療用医薬品の添付文書などの記載要領は，2017年に大幅な改訂がなされた．まず「原則禁忌」は廃止した．その代わりに「禁忌」または新設する「特定の背景を有する患者に関する注意」の「合併症・既往歴等のある患者」の項などへ記載することとなった．「慎重投与」を廃止し，「高齢者への投与」，「妊婦，産婦，授乳婦等への投与」，「小児等への投与」も廃止した．一方で，禁忌を除く特定の背景を有する患者への注意を集約するため，「特定の患者集団への投与」を新設した．

2. 処方箋

　処方箋は，特定の検査および治療に際して薬剤の使用が必要と判断した場合に，薬剤を調製する方法や用法などの指示を記載した指示書である．歯科医師法施行規則第二十条に記載すべき事項が定められている．すなわち，患者の氏名，年齢，薬剤名，分量，用法，用量，発行の

年月日，使用期間および病院もしくは診療所の名称および所在地または歯科医師の住所を記載し，記名押印または署名されたものである．処方箋の保存義務期間は2年（医療法）ないし3年（保険医療機関および保険医療養担当規則，および薬剤師法）である．麻薬処方箋は，さらに麻薬施用者の免許証番号と患者の住所も記載しなくてはならない．なお，後発医薬品への変更をしないと医師が判断した場合には，"変更不可"にチェックを入れる．そのチェックがない場合には，後発医薬品への変更が可能となっている．

3. 内服薬処方箋の記載方法

内服薬処方箋の記載方法については医師，医療機関での記載方法が統一されておらず，処方箋記載の指示受け間違いなどによる医療事故が後を絶たないことから，記載項目の標準化を目指した検討が厚生労働省で行われた．処方箋のあり方をも含めた検討の報告書が2010年に作成され，以下のような基準が示された．
①薬名については薬価基準に掲載されている製剤名を記載する．
②分量については1回量を記載する．
③散剤および液剤の分量については製剤としての重量，服用回数と服用のタイミングについては日本語で明確に記載する．
④投与日数については実際の投与日数を記載する．

4. リフィル処方箋

2022年度から症状が安定している患者について，医師の処方により，医師および薬剤師の適切な連携の下，一定期間内に処方箋を反復利用できる**リフィル処方箋**の仕組みを設け，処方箋様式の見直しを行った．図に新しい処方箋様式と見直しになった部分を示す．保険医療機関の医師がリフィルによる処方が可能と判断した場合には，処方箋の「リフィル可」欄にレ点を記入し，リフィル処方箋の総使用回数の上限は3回とされている．また，1回あたりの投薬期間および総投薬期間については，医師が患者の病状などを踏まえ，個別に医学的に適切と判断した期間とすることが留意事項とされている．

 ## 医薬品・医療機器の安全対策

1. 医薬品・医療機器の安全性の確保

医薬品・医療機器を安全に使用するには，医薬品・医療機器そのものの安全性と適切な使用という2つの要素が必要である．

2. 医薬品による健康被害

どんな医薬品にも必ずリスクとベネフィットが伴う．適切な用法・用量で使用しても副作用が発現する場合がある．重篤な健康被害が生じた場合には，医療者側からPMDAを通じて厚生労働大臣に報告することが求められている．また，医薬品の適正使用において入院治療が必要な副作用が生じた場合に，医療費や障害年金などの健康被害について救済給付を行う医薬品副作用被害救済制度があり，PMDAを通じて救済給付が行われる．

3. 薬害とそれに対する対応

医薬品のリスクとしての副作用が，多くの患者に広範囲にわたる場合があり，その薬の安全

図　新たな処方箋様式（案）
水色で囲んだ箇所が見直し内容である．

性の再評価とそれに伴う行政判断が遅れると**薬害**という被害が広がる．例えば，輸入非加熱血液製剤によるエイズ発症においては，輸入相手国の米国での human immunodeficiency virus (HIV) 混入によるリスクが報告されていたにもかかわらず，その情報を十分に活用せず回収が遅れたために多くの被害者，とりわけ血友病患者にHIV感染者が発生した．他にもクロロキン，キノホルム，サリドマイド，薬害肝炎，NMRワクチン薬害（Creutzfeld-Jakob病）など，多くの薬害が知られる．

2010年，国から薬害肝炎事件の検証と再発防止のための医薬品行政のあり方についての最終提言が示され，それに基づき2014年に改正薬事法として改正された．改正要点としては，①「**医薬品，医療機器等の品質，有効性及び安全性の確保等に関する法律**」（医薬品医療機器等法，**12章Ⅰ参照**）に名称変更を行ったこと，②添付文書を最新の知見に基づいて作成したことなどである．2019年にはさらに改正薬機法として，医薬品等行政評価・監視委員会設置が定められた．この委員会では医薬品行政を監視し，施策の実施状況を評価し，医薬品などの安全性の確保や薬害の再発防止を目指している．

4. 医薬品や医療機器の安全な使用

医薬品や医療機器の安全な使用に関しては2007年改正医療法により，医療機関における医療安全の確保すなわち医療安全確保の体制確保が義務づけられた．すなわち，医療法で医療安全の確保に関する規定が新設され，医療機関の管理者に医療安全確保の義務づけ，例えば医療に係る安全管理のための指針や，院内感染対策のための指針の策定，安全管理や安全使用のための職員研修などが義務づけられた．実際の医薬品の投与にあたっては，投与量，投与経路，投与対象者の誤認による医療事故を防ぐために，与薬原則6つのRを確認することが求められている．6つのRとは，正しい患者（Right patient），正しい薬物（Right drug），正しい目的（Right purpose），正しい用量（Right dose），正しい方法（Right route），正しい時間（Right time）である．

11章 臨床薬理学

歯学教育モデル・コア・カリキュラム（令和4年度改訂版）では，医薬品の基本的事項（開発と評価）を理解するために，医薬品の開発プロセスと，臨床試験における医薬品の評価を理解していることを学修目標としている．歯科医師国家試験出題基準（令和5年版）では，歯科医学総論の「薬物療法，用法・用量」に「服薬計画・指導」を挙げている．実際の歯科医師国家試験では，医薬品開発の臨床試験，新医薬品の市販直後調査，薬物療法の個別化，処方箋，患者に提供する医薬品情報，治療薬物モニタリング（TDM）などに関して出題されている．

12章 薬理学 総論 A．医薬品と薬理作用

薬物と法律

学修目標とポイント
- 医薬品の法的位置づけについて説明できる．
- 医薬品の管理および法規について説明できる．
- 医薬品の保管について説明できる．

本章のキーワード
医薬品，毒薬，劇薬，麻薬，向精神薬，医薬品医療機器等法，OTC医薬品

I 医薬品医療機器等法

医薬品は**医薬品医療機器等法**[*1]によって定義されている．旧薬事法では医薬品が中心であったが，2014年の薬事法改正により名称が変更になった．この法律では，医療機器や再生医療等製品についても明確にされることとなった．

> 〈医薬品の定義（医薬品医療機器等法）〉
> 第2条　この法律で「医薬品」とは，次に掲げる物をいう．
> 1　日本薬局方に収められている物
> 2　人又は動物の疾病の診断，治療又は予防に使用されることが目的とされている物であつて，機械器具等（機械器具，歯科材料，医療用品，衛生用品並びにプログラム（電子計算機に対する指令であつて，一の結果を得ることができるように組み合わされたものをいう．以下同じ．）及びこれを記録した記録媒体をいう．以下同じ．）でないもの（医薬部外品及び再生医療等製品を除く．）
> 3　人又は動物の身体の構造又は機能に影響を及ぼすことが目的とされている物であつて，機械器具等でないもの（医薬部外品，化粧品及び再生医療等製品を除く．）

II 日本薬局方

日本薬局方は，医薬品医療機器等法第41条の1に基づき，厚生労働大臣が医薬品や医療機器，再生医療等製品の性状および品質の適性をはかるため，化学構造，品質，純度などの基準を定めた規格書のことであり，医薬品医療機器等法の付属文書であるため法的強制力がある．収載されている医薬品はその基準に適合しなければ販売，製造などを行うことができない．医薬品医療機器等法第41条の2には，厚生労働大臣は少なくとも10年ごとに日本薬局方の全面

[*1] 正式名称は，「医薬品，医療機器等の品質，有効性及び安全性の確保等に関する法律」である．

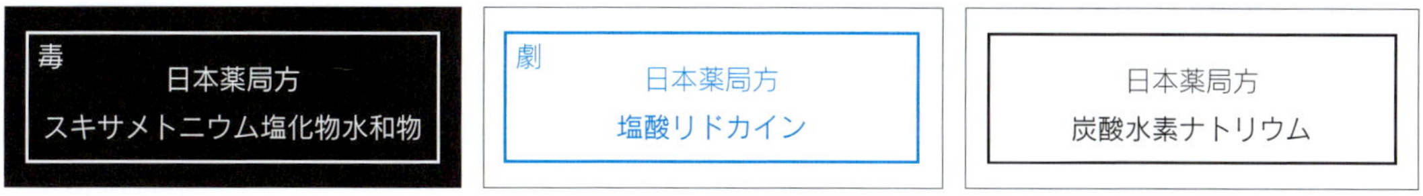

図　医薬品の表示
左から毒薬，劇薬，普通薬．劇薬の表示はすべて赤である

表1　医薬品の表示と保管方法

分類	ラベルの表示	保管場所
毒薬	黒地に白枠，白字で品名と「毒」の表示	他の医薬品と区別し，施錠した場所
劇薬	白地に赤枠，赤字で品名と「劇」の表示	他の医薬品と区別する
普通薬	特定の指定なし	特定の指定なし
麻薬	㊖の表示	他の医薬品と区別し，施錠した堅固な設備内
向精神薬	㊒の表示	施錠した設備

表2　OTC医薬品の分類

<table>
<tr><th colspan="2">OTC医薬品分類</th><th>対応する専門家</th><th>販売者からお客様への説明</th><th>お客様からの相談への対応</th><th>インターネット，郵便などでの販売</th></tr>
<tr><td colspan="2">要指導医薬品</td><td rowspan="2">薬剤師</td><td>対面で書面での情報提供（義務）</td><td rowspan="4">義務</td><td>不可</td></tr>
<tr><td rowspan="3">一般用医薬品</td><td>第1類医薬品</td><td>書面での情報提供（義務）</td><td rowspan="3">可</td></tr>
<tr><td>第2類医薬品</td><td rowspan="2">薬剤師または登録販売者</td><td>努力義務</td></tr>
<tr><td>第3類医薬品</td><td>法律上の規定なし</td></tr>
</table>

改定を薬事・食品衛生審議会に諮問しなければならないと規定されている．しかし，近年の目覚ましい医薬品の発展のため，現在は5年ごとに改定されている．

Ⅲ　医薬品の種類

1）医療用医薬品

医師や歯科医師が診断した上で発行する処方箋が必要な医薬品．

2）OTC（over the counter）医薬品

「要指導医薬品」と「一般用医薬品」に分類される．医薬品の含有する成分を使用方法の難しさ，相互作用，副作用などの項目で評価し，分類されている（表2）．なお，従来医療用医薬品であったものをOTC医薬品に移行したものをスイッチOTCと呼ぶ．

（1）要指導医薬品

医療用医薬品から市販薬に転用されたばかりの薬であり，インターネット販売が認められていない．対面でのみ販売され，薬剤師による情報の提供および薬学的知見に基づく指導が必要である．市販薬として原則3年間販売され，安全性が確保されると一般用医薬品へ移行される．

（2）一般用医薬品

薬局，薬店，ドラッグストア，インターネットで販売されている医薬品．リスクに応じた分類がある（表2）．

Ⅳ—医薬品の管理および法規

医薬品医療機器等法では，日本薬局方に収載された薬局方医薬品とそれ以外の薬局方外医薬品に分けられ，さらに薬局方医薬品は，毒薬，劇薬，普通薬，麻薬・向精神薬，覚せい剤に分類されている（図，表 1）.

1）毒薬・劇薬[*2]

毒薬は，医薬品医療機器等法第 44 条の 1 に「毒性が強いものとして厚生労働大臣が薬事・食品衛生審議会の意見を聴いて指定する医薬品（以下「毒薬」という.）は，その直接の容器又は直接の被包に，黒地に白枠，白字をもつて，その品名及び「毒」の文字が記載されていなければならない.」と定められている．また，その保管方法は**医薬品医療機器等法第 48 条**に，**毒薬**は，「**他の物と区別して**貯蔵又は陳列，施錠しなければならない.」と記載されている.

劇薬は，医薬品医療機器等法第 44 条の 2 に「劇性が強いものとして厚生労働大臣が薬事・食品衛生審議会の意見を聴いて指定する医薬品（以下「劇薬」という.）は，その直接の容器又は直接の被包に，白地に赤枠，赤字をもつて，その品名及び「劇」の文字が記載されていなければならない.」と定められている．また，その保管方法は**医薬品医療機器等法第 48 条**に，**劇薬**は，「**他の物と区別して**貯蔵又は陳列しなければならない.」と記載されている.

2）麻薬・向精神薬

麻薬と**向精神薬**は，「**麻薬及び向精神薬取締法**」により，その輸入，輸出，製造，製剤，譲渡などについて厳しく規制されている．この法律では，麻薬中毒者について必要な医療を行うなどの措置を講じることなどにより，麻薬および向精神薬の濫用による保健衛生上の危害を防止し，もって公共の福祉の増進を図ることを目的としている.

麻薬管理者の免許については，「医師，歯科医師，獣医師又は薬剤師」，麻薬施用者の免許については，「医師，歯科医師又は獣医師」が取得できる（第 3 条）．研究上，麻薬を扱う必要のある者は麻薬研究者の免許を取得できる．保管は，「その容器及び容器の直接の被包に「㊖」の記号」を付し，「麻薬以外の医薬品（覚せい剤を除く.）と区別」し，持ち運びのできない金庫などのかぎをかけた堅固な設備内に貯蔵して行わなければならない（第 34 条の 2）．また，毒劇薬や向精神薬とも一緒に保管しないよう注意が必要とされる．一方，向精神薬の保管は，「その容器及び容器の直接の被包に「㊐」の記号」（第 50 条の 19）を付し，医療従事者が必要な注意をしている場合以外は，出入り口にかぎをかけなければならない（第 50 条の 21）.

麻薬施用者，麻薬管理者又は麻薬研究者，向精神薬取扱者は，その所有する麻薬および向精神薬につき，滅失，盗取，所在不明その他の事故が生じた時は，都道府県知事に届け出なければならない（第 35 条の 1，第 50 条の 22）.

3）特定生物由来製品

特定生物由来製品は，血液製剤，ワクチン，細胞培養/遺伝子組換え製剤などの生物由来製品のうち，市販後において当該製品による「保健衛生上の危害の発生又は拡大を防止するための措置を講ずることが必要なものであつて，厚生労働大臣が薬事・食品衛生審議会の意見を聴いて指定するもの」をいい（医薬品医療機器等法第 2 条の 11），凝固因子製剤などの血液製剤が対象となる．これらの製剤は，感染後から発症までに数年から十数年かかることもあるため，使用した患者の氏名，住所その他の厚生労働省で定める事項を記録し，少なくとも 20 年間こ

[*2] 毒物・劇物は，毒物及び劇物取締法で規制される．いずれも医薬用外毒物，医薬用外劇物の表示が義務付けられており，施錠ならびに使用の記録が必要である.

れを保存しなければならない.

4）希少疾病用医薬品（オーファンドラッグ）[*3]

希少疾病用医薬品は，難病，エイズなどを対象とする医薬品や医療機器で，医療上の必要性が高いにもかかわらず，患者数が少ないことにより，その研究開発が進んでいない状況を踏まえ定められた．厚生労働大臣は，次の指定基準に合致するものを希少疾病用医薬品として指定することができる（医薬品医療機器等法第77条の2）．

①対象患者数が5万人未満
②代替する適切な医薬品等又は治療法がないなど特に医療上の必要性が高いもの
③対象疾病に対して当該医薬品等を使用する理論的根拠があるとともに，その開発に係る計画が妥当であると認められること

Ⅴ 医薬品の保管

医薬品は保管中に変化するので，品質を保持するためには，日本薬局方，医薬品医療機器等法などに規定された保存条件を守る必要がある．

1）保存温度

日本薬局方通則第16条では，「**標準温度は20℃，常温は15～25℃，室温は1～30℃，微温は30～40℃**とする．冷所は，別に規定するもののほか，1～15℃の場所とする」と規定している．

2）保存容器

医薬品を入れる容器としては，紙袋や箱などの密閉容器，ガラス瓶やプラスチックなどの気密容器，アンプルなどの密封容器と，日本薬局方通則第43～45条において規定されている．また，遮光とは，医薬品に規定された性状および品質に対して影響を与える光の透過を防ぎ，医薬品を光の影響から保護することができることをいう（日本薬局方通則第46条）．

3）保存場所

冷蔵庫内で保存の場合は凍結に注意する．また，暗所とは扉のある戸棚の中の暗いところで，冷暗所は一般に冷蔵庫内をさす．

4）有効・使用期限

医薬品が適正に保存された際の有用性を保証する期限として定められている．**有効期限**は，比較的短い期間で有効成分が分解し薬効が減少する薬物（抗生物質，血液製剤等生物学的製剤，放射性医薬品，インスリン製剤など）に，「最終有効年月日」として表示される．時間経過とともに分解・変質する薬物に，3年・5年後などの年月が**使用期限**として表示される（長期間安定な薬物は除外）．

[*3] 対象患者が1,000人未満の超希少な難病に対する医薬品はウルトラオーファンドラッグと呼ぶ．

12章　薬物と法律

歯学教育モデル・コア・カリキュラム（令和4年度改訂版）では，医薬品の基本的事項（分類）を理解するために，医薬品の分類（毒薬，劇薬，麻薬，向精神薬，毒物，劇物を含む）の理解を学修目標としている．実際の歯科医師国家試験では，医薬品医療機器等法の対象となる薬物に関して出題されている．

13章 薬理学 総論 B. 薬理作用の機序と生理活性物質

薬理作用の機序

学修目標とポイント

- 薬物は細胞に対して作用し，細胞機能の変化の集積が薬理作用であることを説明できる．
- 細胞膜受容体（Gタンパク質共役型，酵素共役型およびイオンチャネル内蔵型）の構造と情報伝達の機構を説明できる．
- 細胞質および核内受容体の特徴と遺伝子の転写調節因子としての機能を説明できる．
- 受容体を介さない薬理作用（イオンチャネル，トランスポーター，酵素，核酸に対する作用，物理化学的作用など）を説明できる．

本章のキーワード

リガンド，作動薬，拮抗薬，酵素に対する作用，細胞膜に対する作用，物理化学的作用

薬物が薬理作用を発現する際，多くの場合，薬物の作用点はその薬物に対して高い選択性と立体特異性をもつ**受容体**（receptor）である．この受容体に結合する分子を**リガンド**（ligand）と呼ぶ．リガンドは体外から投与する薬物だけではない．生体内にある神経伝達物質，ホルモン，成長因子，転写因子も内因性リガンドとして細胞表面の細胞膜受容体（membrane receptor，狭義の受容体）と**細胞質内受容体**および**核内受容体**（nuclear receptor）を標的としている．一方，①膜輸送タンパク質（membrane-transport protein），②酵素（enzyme），③細胞を構成する核酸や脂質も薬物の標的となっており，受容体を介さずに薬理作用を発現する．

I 薬物受容体とリガンド

1. 作動薬

受容体を活性化するリガンドを**作動薬**[*1]（**アゴニスト**，agonist）と呼ぶ．作動薬の効力は，作動薬（D）が受容体（R）に結合する過程と作動薬-受容体複合体（DR）が応答（E）する過程に分けると理解しやすい．両過程は，

$$D + R \underset{K_D}{\overset{}{\rightleftarrows}} DR \xrightarrow{\alpha} E \quad \text{（式1）}$$

と表現でき，K_D は解離定数，α は内活性（固有活性，intrinsic activity）である．さらに，応答の強さは受容体の占有率に依存すると考えると，

$$E = \alpha\,[DR]\quad(0 \leq \alpha \leq 1) \quad \text{（式2）}$$

となる．

ある受容体に結合できる作動薬が複数種類ある場合，最大の応答を引き起こす作動薬を完全

[*1] 作用薬とも呼ぶ．

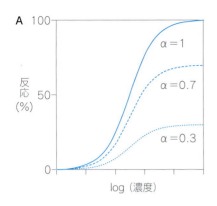 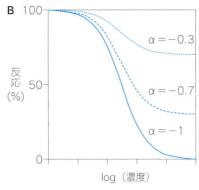

図1 内活性による濃度-反応曲線の変化
Aは内活性αを0.3, 0.7, 1, Bは-0.3, -0.7, -1と変化させて描いた.

作動薬（full agonist）と呼び，内活性αは1となる．一方，全ての受容体が作動薬で占有されているにもかかわらず小さな応答しか得られない場合，その作動薬は部分作動薬（partial agonist）と呼ばれ，内活性は0と1の間の値をとる．さらに，一部のGタンパク質共役型受容体は，作動薬が結合していない状態で細胞内情報伝達系を恒常的に活性化している．この恒常的活性化を阻害するリガンドが逆作動薬（インバースアゴニスト，inverse agonist）であり，内活性は負の値をとる（図1）．

2. 拮抗薬

作動薬と同じ受容体に結合するが，それ自体は作用を引き起こさず，作動薬の作用を遮断するリガンドを**拮抗薬**[*2]（アンタゴニスト，antagonist）と呼ぶ．受容体の作動薬結合部位に親和性をもつ拮抗薬が**競合的拮抗薬**（競合的アンタゴニスト，competitive antagonist）である（表1）．余剰受容体を想定しない場合，一般に拮抗薬の濃度（用量）に従って濃度-反応曲線（用量-反応曲線）は右方移動するが，最大反応は変化しない（図2A）．

同じ受容体の中で受容体の作動薬結合部位とは異なる部位（**アロステリック部位**，allosteric site）に結合することにより受容体の構造変化を起こし，作動薬の受容体への結合を妨げる拮抗薬や，作動薬の受容体への結合以降，応答に至るまでの過程に影響を与えることにより作動薬の作用を見かけ上弱める拮抗薬は，**非競合的拮抗薬**（非競合的アンタゴニスト，non-competitive antagonist）である．作動薬の濃度を上げても反応は回復しない（図2B）．非競合的拮抗薬は内活性α（図1A）を小さくする．

拮抗薬の受容体への結合の多くは非共有結合であり，作用は可逆的[*3]である．しかし，一部の拮抗薬は受容体と共有結合を形成するので，不可逆的[*3]な作用を発揮する．

3. 余剰受容体

「1. 作動薬」の理論的説明では，完全作動薬でも部分作動薬であっても，それぞれの作動薬の最大応答には100%の受容体が占有される必要があった．しかし，100%未満の受容体占有で最大の応答が引き起こされることがあり，余っている受容体を余剰受容体（予備受容体，spare receptor）という．細胞内情報伝達系を完全に活性化するために全受容体の占有が必要

[*2] 遮断薬（blocker）とも呼ぶ．
[*3] 薬物の作用が可逆的だと時間経過とともにその薬物作用は失われるが，不可逆的だと作用は回復しない．

表1 作動薬と競合的拮抗薬の代表例

分布・受容体	作動薬	競合的拮抗薬
副交感神経 （ムスカリン性 ACh 受容体）	アセチルコリン（ACh）	アトロピン硫酸塩水和物
		スコポラミン臭化水素酸塩水和物
運動神経 （ニコチン性 ACh 受容体）	アセチルコリン	d-ツボクラリン
		ベクロニウム
交感神経（α受容体）	アドレナリン	フェントラミン
	ノルアドレナリン	
交感神経（β受容体）	アドレナリン	プロプラノロール塩酸塩
	ℓ-イソプレナリン塩酸塩	
ヒスタミン H_1 受容体	ヒスタミン	ジフェンヒドラミン
ヒスタミン H_2 受容体	ヒスタミン	シメチジン

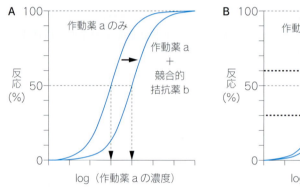
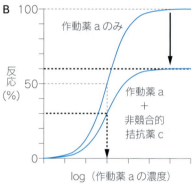

図2 競合的拮抗薬（A）と非競合的拮抗薬（B）による作動薬の濃度–反応関係の変化

ない場合は余剰受容体が存在する．

II ― 受容体を介する薬理作用（細胞膜受容体や細胞質および核内受容体に作用する薬物）

1. 細胞膜受容体

細胞膜受容体を構造的に分類すると，Gタンパク質共役型受容体，酵素共役型受容体，イオンチャネル内蔵型受容体に分類できる．

1）Gタンパク質共役型受容体（G-protein coupled receptor；GPCR）（15章の表1参照）

Gタンパク質共役型受容体は細胞膜を貫通する領域を7つもち，7回膜貫通型受容体とも呼ばれる．多くの生体アミン類，エイコサノイド類（eicosanoids）を含む脂質シグナル伝達分子，ペプチドホルモン，神経伝達物質などが，この受容体の作動薬となる．Gタンパク質共役型受容体はグアノシン 5′-三リン酸（guanosine 5′-triphosphate；GTP）結合タンパク質（Gタンパク質）のαサブユニットに基づいて G_s，$G_{i/o}$，$G_{q/11}$ の3種類に分類されている．それぞれ細胞内シグナル伝達系が異なる（**14章参照**）．

2）酵素関連型受容体（enzyme-linked receptor）（表2）

細胞膜を1回貫通する構造をしており，1回膜貫通型受容体とも呼ばれる．細胞外に作動薬の結合部位があり，細胞内に酵素活性部位あるいは細胞内に存在する酵素と会合する部位があ

表2 酵素関連型受容体の分類

受容体の分類		リガンド	リン酸化など
酵素内蔵型	グアニル酸シクラーゼ型	心房性ナトリウム利尿ペプチド（ANP）など	GTPからcGMP産生
	セリン/スレオニンキナーゼ活性	TGF-β（transforming growth factor-β）など	Smadのリン酸化
	チロシンキナーゼ活性	インスリン，上皮成長因子，血小板由来成長因子など	受容体内のチロシン残基をリン酸化
酵素共役型	細胞質チロシンキナーゼと結合	インターフェロン-γ（IFN-γ）など	JAK-STATシグナル伝達経路

る．シグナル様式の違いにより4つの受容体に分類できる．

3）イオンチャネル内蔵型受容体（ionotropic receptor）

イオンチャネル内蔵型受容体は，シナプスにおいてミリ秒から秒単位の速い情報伝達に関与し，生理学的に重要な役割を果たしている．神経伝達物質によってゲートが開き，生体内で主に流れるイオンは，陽イオンとしてはNa^+，K^+，Ca^{2+}，陰イオンとしてはCl^-である．受容体を機能面で分類すると，陽イオンが流れる興奮性受容体と陰イオンが流れる抑制性受容体に分けられる．

神経筋接合部（neuromuscular junction）のニコチン性（nicotinic acetylcholine；nACh）受容体（筋型）は競合的筋弛緩薬で遮断され，自律神経の節後線維のnACh受容体（神経型）は神経節遮断薬の標的となっている（**17章V，Ⅵ-2.参照**）．また，$GABA_A$受容体にはベンゾジアゼピン系薬物（benzodiazepines）とバルビツール酸系薬物（barbiturates）がそれぞれ結合する部位があり，両薬物ともGABA（γ-aminobutyric acid）応答を増強する（**19章Ⅳ[各論] 1., 2.参照**）．

中枢神経に広く分布する興奮性のグルタミン酸受容体は，NMDA（N-methyl-D-aspartic acid），AMPA（α-amino-3-hydroxy-5-methylisoxazole-4-propionic acid），カイニン酸（kainate）受容体の3つのサブタイプに分類され，Alzheimer（アルツハイマー）型認知症治療薬であるメマンチン塩酸塩はNMDA受容体を阻害する（**19章Ⅹ参照**）．アデノシン三リン酸（ATP）が作動薬となるP2X受容体は陽イオンを通し痛覚に関与している．

2. 細胞質および核内受容体

神経伝達物質やホルモンなどの細胞外シグナル分子のほとんどは親水性[*4]で細胞膜を直接通過できないが，ステロイドホルモン，甲状腺ホルモン，脂溶性ビタミン（ビタミンAやビタミンDなど）は疎水性[*4]であり，細胞膜を通過できる．

細胞質内，核内のステロイドホルモン受容体は，熱ショックタンパク質（heat shock protein；HSP）と安定した複合体を形成している．ステロイドホルモンが細胞質内または核内で受容体に結合するとHSPは遊離し，ホルモンと受容体の複合体は二量体として標的遺伝子のステロイドホルモン応答性エレメントに結合し，遺伝子の転写を調節する．

[*4] 物質や分子の水に溶解しやすい性質が親水性で，水に溶解しにくい性質を疎水性という．

活性型ビタミン D_3 は核内のビタミン D 受容体と結合して，レチノイン酸受容体とヘテロ二量体を形成し，オステオカルシンやオステオポンチンなどの標的遺伝子のビタミン D 応答性エレメントに結合して，遺伝子の転写を促進する．レチノイン酸受容体にレチノイン酸が結合するとビタミン D 受容体とレチノイン酸受容体のヘテロ二量体は解離する．

Ⅲ 受容体を介さない薬理作用

1．膜輸送タンパク質に作用する薬物（表3, 4）

細胞や細胞内小器官は脂質二重膜で囲まれているため，電荷をもつイオンやサイズの大きい分子はイオンチャネル（ion channel）やトランスポーター（transporter）を介して出し入れされる．薬物の5％程度が膜輸送タンパク質を標的にしているに過ぎないが，臨床的にも歴史的にも重要な薬物が膜輸送タンパク質を標的にしている．

1）イオンチャネルに作用する薬物

細胞内外で Na^+，K^+，Ca^{2+} や Cl^- の濃度には 10～10,000 倍の差がある．イオンチャネルを介するイオンの輸送は促進拡散で受動的に行われる．輸送方向は電気化学ポテンシャル（膜電位と細胞内外のイオン濃度勾配）によって決まる．前頁で記載したシナプス後膜のイオンチャネル内蔵型受容体もイオンチャネルである．イオンチャネルはその他に，活動電位の形成にかかわる電位依存性チャネル，transient receptor potential（TRP）チャネルを含めたその他の形質膜チャネル，小胞体上のイオンチャネルに分類できる．TRP チャネルは選択的薬物が臨床応用されていないため，詳細は省く．

（1）電位依存性イオンチャネル

電位依存性 K^+ チャネル（voltage-gated K^+ channel, voltage-dependent K^+ channel），電位依存性 Na^+ チャネルと電位依存性 Ca^{2+} チャネルは電位センサーとポアをもち，膜電位に依存してゲートが開閉し，イオンが通過する．イオンの選択性はポアの構造で決定されている．

電位依存性 Na^+ チャネル（voltage-gated Na^+ channel, voltage-dependent Na^+ channel）は神経や心筋の活動電位の脱分極相の形成に重要な働きをする（**18 章Ⅱ，19 章Ⅴ参照**）．

電位依存性 Ca^{2+} チャネル（voltage-gated Ca^{2+} channel, voltage-dependent Ca^{2+} channel）は，生理学的・薬理学的性質から T，N，L，P/Q，R 型に分類されている．T 型は低閾値活性化型 Ca^{2+} チャネルであり，活動電位発生の頻度を上げる．L 型 Ca^{2+} チャネルは骨格筋では電位センサーとして働き，心筋や平滑筋では Ca^{2+} 流入路として筋肉の収縮にかかわっている．N や P/Q 型 Ca^{2+} チャネルは神経終末からの神経伝達物質放出に関係している．

（2）K^+ チャネル

K^+ チャネルには，電位依存性 K^+ チャネル以外にも様々なチャネルがある．細胞内 Ca^{2+} で活性化され，活動電位発生後の過分極に重要な働きをする Maxi K^+ チャネルや SK Ⅰ チャネルは 7 個の膜貫通セグメントをもつ．

心臓に発現し，ムスカリン性受容体刺激時に活性化する内向き整流性 K^+ チャネル（GIRK チャネル）や，虚血時に細胞内の ATP 濃度が低下すると活性化する ATP 感受性 K^+ チャネル（ATP-sensitive K^+ channels；K_{ATP}）は，2 個の膜貫通セグメントをもつ K^+ チャネルである．

その他に，4 個の膜貫通セグメントをもち，直列ポアドメイン型で静止膜電位決定に重要な K^+ チャネルもある．

表3 薬物の標的となるイオンチャネル・トランスポーター（イオンチャネル内蔵型受容体を除く）

	用途・薬理作用	作用	薬効	薬物名
電位依存性 Na^+ チャネル	局所麻酔薬	チャネル遮断 (use-dependent block, voltage-dependent block)	神経伝導の遮断による無痛	リドカイン塩酸塩
	クラスIb抗不整脈薬		心室に対する抗不整脈作用	
	抗てんかん薬		発火頻度の低下	フェニトイン
電位依存性 Ca^{2+} チャネル	高血圧症治療薬	L型 Ca^{2+} チャネル遮断	血管平滑筋の弛緩	カルシウム拮抗薬：ニフェジピン，ベラパミル塩酸塩，ジルチアゼム塩酸塩
	狭心症治療薬			
	クラスIV抗不整脈薬		上室に対する抗不整脈作用	カルシウム拮抗薬：ベラパミル，ジルチアゼム
Na^+, K^+-ポンプ	心不全治療薬	Na^+, K^+-ATPase活性阻害	細胞内 Na^+ 増加	ジゴキシン，ジギトキシン
H^+ ポンプ	消化性潰瘍治療薬	H^+, K^+-ATPase活性阻害	胃酸分泌抑制	オメプラゾール，ランソプラゾール
Na^+-K^+-$2Cl^-$ 共輸送体	ループ利尿薬	Na^+-K^+-$2Cl^-$ 共輸送体遮断	利尿	フロセミド
Na^+-Cl^- 共輸送体	チアジド系利尿薬	Na^+-Cl^- 共輸送体遮断	利尿	トリクロルメチアジド
モノアミントランスポーター	抗うつ薬	ノルアドレナリントランスポーター阻害，セロトニントランスポーター阻害	シナプス間隙のノルアドレナリン，セロトニン濃度上昇	三環系抗うつ薬，セロトニン・ノルアドレナリン再取り込み阻害薬など

表4 二次的な応答が生理・薬理学的に重要なイオンチャネル・トランスポーター

チャネル・トランスポーター		臓器	一次刺激	二次的薬理作用・薬効
電位依存性 Ca^{2+} チャネル	L型 Ca^{2+} チャネル	心臓	$β_1$ 受容体刺激	G_s タンパク質→アデニル酸シクラーゼ活性化→cAMP増加→L型 Ca^{2+} チャネル活性の増強→陽性変力・陽性変時・陽性変伝導作用
	N型 Ca^{2+} チャネル	神経	$α_2$ 受容体刺激	G_i タンパク質がN型 Ca^{2+} チャネル活性を低下→ノルアドレナリンの遊離減少
K^+ チャネル	内向き整流性 K^+ チャネル	心臓	ムスカリン性受容体刺激	$G_{βγ}$ がGIRKチャネルを活性化→陰性変力・陰性変時・陰性変伝導作用
	ATP感受性 K^+ チャネル	膵臓	スルホニル尿素受容体刺激	K_{ATP} チャネルを遮断→膜の脱分極→L型 Ca^{2+} チャネルの活性化→インスリン分泌
Na^+-Ca^{2+} 交換輸送体（NCX）		心臓	Na^+, K^+-ATPase活性阻害	細胞内 Na^+ 濃度上昇→Na^+-Ca^{2+} 交換輸送体活性低下→細胞内 Ca^{2+} 濃度上昇→強心作用

(3) 小胞体膜上のイオンチャネル

小胞体などの Ca^{2+} ストアには Ca^{2+} が貯蔵されており，ストア上に**イノシトール1, 4, 5-三リン酸**（inositol 1, 4, 5-triphosphate；**IP$_3$**）**受容体**と**リアノジン受容体**（ryanodine receptor）が存在する．

IP_3 受容体は phospholipase C（PLC）により産生された IP_3 が結合すると，細胞質に Ca^{2+} を放出する（IP_3-induced Ca^{2+} release；IICR）．

リアノジン受容体は細胞質の Ca^{2+} によって活性化され，Ca^{2+} を放出する（Ca^{2+}-induced Ca^{2+} release；CICR）．Ca^{2+} の他に，カフェインや cyclic ADP-リボースがリアノジン受容体

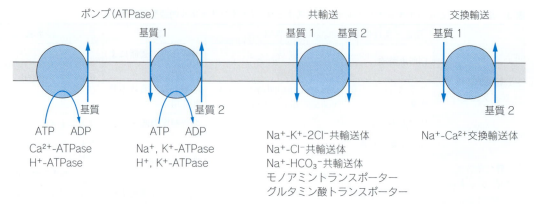

図3 トランスポーターの分類
ATP；adenosine triphosphate, ADP；adenosine diphosphate.

からの Ca^{2+} 放出を促進する．骨格筋の興奮収縮連関（excitatory-contraction coupling；EC coupling）では，膜電位変化を感知したL型 Ca^{2+} チャネル（DHP受容体とも呼ぶ）が直接結合しているリアノジン受容体を開口させて，ストアから Ca^{2+} を放出させる．

IP_3 受容体とリアノジン受容体は受容体であるとともにイオンチャネルである．放出された Ca^{2+} は Ca^{2+} ポンプによりストア内に能動輸送され，細胞質内の遊離 Ca^{2+} 濃度は低く保たれる．

2）トランスポーターに作用する薬物

イオン，神経伝達物質，生理活性物質，糖質，アミノ酸，さらには水分子もトランスポーターで脂質二重膜のバリアを越えて運搬されている．生体膜上のトランスポーターを物質輸送の方向性から分類すると，単一の物質を運ぶユニポーター（単独輸送），同一方向に複数の物質が輸送されるシンポーター（共輸送），ペアになったイオンが逆方向に輸送されるアンチポーター（対向輸送，交換輸送）に分類される（図3）．

構造学的にはATP結合部位であるATP-binding cassette（ABC）をもつABCトランスポーターと，主として Na^+ の濃度勾配を利用し物質輸送を行う solute carrier（SLC）トランスポーターに大別される．しかし，トランスポーターの機能と構造は多種多様である．

(1) ATP加水分解を用いたイオン輸送体

Na^+, K^+-ATPase（Na^+, K^+ ポンプ，Na^+ ポンプ）は1分子のATPを使って細胞内の $3Na^+$ を細胞外へ，細胞外の $2K^+$ を細胞内へ交換輸送する酵素である．したがって，起電性であり細胞膜は過分極する．全ての細胞の膜電位形成に重要な役割をもち，体が使うエネルギーの24％，脳ではエネルギーの70％を Na^+, K^+-ATPase が消費する．

Ca^{2+}-ATPase（Ca^{2+} ポンプ）は細胞膜では細胞質の Ca^{2+} を細胞外へ排出し，小胞体膜上では細胞質の Ca^{2+} を Ca^{2+} ストアへ再取り込みする酵素である．これにより，細胞質の遊離 Ca^{2+} 濃度は $0.1\,\mu M$ 以下に保たれる．

H^+, K^+-ATPase（プロトンポンプ，H^+ ポンプ）は H^+ と K^+ の交換輸送系で，H^+ を細胞外に運び，胃酸分泌にかかわる酵素である．

破骨細胞の刷子縁に発現する H^+ ポンプ（H^+-ATPase）は1基質型ポンプで，H^+ しか運ばない．

(2) イオン共輸送体

腎臓ではイオンが糸球体で濾過された後，尿細管で再吸収される．この過程で様々なイオン

共輸送体や交換輸送体が重要な役割を担う．

　Na^+-K^+-$2Cl^-$共輸送体はNa^+とCl^-の細胞外から細胞内への濃度勾配を利用し，K^+を濃度勾配に逆らって細胞内へ輸送する．この時，Na^+：K^+：Cl^-は1：1：2の割合で輸送される．K^+-Cl^-共輸送体はK^+の濃度勾配に従ってCl^-とともに細胞外に排出する．

　Na^+-Cl^-共輸送体はNa^+とCl^-を細胞外から細胞内へ輸送する．Na^+-HCO_3^-共輸送体はHCO_3^-の濃度勾配を駆動力にNa^+とHCO_3^-を細胞外に輸送する．

(3) イオン交換輸送体

　Na^+-Ca^{2+}交換輸送体は生理的にはNa^+濃度差を利用し，Na^+が細胞外から細胞内に流入する時，Ca^{2+}を細胞内から細胞外に排出する交換輸送系である．Na^+とCa^{2+}は3：1の割合である．

(4) グルコース輸送体

　筋肉，脂肪細胞，脳では，**グルコース輸送体**（グルコーストランスポーター，glucose transporter；GLUT）が促進拡散により，濃度勾配に従って細胞外から細胞内にグルコースを取り込んでいる．肝臓ではGLUTは細胞内へグルコースを取り込むが，グリコーゲンの分解が亢進し細胞内グルコース濃度が高まると，グルコースを細胞外へ放出する．Na^+-グルコース共輸送体はNa^+の濃度勾配を駆動力にした二次性能動輸送系として，小腸や腎臓近位尿細管に局在している．

(5) 神経伝達物質の輸送体

　シナプス間隙に放出された神経伝達物質は，細胞膜に存在する細胞膜トランスポーターで神経細胞やグリア細胞内に取り込まれ，さらに，神経細胞内に取り込まれた神経伝達物質はシナプス小胞膜に存在する小胞トランスポーターで小胞に貯蔵される（**19章V-1.-1**）参照）．

(6) 薬物の輸送体

　薬物は，吸収・分布・排泄の過程で細胞膜を通過しなければならない．脂溶性の薬物は受動拡散で細胞膜を通過できるが，非脂溶性の薬物はトランスポーターを介して通過する．

①有機イオントランスポーターはアドレナリン，ドパミン，プロスタグランジンなどの内因性物質だけではなく，シメチジン，アスピリン，メトトレキサートなどの薬物も運搬する．

②薬物を輸送するABCトランスポーターにはATP結合部位が2か所存在する．薬理学的に重要なのは**P糖タンパク質**（MDR1，P-gp）とmultidrug resistance-associated protein（MRP）である．P糖タンパク質は疎水性の抗腫瘍薬，脂溶性薬物やステロイドホルモンを排出するので，大腸癌，腎癌や肝癌のように最初からP糖タンパク質を発現している組織では抗腫瘍薬抵抗性を示し，P糖タンパク質が誘導される場合は薬物の排出を促進して薬物耐性を引き起こす．MRPはATPを消費する一次能動性のアニオン輸送体である．

③ペプチドトランスポーターは腸管や腎臓の管腔側にあり，ジペプチド，トリペプチド，β-ラクタム系抗菌薬，アンジオテンシン変換酵素（angiotensin converting enzyme；ACE）阻害薬などをH^+と交換輸送する．

④APC（amino acid polyamine choline）トランスポーターは血液脳関門や血液胎盤関門に存在し，ドパミン前駆物質でプロドラッグであるレボドパなどを輸送する．

2. 酵素に作用する薬物

　生体における代謝反応のほとんどは酵素が触媒する．

①細胞内セカンドメッセンジャーの産生にかかわる酵素（アデニル酸シクラーゼ，グアニル酸シクラーゼ）や分解にかかわる酵素（ホスホジエステラーゼ）

②タンパク質のリン酸化にかかわる酵素（プロテインキナーゼ）や脱リン酸化にかかわる酵素（プロテインホスファターゼ）
③神経伝達物質やオータコイドの産生にかかわる酵素（アンジオテンシン変換酵素，シクロオキシゲナーゼなど）や分解にかかわる酵素（コリンエステラーゼ，モノアミンオキシダーゼなど）
④タンパク質分解酵素，DNA 合成にかかわる酵素

などが薬物の標的となっている．また，病原微生物の酵素活性を阻害する薬物が抗感染症薬や消毒薬として用いられる．さらに，多くの薬物が生体内で酵素により代謝されるため，薬力学のみならず酵素誘導や酵素阻害により薬物動態にも影響があることを考慮しておく必要がある．本書に記載されている酵素活性を促進あるいは抑制することによって発揮される薬理作用の主なものを**表5**にまとめた．

3．核酸に作用する薬物

　シクロホスファミド水和物のようなアルキル化薬は，DNA のグアニン塩基をアルキル化して，異常な塩基対（GT 対）を生成し相補性を破綻させる．ドキソルビシンやアクチノマイシンＤは DNA の二重らせんと結合することにより，RNA ポリメラーゼ，トポイソメラーゼⅡ，DNA ポリメラーゼを阻害し，転写・複製を阻害する．ブレオマイシン塩酸塩/硫酸塩はフリーラジカルを産生し DNA を切断する．

4．細胞膜・脂質に作用する薬物

　細胞膜は細胞内外を仕切り，細胞内環境の恒常性を維持している．抗真菌薬であるナイスタチンやアムホテリシンＢは，エルゴステロールに結合して細胞膜に穴を開ける．イオンを含む小分子が通過してしまうことから，真菌に対する選択毒性を示す．ポリミキシンＢ硫酸塩とコリスチンメタンスルホン酸ナトリウム（ポリミキシンＥ）はグラム陰性菌のリン脂質と特異的に結合し，細胞膜のイオン透過性を変化させる（**31章Ⅲ参照**）．

5．代謝拮抗物質による作用

　代謝拮抗薬は細胞が必要とする葉酸，プリンおよびピリミジンヌクレオチドと構造が類似する物質であり，細胞が代謝拮抗薬を取り込むと DNA や RNA 合成が阻害される．抗菌薬や抗腫瘍薬には代謝拮抗作用による薬理作用を示すものがある（**31章Ⅰ-2-5**），**26章Ⅱ参照**）．

6．物理化学的作用

　薬物と生体内の化学物質との化学反応，あるいは薬物の物理化学的な性質により薬理作用が発現される場合も多い．

1）制酸薬

　胃酸分泌過剰に対して投与される炭酸水素ナトリウムは，アルカリ性の性質による胃酸の中和反応である（**23章Ⅰ-2-2**）**参照**）．

2）キレート作用

　重金属中毒の解毒に使用されるジメルカプロール，根管拡大・清掃に使用される EDTA（**35章Ⅵ-2**）**参照**）はキレートを形成して排泄を促進する．

13章 薬理作用の機序

表5 酵素活性を促進あるいは抑制することによって発揮される薬理作用

	用途・薬理作用	酵素に対する作用	薬効	薬物名	掲載頁
末梢神経系作用薬	副交感神経系促進，重症筋無力症治療	可逆的コリンエステラーゼ阻害	アセチルコリン増加	ネオスチグミン臭化物	130
	副交感神経系促進による毒性・中毒	非可逆的コリンエステラーゼ阻害	アセチルコリン過剰	タブン，サリン，パラチオン，マラチオン	130
中枢神経系作用薬	中枢神経興奮作用	ホスホジエステラーゼ阻害	cAMP量増加	カフェイン水和物，テオフィリンなどのキサンチン誘導体	171
	Parkinson病治療薬	モノアミンオキシダーゼB阻害	ドパミン量増加	セレギリン塩酸塩	172
循環系作用薬	高血圧症治療薬	アンジオテンシン変換酵素阻害	活性型アンジオテンシン量減少	カプトプリル	178
	心不全治療薬	Na^+, K^+-ATPase活性阻害	細胞内Na^+およびCa^{2+}増加	ジゴキシン，ジギトキシン	179
	狭心症治療薬	グアニル酸シクラーゼ活性化	cGMP量増加，細胞内Ca^{2+}濃度低下	ニトログリセリンなどの硝酸化合物	183
血液および造血臓器作用薬	止血薬	γ-カルボキシラーゼ活性化	血液凝固因子増加・機能亢進	ビタミンK_1製剤（フィトナジオン），ビタミンK_2製剤（メナテトレノン）	205
		プラスミノゲンアクチベーター抑制，プラスミン活性阻害	フィブリン分解抑制	トラネキサム酸	207
	抗凝固薬	シクロオキシゲナーゼ阻害	トロンボキサンA_2量減少，血小板凝集抑制	アスピリン	208
	血栓溶解薬	プラスミン活性化	フィブリン分解促進	組織プラスミノゲンアクチベーター	212
腎臓に作用する薬物	利尿薬	炭酸脱水酵素阻害	HCO_3^-, Na^+排泄促進	アセタゾラミド	189
呼吸器系に作用する薬物	気管支拡張薬	ホスホジエステラーゼ阻害	cAMP量増加，$β_2$受容体刺激	テオフィリン，アミノフィリン水和物	191
消化器系作用薬	消化性潰瘍治療薬	プロトンポンプ（H^+, K^+-ATPase）活性阻害	胃酸分泌抑制	オメプラゾール，ランソプラゾール	198
代謝性疾患治療薬	脂質異常症治療薬	HMG-CoA還元酵素阻害	コレステロール合成阻害	プラバスタチンナトリウム，シンバスタチン，アトルバスタチンカルシウム水和物	251
	痛風治療薬	キサンチンオキシダーゼ阻害	尿酸生合成阻害	アロプリノール	253
抗炎症薬	酸性非ステロイド性抗炎症薬	シクロオキシゲナーゼ阻害	プロスタグランジン類合成低下	アスピリン，ジクロフェナクナトリウム，ロキソプロフェンナトリウム水和物など	262
抗感染症薬	抗菌薬	細菌のトランスペプチダーゼ阻害	細胞壁合成阻害	ペニシリン系，セフェム系抗菌薬	280
		細菌のDNAジャイレースおよびトポイソメラーゼⅣ阻害	DNA合成阻害	キノロン（ピリドンカルボン酸）系抗菌薬	281

表5 酵素活性を促進あるいは抑制することによって発揮される薬理作用（つづき）

	用途・薬理作用	酵素に対する作用	薬効	薬物名	掲載頁
抗感染症薬	抗真菌薬	エルゴステロール合成酵素阻害	エルゴステロール産生抑制	ミコナゾール硝酸塩，イトラコナゾールなど	298
	インフルエンザウイルス感染治療薬	ウイルスのノイラミニダーゼ阻害	ウイルスの増殖抑制	ザナミビル水和物，オセルタミビルリン酸塩	302
免疫機能に影響する薬物	免疫抑制薬	カルシニューリン阻害	サイトカイン遺伝子の転写阻害	シクロスポリン，タクロリムス水和物	219
	抗アレルギー薬	トロンボキサン A_2 合成酵素阻害	トロンボキサン A_2 合成阻害	オザグレル塩酸塩水和物	223
抗腫瘍薬	ピリミジン代謝拮抗薬	チミジル酸合成酵素阻害	DNA合成阻害	フルオロウラシル，テガフール	227
	プロテインキナーゼ伝達阻害薬	チロシンキナーゼ阻害	受容体情報伝達阻害，細胞増殖抑制	イマチニブメシル酸塩，ゲフィチニブ	233

3）浸透圧利尿薬

D-マンニトールは尿細管中の尿の浸透圧を高めることによって利尿作用を示す（21章Ⅱ-5参照）．

4）脂質異常症治療薬

コレスチラミンは陰イオン交換樹脂であり，小腸内で負に帯電している胆汁酸と結合して便に排泄される．胆汁酸はコレステロールの代謝産物であるため血中コレステロール濃度を低下させる（27章Ⅲ参照）．

5）消毒薬

消毒薬は特定のタンパク質や特定の機能を変化させるのではなく，非特異的な薬理作用である．消毒薬には界面活性作用，脱水作用，タンパク質の凝固・沈殿作用，酸化作用，還元作用，腐食作用，収斂作用など，様々な作用がある．齲窩や根管のような硬組織の消毒には比較的強力で，軟組織に漏洩してはいけない消毒薬を使用することもある（32章参照）．

13章　薬理作用の機序

歯学教育モデル・コア・カリキュラム（令和4年度改訂版）では，薬物の作用（和漢薬を含む）に関する基本的事項を理解するために，薬物作用とその作用機序を理解していることを学修目標としている．歯科医師国家試験出題基準（令和5年版）では，歯科医学総論の「薬物療法，薬物の選択」に「薬効（薬物の作用部位・作用機序）」を挙げている．実際の歯科医師国家試験では，さまざまな薬物の薬理作用の機序に関する出題が見られ，受容体に関する出題が多い．一方，受容体を介さない機序に関する出題も見られる．

14章 神経伝達物質とオータコイド

薬理学 総論 B. 薬理作用の機序と生理活性物質

学修目標とポイント

- 神経伝達物質，オータコイド，サイトカイン，成長因子の種類と特徴を説明できる．
- 神経伝達物質の機能および受容体と情報伝達様式について説明できる．
- オータコイドの機能および受容体と情報伝達様式について説明できる．
- サイトカイン，成長因子の機能および受容体と情報伝達様式について説明できる．

本章のキーワード

神経伝達物質，オータコイド，サイトカイン，成長因子

生体内で合成され，極微量で生体内の情報伝達系を作動させる内因性物質を生体内生理活性物質といい，神経伝達物質（neurotransmitter），オータコイド（autacoid），ホルモン（hormone），サイトカイン（cytokine），成長因子（growth factor）などがある．こうした情報伝達物質は，それらに特異的な受容体（receptor）をもつ標的細胞に作用して細胞機能を修飾し，生体の恒常性の維持や生命活動の調節を担っている．生体内生理活性物質は，作用を及ぼす範囲から3つの情報伝達様式に分類できる（図1）．

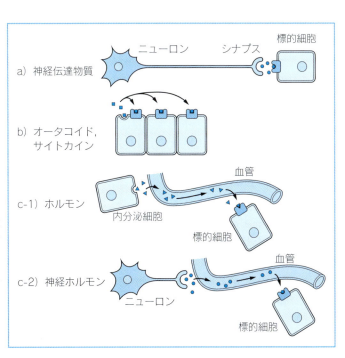

図1 細胞間の情報伝達様式
a) 神経伝達物質は，神経終末からシナプス間隙に放出され標的細胞（神経や効果器官）の受容体に作用する．例：ノルアドレナリン，アセチルコリンなど．
b) オータコイドやサイトカインは，細胞周囲環境変化によって放出され自身や近傍細胞の受容体に作用する．例：ヒスタミン，ブラジキニン，インターロイキン，上皮成長因子（EGF）など．
c-1) ホルモンや，c-2) 神経ホルモンは，特定の器官や神経終末から分泌され血液循環に乗って離れた細胞の受容体に作用する．例：インスリン，ステロイドホルモン，甲状腺刺激ホルモン放出ホルモンなど．

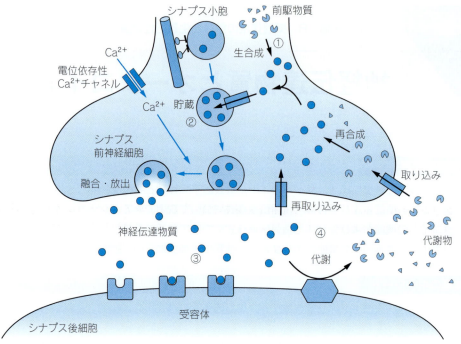

図2 神経伝達物質の一生（概念図）
シナプス小胞は細胞体で作られ軸索輸送で神経終末に運ばれる．神経伝達物質は，①シナプス前神経細胞で合成され（生合成），②シナプス小胞（synaptic vesicle）へ小胞トランスポーター（vesicular transporter）によって取り込まれて（貯蔵，storage），神経細胞軸索終末部に到達した刺激（Ca^{2+}流入）に応じて，シナプス小胞からシナプス間隙に開口分泌（exocytosis）される（放出）．③シナプス後細胞には，神経伝達物質の受容体があり結合して生理活性を示す（受容体）．④シナプス間隙に放出された神経伝達物質は，代謝酵素（metabolic enzyme）によって不活性化される（代謝）か，トランスポーターによって前神経細胞などに回収されて（再取り込み，reuptake）シグナル伝達は終息する．再取り込み・再合成された神経伝達物質は，再びシナプス小胞に貯蔵される．例えば，アセチルコリンは代謝酵素で不活性化され，代謝物が再取り込みされて再合成されシナプス小胞に貯蔵される．一方，ドパミン，ノルアドレナリン，アドレナリン，セロトニンなどはそのまま再取り込みされ再びシナプス小胞に貯蔵されるのが普通である．

　神経伝達物質は，神経細胞で産生され，シナプス間隙に分泌されて神経支配臓器に狭い範囲で作用する．オータコイドやサイトカインなどは，必要時に比較的不特定の細胞から産生され，産生細胞自身に作用（オートクリン，autocrine）したり，産生細胞周辺部の不特定の細胞に作用（パラクリン，paracrine）したりして局所的に作用する．これらは，ホルモンに比べて作用時間も短い．ホルモンは，内分泌腺（endocrine gland）などから産生され，血液循環を介して遠隔の標的組織に至り作用する．

I　神経伝達物質

　神経伝達物質とは，神経細胞同士や神経細胞と効果器との間にある化学シナプスで情報伝達を介在する物質である．アミン[*1]類（アセチルコリン，カテコラミン，セロトニン，ヒスタミンなど），アミノ酸類（グルタミン酸，γ-アミノ酪酸，グリシンなど），ヌクレオチド類［アデノシン5′-三リン酸（adenosine triphosphate；ATP）など］，ペプチド類（ニューロペプチドなど）がある．神経伝達物質は，神経細胞での生合成，貯蔵，シナプス間隙への放出，受容体への作用，シナプス間隙からの除去といった一連の過程を経る（図2）．

[*1] アンモニアの水素原子を炭化水素基で置換した化合物．

1. アミン類

1) アセチルコリン（acetylcholine；ACh）

　末梢神経系においては，運動神経，自律神経系の交感神経や副交感神経の節前線維，副交感神経の節後線維の伝達物質である．また，中枢神経系における神経伝達物質としても作用する．AChは，こうしたコリン作動性神経伝達経路を介して複雑かつ多様な生体反応を示す重要な生体内生理活性物質である（**表1**）．

2) カテコラミン（catecholamine）

　カテコラミンは，チロシンから生合成されるカテコール核をもつアミン化合物の総称である．一般に生体内に存在する**ドパミン**（dopamine），**ノルアドレナリン**（noradrenaline），**アドレナリン**（adrenaline）の3種類を指す．末梢神経系ではノルアドレナリンが交感神経節後線維の神経伝達物質であり，アドレナリンとノルアドレナリンは副腎髄質ホルモンとして機能する．中枢神経系ではドパミン，ノルアドレナリン，アドレナリンがそれぞれ独立した神経系の伝達物質として作用する．カテコラミン作動性神経伝達経路を介した末梢神経系や中枢神経系の生体機能調節は，自律神経機能，運動機能，知覚，認知（精神活動）などの調節に関与し複雑かつ多様である（**表1**）．

3) セロトニン（serotonin）

　セロトニンは，トリプトファンから生合成された5-hydroxy-tryptamine（5-HT）である．中枢神経系では神経伝達物質として働き，脳機能調節に重要な役割を果たしており，多様なサブタイプのセロトニン受容体が脳に分布している．脳のセロトニンの作用は多岐にわたり，体温調節，睡眠の維持，食欲抑制，嘔吐反射，認知や不安の感情などに関連している．セロトニンの減少はうつ病の一因とされる（**表2**）．一方，末梢ではオータコイドとして作用している（**本章Ⅱ参照**）．

4) ヒスタミン（histamine）

　ヒスタミンは，体内ではヒスチジンから生合成される．神経組織では神経伝達物質として働き覚醒の維持機構や摂食・体温調節機構などに関与している（**表2**）．臨床的に古くから用いられている抗ヒスタミン薬（ヒスタミンH_1受容体拮抗薬）の中枢神経系の副作用として眠気が出現する．一方，末梢ではオータコイドとして働く（**本章Ⅱ参照**）．

2. 抑制性アミノ酸

　抑制性アミノ酸には，**γ-アミノ酪酸**と**グリシン**があり，一般に介在神経から放出される．しかし，GABA作動性神経には投射ニューロンとして働くものも知られている．

1) γ-アミノ酪酸（γ-aminobutyric acid；GABA）

　GABAは，神経活動を負に調節する重要な生理活性物質である（**表2**）．中枢神経系の$GABA_A$

表1 神経伝達物質の受容体と性質（まとめ）

		神経伝達物質	
		アミン類	
		アセチルコリン	
生体内分布	末梢組織	運動神経終末（神経筋接合部） 交感神経・副交感神経の節前線維終末（自律神経節）	副交感神経の節後線維終末（効果器接合部）
	作用	骨格筋の収縮 神経節のシナプス伝達	（17章Ⅱ-2.参照）
	中枢神経系	コリン作動性神経（Ch1～8）	
	関連病態等	（減少）Alzheimer（アルツハイマー）型認知症	
①伝達物質の生合成	合成酵素	コリンアセチルトランスフェラーゼ（ChAT）	
	基質	コリンとアセチルCoA	
	合成の場	細胞質	
②伝達物質の貯蔵と放出	小胞への取り込み	小胞アセチルコリントランスポーター（VAChT）	
		シナプス小胞	
	放出	神経細胞からの開口分泌 神経終末部への活動電位の到達で電位依存性Ca^{2+}チャネルが開口して細胞内Ca^{2+}濃度が上昇しシナプス顆粒が開口分泌	
③後シナプス細胞膜の受容体（標的細胞受容体）	イオンチャネル内蔵型受容体	ニコチン性アセチルコリン受容体（五量体構造） 神経筋接合部終板のニコチン性受容体（N_M；筋肉型） 自律神経節のニコチン性受容体（N_N；神経型） 中枢神経系のニコチン性受容体	
	Gタンパク質共役型受容体（G_q）		ムスカリン性アセチルコリン受容体 M_1受容体 M_3受容体：消化管や気管支などの平滑筋収縮や分泌腺刺激 M_5受容体：黒質などに分布
	Gタンパク質共役型受容体（G_S）		
	Gタンパク質共役型受容体（G_i）		M_2受容体：心臓機能の抑制 M_4受容体：中枢神経系に分布
④伝達物質のシナプス間隙からの除去（代謝と取り込み）	代謝酵素	アセチルコリンエステラーゼ（AChE）（シナプスに分布） 注）AChは速やか（～10 ms）に代謝（分解）される	
	分解産物	コリンと酢酸	
	トランスポーター	コリンはコリントランスポーター（ChT）によりコリン作動性神経に取り込まれる（再利用）	

神経伝達物質の生体内分布や図2に示した一連の素過程（①～④）を整理した．
AChE；acetylcholine esterase, ChAT；choline acetyltransferase, ChT；choline transporter, N_M；nicotinic acetylcholine (nACh) receptor (muscle-type), N_N；nicotinic acetylcholine (nACh) receptor (neuronal-type), VAChT；vesicular acetylcholine transporter, G_q・G_S・G_i（13章Ⅱ-1.-1）参照）

神経伝達物質		
アミン類		
カテコラミン（一連の生合成反応で チロシン→ドパ→ドパミン→ノルアドレナリン→アドレナリン の順に作られる）		
ドパミン	ノルアドレナリン	アドレナリン
	交感神経の節後線維終末（効果器接合部）	副腎髄質クロム親和性細胞（ホルモン作用）
（19章Ⅵ参照）	（17章Ⅱ-1. 参照）	（17章Ⅱ-1. 参照）
ドパミン作動性神経（A8〜16）	ノルアドレナリン作動性神経（A1〜7）	アドレナリン作動性神経（C1〜3）
（増加）統合失調症と関連 （減少）Parkinson病と関連	（減少）うつ病と関連 下行性疼痛抑制系（強化）鎮痛	
チロシンヒドロキシラーゼ：L-ドパ合成 L-ドパデカルボキシラーゼ （芳香族L-アミノ酸デカルボキシラーゼ）	ドパミンβ-ヒドロキシラーゼ	フェニルエタノールアミン-N-メチルトランスフェラーゼ
L-チロシン	ドパミン	ノルアドレナリン
細胞質	シナプス小胞内	シナプス小胞内
小胞モノアミントランスポーター（VMAT）	小胞モノアミントランスポーター（VMAT）	
分泌顆粒	分泌顆粒	分泌顆粒
神経細胞からの開口分泌 神経終末部への活動電位の到達で電位依存性Ca^{2+}チャネルが開口して細胞内Ca^{2+}濃度が上昇しシナプス顆粒が開口分泌		
なし	なし	
	アドレナリン$α_1$受容体：末梢血管の収縮	
ドパミン受容体 D_1様受容体（D_1受容体，D_5受容体）：覚醒・情動・運動調節，腎臓の血管平滑筋弛緩	アドレナリン$β_1$受容体：心機能の亢進 アドレナリン$β_2$受容体：気管支の平滑筋弛緩，一部の血管平滑筋弛緩 アドレナリン$β_3$受容体：脂肪細胞の代謝亢進	
D_2様受容体（D_2受容体，D_3受容体，D_4受容体）：覚醒・情動・運動調節，プロラクチン分泌	アドレナリン$α_2$受容体 （シナプス前膜の自己受容体として神経伝達物質の遊離を調節している場合が多い）	
モノアミンオキシダーゼ（MAO）：ミトコンドリア外膜に局在し細胞内のノルアドレナリン（再取り込みされたものを含む）の分解に関与 カテコール-O-メチルトランスフェラーゼ（COMT）：細胞外で働く．腎臓や肝臓（末梢）にも豊富に局在		
ドパミントランスポーター（DAT） 参考：大部分が再取り込みされる	ノルアドレナリン（ノルエピネフリン）トランスポーター[NAT，（NET）] 参考：大部分が再取り込みされる	モノアミントランスポーター（DAT，NAT）の特異性は低くアドレナリンは再取り込みされる

COMT；catechol-O-methyltransferase, DAT；dopamine transporter, MAO；monoamine oxidase, NAT；noradrenaline transporter, NET；norepinephrine transporter, VMAT；vesicular monoamine transporter

表2 神経伝達物質の受容体と性質（まとめ）

		神経伝達物質	
		オータコイド	
		アミン類	
		セロトニン	ヒスタミン
生体内分布	末梢組織	腸クロム親和性細胞（オータコイド作用）	肥満細胞，好塩基性白血球（オータコイド作用）
	作用	ダンピング症候群（胃幽門部切除患者）	血管透過性亢進（浮腫） I型アレルギー反応
	中枢神経系	セロトニン作動性神経（B1〜9）	ヒスタミン作動性神経
	関連病態等	（減少）うつ病と関連 5-HT$_{2A}$拮抗薬は統合失調症の治療薬 5-HT$_{1A}$作動薬は抗不安薬 下行性疼痛抑制系（強化）鎮痛	覚醒や摂食行動に関与
①伝達物質の生合成	合成酵素	トリプトファンヒドロキシラーゼ 5-ヒドロキシトリプトファンデカルボキシラーゼ（芳香族L-アミノ酸デカルボキシラーゼ）	ヒスチジンデカルボキシラーゼ
	基質	L-トリプトファン	L-ヒスチジン
	合成の場	細胞質	細胞質
②伝達物質の貯蔵と放出	小胞への取り込み	小胞モノアミントランスポーター（VMAT） 分泌顆粒	小胞モノアミントランスポーター（VMAT） 分泌顆粒
	放出	神経細胞からの開口分泌 神経終末部への活動電位の到達で電位依存性 Ca^{2+} チャネルが開口して細胞内 Ca^{2+} 濃度が上昇しシナプス顆粒が開口分泌	
③後シナプス細胞膜の受容体（標的細胞受容体）	イオンチャネル内蔵型受容体	セロトニン受容体 5-HT$_3$受容体：嘔吐に関与（化学受容器引き金帯；CTZ），不安	なし
	Gタンパク質共役型受容体（G$_q$）	5-HT$_{2A, 2B, 2C}$受容体：腸管・気管支平滑筋収縮，中枢神経系では幻覚薬の標的部位	ヒスタミン受容体 H$_1$受容体：即時型アレルギー反応に関与 気管支平滑筋の収縮 血管平滑筋はNO産生で弛緩
	Gタンパク質共役型受容体（G$_s$）	5-HT$_4$受容体：胃腸管運動亢進 5-HT$_6$, 5-HT$_7$受容体	H$_2$受容体：胃酸分泌の促進
	Gタンパク質共役型受容体（G$_i$）	5-HT$_{1A, 1B, 1D, 1E, 1F, 1P}$受容体：セロトニン神経活動の抑制（セロトニン症候群に関与），脳血管の収縮，睡眠，摂食，体温調節，不安 5-HT$_{5A, 5B}$受容体	H$_3$受容体：神経伝達物質の開口分泌抑制 H$_4$受容体：LTB$_4$の産生
④伝達物質のシナプス間隙からの除去（代謝と取り込み）	代謝酵素	モノアミンオキシダーゼ（MAO） アルデヒドデヒドロゲナーゼ	ヒスタミンメチルトランスフェラーゼ ジアミンオキシダーゼ
	分解産物		
	トランスポーター	セロトニントランスポーター（SERT）	

CTZ；chemoreceptor trigger zone，SERT；serotonin transporter

神経伝達物質		
アミノ酸類		
抑制性アミノ酸		興奮性アミノ酸
γ-アミノ酪酸（GABA）	グリシン	グルタミン酸
膵ランゲルハンス島β細胞など様々な非神経組織		
自己免疫性1型糖尿病（抗GAD抗体による）		
GABA作動性神経（中枢神経系全般）抑制性神経伝達	グリシン作動性神経（脳幹，脊髄レンショウ細胞）抑制性神経伝達	グルタミン酸作動性神経（中枢神経系全般）興奮性神経伝達
（減少）不安症・不眠症・てんかん など Stiff-Person症候群（抗GAD抗体による）	遺伝性びっくり病 ストリキニーネ中毒（けいれん）	虚血性脳障害など様々な脳の病態に関与
グルタミン酸デカルボキシラーゼ（GAD）	グリシンアミノトランスフェラーゼ	アスパラギン酸アミノトランスフェラーゼ（AST），アラニンアミノトランスフェラーゼ（ALT），グルタミナーゼ
L-グルタミン酸	グリオキシル酸とグルタミン酸	アスパラギン酸，α-ケトグルタル酸，アラニン，グルタミン
細胞質	細胞質	
小胞GABAトランスポーター（VGAT）（小胞型抑制性神経伝達物質トランスポーター）	小胞GABAトランスポーター（VGAT）（小胞型抑制性神経伝達物質トランスポーター）	小胞型グルタミン酸トランスポーター（VGLUT）
シナプス小胞	シナプス小胞	シナプス小胞
神経細胞からの開口分泌 神経終末部への活動電位の到達で電位依存性Ca^{2+}チャネルが開口して細胞内Ca^{2+}濃度が上昇しシナプス顆粒が開口分泌		
$GABA_A$受容体（五量体構造，Cl^-チャネル）	グリシン受容体（五量体構造，Cl^-チャネル） グリシンはNMDA受容体の調節因子としても働く	イオンチャネル型グルタミン酸受容体（四量体構造） AMPA受容体（GluR1〜GluR4） カイニン酸受容体（GluK1〜GluK5） NMDA型受容体（NR1，NR2A〜D）
		代謝型グルタミン酸受容体 mGluR1，mGluR5
$GABA_B$受容体		mGluR2，mGluR3 mGluR4，mGluR6，mGluR7，mGluR8
GABAアミノトランスフェラーゼ（細胞質）		
コハク酸セミアルデヒド→コハク酸		
GABAトランスポーター（GAT） 注）取り込まれた一部は，GABA分解酵素，GABAアミノトランスフェラーゼ（GABA-T）で分解	グリシントランスポーター（グリシン神経細胞やグリア細胞）	グルタミン酸トランスポーター（グルタミン酸神経細胞やグリア細胞）

AMPA：α-amino-3-hydroxy-5-methyl-4-isoxazolepropionic acid, GABA；γ-aminobutyric acid, GAD；glutamate decarboxylase, NMDA；N-methyl-D-aspartic acid, VGAT；vesicular GABA transporter, VGLUT；vesicular glutamate transporter

受容体に作用する薬物は，抗不安作用，鎮静作用，抗けいれん作用，催眠作用，麻酔作用などを示し重要である（**19章Ⅳ［各論］1. 参照**）．

2）グリシン（glycine）

グリシンは，延髄，脊髄，網膜に濃縮されており，GABAと比べて限定的に機能する抑制性アミノ酸で，脊髄などのグリシン受容体に作用する．また，グリシンはグルタミン酸受容体（NMDA受容体）の調節因子としても働き，興奮性神経伝達機構においても重要な生理機能の一端を担っている（**表2**）．

3. 興奮性アミノ酸

興奮性アミノ酸には，**L-グルタミン酸**や**L-アスパラギン酸**があり，両アミノ酸は中枢神経系に高濃度に存在し神経を興奮させる．

1）グルタミン酸（glutamic acid）

グルタミン酸は，中枢神経系において脳神経活動の興奮性にかかわり，記憶の形成や痛覚過敏，てんかん（**19章Ⅴ参照**），虚血性脳障害などの種々の疾患発症に関与する重要な生理活性

臨床コラム

生体内生理活性物質による生体機能の多彩な調節

生体内生理活性物質の種類には限りがある．しかし，複雑な身体機能を維持できるのは，次のような生体機能を備えているからである．例えば，ストレスによる交感神経系の亢進でアドレナリン（闘争と逃走のホルモン）が放出された場合を考える（**下図**）．末梢血管のα_1受容体（G_q共役型）に作用すると血管が収縮（血圧上昇）する（①）．心臓冠動脈のβ_2受容体（G_S共役型）に作用すると血管は弛緩し酸素や栄養分が心臓に供給される（②）．肝臓のβ_2受容体（G_S共役型）に作用するとグリコーゲンを分解し（③），心臓のβ_1受容体（G_S共役型）に作用すると心機能が亢進する（④）．

- 同じ細胞に作用しても異なる受容体に結合すれば異なる反応を示す（①②を比較）．
- 同種受容体に作用しても異なる細胞では異なる反応を示す（②③④を比較）．

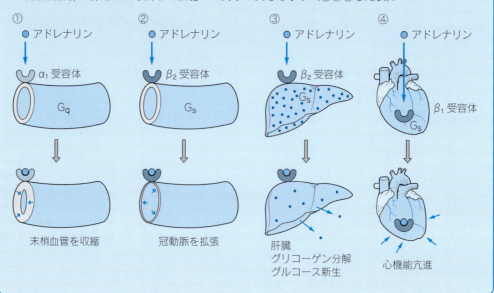

物質である（表2）．

II — オータコイド （autacoid）

オータコイドとは，局所の細胞で産生され周囲組織に作用する生理活性物質の総称で，**局所ホルモン**とも呼ばれる．生理活性アミン（ヒスタミンなど），生理活性ペプチド（アンジオテンシンなど），エイコサノイド（プロスタグランジンなど）や一酸化窒素（NO）などが含まれる．正常な状態では様々な組織の機能恒常性を自己調節する物質として作用しているが，病態の発現にも関与している．例えば，炎症時にはヒスタミンやプロスタグランジンなどの産生が亢進し，炎症の五大徴候（腫脹・発赤・発熱・疼痛・機能障害）を引き起こす．なお，生理活性アミン（ヒスタミンとセロトニン）は中枢神経において，生理活性ペプチドの一部やNOは中枢と末梢で**神経伝達物質**（表2）としても機能している．

1. 生理活性アミン

生理活性アミンは，生体内で合成され生理活性をもつアミン類の総称である．アセチルコリン，アドレナリンなども含まれる（**本章I参照**）が，本項では末梢でオータコイドとして作用するものに限って言及する．

1) ヒスタミン

ヒスタミンはほとんどの哺乳動物組織で認められ，末梢では主に肥満細胞，好塩基球，エンテロクロマフィン細胞で合成・貯蔵されている（表2）．肥満細胞などの細胞膜に存在する免疫グロブリン（IgE）に抗原が認識されると，Lyn，Syk-ホスホリパーゼC-IP$_3$，DAG系が活性化され，細胞内Ca^{2+}が上昇する．その結果，細胞内のプロテインキナーゼC（PKC）やカルモジュリン依存性キナーゼ（CaMK）の作用で脱顆粒が生じ，ヒスタミンが細胞外に遊離されH$_1$受容体を介したI型（即時型）アレルギー反応（血管透過性亢進など）が生じる（**25章I-3., 28章III-1. 参照**）．

ヒスタミン遊離は，モルヒネ塩酸塩水和物（麻薬性鎮痛薬）やポリミキシンB硫酸塩（細胞膜障害性抗菌薬）によっても誘発され，H$_1$受容体を介して喘息や瘙痒などを引き起こす．そのため，H$_1$受容体拮抗薬は抗アレルギー薬として頻用される．

2) セロトニン

セロトニンは，90%が胃腸管，10%が血小板と主に末梢にオータコイドとして存在する．それらは，主に胃腸管のエンテロクロマフィン細胞で合成され貯蔵されており，刺激によって分泌され腸の蠕動運動などを調節している．また，分泌されたセロトニンは門脈に吸収され，肝臓を経由して全身循環に至り，その過程でトランスポーターによって血小板に取り込まれる．血小板が活性化を受けるとセロトニン，ADPやCa^{2+}を放出し，他の血小板を活性化し血液凝固を促進すると同時に血管平滑筋を収縮させる．

2. 生理活性ペプチド

生理活性ペプチドとは，神経やその他の組織に内在し生理活性を有するペプチドの総称である．生理活性アミンと同様に神経伝達物質としても作用するものがあるが，本項ではオータコイド（循環ペプチド）として分類されるものに言及する．なお，生理活性ペプチドには血漿中で酵素反応により生成されるものもある．

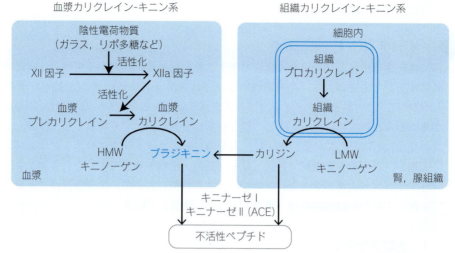

図3 血漿キニンの産生と代謝
血漿カリクレイン-キニン系：陰性電荷物質に触れて活性化されたXIIa因子が，血漿プレカリクレインを血漿カリクレインに活性化する．血漿カリクレインによってHMW（high molecular weight）キニノーゲンからブラジキニンが産生される．
組織カリクレイン-キニン系：組織プロカリクレインが活性化を受けて組織カリクレインになる．細胞内ならびに腺組織からの分泌物に含まれる組織カリクレインがLMW（low molecular weight）キニノーゲンからカリジンを産生する．カリジンはアミノペプチダーゼによりブラジキニンに変換される．
ブラジキニンとカリジンはいずれもキニナーゼIとキニナーゼII（アンジオテンシン変換酵素，angiotensin converting enzyme；ACE）によって代謝される．

1）血漿キニン類（plasma kinin）

生理活性を有する血漿キニンとして，**ブラジキニン**（bradykinin；BK），カリジン（kallidin）およびメチオニルリジルブラジキニン（methionyl lysylbradykinin）がある．ブラジキニンはその代表で，生体内ではカリクレイン-キニン系で生成され，キニナーゼIならびにキニナーゼIIで分解される（図3）．その代謝は迅速でキニン類の血液中半減期は数十秒程度といわれている．なお，キニナーゼIIは**アンジオテンシン変換酵素**（angiotensin converting enzyme；ACE）の別名である．

（1）ブラジキニン（BK）受容体と機能（表3）

BK受容体はGタンパク質共役型受容体で，B_1およびB_2受容体に分けられ，いずれも$G_{q/11}$とG_iと共役するサブタイプがある．それぞれ細胞内では，ホスホリパーゼC（PLC）を介したIP$_3$/DAG産生，ホスホリパーゼA_2（PLA$_2$）を介したアラキドン酸産生に関与する．

B_2受容体は恒常的に存在しているが，B_1受容体は組織傷害などで誘導される．**BKは最も強い発痛物質**であり，組織傷害により局所で産生される（図3）．BK受容体は一次感覚神経（C線維）の自由神経終末部にポリモーダル侵害受容器として存在し，急性痛はB_2受容体，慢性痛は誘導されたB_1受容体を介して知覚される．BKはヒスタミンと同様に血管透過性を亢進させ，発赤，腫脹，疼痛，発熱の炎症四大徴候の発現に関与する．平滑筋膜上のB_2受容体にBKが作用すると，平滑筋は収縮する（p.124 コラム参照）．

2）アンジオテンシンII（angiotensin II）

アンジオテンシンIIの産生にかかわるレニン-アンジオテンシン-アルドステロン系（renin-angiotensin-aldosterone system；RAA系）は，血圧や電解質のバランス維持にかかわっている

表3 ブラジキニン受容体のサブタイプ

サブタイプ	B_1		B_2	
情報伝達様式	G_q：IP_3/DAG ↑	G_i：アラキドン酸↑	G_q：IP_3/DAG ↑	G_i：アラキドン酸↑
主な局在・機能	血管平滑筋（正常時）：収縮 炎症部位（誘導）：四大徴候誘発 血管内皮細胞：血管透過性亢進・平滑筋弛緩		気管支などの平滑筋：収縮 血管内皮細胞：血管透過性亢進・平滑筋弛緩	

表4 アンジオテンシン受容体のサブタイプ

サブタイプ	AT_1			AT_2
拮抗薬	ロサルタン，バルサルタン			
作動薬	カンデサルタン			
情報伝達様式	G_q：IP_3/DAG ↑	G_i：cAMP ↓	$G_{12/13}$：Rho/ROCK ↑	G_i：cAMP ↓
主な局在・機能	末梢血管：収縮	腎：緩徐昇圧	心血管：細胞外基質増殖	心血管：降圧，細胞外基質増殖抑制

（20章図1参照）．血圧が低下すると腎臓傍糸球体細胞からレニン（プロテアーゼ）が血液中に分泌される．レニンは，血液中の肝臓由来アンジオテンシノーゲンからアンジオテンシンⅠを産生する．

アンジオテンシンⅠは，血管内皮細胞膜上にあるアンジオテンシン変換酵素（ACE）によってアンジオテンシンⅡになり，末梢血管収縮（**p.124 コラム参照**），副腎からのアルドステロン分泌を介して血圧が上昇すると，レニンの分泌が抑制される．アルドステロンは，尿細管でNa^+再吸収を促進し電解質バランスを調節している．これらのアンジオテンシンⅡの作用は主にAT_1受容体を介している．加えて，心血管系組織では，線維芽細胞などの細胞外基質がAT_1受容体を介して増殖し，AT_2受容体を介して増殖抑制される（**表4**）．

3）エンドセリン（endothelin）

エンドセリンは，アミノ酸構成が異なるET-1，ET-2，ET-3の3種類のETペプチドファミリーであり，強力な血管収縮作用をもつ．多くの組織に分布しているが，血管内皮細胞で産生されるのはET-1のみであり，局所で作用していると考えられている．ETファミリーは，GTP結合タンパク質（G_q，G_s，G_i，G_oなど）と共役するET_AならびにET_B受容体を介して生理活性を示す．例えば，ET-1は血管平滑筋細胞膜上のET_A受容体に作用して，PLCを活性化して細胞内にIP_3を産生し血管平滑筋を収縮させる（**p.124 臨床コラム参照**）．

4）ナトリウム利尿ペプチド（natriuretic peptide）

ナトリウム利尿ペプチドには，心房性ナトリウム利尿ペプチド（atrial natriuretic peptide；ANP），脳性ナトリウム利尿ペプチド（brain natriuretic peptide；BNP），C型ナトリウム利尿ペプチド（C-type natriuretic peptide；CNP）が存在し，主に心臓・血管から分泌されるホルモンとして機能（利尿，血管拡張作用）している．主にANPは心房，BNPは心室，CNPは血管内皮細胞から分泌される．受容体（natriuretic peptide receptor；NPR）は，細胞膜一回貫通型で，細胞内のグアニル酸シクラーゼ（GC）と共役するNPR-AとNPR-B，GCと共役しないNPR-Cが存在する．NPR-Cはナトリウム利尿ペプチドの血液中からの除去を行うが，NPR-AとNPR-Bを介すると細胞内でcGMP（cyclic guanosine monophosphate）の産生が亢進し血管は弛緩する（**図4**）．

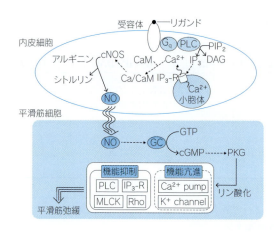

図4　血管内皮細胞を介したNOによる血管平滑筋弛緩作用

血管内皮細胞の受容体にリガンドが結合すると，G_qタンパク質を介してPLCが活性化され，細胞膜のホスファチジルイノシトール二リン酸（PIP_2）を基質としてIP_3とDAGが産生される．IP_3は小胞体のIP_3受容体に作用し，小胞体からのCa^{2+}遊離を促す．その結果，Ca^{2+}とCaMの複合体が形成され，cNOSを活性化する．cNOSはアルギニンを基質に，シトルリンとNOを産生する．産生されたNOは，細胞膜を通過して他の細胞に拡散していく．平滑筋細胞内に拡散したNOがGCを活性化すると，GTPからcGMPが産生され，PKGを活性化する．PKGは平滑筋細胞内で，以下のタンパク質をリン酸化することで平滑筋は弛緩する．

①リン酸化により機能抑制されるもの
- PLC：$α_1$受容体などと共役するPLCが抑制され，IP_3の産生能が低下する．
- IP_3-R：平滑筋小胞体上のIP_3-RにIP_3が結合できなくなる．
- MLCK：ミオシン軽鎖をリン酸化できなくなる．
- Rho：Rhoキナーゼを活性化できなくなる（Rhoキナーゼはミオシン軽鎖ホスファターゼを抑制している）．

②リン酸化により機能促進されるもの
- Ca^{2+}ポンプ：細胞質から平滑筋小胞体へのCa^{2+}回収を促進する．
- K^+チャネル：細胞内からK^+を流出させ膜の安定化を促進する．

3．脂質

1）エイコサノイド（eicosanoid）

　エイコサノイドは，リン脂質から生成されてくるプロスタグランジン（PG），トロンボキサン（TX），ロイコトリエン（LT）の総称である．血管内皮細胞や神経細胞など様々な細胞から産生される．細胞への刺激により，細胞膜のリン脂質を基質としてホスホリパーゼA_2（PLA_2）によってアラキドン酸が産生される．アラキドン酸は，シクロオキシゲナーゼ（cyclo-oxygenase；COX）によってPGとTXに，リポキシゲナーゼ（lipoxygenase；LOX）によってLTに変化する（アラキドン酸カスケード，**28章図1参照**）．

　細胞内で産生されたエイコサノイド類は細胞外に拡散し，他の細胞膜上に存在するエイコサノイド受容体に作用して様々な作用を示す（**表5**）．例えば，PGE_2は炎症部位で産生されブラジキニン受容体を活性化し痛覚増感作用を示す．また，PGE_2は感染時の発熱にも関与している．感染に伴う抗原抗体反応によって様々なサイトカインが産生される．その中のインターロイキン（IL）-$1α$やIL-$1β$が，延髄の体温調節中枢に信号を送ると体温のセットポイントが上

表5 エイコサノイド受容体のサブタイプと機能

リガンド	受容体	情報伝達	作用
PGD_2	DP	G_s：cAMP ↑	血小板凝集抑制，アレルギー惹起，傾眠
PGE_2	EP_1	G_q：Ca^{2+} ↑	平滑筋収縮，ストレス反応伝達
	EP_2	G_s：cAMP ↑	卵胞熟成，血管拡張（血圧低下）
	EP_3	G_i：cAMP ↓	発熱，痛覚伝達，胃酸分泌抑制，脂肪酸分解抑制，平滑筋収縮
	EP_4	G_s：cAMP ↑	骨新生・吸収，免疫抑制
$PGF_{2\alpha}$	FP	G_q：IP_3/DAG ↑	分娩誘発，平滑筋収縮，眼圧低下
PGI_2	IP	G_s：cAMP ↑	血管拡張，血小板凝集抑制，動脈硬化抑制
TXA_2	TP	G_q：IP_3/DAG ↑	血小板凝集，血栓形成，血管・気管支収縮，動脈硬化促進
		G_i：cAMP ↓	
LTB_4	BLT_1	G_q：IP_3/DAG ↑	白血球遊走・活性化
	BLT_2	G_i：cAMP ↓	
LTD_4	$CysLT_1$	G_q：Ca^{2+} ↑	気管支筋収縮，血管透過性亢進
	$CysLT_2$	G_q：Ca^{2+} ↑	

昇し（発熱し），生体内は感染性微生物の増殖に適さない環境になる．

2）血小板活性化因子（platelet-activating factor；PAF）

PAFは，エイコサノイドと同様にリン脂質を基質として産生される．リン脂質からPLA_2によってリゾPAFが生成され，それがアセチルトランスフェラーゼによってPAFになる．肥満細胞，好塩基球，好酸球，マクロファージ，血管内皮細胞など様々な細胞から産生される．PAFの受容体は1種類で，7回膜貫通型のGタンパク質共役型であるが，PLC活性化，cAMP減少，PI3-K活性化など様々な系を介して強い血小板凝集作用，血管透過性亢進作用，平滑筋収縮作用を発現する．アレルギー性鼻炎患者の鼻汁中にPAFが認められたことから，気道のアレルギー（喘息など）の発現に関与していると考えられる．

4．一酸化窒素（nitric oxide；NO）

一酸化窒素（NO）は分子量30の二原子分子で，最小の情報伝達物質であり，最強の血管弛緩作用物質である．低分子のため産生後速やかに細胞膜を単純拡散し，周辺細胞に浸透し作用する．酸素に触れるとただちに酸化されて二酸化窒素となり不活性化される．NOは細胞内でアルギニンを基質に，NO合成酵素（nitric oxide synthase；NOS）により産生される．NOSには，神経型（neural type；nNOS），血管内皮型（endothelial type；eNOS），誘導型（inducible type；iNOS）が存在する．nNOSとeNOSは恒常的に発現している構成型（constitutive；cNOS）で，細胞内のカルシウム・カルモジュリンで活性化する．一方，iNOSはサイトカイン類やリポ多糖（LPS）などの刺激で誘導されると考えられる．

NOは神経伝達物質，セカンドメッセンジャーとしても機能しているが，本項ではオータコイドとしての機能をあげる．血管内皮細胞でcNOSが産生したNOは，血管平滑筋細胞内に浸透し，cGMP依存性プロテインキナーゼ（PKG）を活性化し，平滑筋細胞内の各種タンパク質をリン酸化し平滑筋を弛緩させる．前出のヒスタミン，ブラジキニン，アセチルコリンなどによって生じる血管平滑筋弛緩は，この機構による（図4，p.124 臨床コラム参照）．

III ── サイトカイン（cytokine）

サイトカインとは，刺激に応答して様々な細胞から産生・放出される分子量が1万～数万のタンパク質である．標的細胞の特異的受容体に結合して作用する．標的細胞は，産生細胞自身（autocrine），近傍細胞（paracrine），遠くの細胞（endocrine）の場合がある．サイトカインの中で，特に白血球遊走活性が高い塩基性タンパク質をケモカインと称する．

サイトカインの特徴として，①多能性（pleiotropy）：1つのサイトカインが複数の活性を示す，②重複性（redundancy）：複数のサイトカインが重複した機能を示す，があげられる．**インターフェロン**（interferon；INF），コロニー刺激因子（colony-stimulating factor；CSF），腫瘍壊死因子（tumor necrosis factor；TNF），**インターロイキン**（interleukin；IL）などがあり，それぞれが多くのサブタイプを含んでおり，免疫応答細胞の分化・増殖や機能調節などの多くの機能に関与している（**25章Ⅰ-2. 参照**）．サイトカインの受容体は細胞外にサイトカイン結合ドメイン，細胞内には各種の酵素を有する1本鎖で，リガンドの結合によって二量体もしくは三量体として結合しお互いの酵素でお互いのアミノ酸などを処理してシグナル伝達を行うものが多い．一方で，IL-8の受容体は7回膜貫通型である．

IV ── 成長因子（growth factor）

体内で特定の細胞の分化・増殖を促進的に調節する内因性タンパク質の総称である．サイトカインと同様に，標的細胞の特異的な受容体に作用してシグナルを標的細胞に伝える．受容体もサイトカイン受容体と同様に，1本鎖でリガンドの結合で二量体などとして機能する．

1）上皮成長因子（epidermal growth factor；EGF）

上皮成長因子受容体（EGFR）にリガンドとして結合し，チロシンキナーゼ活性を発現させ細胞増殖などに関与する．特定の悪性腫瘍では EGFR のモノクローナル抗体（トラスツズマブ）や EGFR チロシンキナーゼ阻害薬（ゲフィチニブなど）が化学療法薬として用いられる．

2）血小板由来成長因子（platelet-derived growth factor；PDGF）

主に巨核球の他に血小板からも産生され，血清中に存在する．間葉系細胞（線維芽細胞，平滑筋細胞，グリア細胞など）の増殖を促進する．

3）インスリン様成長因子（insulin-like growth factor；IGF）

IGF-1 と IGF-2 が存在する．IGF-1 は，成長ホルモン依存的に肝臓・骨などで合成され，体組織（筋肉，骨，肝臓，腎臓，皮膚，肺，神経）の成長を促進させる．IGF-2 は，中枢神経や骨組織に発現している．

4）線維芽細胞成長因子（fibroblast growth factor；FGF）

塩基性線維芽細胞成長因子（basic FGF；bFGF）と酸性線維芽細胞成長因子（acidic FGF；aFGF）が存在し，いずれも血管新生や創傷治癒に関与している．

5）その他

神経成長因子（nerves growth factor；NGF）は神経細胞の成長を促進し，**トランスフォーミング成長因子**（transforming growth factor；TGF）は，組織の発生・分化，胚発育に重要である．

15章 薬理学 総論 B. 薬理作用の機序と生理活性物質

ホルモンと関連薬

学修目標とポイント
- ホルモンの分類，種類と作用機序について説明できる．
- ホルモン分泌の調節について説明できる．
- 甲状腺・副甲状腺ホルモン，副腎皮質・髄質ホルモンについて説明できる．
- ホルモンの機能亢進症・低下症とその治療薬について説明できる．

本章のキーワード
受容体，作用機序，分泌調節，フィードバック機構，機能亢進症・低下症

I ホルモン

ホルモン（hormone）とは，特定の内分泌腺で合成された化合物で，血中および組織間隙に分泌され，標的器官に特異的な作用を及ぼす物質である．ホルモンは細胞間の情報伝達を行い，神経系や免疫系と協調して成長発達，生殖，エネルギー代謝，恒常性の維持に関与している．また，1つのホルモンが多種類の作用をする多様性と，複数のホルモンが1種類の作用をする協調性がある．これらの作用で，体外や体内の環境変化が起きても，生命活動を維持することができる．

1. 分類（図1）

ホルモンは，①アミノ酸が結合したペプチド，②コレステロールから合成されステロイド骨格をもつステロイド，③化学構造上，1個または2個のアミノ酸で構成されるアミン・アミノ酸誘導体の3種類に分類できる．

2. 受容体と作用機序（図2，表1）

ペプチドとアミン・アミノ酸誘導体の多くは水溶性ホルモンであり，細胞膜を通過できないため，細胞膜上に局在する細胞膜受容体と結合する．ステロイドは脂溶性ホルモンであるため細胞膜を通過しやすく，細胞内受容体と結合する．各ホルモンは，ホルモン受容体と特異的に結合し，細胞外からの情報を受け取り細胞内へ伝達する．

3. ホルモン分泌の調節

生体には，血中のホルモン濃度を一定に保つ**フィードバック機構**が存在する．ホルモン分泌の調節には，視床下部-下垂体系による調節（図3）と自律神経や物理化学的刺激による調節（図4）がある．

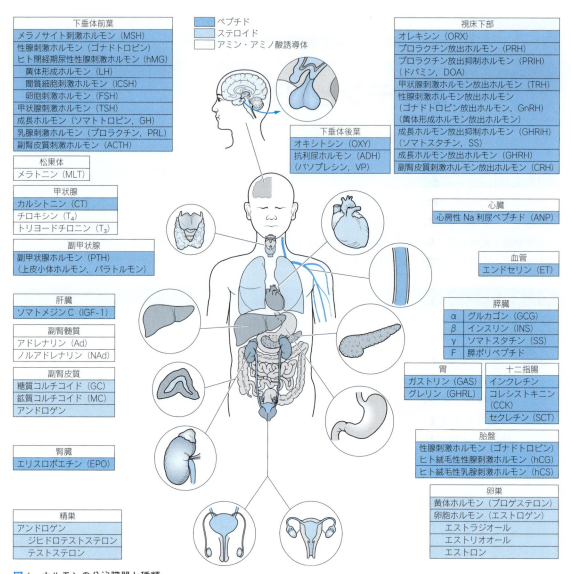

図1 ホルモンの分泌臓器と種類

　下垂体前葉は，視床下部から刺激を受けて下垂体ホルモンの分泌を制御し，下流の内分泌腺から末梢ホルモンの放出を調節する．一部の下垂体前葉ホルモンは血中に分泌され，標的組織に作用する．下垂体後葉は，ホルモンを産生する細胞がなく，視床下部の神経細胞が産生し下垂体後葉から血中に分泌され，標的組織に作用する（図3）．視床下部－下垂体系は，分泌を抑制する負のフィードバックで主に調節されるが，排卵期にはエストロゲンが上位の女性ホルモンの分泌を促進する正のフィードバックも存在する．副腎髄質，膵臓，胃・十二指腸，副甲状腺などの臓器は，中枢からホルモンによる調節を受けず，様々な刺激で末梢ホルモンを分泌する（図4）．この調節には，正と負のフィードバックが存在する．

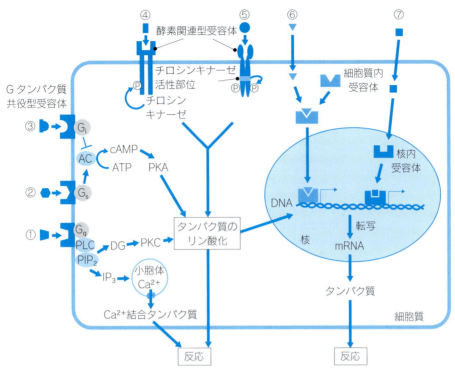

図2　ホルモンの作用機序
図中①〜⑦は表1を参照．AC：アデニル酸シクラーゼ，ATP：アデノシン三リン酸，DG：ジアシルグリセロール，DNA：デオキシリボ核酸，G_q, G_s, G_i：Gタンパク質サブタイプ，IP_3：イノシトール三リン酸，mRNA：メッセンジャーRNA，P：リン酸，PIP_2：ホスファチジルイノシトール二リン酸，PKA：プロテインキナーゼA，PKC：プロテインキナーゼC，PLC：ホスホリパーゼC

II ― 各種ホルモンの機能亢進症・低下症と治療薬

1. 甲状腺ホルモン

　濾胞上皮細胞で合成され，濾胞腔内から分泌される**チロキシン**（T_4）や**トリヨードチロニン**（T_3），リバーストリヨードチロニン（rT_3）と（**図5**），傍濾胞細胞から分泌される**カルシトニン**（**CT**）がある．T_4は末梢組織に到達すると，T_3とrT_3に代謝される．T_3は，全身の組織で核内受容体に作用し，発育と基礎代謝の増加に関与する．CTは，血中Ca^{2+}濃度の調節に関与する（**27章II-1. 参照**）．**甲状腺機能亢進症**（**Basedow病**）は，びまん性甲状腺腫，眼球突出，頻脈（メルゼブルクの三徴）が現れ，薬物療法は，抗甲状腺薬やヨウ素を使用する（**表2**）．**甲状腺機能低下症**には，橋本病，クレチン症（小児）がある．代謝低下症状と粘液水腫症状，小児では発育障害などが現れ，薬物療法は，甲状腺ホルモン製剤を使用する（**表2**）．

2. 副甲状腺ホルモン（パラトルモン，PTH）

　副甲状腺細胞内でプレプロPTHから合成され，血中Ca^{2+}濃度により分泌が調節される．PTHは破骨細胞を活性化させ，骨吸収を促進する．また，腎臓におけるCa^{2+}の再吸収やビタミンDの活性化を介して腸からCa^{2+}の吸収を促進することで，血中Ca^{2+}濃度を上昇させる．

表1　ホルモンと受容体

細胞膜受容体			
Gタンパク質共役型受容体			
①G_q-PLC系		視床下部ホルモン	TRH, GnRH, hCG
		下垂体前葉ホルモン	TSH, hCG
		下垂体後葉ホルモン	VP<V_1>, OXY
		副甲状腺ホルモン	PTH
		血管ホルモン	ET<ET_A><ET_B>
		消化管ホルモン	GAS, CCK, GHRL
		副腎髄質ホルモン	Ad<α_1>, NAd<α_1>
②G_s-cAMP系		視床下部ホルモン	GHRH, CRH
		下垂体前葉ホルモン	ACTH, TSH, LH, FSH
		下垂体後葉ホルモン	VP<V_2>
		甲状腺ホルモン	CT
		副甲状腺ホルモン	PTH
		血管ホルモン	ET<ET_A>
		消化管ホルモン	SCT
		膵臓ホルモン	GCG
		副腎髄質ホルモン	Ad<β>, NAd<β>
③G_i-cAMP系		視床下部ホルモン	SS, DOA<D_{2-4}>
		下垂体前葉ホルモン	PRL
		松果体ホルモン	MLT
		血管ホルモン	ET<ET_B>
		副腎髄質ホルモン	Ad<α_2>, NAd<α_2>
酵素関連型受容体			
④酵素共役型受容体		下垂体前葉ホルモン	GH, PRL
		腎臓ホルモン	EPO
⑤酵素内蔵型受容体		膵臓ホルモン	INS
		肝臓ホルモン	IGF-1
細胞内受容体			
⑥細胞質内受容体		副腎皮質ホルモン	GC, MC
		性ホルモン	アンドロゲン, エストロゲン, プロゲステロン
⑦核内受容体		甲状腺ホルモン	T_3

D_{1-5}：ドパミン受容体サブタイプ，V_1, V_2：バソプレシン受容体サブタイプ，
ET_A, ET_B：エンドセリン受容体サブタイプ，α_1, α_2, β：アドレナリン受容体サブタイプ

　副甲状腺機能亢進症には，原発性と続発性がある．原発性である腺腫では，PTHを過剰に分泌し，高カルシウム血症となる．続発性である慢性腎臓病では，血中Ca^{2+}濃度が低下するため，代償性にPTHが上昇し，線維性骨炎や異所性石灰化などが現れる．薬物療法は，原発性にカルシウム受容体作動薬，カルシトニン製剤，ビスホスホネート製剤（**27章Ⅱ-5. 参照**）を使用し，続発性にカルシウム受容体作動薬，活性型ビタミンD_3製剤，高リン血症治療薬を使用する（**表2**）．**副甲状腺機能低下症**では，PTHの分泌低下による低カルシウム血症，高リン血症が現れ，主に低カルシウム血症による口周囲や手・足などのしびれ感・錯感覚，テタニー，全身けいれんが現れる．薬物療法は，活性型ビタミンD_3製剤，カルシウム製剤を使用する（**表2**）．

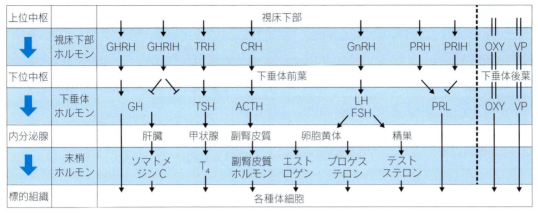

図3　視床下部-下垂体系による調節

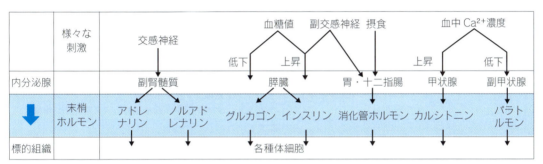

図4　自律神経や物理化学的刺激による調節

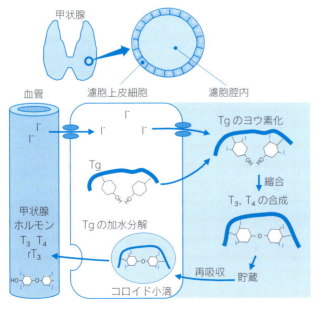

図5　甲状腺ホルモンの合成・分泌
Tg：チログロブリン，I⁻：ヨウ化物イオン

表2 主な機能亢進症・低下症と治療薬

		亢進 ↑	
甲状腺	疾患		治療薬
	甲状腺機能亢進症 (Basedow 病)	抗甲状腺薬	プロピルチオウラシル, チアマゾール
		ヨウ素	ヨウ化カリウム, ヨウ化ナトリウム
		低下 ↓	
	疾患		治療薬
	甲状腺機能低下症	甲状腺ホルモン製剤	レボチロキシンナトリウム (T$_4$) 水和物 リオチロニンナトリウム (T$_3$)
副甲状腺		亢進 ↑	
	疾患		治療薬
	原発性副甲状腺機能亢進症	カルシウム受容体作動薬	シナカルセト塩酸塩, エボカルセト
		カルシトニン製剤	エルカトニン
		ビスホスホネート製剤	アレンドロン酸ナトリウム水和物
	続発性副甲状腺機能亢進症	カルシウム受容体作動薬	シナカルセト塩酸塩, エテルカルセチド塩酸塩, エボカルセト, ウパシカルセトナトリウム水和物
		活性型ビタミン D$_3$ 製剤	カルシトリオール, マキサカルシトール, ファレカルシトリオール
		高リン血症治療薬	セベラマー塩酸塩, 沈降炭酸カルシウム, 炭酸ランタン水和物, ビキサロマー, クエン酸第二鉄水和物, スクロオキシ水酸化鉄
		低下 ↓	
	疾患		治療薬
	副甲状腺機能低下症	活性型ビタミン D$_3$ 製剤	アルファカルシドール, カルシトリオール, ファレカルシトリオール
		カルシウム製剤	乳酸カルシウム水和物, グルコン酸カルシウム 水和物, 塩化カルシウム水和物
副腎皮質		亢進 ↑	
	疾患		治療薬
	副腎皮質機能亢進症 (Cushing 症候群)	副腎皮質ホルモン合成阻害薬	メチラポン, トリロスタン, ミトタン, オシロドロスタットリン酸塩
	鉱質コルチコイド機能亢進症 (アルドステロン症)	鉱質コルチコイド受容体拮抗薬	スピロノラクトン, エプレレノン, エサキセレノン
		低下 ↓	
	疾患		治療薬
	副腎皮質機能低下症 (Addison 病)	副腎皮質ステロイド薬	ヒドロコルチゾン, プレドニゾロン, デキサメタゾン
	鉱質コルチコイド機能低下症	合成鉱質コルチコイド製剤	フルドロコルチゾン酢酸エステル
副腎髄質		亢進 ↑	
	疾患		治療薬
	副腎髄質機能亢進症	チロシン水酸化酵素阻害薬	メチロシン

3. 副腎皮質ホルモン

糖質コルチコイド（GC；glucocorticoid），**鉱質コルチコイド**（MC；mineralocorticoid），**アンドロゲン**の3種類がある．これらはコレステロールから合成され，ステロイド骨格を有する．コレステロールが様々な酵素の働きを受け，構造式の各位置番号が切断，置換されることで，種類や作用が変化する．

1）糖質コルチコイド

副腎皮質刺激ホルモン（ACTH）により分泌が調節される．GC は全身に作用し，代謝調節，抗炎症作用，免疫抑制作用などを担う（**28章Ⅳ参照**）．**副腎皮質機能亢進症（Cushing症候群）** は，満月様顔貌，骨粗鬆症，高血糖，高血圧などの症状が現れ，薬物療法では，副腎皮質ホルモン合成阻害薬を使用する（**表2**）．**副腎皮質機能低下症（Addison病）** は，GC，MC，アンドロゲンが低下するため，低血糖，低血圧，脱水・電解質異常，脱毛が現れる．中枢への負のフィードバックにより ACTH が上昇すると，口腔内の色素沈着の症状が現れる．薬物療法は，副腎皮質ステロイド薬を使用する（**表2**）．

2）鉱質コルチコイド

アンジオテンシンⅡの作用や血中 K^+ 濃度の上昇により，分泌が促進される．MC が腎臓（遠位尿細管・集合管）で作用すると，Na^+，H_2O，HCO_3^- の再吸収と K^+ や H^+ の排泄を促進することで，血圧が維持される．**鉱質コルチコイド機能亢進症（アルドステロン症）** は，MC が増加し，Na^+ の体内貯留や腹水により高血圧，低カリウム血症，代謝性アルカローシスが現れる．薬物療法は，鉱質コルチコイド受容体拮抗薬を使用する（**表2**）．**鉱質コルチコイド機能低下症**は，主に MC の作用が低下しているため，低血圧，高カリウム血症，代謝性アシドーシスが現れる．薬物療法は，MC の作用を増強した合成鉱質コルチコイド製剤を使用する（**表2**）．

3）アンドロゲン

性ホルモンの1つであり，精巣と副腎皮質の両方で分泌される．女性では，副腎皮質で分泌されたアンドロゲンが全身の組織でエストロゲンに変換される（**本章Ⅲ参照**）．

4. 副腎髄質ホルモン

アドレナリンとノルアドレナリンの2種類があり，チロシンから合成される．発生学的に副腎髄質は交感神経系の一部であるため，副腎髄質ホルモンは交感神経系の神経伝達物質と共通した作用を示す．ホルモンは，血中に放出され標的組織に作用するのに対し，神経伝達物質は，交感神経節後線維のシナプス間隙へ放出され，効果器に作用する（**17章参照**）．**副腎髄質機能亢進症**である褐色細胞腫では，副腎髄質ホルモンが過剰に分泌され，高血圧，心拍数増加，高血糖，発汗などの症状が現れる．薬物療法には，チロシン水酸化酵素阻害薬を使用する（**表2**）．

Ⅲ ― その他のホルモン（図1）

1）視床下部ホルモン

生体リズム，環境刺激，フィードバック機構によって分泌が調節され，恒常性の維持や下垂体ホルモンの分泌調節を担っている．

2）下垂体前葉・後葉ホルモン

下垂体前葉ホルモンは，視床下部ホルモンや標的臓器からのフィードバックにより分泌が調節され，恒常性の維持や他のホルモンの合成・分泌の調節に関与する．下垂体後葉ホルモンは

物理化学的刺激により分泌が調節され，子宮平滑筋収縮作用，射乳作用，抗利尿作用に関与する．

3）心臓ホルモン

心房性 Na 利尿ホルモン（ANP）は，心内圧の上昇や心筋の伸展刺激により分泌される循環ホルモンである．心房の心筋細胞で産生された ANP は全身へ分布し，心臓や腎臓に存在する A 型ナトリウム利尿ペプチド受容体を標的とする．腎臓では糸球体濾過量を増加させ，集合管で Na^+ の再吸収を阻害して利尿作用を示す．また，レニン分泌，アルドステロン産生を阻害し，降圧作用を示す．

4）血管ホルモン

エンドセリン（ET）は細胞伸展や低酸素などの刺激により，血管内皮細胞および血管平滑筋などで産生され，血中に分泌される．ET が標的とする受容体は血管，心臓，腎臓，副腎，中枢神経，間質組織（線維芽細胞，マクロファージ）に局在し，血圧や体液量を調節する．分泌部位に近傍する血管では，自己分泌・傍分泌により，局所ホルモンとして作用する．

5）消化管ホルモン

セクレチンは十二指腸で酸性の消化産物が粘膜に触れることで分泌が促進され，膵液により中和されると抑制される．膵液分泌促進や胃液分泌抑制の作用を示す．**コレシストキニン**は十二指腸でタンパク質が粘膜に触れることで，分泌が促進される．胆嚢収縮や膵液の分泌促進，セクレチンの効果増強などの作用を示す．**グレリン**は飢餓，低血糖時に胃から分泌促進され，食欲を増進させる（**ガストリン 23 章 I，インクレチン 27 章 I 参照**）．

6）膵臓ホルモン

膵ランゲルハンス島の内分泌細胞には α 細胞，β 細胞，δ 細胞，PP 細胞が存在する．**グルカゴン**は低血糖によって α 細胞から分泌され，糖質，脂質，タンパク質を分解し，エネルギーを産生する．**インスリン**は血糖値が上昇すると β 細胞から分泌され，グルコース，脂肪酸，アミノ酸を細胞に貯蔵する（**27 章 I 参照**）．**ソマトスタチン**は糖質，タンパク質の摂取やコレシストキニンによって，δ 細胞，視床下部，消化管から分泌され，インスリンやグルカゴンの分泌を抑制する．**膵ポリペプチド**は脂質，タンパク質の摂取や低血糖によって PP 細胞，消化管から分泌され，腸のイオン輸送の調節に関与しているとされる．

7）肝臓ホルモン

ソマトメジン C は，成長ホルモンの刺激により分泌される．抗インスリン作用，電解質貯留作用，タンパク質同化作用，骨成長促進作用を示す．

8）腎臓ホルモン

エリスロポエチンは，出血，低酸素状態，アンドロゲンの刺激により分泌され，赤血球を増加させる．

9）性ホルモン

ステロイドホルモンの 1 種で，男性ホルモンには**アンドロゲン**，女性ホルモンには**エストロゲン（卵胞ホルモン）**と**プロゲステロン（黄体ホルモン）**がある．視床下部-下垂体系やフィードバック機構により分泌が調節され，第二次性徴の発現，タンパク質の同化作用に関与している．

16章 薬理学 総論 B．薬理作用の機序と生理活性物質

ビタミン

学修目標とポイント

- ビタミンの水溶性に基づく分類と生体内挙動および欠乏症が生じる要因を説明できる．
- ビタミンAの視覚サイクルや動物の成長促進と細胞の増殖・分化における役割を説明できる．
- ビタミンEの生体膜安定化，ビタミンKの血液凝固機能と骨代謝における役割を説明できる．
- ビタミンB群全般の脂質・糖質の代謝とエネルギー産生における補酵素としての役割を説明できる．
- 葉酸とビタミンB_{12}の赤血球生成，ビタミンCのコラーゲン生成における役割を説明できる．
- ビタミンの欠乏症と過剰症，欠乏症を引き起こす要因（抗菌薬服用や消化管切除など）および治療薬としてのビタミンについて説明できる．

本章のキーワード

脂溶性ビタミン，水溶性ビタミン，ビタミン欠乏症，ビタミン依存症，補酵素，食事摂取，腸内細菌

[総論]

1. ビタミンとは

ビタミンとは，生物の生存・生育に必要な栄養素のうち，生体内の物質代謝に不可欠な微量の有機化合物群であり，炭水化物・タンパク質・脂質は含まれない．一般に生体内では必要量を合成できないため，食物から摂取しなければならず，不足すると特有の**ビタミン欠乏症**（vitamin deficiency）を示す．普通に食事を摂っている健康人において欠乏症はほとんど問題にならないが，妊娠期や授乳期には必要な摂取量が増加するため，ビタミンの補充が必要な場合がある．また，消化管疾患や摂食障害などにより吸収が悪い患者，化学療法によって腸内のビタミン産生菌が減少した患者，アルコール依存症患者などではビタミン欠乏症をきたす場合があり，薬物相互作用によるビタミン欠乏症とともに注意が必要である．

一方，**ビタミン依存症**（vitamin dependency）とは，ビタミン代謝を含む遺伝的異常に起因する疾患で，通常治療量をはるかに超えるビタミン投与をしないと欠乏症を生じる．これまでに，ビタミンB_1，B_6，B_{12}およびDなどの依存症が知られている．

2. 脂溶性ビタミンと水溶性ビタミン

現在，13種類のビタミンが知られており，溶解性の違いから，**脂溶性ビタミン**（fat-soluble vitamins）と**水溶性ビタミン**（water-soluble vitamins）の2種に大別されている．脂溶性ビタミンは，脂肪組織などに蓄積されやすく欠乏症は起こりにくいが，長期間にわたって過剰に摂取すると中毒症状を起こすことがある．また，消化管からの吸収に内因子や胆汁を必要とするため，胃切除や胃疾患，肝疾患の場合には吸収が減少する．水溶性ビタミンは，消化管からよく吸収されるが，体内の貯蔵量は一般に少なく，頻繁に摂取する必要がある．

[各論]

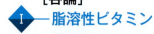

I 脂溶性ビタミン

脂溶性ビタミンには，ビタミンA，D，EとKが含まれる．ビタミンAとDについては，これらの受容体が核内転写因子として遺伝子発現制御にかかわること，細胞の増殖・分化，器官形成などにかかわっていることが明らかとなり，必須の栄養素としてのみならず，医薬品として臨床応用されている．

1. ビタミンA（vitamin A）

ビタミンAは動物の成長に必須の因子として発見されたビタミンである．最初にビタミンAと命名された**レチノール**（retinol）に加えて，**レチナール**（retinal），**レチノイン酸**（retinoic acid）がビタミンA作用を示す関連物質として知られている．ビタミンAはレチノールの生物活性を指標とした総称として，レチノイドとも呼ばれる．

1) 体内動態

緑黄色植物などに含まれる赤色素であるβ-カロテン（β-carotene）は，小腸粘膜や肝臓などに存在するオキシゲナーゼにより酸化を受け，レチナールへと代謝される．レチノールは，小腸の粘膜細胞内でパルミチン酸エステルとなり，リンパ系を経て循環血に入り肝臓に蓄積される．必要時には，レチノール結合タンパク質（retinol-binding protein）に結合した形で血中を輸送され，各組織に運ばれる．また，レチノールは，レチノール脱水素酵素（retinol dehydrogenase）によりレチナールへと変換される．

レチナールは全*trans*型であるが，網膜においては異性化を受け11-*cis*-レチナールとなり，**ロドプシン**（rhodopsin）の補欠分子として用いられる．レチナールは，レチナールオキシダーゼ（retinal oxidase）によって非可逆的にレチノイン酸に代謝される．レチノイン酸は核内転写因子との結合を介して作用を発現する（図）．

2) 生理作用

(1) 視覚サイクル

網膜は，眼底に広がる薄い膜状の組織で，光の明暗を認識する桿体細胞と色を認識する錐体細胞が存在している．桿体細胞外節の円板膜において，11-*cis*-レチナールはアポタンパク質であるオプシン（opsin）と結合し，ロドプシンと呼ばれる光受容タンパク複合体を形成している．ロドプシンは500 nmに吸収極大をもち，光を吸収すると光退色（光異性化反応）を起こして，all-*trans*-レチナールとオプシンに分解する．All-*trans*-レチナールは異性化反応により11-*cis*-レチナールに変換され，再びオプシンと結合して次の光刺激に応答する．この繰り返しを**視覚サイクル**（visual cycle）という（図）．

(2) 動物の成長促進と細胞の増殖・分化

レチノイドは哺乳類の正常な成長と様々な細胞の増殖・分化に必要であり，①上皮組織（皮膚や粘膜）の正常保持，②骨組織の成長と構造保護，③胎児の成長・発育促進，④生殖機能の維持，⑤免疫機能の増強・感染防御，⑥制がん作用，⑦聴覚機能維持など，多様な生理機能にかかわっている．また，歯科領域においては，歯の発生時期におけるビタミンA欠乏が，エナメル芽細胞の変性からエナメル質形成不全を起こすことが知られている．

細胞の増殖・分化にかかわるレチノイドの受容体は，レチノイン酸受容体（retinoic acid receptor；RAR）とレチノイドX受容体（retinoid X receptor；RXR）の2種のタンパク質が結合したヘテロ二量体で，RARはall-*trans*-レチノイン酸と9-*cis*-レチノイン酸に，RXR

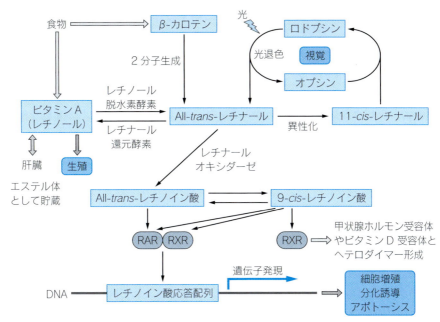

図 ビタミンAの代謝経路と生理作用

は9-cis-レチノイン酸のみに結合能を有する．RAR/RXRヘテロ二量体はレチノイン酸応答配列に結合して，その下流遺伝子の発現を調節する（図）．また，RXRは甲状腺ホルモン受容体やビタミンD受容体などとヘテロ受容体を形成しており，ビタミンA以外のホルモンやビタミンの機能発現の制御においても重要な働きをもっている．

3）欠乏症と過剰症

ビタミンA欠乏症（hypovitaminosis A）として，**夜盲症**，眼球乾燥症，骨・歯の発育不良，皮膚・粘膜上皮の角質化などが知られている．ビタミンA欠乏性夜盲に対してはビタミンA製剤が投与されるが，その他の欠乏症は一般にレチノイド補充だけでは回復しない．

ビタミンA過剰症（hypervitaminosis A）については，過剰摂取により無気力，脱毛，四肢の痛みなどが生じることが知られている．過剰症は，小児において急性・慢性中毒が発現しやすく，さらに，催奇形性を示すため，特に妊娠活動中の摂取は注意を要する．

4）臨床適用

夜盲症，くる病の治療薬として，古くからビタミンA油製剤が使われている．ビタミンA誘導体では，タミバロテン（tamibarotene），トレチノイン（tretinoin, all-transレチノイン酸）が急性前骨髄性白血病の治療薬として用いられる．トレチノインは皮膚角化疾患である乾癬の治療薬としても用いられる．ビタミンA類似化合物のアダパレン（adapalene）が尋常性痤瘡の治療薬として用いられている．

歯科領域では，顎関節症の治療において，補助的に**レチノールパルミチン酸エステル**（retinol palmitate）を投与することがある．また，口腔白板症，口腔乳頭腫，口腔扁平苔癬に**エトレチナート**（etretinate）製剤が投与される．

2. ビタミン D（vitamin D）[硬組織に対する作用は 27 章 II-2.-2) 参照]

ビタミン D は，抗くる病因子として発見されたビタミンで，副甲状腺ホルモンのパラトルモンや甲状腺ホルモンのカルシトニンとともに，カルシウム代謝に関与する．現在，ビタミン D として植物由来のビタミン D_2，動物由来のビタミン D_3，誘導体であるビタミン D_4～D_7 の 6 種類が知られている．ヒトにおいては，**ビタミン D_2** [エルゴカルシフェロール（ergocalciferol）] と**ビタミン D_3** [コレカルシフェロール（cholecalciferol）] が重要な働きをもつ．

3. ビタミン E（vitamin E）

ビタミン E は，生殖機能に必須の因子として発見された．天然には α-, β-, γ- および δ-トコフェロール（tocopherol）と α-, β-, γ- および δ-トコトリエノール（tocotrienol）の 8 種類のビタミン E 同族体の存在が知られており，いずれも油状物質である．動物においては，**α-トコフェロール**が 90%を占め，最も高い生物活性をもつ．

1) 体内動態

食物由来のビタミン E は胆汁酸などによりミセル化された後，腸管から吸収され，キロミクロン（カイロミクロン，chylomicron）に取り込まれて肝臓へ輸送される．肝細胞内において，α-トコフェロールは選択的に輸送タンパク質に結合して輸送され，他の同族体は代謝される．輸送された α-トコフェロールは，VLDL（超低密度リポタンパク質）とともに血中に放出され，さらに LDL（低密度リポタンパク質）への変換を経て，体内のほとんどの組織に分布される．

2) 生理作用

ビタミン E は，細胞膜や細胞内小器官の膜に多く分布し，赤血球をはじめとして生体膜安定化因子として働いている．また，ビタミン E は抗酸化作用をもち，生体内抗酸化因子として，血小板の粘着凝集抑制，微小循環動態の改善，血管透過性や血管抵抗性の維持，脂質代謝改善作用，脂質過酸化障害に対する保護作用などに関与している．さらに，腸管からのビタミン A 吸収を増加するとともにその酸化を防止し，抗不妊作用を示す．

3) 欠乏症と過剰症

ビタミン E 欠乏症は，ヒト成人においては稀であるが，未熟児において溶血性貧血，未熟児網膜症などが知られている．また，無 β-リポタンパク血症では，生後 20 年以内に進行性神経障害や網膜症を発症する．脂肪吸収不良を伴わない遺伝性ビタミン E 欠乏症では，肝臓代謝不全から発症する．

ビタミン E は安全性が非常に高く，1 日上限量の摂取であれば過剰症は起こらないとされている．

4) 臨床適用

トコフェロール酢酸エステル（tocopherol acetate）が，ビタミン E 欠乏症の治療，末梢循環障害，過酸化脂質の増加防止に用いられており，歯科領域では，顎関節症や口腔扁平苔癬への投与や，歯肉炎や歯周疾患の改善に効果があるとして歯磨剤に配合されている．

4. ビタミン K（vitamin K）[血液に対する作用は 24 章 II-2.-2)，硬組織に対する作用は 27 章 II-5.-3) 参照]

ビタミン K は，抗出血性因子として発見された．植物由来の**ビタミン K_1** [フィトナジオン（phytonadione）] と動物および細菌由来の**ビタミン K_2** [メナキノン（menaquinone）] の天然

ビタミンKに加えて，K₃～K₅の同族体がある．さらにビタミンK₂は側鎖の長さが異なるMK-4～MK-13の10種が知られる．

II ― 水溶性ビタミン

　水溶性ビタミンは，ビタミンB群とビタミンCよりなる．脂溶性ビタミンは各々が特定の生理機能に関与しているのに対し，水溶性ビタミンは，単独で正常なヒトや実験動物に投与しても顕著な薬理作用を示さない．したがって，各水溶性ビタミンを単独で治療に用いるよりも，ビタミン欠乏により発生する症状の予防と治療を目的として，複数のビタミンを組み合わせた総合ビタミン剤として投与されることが多い．原則として消耗性疾患時，妊産婦，授乳婦など，食事だけではビタミン摂取が不十分な場合に使用される．また歯科領域では，口腔扁平苔癬や抜歯後の下歯槽神経のしびれに対して，ビタミンB複合剤が投与されることがある．

1. ビタミンB群 (vitamin B)

　ビタミンB群は，化学構造および生物活性が異なるビタミンの総称であるが，①生体内で活性型に変化して補酵素として働くこと，②食物供給源が類似しており，穀物の胚芽，酵母，肝臓などに一緒に存在すること，ならびに③2種以上のビタミン欠乏によって欠乏症を発症する傾向が強いことなどの共通性から，1つのグループにまとめられている．

1) ビタミンB_1 [vitamin B_1, チアミン (thiamine)]
(1) 体内動態

　胚芽，肉，マメ類に多く含まれ，胃腸管から吸収される．動物の細胞内では生合成されない．生体内ではチアミン，チアミン一リン酸，**チアミン二リン酸** (thiamine pyrophosphate；**TPP**)，チアミン三リン酸の4型が存在するが，80％近くがTPP (補酵素型) として存在する．

(2) 生理作用と欠乏症

　TPPは，糖類の代謝，細胞呼吸など，糖質エネルギー代謝の補酵素として機能しており，必要量は糖摂取量に依存する．グルコースの非経口的栄養補給患者に対するビタミンB_1補給は重要である．また，胃切除や抗潰瘍薬投与による消化管のアルカリ化によるビタミンB_1分解が亢進している患者，妊娠中毒患者や血液透析患者においてはビタミンB_1欠乏症に注意する．さらに，アルコール依存症患者では，腸管での吸収が阻害されていることより，ビタミンB_1欠乏症が随伴することがある．

　ビタミンB_1欠乏症では，しばしば心血管系障害や神経機能障害を起こし，**脚気** (心不全，神経炎) や，Wernicke脳症 (意識障害，眼振) とその後遺症であるKorsakoff精神病 (記憶障害，認知症) などの中枢神経症状が認められる．

(3) 臨床適用

　ビタミンB_1欠乏症に対して，ビタミンB_1誘導体である**フルスルチアミン塩酸塩** (fursultiamine hydrochloride) やオクトチアミン (octotiamine) などが用いられる．Wernicke脳症に対しては，チアミンを大量に点滴静注する．

　歯科領域では，フルスルチアミン塩酸塩が顎関節症に補助的に投与されることがある．

2) ビタミンB_2 [vitamin B_2, リボフラビン (riboflavin)]

　発育ビタミンといわれ，生体内には遊離型リボフラビン，リン酸1分子と結合した**フラビンモノヌクレオチド** (flavin mononucleotide；**FMN**)，あるいは核酸の成分であるアデニンヌクレオチドと結合した**フラビンアデニンジヌクレオチド** (flavin adenine dinucleotide；**FAD**)

として存在する．

(1) 体内動態
　リボフラビンは高等動物の細胞内では合成されず，食物中から摂取される．経口摂取時はFMNの形だが，小腸で脱リン酸化されてリボフラビンとして吸収される．各細胞において再びリン酸化されてFMN，さらにはFADとなり，いずれも補酵素として機能する．

(2) 生理作用
　FADは，β酸化反応のアシルCoAデヒドロゲナーゼおよびクエン酸回路のコハク酸デヒドロゲナーゼの補酵素となり，FMNおよびFADは肝臓のミクロソームの電子伝達系酵素の補酵素となる．その結果，ATP合成によるエネルギーの獲得，糖，アミノ酸および脂肪酸代謝，薬物代謝などにおいて重要な役割を果たす．

(3) 欠乏症と臨床適用
　ビタミンB_2単独の欠乏症は稀であるが，欠乏によって咽頭痛，口角炎，口内炎，結膜炎が生じる．また，抗菌薬による腸内のビタミンB_2合成細菌の減少，向精神薬やステロイド性抗炎症薬などの投与時，肝疾患，糖尿病，脳下垂体疾患では欠乏症が発生する可能性があり，ビタミンB複合剤が投与されることが多い．

　歯科領域では，FADが口腔扁平苔癬に投与されることがある．

3) ナイアシン［niacin，ニコチン酸（nicotinic acid），ビタミンB_3］

(1) 体内動態
　ナイアシンは，ニコチン酸およびニコチンアミドの総称で，魚介類や肉類に多く含まれる．ニコチン酸およびニコチンアミドとも腸管から容易に吸収され，大部分は赤血球と肝臓に存在する．また，体内では肝臓でトリプトファン（tryptophan）から生合成され，この過程にはピリドキサールリン酸（pyridoxal phosphate，ビタミンB_6）を必要とする．

　ナイアシンはリボース，リン酸，アデノシンと結合して，**ニコチンアミドアデニンジヌクレオチド**（nicotinamide adenine dinucleotide；**NAD**）あるいは**ニコチンアミドアデニンジヌクレオチドリン酸**（nicotinamide adenine dinucleotide phosphate；**NADP**）となり，酸化還元反応の補酵素として機能する．

(2) 生理作用
　NADは解糖系およびクエン酸回路の酵素の補酵素となる．NADPはペントースリン酸回路でグルコース6-リン酸からリボース5-リン酸を生成する2つの反応において補酵素（電子受容体）として機能し，生じたNADPHが脂肪酸生合成における電子供与体として補酵素になる．また，リボース5-リン酸は各種の糖，ヌクレオチド合成の材料として利用される．

　NADには補酵素として種々の代謝系にかかわる他，NAD依存性脱アセチル酵素［サーチュイン（sirtuin）］を介して，老化や癌化，DNA損傷修復など多くの生命機能に関与することが示されている．

(3) 欠乏症と臨床適用
　ニコチン酸欠乏症である**ペラグラ**（pellagra）では，皮膚炎，下痢，精神神経症状（頭痛，めまい，幻覚，錯乱などの神経障害）が発現する．また，口腔内症状として，舌炎と舌の腫脹，潰瘍化，口内炎，唾液腺の肥大および唾液の過剰分泌などが見られる．

　ペラグラの症状は，ナイアシンの投与により速やかに改善される．その他，口角炎，湿疹，接触性皮膚炎などにもナイアシンが投与される．

4) パントテン酸 (pantothenic acid, ビタミン B_5)

(1) 体内動態と生理作用
広く食物に含まれ，胃腸管から容易に吸収される．体内では，まずシステアミン (cysteamine) と結合してパンテテイン (pantetheine) になり，次いでピロリン酸およびアデノシン3′-リン酸と結合して活性型である**補酵素 A** (coenzyme A; **CoA**) となり作用する．

(2) 生理作用
CoA は非常に多くの反応に関与するが，中でも，解糖系，クエン酸回路，β酸化による脂肪酸分解における補酵素としての作用は，炭水化物の酸化的代謝，糖新生，脂肪酸分解，ステロール，ステロイドホルモンおよびポルフィリンの生合成にかかわり，生物にとってきわめて重要なものである．

(3) 欠乏症と臨床適用
食物中に広く存在し，また，腸内細菌により合成されているため，パントテン酸欠乏症が単独で発症するのは稀である．甲状腺機能亢進症や消耗性疾患などパントテン酸の需要増大や食事からの摂取不良，抗菌薬の長期投与によるパントテン酸欠乏，手術後の腸管麻痺などに対して，パンテノール (panthenol)，パンテチン (pantethine) が用いられる．

5) ビタミン B_6 [vitamin B_6, ピリドキシン (pyridoxine)]
ビタミン B_6 は，ネズミの抗皮膚炎因子として発見されたもので，**ピリドキシン**，**ピリドキサール** (pyridoxal)，**ピリドキサミン** (pyridoxamine) の3つをビタミン B_6 群と称する．

(1) 体内動態
ビタミン B_6 は腸管から吸収され，ピリドキサールキナーゼによって5位の $-CH_2OH$ 基がリン酸化される．ビタミン B_6 群は，体内で酵素反応により相互転換でき，**ピリドキサールリン酸** (pyridoxal phosphate; **PLP**) が補酵素として機能する．

(2) 生理作用
PLP はアミノ酸代謝に関連する酵素（ピリドキサール酵素）の補酵素として機能し，主にアミノ酸のアミノ基転移ならびに脱炭酸反応に関連している．また，ホスホリラーゼの補酵素としてグリコーゲン代謝に必要である．

(3) 欠乏症
ほとんどの食物にビタミン B_6 が含まれ，また，腸内細菌により合成されているため，ヒトでは欠乏症は起こりにくいが，アルコール中毒患者やビタミン B_6 拮抗薬（抗結核薬のイソニアジド，降圧薬のヒドララジン塩酸塩，関節リウマチ治療薬のペニシラミンなど）の投与を受けている場合に注意が必要である．ビタミン B_6 欠乏症では，末梢神経障害，ペラグラ様症候群，貧血，およびけいれん発作が見られ，口腔内症状として，口内炎や口唇炎が見られる．

(4) 臨床適用
ピリドキシン塩酸塩 (pyridoxine hydrochloride, ビタミン B_6) が，イソニアジド投与などによるビタミン B_6 欠乏症やビタミン B_6 依存症（ビタミン B_6 反応性貧血）に対して投与される．また，総合ビタミン製剤に加えて用いられている．

6) ビオチン (biotin, ビタミン B_7)

(1) 体内動態と生理作用
腸内細菌によって産生され，糖・脂質代謝に関与する．糖質と脂質代謝に関与する酵素の補酵素として重要である．

(2) 欠乏症と臨床適用

通常は腸内細菌によって合成分泌されており，欠乏症状は現れない．各種皮膚炎に対して，総合ビタミン剤として投与する．

7) 葉酸（folic acid，ビタミン B_9）

ビタミン B_{12} とともにヒトの抗貧血因子として働く．

(1) 体内動態

緑黄色野菜，マメ類，レバーに多く含まれ，食物中での葉酸の一般形はプテロイルグルタミン酸である．腸管から吸収された後，活性補酵素の **5,6,7,8-テトラヒドロ葉酸**（5,6,7,8-tetrahydrofolic acid；**THFA**）に変換され，C_1 転移反応の補酵素として働く．

(2) 生理作用

THFA は，生体内のホルミル基，ホルムイミノ基，メチレン基，メチル基などの転移反応に関与する酵素の補酵素として機能し，プリン，ピリミジンの生合成，アミノ酸代謝，タンパク質合成に関与する．また，DNA の合成，修復，メチル化に重要な因子であり．特に，赤血球の正常形成に必須である．

(3) 欠乏症と臨床適用

食物からの供給不全，小腸の疾患による腸肝循環の抑制，また，葉酸拮抗作用をもつ抗腫瘍薬，抗結核薬，てんかん治療薬の服用により葉酸が欠乏すると，造血系に症状が強く現れる．葉酸欠乏はビタミン B_{12} 欠乏と関連して発生することが多く，**巨赤芽球性貧血**（megaloblastic anemia，**悪性貧血**）などを呈する．また，妊娠初期の葉酸欠乏は，胎児の神経発生に異常をきたし，二分脊椎や無脳症をきたす危険が高まる．

葉酸が悪性貧血の補助療法や妊娠時の補給に用いられており，経口投与される．

8) ビタミン B_{12}［vitamin B_{12}，シアノコバラミン（cyanocobalamin）］

ポルフィリン類似骨格の中心にコバルトイオン（Co^{2+}）をもつ赤色の針状結晶で，抗悪性貧血因子として働く．一般に，**シアノコバラミンをビタミン B_{12} と呼ぶが，$5'$-デオキシアデノシンのついた**デオキシアデノシルコバラミン**（deoxyadenosyl cobalamin）およびメチル基がついた**メチルコバラミン**（methylcobalamin）が活性型であり，補酵素として機能する．

(1) 体内動態

肉類，魚介類，乳製品に多く含まれ，胃粘膜から分泌される内因子と結合することにより吸収される．そのため，萎縮性胃炎や胃切除後などで内因子が分泌されない場合には，ビタミン B_{12} は吸収されない．

(2) 生理作用

デオキシアデノシルコバラミンは水素移動を伴う酵素反応の補酵素となり，脂肪酸，アミノ酸，核酸代謝に必要である．メチルコバラミンはメチル基運搬体としてヌクレオチド生合成に必要であり，動物の成長，血液，消化器の上皮細胞の維持などに重要である．

(3) 欠乏症

ビタミン B_{12} は葉酸の代謝に関与しており，ビタミン B_{12} の欠乏により THFA が減少して赤血球の成熟が阻害されると，巨赤芽球性貧血（悪性貧血）が生じる．

(4) 臨床適用

シアノコバラミンやビタミン B_{12} 誘導体である**メコバラミン**（mecobalamin），ヒドロキソコバラミン酢酸塩（hydroxocobalamin acetate）が，ビタミン B_{12} 欠乏または代謝障害が関与する巨赤芽球性貧血（悪性貧血），各種貧血，末梢神経障害などの治療および予防に用いられる．

歯科領域では，メコバラミンが抜歯後の下歯槽神経のしびれに対して投与されることがある．

2. ビタミンC［vitamin C，アスコルビン酸（ascorbic acid）］

還元型ビタミンC（**アスコルビン酸**）と酸化型ビタミンC（デヒドロアスコルビン酸）がある．結合組織の形成に必要なビタミンであり，生体内の酸化還元反応に広く関与している．

(1) 体内動態
柑橘類（ミカン類），緑色野菜に含まれ，腸管から容易に吸収される．体内貯蔵量はあまり多くないが，副腎皮質，性腺，脳，肝臓などに比較的多く分布する．

(2) 生理作用
コラーゲンの生成を介して結合組織や支持組織の形成を促進し，創傷や骨折の治癒に関与する．また，メラニンの合成を抑制するため，皮膚への色素沈着を防ぐ作用がある．

(3) 欠乏症
代表的なビタミンC欠乏症は**壊血病**（scurvy）で，結合組織であるコラーゲンの生成が不十分となり，創傷治癒不全，歯の形成不全，毛細血管破壊による出血などを起こし，歯肉炎，歯の動揺，貧血などを伴う場合がある．

(4) 臨床適用
アスコルビン酸の投与により，壊血病の症状は速やかに改善される．その他，ビタミンC欠乏が関与する毛細血管出血，光線過敏性皮膚炎などにアスコルビン酸が使用される．

歯科領域では，口腔扁平苔癬に適用が試みられている．

16章　ビタミン

歯科医師国家試験出題基準（令和5年版）では，歯科医学総論の「薬物療法，疾患に応じた薬物療法」に「ビタミン」を挙げている．実際の歯科医師国家試験では，ビタミンD，Kおよびビタミン欠乏症に関して出題されている．

薬理学

各論

17章 薬理学 各論

末梢神経系に作用する薬物

学修目標とポイント

- 末梢神経系とその疾患および末梢神経系に作用する薬物について概説できる.
- シナプスの情報伝達系における薬物と標的分子（受容体，酵素，トランスポーター，チャネルなど）を説明できる.
- 交感神経系に作用する薬物を分類し，その代表薬の薬理作用，作用機序および副作用を説明できる.
- 副交感神経系に作用する薬物を分類し，その代表薬の薬理作用，作用機序および副作用を説明できる.
- 自律神経節に作用する薬物を分類し，その代表薬の薬理作用，作用機序および副作用を説明できる.
- 運動神経に作用する薬物を分類し，その代表薬の薬理作用，作用機序および副作用を説明できる.

本章のキーワード

アドレナリン作動性神経，コリン作動性神経，シナプス，作動薬（作用薬，アゴニスト），拮抗薬（遮断薬，アンタゴニスト）

末梢神経の分類

末梢神経系（peripheral nervous system）は，体性神経系（somatic nervous system）と自律神経系（autonomic nervous system）に大別され，体性神経系は遠心性の運動神経と求心性の感覚神経に，自律神経系は遠心性の自律神経と求心性の内臓求心性神経[*1]に分類される（表1）.

末梢神経系における遠心性神経の主な伝達物質は，**ノルアドレナリン**（noradrenaline；**NA**）と**アセチルコリン**（acetylcholine；**ACh**）である．NAを伝達物質とする神経を**アドレナリン作動性神経**（adrenergic nerve），AChを伝達物質とする神経を**コリン作動性神経**（cholinergic nerve）と呼ぶ．

1. 体性神経系

運動神経（脳神経運動ニューロンおよび脊髄運動ニューロン）は，太く伝達速度の速いAαおよびAγの有髄神経であり，骨格筋を直接支配している（図1）．筋細胞の細胞膜に近づくと髄鞘を失い，枝分かれして筋に接する．神経終末部と筋線維側の特殊構造の間には，数10 nmの間隙がある．神経終末と接合している筋側の特殊構造を終板（end plate）という．運動神経はコリン作動性神経であり，その終末部から遊離したAChは終板のACh受容体（N_M）に結合する．

感覚神経は末梢でシナプス（synapse）を作らず，脊髄後角で二次ニューロンとシナプスを

[*1] 内臓求心性線維，内臓知覚神経，内臓感覚神経などと記載されることもある．

表1 神経系の分類と関連する薬物

神経系の分類			主な神経伝達物質	関連する薬物
中枢神経系（脳，脊髄）				
末梢神経系	自律神経系	自律神経(遠心性)　交感神経	ノルアドレナリン	アドレナリン作動薬 抗アドレナリン薬
		副交感神経	アセチルコリン	コリン作動薬 抗コリン薬
		内臓求心性神経		
	体性神経系	運動神経(遠心性)	アセチルコリン	神経筋接合部遮断薬
		感覚神経(求心性)	サブスタンスPなど	局所麻酔薬

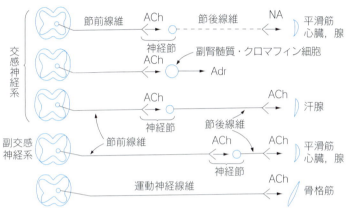

図1　アドレナリン作動性神経（……）とコリン作動性神経（──）

形成し，視床腹側基底核を介して大脳皮質へ投射している．感覚神経の伝達物質はいまだ明らかではないが，痛覚神経の一次ニューロンの伝達物質としてAδ線維ではグルタミン酸（glutamic acid）が，C線維ではグルタミン酸，サブスタンスP（substance P）ならびにカルシトニン遺伝子関連ペプチド（calcitonin gene related peptide；CGRP）が知られている．

2. 自律神経系

われわれの意志や思考とは無関係に自律的に種々臓器の機能を調節し，身体内部の環境を適切に維持するための神経系である．この役割を担う**交感神経**（sympathetic nerve）と**副交感神経**（parasympathetic nerve）は，基本的にはいずれも節前線維と節後線維の2つの神経線維から構成されている（図1）．節後線維により支配されている末梢臓器には平滑筋，心筋，分泌腺，脂肪組織などがあり，副腎髄質は交感神経節前線維による支配を受けている．これら臓器の多くは交感神経と副交感神経の両神経により支配され，その効果が機能的に拮抗している．

1) 自律神経系の形態

脳脊髄より出る**節前線維**（preganglionic fiber）はコリン作動性神経であり，多くは有髄神経で比較的伝達速度の遅いB線維である．節前線維は**自律神経節**（autonomic ganglion）で**節後線維**（postganglionic fiber）とシナプスを形成する．節後線維は無髄神経で伝達速度の遅いC線維からなり，終末部には伝達物質を貯蔵している多数の瘤状構造（varicosity）がある．交感神経の節後線維はアドレナリン作動性で，副交感神経の節後線維はコリン作動性である．

自律神経の出力は神経節で拡大され，さらに神経終末で何倍にも拡大されることになる．

2）機能的特徴（表2）

自律神経系は，闘争，憤怒，逃走などのfight and flight時に亢進する交感神経と，生体の栄養補給機能を高め，体力を温存させる方向に働き，休眠・睡眠，消化などのrest and digest時に優位である副交感神経により調節されている．

通常1つの臓器は交感神経と副交感神経の支配を受けており，その作用は拮抗的である．すなわち，交感神経で活動が亢進するような循環や呼吸にかかわる臓器では，副交感神経でその活動を抑制する．また，副交感神経で活動が亢進する消化や排泄にかかわる臓器では，交感神経でその活動を抑制する．このようなシステムは**拮抗的二重神経支配**（reciprocal double innervation）と呼ばれ，内臓などの機能の緻密な調節を可能にし，ホメオスタシス維持の基盤となっている．しかし，汗腺，立毛筋，動脈血管，副腎髄質，脂肪組織，瞳孔散大筋のように交感神経の支配のみを受ける器官や，瞳孔括約筋のように副交感神経のみの支配を受ける器官もある．また，唾液腺のように両神経の働きが協力的なものもある．

Ⅱ ニューロン間の情報伝達と薬物

自律神経に作用する薬物はニューロン間の情報伝達を担う**シナプス**に作用して薬理効果を発現している．シナプスは**シナプス前部**（presynapse）と**シナプス間隙**（synaptic cleft）および**シナプス後部**（postsynapse）から構成されている．ニューロンの興奮は化学伝達によりシナプス後部のニューロンあるいは効果器細胞に伝達される．この伝達を仲介する神経伝達物質は，①シナプス前細胞で生合成され（生合成），②シナプス小胞に貯蔵され（貯蔵），③神経細胞終末部でシナプス小胞からシナプス間隙に開口分泌される（遊離）．④シナプス後細胞では，遊離された神経伝達物質が受容体と結合して情報を伝達する（受容体）．また，遊離された神経伝達物質は，⑤シナプス間隙から代謝や再取り込みにより除去される（代謝・再取り込み）．

これらの神経伝達過程は薬物の作用部位になりやすく，末梢神経系に作用する薬物もシナプスにおける情報伝達過程に影響を及ぼしている．

1．アドレナリン作動性神経伝達（図2）

アドレナリン作動性シナプスは交感神経の節後線維支配効果器接合部に存在する．NAは末梢神経の他，中枢神経においても神経伝達物質として働いている．

1）シナプス前部（アドレナリン作動性神経終末部，14章Ⅰ参照）
（1）生合成

NAは，L-チロシン（L-tyrosine）→L-ドパ（L-dihydroxyphenylalanine；L-DOPA）→ドパミン（dopamine；DA）→NAという経路で合成される．神経に取り込まれたL-チロシンは，チロシンヒドロキシラーゼ（tyrosine hydroxylase；TH）によりL-DOPAに，次にL-DOPAがL-ドパデカルボキシラーゼ（dopa decarboxylase；DDC）によりDAに，さらにドパミンβ-ヒドロキシラーゼ（dopamine β-hydroxylase；DBH）によりNAが産生される．また，副腎髄質のクロム親和性細胞では，L-チロシンより生合成されたNAからフェニルエタノールアミン-N-メチルトランスフェラーゼ（phenylethanolamine-N-methyltransferase；PNMT）により**アドレナリン**（adrenaline；**Adr**）が産生される．

（2）貯蔵

L-チロシンから細胞質で生合成されたDAは**小胞モノアミントランスポーター**（vesicular

表2 自律神経刺激効果

効果器官			交感神経		副交感神経	
			受容体	反応	受容体	反応
平滑筋	血管	脳	α_1	収縮（微弱）	M_3（内皮）	拡張（NO 産生を介する）*
		皮膚・粘膜	α_1, α_2	収縮＋＋＋		
		腹部内臓	$\alpha_1 > \beta_2$	収縮＞拡張		
		冠状血管 骨格筋・肺	$\beta_2 > \alpha$	拡張＞収縮		
	眼	瞳孔散大筋	α_1	収縮（散瞳）＋＋		
		瞳孔括約筋			M_3	収縮（縮瞳）＋＋＋
		毛様体筋	β_2	弛緩（眼圧↑, 遠視）＋	M_3	収縮（眼圧↓, 近視）＋＋＋
	気管支		β_2	拡張＋	M_3	収縮＋＋
	胃	運動・緊張	β_2	抑制＋	M_3	促進＋＋＋
		幽門括約筋	α_1	収縮（内容物貯留）＋	M	弛緩（内容物排出）＋
	腸	運動・緊張	β_2	抑制＋	M_3	促進＋＋＋
		括約筋	α_1	収縮＋	M	弛緩＋
	膀胱	排尿筋	β_2	弛緩＋	M_3	収縮＋＋＋
		括約筋	α_1	収縮＋＋	M_3	弛緩＋
	前立腺		α_1	収縮（尿道圧迫）		
	子宮		β_2	弛緩	M_3	収縮
腺分泌	唾液腺		α_1	粘稠性分泌↑＋	M_3	漿液性分泌↑＋＋＋
			β	アミラーゼ分泌↑＋		
	気管支		α_1, β_2	分泌↓, ↑	M_3	分泌↑＋＋＋
	胃				M_1, M_3	分泌↑＋＋＋
	汗腺**		α_1	局所的分泌↑＋		
			M_3	全身的分泌↑＋＋＋		
神経	自律神経節		N_N	脱分極（神経伝達）	N_N	脱分極（神経伝達）
	神経細胞（交感神経系）		α_2	NA 遊離↓（負のフィードバック）	─	
心臓	心筋		β_1	収縮力↑＋＋	M_2	収縮力↓＋＋＋
	洞房結節			心拍数↑＋＋		心拍数↓＋＋
	刺激伝導系			伝導速度↑＋＋		伝導速度↓＋＋
腎臓	傍糸球体細胞		β_1	レニン分泌↑＋＋		
膵臓	β細胞		α_2	インスリン分泌↓＋＋＋	M	インスリン分泌↑＋＋
			β_2	インスリン分泌↑＋		
副腎髄質	クロム親和性細胞		N_N	Adr/NA 遊離↑		
肝臓	肝細胞		α_1, β_2	グリコーゲン分解↑＋＋＋		
脂肪組織	脂肪細胞		β_1, β_3	脂肪分解↑＋＋＋		

Adr：アドレナリン, NA：ノルアドレナリン, α, β：アドレナリン受容体, M：ムスカリン性受容体, N_N：ニコチン性受容体（神経型）

* ：血管平滑筋および血管内皮細胞に副交感神経支配はないが, 大部分の血管内皮細胞はムスカリン性受容体（M_3）の刺激に反応し NO（一酸化窒素）を産生する. この NO が血管平滑筋を弛緩させる.
** ：コリン作動性神経であるが, 解剖学的には交感神経に属する.

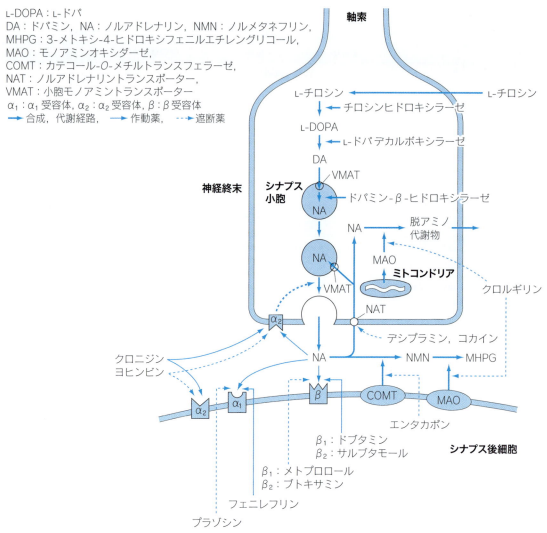

図2　アドレナリン作動性神経伝達（現代歯科薬理学 第5版, p.34. より）
アドレナリン作動性神経終末における化学シナプス情報伝達機構の概念図.

monoamine transporter；**VMAT**）の働きによってシナプス小胞に取り込まれる．NAはシナプス小胞内でDAからDBHにより合成され，小胞内に貯蔵される．副腎髄質のクロム親和性細胞においては，Adrがクロマフィン顆粒に貯蔵される．

(3) 遊離

神経終末への活動電位の伝導によりシナプス前膜の電位依存性Ca^{2+}チャネルが開口し，細胞内Ca^{2+}の増加に伴いNAが遊離する．NAの遊離は，神経終末に存在するアドレナリン$α_2$受容体（**自己受容体**）により抑制的に制御されている．

(4) 代謝

NAは，**モノアミンオキシダーゼ**（monoamine oxidase；**MAO**）と**カテコール-O-メチルトランスフェラーゼ**（catechol-O-methyltransferase；**COMT**）によって代謝される．

(5) 再取り込み

シナプス間隙に遊離されたNAはCOMTにより一部代謝されるが，大部分はノルアドレナ

表3 アドレナリン受容体サブタイプの特徴

	分布	Gタンパク質	細胞内情報伝達系	反応
α受容体 α_1	血管平滑筋	$G_{q/11}$	ホスホリパーゼC（活性化）→$IP_3\uparrow$（$[Ca^{2+}]i\uparrow$），$DG\uparrow$→$PKC\uparrow$	血管平滑筋の収縮→血圧の上昇
α_2	神経終末	$G_{i/o}$	アデニル酸シクラーゼ（抑制）→$cAMP\downarrow$ K^+チャネル（開口）→過分極 Ca^{2+}チャネル（抑制）	NAの遊離抑制
β受容体 β_1	心筋 腎傍糸球体	G_s	アデニル酸シクラーゼ（活性化）→$cAMP\uparrow$（$PKA\uparrow$）	収縮力増大 レニン分泌増大
β_2	気管支平滑筋	G_s		気管支平滑筋拡張→気管支拡張
β_3	脂肪組織	G_s		中性脂肪の分解 遊離脂肪酸の放出

アドレナリン受容体の性質分類と対応する細胞内情報伝達機構.

リントランスポーター（noradrenaline transporter；**NAT**）によって再びシナプス前神経終末に取り込まれる．再取り込みされたNAは，細胞内のMAOで代謝されるか，VMATによって再びシナプス小胞に取り込まれる．

2) シナプス後部−アドレナリン受容体（表3，13章Ⅱ参照）

神経終末から遊離されたNAは，シナプス間隙を拡散してシナプス後膜のアドレナリン受容体に結合して情報を伝達する．副腎髄質からホルモンとして血中に分泌されたAdr（わずかのNAを含む）も，標的細胞のアドレナリン受容体に作用する．アドレナリン受容体は，GTP結合タンパク質（Gタンパク質）共役型受容体であり，NAの受容体への結合でGタンパク質が活性化され，細胞内の情報伝達が作動する．

(1) アドレナリンα受容体

α受容体にはα_1とα_2の2つのサブタイプがある．α_1受容体は，百日咳毒素非感受性の$G_{q/11}$タンパク質と共役している．α_2受容体は，シナプス前膜にある自己受容体で神経伝達物質の放出抑制調節に関与し，百日咳毒素感受性の$G_{i/o}$タンパク質と共役している．

(2) アドレナリンβ受容体

β受容体にはβ_1，β_2，β_3の3つのサブタイプがあり，いずれもG_sタンパク質と共役している．

2. コリン作動性神経伝達（図3）

コリン作動性シナプスは神経筋接合部（運動神経筋接合部），自律神経系における交感神経，副交感神経の自律神経節と副交感神経の節後線維効果器接合部に存在する．AChは末梢神経の他，中枢神経においても神経伝達物質として働いている．

1) シナプス前部（コリン作動性神経終末部，14章Ⅰ参照）

(1) 生合成

AChは，**コリンアセチルトランスフェラーゼ**（choline acetyltransferase；**CAT**）によりコリン（choline）とアセチルCoA（acetyl-CoA）から神経終末の細胞質中で合成される．ACh合成に使用されるコリンは，シナプス間隙に遊離されたACh由来のコリンや血液中のコリンが，**コリントランスポーター**（choline transporter；**ChT**）によって取り込まれて利用される．

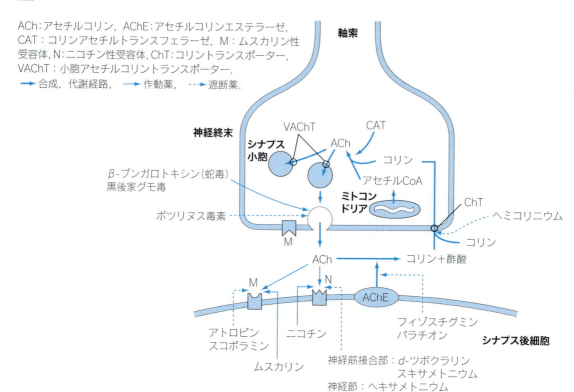

図3 コリン作動性神経伝達（現代歯科薬理学 第5版. p.31. より）
コリン作動性神経終末における化学シナプス情報伝達機構の概念図.

（2）貯蔵

神経終末部の細胞質で生合成されたAChは**小胞アセチルコリントランスポーター**（vesicular acetylcholine transporter；**VAChT**）によってシナプス小胞に取り込まれて貯蔵される．

（3）遊離

神経終末に活動電位が伝わると，シナプス前膜の電位依存性Ca^{2+}チャネルが開口し，細胞内にCa^{2+}が流入し，開口分泌によりAChがシナプス間隙に遊離される．

（4）代謝

遊離されたAChは，受容体に結合して生体反応を起こすとともに，シナプス前膜や後膜に存在している**アセチルコリンエステラーゼ**（acetylcholinesterase；**AChE**）によって速やかにコリンと酢酸に分解され，シナプスにおける化学伝達が終了する．AChは血清中に存在する**偽性コリンエステラーゼ**[*2]（pseudocholinesterase）によっても分解される．

2）シナプス後部-アセチルコリン受容体（表4，13章Ⅱ参照）

神経終末から遊離したAChはシナプス後膜の受容体と結合して情報を伝達する．アセチルコリン受容体には，タバコの葉に含まれるアルカロイド（ニコチン）および毒キノコのベニテングダケに含まれるアルカロイド（ムスカリン）によりアセチルコリンと同じ効果をもたらす二種のサブタイプがあり，それぞれニコチン性受容体，ムスカリン性受容体と呼ばれる．神経

[*2] 主に肝臓や血漿中に存在し，ACh以外のコリンエステル（スキサメトニウム，プロカインなど）のエステル結合も分解する．ブチルコリンエステラーゼとも呼ばれる．

表4 アセチルコリン受容体の分類 (現代歯科薬理学 第5版. p.32.より)

	分布	細胞内情報伝達系	反応
ニコチン性 筋肉型（N_M） 神経型（N_N）	神経筋接合部の終板 自律神経節の節後線維 中枢神経	ニコチン性受容体チャネル開口 →Na^+, K^+流入→脱分極	筋収縮 神経興奮
ムスカリン性 M_1 M_2 M_3	自律神経節の節後線維 心臓 平滑筋 腺細胞	↑：促進，↓：抑制 $G_{q/11}$-ホスホリパーゼC↑～Ca^{2+}動員 $G_{i/o}$-アデニル酸シクラーゼ↓ $G_{i/o}$-K^+チャネル活性化（開口） $G_{q/11}$-ホスホリパーゼC↑～Ca^{2+}動員	神経興奮 心収縮力減弱 心拍動数減少 収縮 分泌亢進

アセチルコリン受容体の性質分類と対応する細胞内情報伝達機構.

筋接合部の終板（骨格筋）と自律神経節（交感神経節，副交感神経節）の節後線維にはニコチン性受容体が，副交感神経節後線維支配の効果器にはムスカリン性受容体がある．

(1) **ニコチン性受容体**（nicotinic acetylcholine receptor）

ニコチン性受容体は，リガンド依存性のイオンチャネルであり，AChの受容体への結合によって受容体内蔵のイオンチャネルが開いて一価の陽イオン（Na^+, K^+）が透過するという性質をもつ．

このイオンチャネル内蔵型受容体は，ヘテロ五量体構造で，そのサブユニット構成は神経筋接合部終板のニコチン性受容体（N_M；筋肉型）と自律神経節のニコチン性受容体（N_N；神経型）で異なるため，薬物に対する感受性も異なる．

(2) **ムスカリン性受容体**（muscarinic acetylcholine receptor）

ムスカリン性受容体は副交感神経系の節後線維の効果器にあるが，自律神経節や中枢神経にも多量に存在している．ムスカリン性受容体はGタンパク質共役型受容体であり，5つのサブタイプ（$M_{1\sim 5}$）に細分類されている．共役するGタンパク質の種類によって細胞内情報伝達機構が異なるため，細胞の反応性が異なる．M_1, M_3, M_5受容体は$G_{q/11}$タンパク質と共役しており，M_2, M_4受容体は$G_{i/o}$タンパク質と共役してアデニル酸シクラーゼ活性を抑制する．

Ⅲ 交感神経に作用する薬物

交感神経が興奮した時と同じような作用を引き起こすアドレナリン作動薬および交感神経の興奮を抑制する抗アドレナリン薬がある．交感神経活動を抑える薬物には，アドレナリン受容体を遮断する抗アドレナリン薬に加え，神経終末から効果器への興奮伝達を遮断する交感神経ニューロン遮断薬がある．

1．アドレナリン作動薬［adrenergic drugs，交感神経作動薬（sympathomimetic drugs）］

交感神経興奮と同じような作用を惹起する薬物で，受容体に直接作用する薬物とノルアドレナリンの利用率を増大させて間接的に受容体を刺激する薬物に分けられる．

1) アドレナリン受容体に直接作用する薬物（直接型アドレナリン作動薬）

効果器細胞のα受容体および/あるいはβ受容体と結合し，交感神経興奮様の作用を起こす．アドレナリン受容体にはα_1（α_{1A}, α_{1B}, α_{1D}の3種），α_2（α_{2A}, α_{2B}, α_{2C}の3種），β（β_1, β_2, β_3の3種）の各サブタイプが存在し，それぞれの薬物で選択性が異なる．

(1) 非選択的アドレナリン作動薬

アドレナリン（adrenaline），ノルアドレナリン（noradrenaline），ℓ-イソプレナリン塩酸塩（ℓ-isoprenaline hydrochloride，イソプロテレノール）などがアドレナリン受容体に非選択的に作用する薬物である．アドレナリン受容体の存在部位およびカテコラミンの各受容体に対する親和性を表5に示した．結合する受容体（α受容体，β受容体）により臓器の反応性は異なる．

(2) 選択的アドレナリン作動薬

これらの薬物の作用の違いは，主としてα受容体とβ受容体に対する相対的な活性度，代謝に及ぼす影響などによって決定される．臨床的には，各々の薬物の特徴に応じて，心機能促進，気管支拡張，中枢興奮などの目的に用いられる．

a） α_1 受容体作動薬

フェニレフリン塩酸塩（phenylephrine hydrochloride），ミドドリン塩酸塩（midodrine hydrochloride）は血管の α_1 受容体に選択的に結合し，血圧を上昇させる．低血圧症に昇圧薬として用いられる．ナファゾリン硝酸塩（naphazoline nitrate）は細動脈を収縮させ，結膜や鼻

> **コラム**
>
> **G タンパク質共役型受容体と平滑筋収縮**
>
> G_q タンパク質共役型受容体の刺激はホスホリパーゼ C を活性化させ，生成された IP_3（イノシトール 1,4,5-三リン酸）を介した細胞内 Ca^{2+} の上昇，そして Ca^{2+}-カルモジュリン複合体によるミオシン軽鎖キナーゼの活性化により収縮を起こす．一方，G_s タンパク質共役型受容体の刺激はアデニル酸シクラーゼを活性化させ，生成された cAMP を介したプロテインキナーゼ A の活性化によるミオシン軽鎖キナーゼの抑制により弛緩させる．また，NO はグアニル酸シクラーゼを活性化させ，生成された cGMP を介したプロテインキナーゼ G の活性化によるミオシン軽鎖キナーゼの抑制，細胞内 Ca^{2+} 濃度の低下* により弛緩させる．
>
>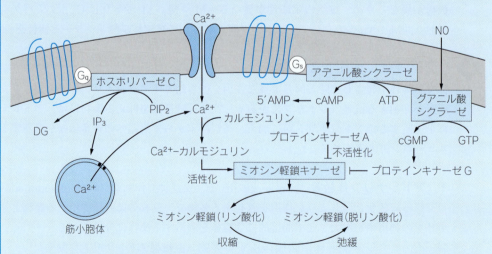
>
> *プロテインキナーゼ G の活性化により，(1) Ca^{2+} ポンプの活性化→Ca^{2+} の細胞外への汲み出し促進→細胞内 Ca^{2+} の低下，および (2) K^+ チャネルのリン酸化→K^+ チャネルの開口→細胞膜の過分極→Ca^{2+} チャネルの開口抑制→細胞内 Ca^{2+} の低下という機序も考えられている．

表5 カテコラミンのアドレナリン受容体に対する作用

受容体	カテコラミンの親和性および作動薬	遮断薬	分布	反応
α受容体				
$α_1$	Adr≧NA≫ISO フェニレフリン塩酸塩 ミドドリン塩酸塩 ナファゾリン硝酸塩	プラゾシン塩酸塩 タムスロシン塩酸塩	血管（平滑筋） 眼（瞳孔散大筋） 膀胱（内尿道括約筋） 肝臓（肝細胞）	収縮（血管収縮） 収縮（散瞳） 収縮（蓄尿） グリコーゲン分解促進
$α_2$	Adr≧NA≫ISO クロニジン塩酸塩 グアナベンズ酢酸塩	ヨヒンビン	神経（神経細胞） 膵臓（β細胞）	NA分泌抑制 インスリン分泌抑制
$α_1$, $α_2$	エフェドリン塩酸塩 （NA遊離作用もある）	フェノキシベンザミン フェントラミンメシル酸塩		
β受容体				
$β_1$	ISO＞Adr＝NA ドブタミン塩酸塩 デノパミン	アテノロール メトプロロール酒石酸塩 アセブトロール塩酸塩	心臓（心筋） 　　（洞房結節） 腎臓（傍糸球体細胞）	収縮力上昇 心拍数上昇 レニン分泌促進
$β_2$	ISO＞Adr≫NA サルブタモール硫酸塩 ツロブテロール プロカテロール塩酸塩水和物 クレンブテロール塩酸塩 リトドリン塩酸塩	ブトキサミン	血管（平滑筋） 肺（気管支平滑筋） 消化管（平滑筋） 肝臓（肝細胞） 膵臓（β細胞）	弛緩（血管拡張） 弛緩（気管支拡張） 弛緩（運動抑制） グリコーゲン分解促進 インスリン分泌促進
$β_3$	ISO＝NA＞Adr		脂肪組織（脂肪細胞）	脂肪分解促進
$β_1$, $β_2$	エフェドリン塩酸塩 （NA遊離作用もある）	プロプラノロール塩酸塩 カルテオロール塩酸塩 ピンドロール チモロールマレイン酸塩		

Adr：アドレナリン，NA：ノルアドレナリン，ISO：イソプレナリン

粘膜の充血改善に用いられる．

b) $α_2$受容体作動薬

クロニジン塩酸塩（clonidine hydrochloride），グアナベンズ酢酸塩（guanabenz acetate）は，延髄の血管運動中枢の$α_2$受容体を活性化し，その結果引き起こされる交感神経活動の抑制により血圧を低下させる．中枢性高血圧治療薬である．

c) $β_1$受容体作動薬

ドブタミン塩酸塩（dobutamine hydrochloride），デノパミン（denopamine）は心臓の$β_1$受容体に直接作用して，強い心機能亢進（心拍数の増加，心拍出量の増大）を起こす．

d) $β_2$受容体作動薬

サルブタモール硫酸塩（salbutamol sulfate），ツロブテロール（tulobuterol），フェノテロール臭化水素酸塩（fenoterol hydrobromide），プロカテロール塩酸塩水和物（procaterol hydrochloride hydrate），クレンブテロール塩酸塩（clenbuterol hydrochloride），サルメテロールキシナホ酸塩（salmeterol xinafoate）などがある．これらの薬物は，気管支平滑筋の弛緩を

引き起こすことから，気管支喘息や慢性閉塞性肺疾患（chronic obstructive pulmonary disease；COPD）の治療に用いられている．しかし，$β_2$受容体に対する選択性は$β_1$受容体に比し，10倍前後に過ぎないため，心悸亢進などの副作用に注意しなければならない．また，クレンブテロールは排尿筋を弛緩させ，腹圧性尿失禁にも用いられる．リトドリン塩酸塩（ritodrine hydrochloride）は子宮平滑筋を弛緩させ，早産の予防に用いられる．

2）アドレナリン受容体に間接作用する薬物（間接型アドレナリン作動薬）

交感神経節後線維の終末に作用し，NAの利用率を増大させることにより，アドレナリン受容体を刺激する．この利用率の増大は，カテコラミンの神経終末からの遊離促進，NAの交感神経への取り込み阻害，およびMAOやCOMTによる代謝阻害によりもたらされる．

チラミン（tyramine）は典型的な間接型である．チラミンは，NATによりシナプス前神経終末に取り込まれた後，VMATによりシナプス小胞内に運ばれ，小胞内のNAと置換する．置換されたNAは神経終末からNATの反転を介して非小胞性の遊離を起こし，交感神経興奮作用を示す．短期間に繰り返し適用すると**タキフィラキシー**が現れる．MAOによりよく分解される．臨床的用途はないが，チーズ，赤ワイン，チョコレートなどに含まれ，MAO阻害薬を使用している患者に**高血圧発作**（**クリーゼ**，hypertensive crisis）を起こすことがある．

覚醒剤のアンフェタミン（amphetamine），メタンフェタミン塩酸塩（methamphetamine hydrochloride）はアドレナリン作動性神経終末からNA，ドパミン作動性神経からDAを遊離させる．そのため，強い交感神経興奮様作用と中枢興奮作用を示す．神経終末のNAが枯渇するので，タキフィラキシーを起こす．

また，NAの交感神経終末部への取り込み阻害薬にコカイン塩酸塩（cocaine hydrochloride）や三環系抗うつ薬のアミトリプチリン塩酸塩（amitriptyline hydrochloride）などが，細胞間隙，血液，肝に存在するCOMTの阻害薬にエンタカポン（entacapone）が，細胞内に存在するMAOの阻害薬にクロルギリン（clorgiline）が知られている．

間接型作動薬の特徴として，シナプス小胞のNA枯渇による影響がある．すなわち，交感神経のNAを枯渇させるレセルピンの前処理により，間接型の応答は消失する．一方，NAの枯渇は補償的に受容体数の増加やシグナル伝達の増強を惹起するため，直接型薬物の応答を増強する（過感受性，supersensitivity）．

3）両作用をもつ薬物

直接作用と間接作用をもつ薬物で，混合型という．麻黄の成分であるエフェドリン塩酸塩（ephedrine hydrochloride）は，α，β両受容体に直接作用し，さらにアドレナリン作動性神経の終末に作用してNAを遊離させる．カテコール核をもたないためCOMTやMAOによる代謝を受けにくく，作用が持続する．気管支喘息の治療に用いられていたが，選択的$β_2$受容体作動薬の開発に伴い使用頻度は減少している．

2. 抗アドレナリン薬［antiadrenergic drugs，交感神経遮断薬（sympatholytic drugs）］

交感神経節後線維支配の効果器細胞にあるアドレナリン受容体へのNAの化学伝達を遮断する薬物で，α受容体遮断薬，β受容体遮断薬，およびα，β受容体遮断薬に分けられている．

1）α受容体遮断薬（α-adrenoceptor blocking drugs）

α受容体遮断薬には，シナプス後部の$α_1$および$α_2$受容体に結合し，神経伝達を遮断する働きと，シナプス前部の$α_2$受容体に結合し，負のフィードバック機構を介してNAの遊離に対する自己抑制を解除する働きがある．非選択的と選択的遮断薬がある．

(1) 非選択的α受容体遮断薬

フェノキシベンザミン（phenoxybenzamine）やダイベナミン（dibenamine）はα受容体と非可逆的に共有結合して持続的な拮抗作用を現すが，現在臨床に使用されていない．

フェントラミンメシル酸塩（phentolamine mesilate），トラゾリン塩酸塩（tolazoline hydrochloride）はα受容体に可逆的に結合し，競合拮抗を現す．フェノキシベンザミンと異なり作用の持続時間は短い．褐色細胞腫の高血圧を低下させるので，この疾患の診断に使われる．

(2) $α_1$受容体遮断薬

プラゾシン塩酸塩（prazosin hydrochloride）は，シナプス後膜の$α_1$受容体を選択的に遮断するが，サブタイプに対する選択性はない．血管平滑筋の$α_1$受容体を遮断して血管拡張を起こすので，抗高血圧薬として用いられる．$α_{1A}$受容体に選択性を示すタムスロシン塩酸塩（tamsulosin hydrochloride）は，下部尿路平滑筋に選択的に作用して尿路拡張を起こすので，前立腺肥大に伴う排尿障害に用いられる．

(3) $α_2$受容体遮断薬

ヨヒンビン（yohimbine）は，*Corynanthe yohimbe* の樹皮に含まれるアルカロイドである．アドレナリン作動性神経終末の$α_2$受容体（自己受容体）の遮断薬であり，クロニジンの作用に拮抗する．

2) β受容体遮断薬（β-adrenoceptor blocking drugs）

β受容体を遮断して心臓機能を抑制する作用を有しているが，他に部分的β受容体刺激作用（内因性交感神経様作用，intrinsic sympathomimetic action；ISA）と膜安定化作用（membrane stabilizing activity；MSA）を示す．β受容体には$β_1$（心機能促進），$β_2$（平滑筋弛緩）および$β_3$（脂肪分解促進）のサブタイプがあり，β遮断薬のうち，心臓の$β_1$受容体の遮断作用をもつ薬は高血圧，不整脈，狭心症の治療や予防に用いられている．また，$β_2$受容体遮断の目的でβ遮断薬を臨床に用いることはなく，$β_3$受容体を遮断するβ遮断薬はない．

(1) 非選択的β受容体遮断薬

プロプラノロール塩酸塩（propranolol hydrochloride），カルテオロール塩酸塩（carteolol hydrochloride），ピンドロール（pindolol），チモロールマレイン酸塩（timolol maleate）がある．$β_1$受容体への効果を期待した薬物であるが，$β_2$受容体も遮断するため，喘息や慢性閉塞性肺疾患の患者には気管支収縮，糖尿病患者には低血糖，血管拡張の抑制による末梢血管抵抗の増加などを引き起こす危険性が潜んでいる．

(2) $β_1$受容体遮断薬

$β_1$遮断薬は，心臓におけるβ作用を特異的に遮断し，高血圧，狭心症，不整脈の治療に用いる．アテノロール（atenolol），メトプロロール酒石酸塩（metoprolol tartrate），アセブトロール塩酸塩（acebutolol hydrochloride）などがある．

(3) $β_2$受容体遮断薬

ブトキサミン（butoxamine）は心臓などの$β_1$遮断効果は弱く，血管や気管支の$β_2$受容体刺激による弛緩作用を抑制し，さらにインスリン分泌の低下や脂質代謝異常を起こす．代表的な遮断薬であるが，臨床では使用されることはない．

3) α, β受容体遮断薬（α-, β-adrenoceptor blocking drugs）

$α_1$とβ受容体に競合拮抗を現すラベタロール塩酸塩（labetalol hydrochloride）がある．$α_1$受容体遮断による末梢血管抵抗の減少で血圧低下が生じる．一方，圧受容器反射による心臓反応を$β_1$受容体遮断により抑制し，心拍数や心拍出量をあまり変化させない．本態性高血圧の

患者に有用である．

3. 交感神経ニューロン遮断薬（adrenergic neuron blockers）
　アドレナリン受容体を遮断することなく，節後線維終末部に作用し交感神経の機能を抑制する薬物である．

1）ノルアドレナリンの枯渇作用
　レセルピン（reserpine）は，インド蛇木 *Rauwolfia serpentina* の根から得られるラウオルフィアアルカロイドである．VMAT を阻害して，NA やその前駆物質である DA のシナプス小胞への取り込みを阻害し，NA を神経終末内に遊離させる．遊離した NA や小胞に取り込まれなかった DA は MAO により代謝される．その結果，アドレナリン作動性神経の終末において，NA の枯渇を起こす．作用の発現は比較的遅く，持続は長い．臨床では高血圧の治療薬として用いられているが，副作用のために使用頻度は低下している．

2）ノルアドレナリンの合成抑制作用
　α-メチルドパ（α-methyldopa）は，NA の前駆物質である L-ドパと代謝拮抗して NA の枯渇を起こす．神経終末に取り込まれた α-メチルドパは，L-ドパデカルボキシラーゼによって α-メチルドパミン，さらに α-メチルノルアドレナリンに生合成され，これが NA と置換して**偽伝達物質**（false transmitter）として顆粒に貯蔵される．この α-メチルノルアドレナリンはクロニジンと同様に，中枢性 $α_2$ 受容体を活性化して交感神経活動を抑制する．メチルドパ水和物（methyldopa hydrate）が，臨床的に高血圧症の治療薬として用いられている．

Ⅳ 副交感神経に作用する薬物
　副交感神経が興奮した時と同じような作用を引き起こすコリン作動薬および副交感神経の興奮を抑制する抗コリン薬がある．

1. コリン作動薬［cholinergic drugs，副交感神経作動薬（parasympathomimetic drugs）］
　副交感神経興奮と同じような作用を惹起する薬物で，受容体に直接作用する薬物と，ACh の分解酵素を阻害してシナプス間隙の ACh を蓄積させて，間接的にムスカリン性受容体を刺激する薬物に分けられる．

1）直接型コリン作動薬（表 6）
（1）ACh およびコリンエステル類
　アセチルコリン塩化物（acetylcholine chloride）およびその類似化合物として，メタコリン

臨床コラム

アドレナリンの血圧反転

　アドレナリンを静脈内に急速投与すると，著しい血圧の上昇が観察される．この血圧上昇はアドレナリンの血管収縮作用（$α_1$ 作用）が血管拡張作用（$β_2$ 作用）より強く現れたために生じている．α 受容体遮断薬を投与した後に，同じようにアドレナリンを投与すると $β_2$ 作用（血管拡張作用）のみが現れ，血圧の下降が観察される．この現象をアドレナリンの血圧反転と呼ぶ．この現象は，α 受容体遮断作用を有する薬物との間に見られる．

表6 コリンエステル類および天然アルカロイドの薬理学的特徴 (グッドマン・ギルマン薬理書 第11版. p.225. より)

ムスカリン作動薬	コリンエステラーゼに対する感受性	ムスカリン性作用					ニコチン性作用
		心血管	胃腸管	膀胱	眼（局所）	アトロピンによる拮抗	
アセチルコリン	＋＋＋	＋＋	＋＋	＋＋	＋	＋＋＋	＋＋
メタコリン	＋	＋＋＋	＋＋	＋＋	＋	＋＋＋	＋
カルバコール	－	＋	＋＋＋	＋＋＋	＋＋	＋	＋＋＋
ベタネコール	－	±	＋＋＋	＋＋＋	＋＋	＋＋＋	－
ピロカルピン	－	＋	＋＋＋	＋＋＋	＋＋	＋＋＋	－

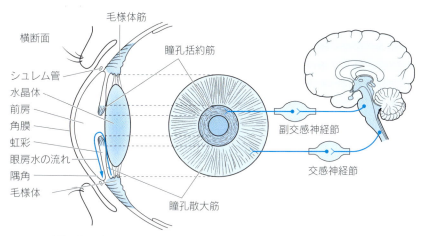

図4 眼内筋の神経支配 (薬理学―基礎から薬物治療学へ. p.62. より)
交感神経に支配される瞳孔散大筋は α_1 受容体作動薬により収縮して散瞳薬として，副交感神経に支配される瞳孔括約筋はコリン作動薬により収縮して縮瞳薬として用いられる．毛様体にて産生された眼房水は，水晶体の周囲を通り，虹彩の後方から前房に出て，隅角へ移動してシュレム管から排出される．この排出経路に障害が生じると眼圧が高まり緑内障が生じる．眼房水の排出を促進する薬物として，隅角において毛様体筋を収縮させてシュレム管を開口させるコリン作動薬や，ぶどう膜強膜流出路（シュレム管を介さない）を拡大させる α_1 受容体遮断薬がある．また，眼房水の産生・供給を抑制する β 遮断薬も眼内圧を低下させる．これら薬物は緑内障治療薬として用いられる．

塩化物（methacholine chloride），カルバコール（carbachol），ベタネコール塩化物（bethanechol chloride）があり，ACh分解酵素のコリンエステラーゼ（cholinesterase；ChE）に対する感受性と受容体に対する親和性に特徴を有している．ChEにはアセチルコリンエステラーゼ（真性コリンエステラーゼ）と偽性コリンエステラーゼがある．AChの作用の持続時間は非常に短いが，これは体内に分布するChEにより急速に分解されるからである．

(2) 天然アルカロイド類

ムスカリンは，毒キノコ（ベニテングタケ）に含まれるアルカロイドであり，ムスカリン性作用を現すが，臨床的には用いられない．ピロカルピン塩酸塩（pilocarpine hydrochloride）は南米産の灌木 *Pilocarpus jaborandi* などに含まれ，臨床的には緑内障（眼内圧低下の目的）や口腔乾燥症の治療に用いられる．毛様体筋の収縮によりシュレム管を開口し眼房水を排出し眼圧を低下させ，縮瞳も起こす（図4）．

(3) その他

セビメリン塩酸塩水和物（cevimeline hydrochloride hydrate）は唾液腺のムスカリン性受容体（M_3）に高い親和性を示して唾液分泌を促進させ，Sjögren症候群患者の口腔乾燥症の治療に用いられる．

2) 間接型コリン作動薬

ACh分解酵素であるAChEの活性を阻害し，シナプス間隙のACh濃度を増加させて，間接的にAChの作用を増大させる．ムスカリン性作用およびニコチン性作用を生じる．AChE活性に対する阻害作用の可逆性により，可逆的阻害薬と非可逆的阻害薬に分けられる．

(1) 可逆的コリンエステラーゼ阻害薬

フィゾスチグミン（physostigmine，エゼリン）は，カラバル豆に含まれるアルカロイドである．第三級アミンであるので，血液脳関門を通過して中枢作用を現す．

ネオスチグミン臭化物（neostigmine bromide）はフィゾスチグミンを原型として合成されたが，第四級アンモニウムであるので，血液脳関門を通過しにくく，中枢作用を現さない．ニコチン性受容体にも直接作用するので，フィゾスチグミンと異なる．

その他に，エドロホニウム塩化物（edrophonium chloride），ジスチグミン臭化物（distigmine bromide），ピリドスチグミン臭化物（pyridostigmine bromide），アンベノニウム塩化物（ambenonium chloride）など多くの第四級アンモニウム構造をもつ薬物がある．

(2) 非可逆的コリンエステラーゼ阻害薬

有機リン化合物はChEに非可逆的に結合して，その活性を阻害する．その結果，副交感神経の興奮，骨格筋の興奮とそれに続く抑制，および中枢神経作用を引き起こす．有機リン化合物には，殺虫剤のパラチオン（parathion）やマラチオン（malathion），神経毒ガスのタブン（tabun）やサリン（sarin）などがある．これらはすべて，脂溶性が高く，皮膚からも体内に入りやすく，また血液脳関門を通過して強い中枢作用を示す．プラリドキシムヨウ化物（pralidoxime iodide；PAM）はChEと結合している有機リン化合物に結合し，ChEから切り離すことでChEを再賦活する．このコリンエステラーゼ再賦活薬は，有機リン化合物中毒に対する有効な解毒薬として用いられる．

2．抗コリン薬［anticholinergic drugs，副交感神経遮断薬（parasympatholytic drugs）］

副交感神経節後線維支配の効果器細胞に存在するムスカリン性受容体へのAChの化学伝達を遮断する薬物である．副交感神経を抑制する結果，交感神経が優位になり，散瞳や心拍数の増加を生じる．ベラドンナアルカロイドの他，多くのアトロピン代用薬がある．

1) ベラドンナアルカロイド

アトロピン硫酸塩水和物（atropine sulfate hydrate），スコポラミン臭化水素酸塩水和物（scopolamine hydrobromide hydrate）は，ナス科植物に含まれるベラドンナアルカロイドであり，抗コリン作用を現す．これらの末梢作用として，心臓における洞房結節の副交感神経抑制による頻脈，唾液分泌抑制による口渇，胃液分泌の抑制，膀胱における平滑筋弛緩と膀胱括約筋収縮による尿閉（排尿障害患者に禁忌），気道分泌の抑制，散瞳による眼内圧の上昇（緑内障に禁忌），毛様体筋弛緩による調節麻痺，発汗抑制などがある．臨床において，散瞳薬，鎮痙薬，麻酔前投薬，消化性潰瘍治療薬などとして用いられる．また，ChE阻害薬の中毒に対して，解毒薬としても用いられる．

2）アトロピン代用薬

臨床目的に応じて，器官選択性と持続性の観点から選択されている．高い血液脳関門通過性を示す第三級アミン化合物と中枢への通過が制限される第四級アンモニウム化合物がある．また，第四級アンモニウム塩には神経節遮断作用がある．

第三級アミンとして，散瞳薬のトロピカミド（tropicamide）などの他，ムスカリン性受容体（M_3）を遮断する頻尿治療薬のプロピベリン塩酸塩（propiverine hydrochloride）やオキシブチニン塩酸塩（oxybutynin hydrochloride）などがある．また，トリヘキシフェニジル塩酸塩（trihexyphenidyl hydrochloride）やビペリデン（biperiden）がParkinson病治療薬として用いられる．ピレンゼピン塩酸塩水和物（pirenzepine hydrochloride hydrate）はムスカリン性受容体（M_1）の特異的遮断薬で胃液分泌抑制作用があるので，胃潰瘍治療薬として用いられている．

第四級アンモニウムとして，イプラトロピウム臭化物水和物（ipratropium bromide hydrate）やオキシトロピウム臭化物（oxitropium bromide）が気管支拡張薬として吸入で用いられている．ブチルスコポラミン臭化物（scopolamine butylbromide）やプロパンテリン臭化物（propantheline bromide）も消化管に選択的な鎮痙・分泌抑制作用を示す．

Ⅴ ── 自律神経節に作用する薬物

神経節は交感神経および副交感神経の両神経系に存在し，いずれも節前線維終末から遊離されたAChが節後線維のニコチン性受容体（神経型；N_N）に結合すると，節後線維細胞は興奮し，その興奮は軸索伝導によって終末に達する．その結果，交感神経節後線維の終末からはNAが，副交感神経節後線維の終末からはAChが遊離される．自律神経節に作用する薬物には，N_N受容体を刺激するロベリン（lobeline），テトラメチルアンモニウム（tetramethylammonium；TMA），ジメチルフェニルピペラジニウム（dimethylphenylpiperazinium；DMPP）などの**神経節興奮薬**と，N_N受容体に競合拮抗するヘキサメトニウム（hexamethonium，C_6）やトリメタファン（trimethaphan）などの**神経節遮断薬**がある．

神経節遮断に伴う生体反応は，臓器に対して優位に支配している神経系の遮断効果が主に現れる．最も著明な効果は血圧の下降である．

Ⅵ ── 運動神経と骨格筋に作用する薬物

運動神経と筋は神経筋接合部でシナプスを形成している．運動神経を伝播した活動電位が終末部に達した際，Ca^{2+}が終末部に流入し，AChがシナプス間隙に遊離され，終板のニコチン性受容体（筋肉型；N_M）に結合する．これはイオンチャネル内蔵型受容体であり，チャネル開口によるNa^+の流入は終板電位（end-plate potential；e.p.p.）と呼ばれる脱分極を起こす．この終板電位が閾値に達すると活動電位が発生する．この活動電位はT管を経て内部に伝播され，筋小胞体からCa^{2+}遊離を惹起する．遊離Ca^{2+}は骨格筋収縮タンパク質（トロポニンC）に結合して，収縮を引き起こす．この一連の過程を興奮収縮連関と呼ぶ（図5，13章Ⅲ-1-1）参照）．

1．筋収縮を増強する薬物

重症筋無力症に有効な薬物として，N_M受容体へ作用するACh量を増やすChE阻害薬が用いられる．ネオスチグミン，ピリドスチグミン，アンベノニウム，ジスチグミンなどがあり，

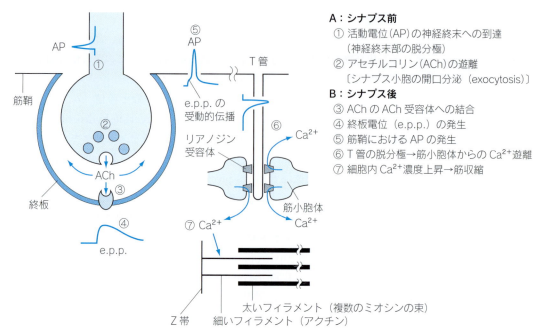

図5 神経興奮から筋収縮までの過程 (医科薬理学 改訂4版. p.332. より)

ネオスチグミンは骨格筋に直接的な刺激作用を有している．作用の持続時間の短いエドロホニウムは重症筋無力症の診断に利用されている．

2. 筋弛緩薬

神経筋接合部の N_M 受容体を遮断する競合的筋弛緩薬と脱分極性筋弛緩薬（図5③），興奮収縮連関に作用するダントロレン（図5⑦），および運動神経からのACh遊離を抑制するボツリヌス毒素（図5②）がある．

1) 競合的筋弛緩薬（ロクロニウム）

N_M 受容体においてACh と競合拮抗して神経伝達を遮断する薬物である．AChとの競合拮抗薬であるため，この筋弛緩作用はChE阻害薬で拮抗される．矢毒に使われた d-ツボクラリンを原型として開発されたベクロニウム臭化物（vecuronium bromide）とベクロニウム誘導体であるロクロニウム臭化物（rocuronium bromide）が用いられているが，ベクロニウムは製造が中止（2019年12月）されている．

臨床においては，外科手術時に十分な筋弛緩を得るための麻酔補助薬として，気管挿管時に用いられている．ベクロニウムやロクロニウムによる筋弛緩作用を選択的に拮抗する薬物としてスガマデクスナトリウム（sugammadex sodium）がある．ベクロニウムやロクロニウムを選択的に包み込み，抱接体（不活性複合体）を形成して拮抗する．ChE阻害薬に比べ，迅速かつ確実な効果が得られ，術後の速やかな筋弛緩回復に利用されている．

2) 脱分極性筋弛緩薬（スキサメトニウム）

N_M 受容体に結合し，持続的な脱分極による Na^+ チャネルの不活性化（第1相）を起こし，持続的投与により N_M 受容体の脱感作（第2相）を引き起こす薬物である．スキサメトニウム塩化物水和物（suxamethonium chloride hydrate）が用いられている．サクシニルコリン

(succinylcholine) とも呼ばれる.

スキサメトニウムは ACh の 2 分子が縮合した化合物であり，第 1 相では，N_M 受容体に結合し ACh と同様に終板を脱分極させるため，ごく初期に線維束性攣縮を起こすことがある．また，終板に存在する AChE により分解されないため，終板は持続した脱分極状態となり，神経終末から遊離された ACh に反応せず，筋収縮を起こさない（脱分極性遮断）．第 2 相は，持続的投与時や短時間での頻回投与時により N_M 受容体が脱感作状態となるため，ACh に反応しない状態である．しかし，持続投与で使用するケースは稀である．

スキサメトニウムは肝臓や血漿中の偽性 ChE により速やかに加水分解されるため，筋弛緩作用の持続時間は短い．副作用として，線維束性攣縮による筋肉痛，神経節の遮断作用，外眼筋の拘縮による眼圧上昇（緑内障には禁忌），高カリウム血症などがあり，重大な副作用として悪性高熱症がある．副作用が多く，競合的筋弛緩薬の使用頻度が高くなっている．臨床では，全身麻酔時，気管挿管時，骨折・脱臼整復時，咽頭けいれんなどに用いられる．

3）ダントロレン

ダントロレンナトリウム水和物（dantrolene sodium hydrate）は，骨格筋小胞体にあるリアノジン受容体（Ca^{2+} 放出チャネルとして働く）に作用して，筋小胞体（sarcoplasmic reticulum）からの Ca^{2+} 遊離を抑制する薬物である．筋細胞膜が興奮して活動電位が発生しても，筋の収縮は抑制される．

副作用として，眠気，頭痛，消化性障害がある．閉塞性肺疾患あるいは心疾患により著しい心肺機能の低下の見られる患者，筋無力症のある患者には禁忌である．臨床応用として，痙性麻痺，こむら返り病，悪性症候群および悪性高熱症などに用いられる．悪性高熱症は，ほとんどの揮発性麻酔薬やスキサメトニウムによって急速に体温が上昇し，60～70％が死に至る症候群である．その成因は，骨格筋細胞内の筋小胞体膜に存在するリアノジン受容体タンパク質の分子に遺伝的異常があるために，長時間 Ca^{2+} 放出チャネルが開口して細胞内 Ca^{2+} 濃度が上昇することによる．

4）ボツリヌス毒素

ボツリヌス菌によって産生される神経毒素であり，神経筋接合部において神経終末からの ACh の開口分泌を抑制する．シナプス小胞が細胞膜へ融合する過程は SNARE タンパク質により媒介されるが，ボツリヌス毒素は SNARE（soluble N-ethylmaleimide-sensitive factor attachment protein receptor）を特異的に破壊することにより，ACh の遊離を阻害し，筋弛緩作用を示す．

A 型と B 型のボツリヌス毒素（botulinum toxin type A，B）が使用されている．痙性斜頸，眼瞼けいれんなどに対して，患部局所の筋肉内注射により筋収縮を低下させる．患部以外に作用した場合には呼吸障害や嚥下障害が生じる場合があり，十分な知識や経験のある医師により使用されている．

18章 薬理学 各論

局所麻酔薬

学修目標とポイント

- 局所麻酔薬の作用機構を説明できる．
- 歯科領域における局所麻酔薬の適用法（表面麻酔，浸潤麻酔，伝達麻酔など）を説明できる．
- 局所麻酔薬の化学構造による分類（アミド型とエステル型）と代謝経路を説明できる．
- 歯科臨床で使用されている主な局所麻酔薬の有害作用を含めた特徴を説明できる．
- 局所麻酔薬と血管収縮薬を併用する目的を説明できる．

本章のキーワード

局所麻酔法，感覚神経，細胞膜 Na^+ チャネル，アミド型，エステル型，リドカイン，プロカイン，コカイン，表面麻酔，浸潤麻酔，伝達麻酔，血管収縮薬

I ── 局所麻酔薬とは

局所麻酔薬（local anesthetics）は，皮膚，粘膜を含む局所組織に作用させ，感覚神経の興奮伝導を可逆的に遮断して局所感覚を消失させる薬物で，この方法を**局所麻酔法**（local anesthesia）という．中枢神経系の機能全般を抑制する全身麻酔とは異なり，意識は保持されているのが特徴である．歯科診療において歯髄処置，抜歯，小手術などによる一過性の疼痛を抑制する場合に用いられる．**主な局所麻酔薬は塩基性薬物**であり塩基性の環境下では脂溶性の非解離型が増加し，膜透過性が増大する．

II ── 痛覚の伝導と局所麻酔薬の作用機構

1. 疼痛による活動電位の発生と伝導[1]

感覚受容器に痛みなどの刺激が加わると，興奮が生じ，感覚神経を興奮が伝導する．興奮発生時には，細胞膜の**電位依存性 Na^+ チャネル**（voltage-dependent Na^+ channel, sodium channel）が開いて細胞外の Na^+ が細胞内に流入し脱分極が起こる．電位依存性 Na^+ チャネルは，α および β_1, β_2 サブユニットから構成され，膜を貫通する α サブユニットが Na^+ の通過するチャネルを形成する．電位が Na^+ の平衡電位（$+40 \sim +50$ mV）に達すると Na^+ チャネルは不活性化する．続いて K^+ チャネルが開き細胞内の K^+ が細胞外に流出することにより再分極が起こり，静止膜電位へと戻る（図1A）．この一連の過程を活動電位と呼ぶ．この疼痛刺激により発生した興奮（活動電位）が感覚神経を伝導して，大脳皮質感覚野に投射されることにより痛みとして認識される．

2. 局所麻酔薬の作用機序[2]

局所麻酔薬は脂溶性の非解離型として神経線維の細胞膜を通過して細胞内に入り，細胞の内

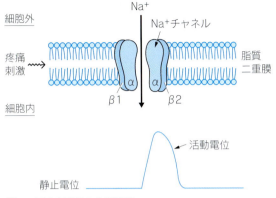
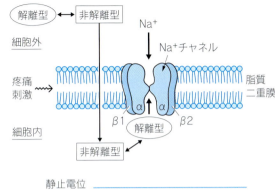

図1 局所麻酔薬の作用機構

側からNa^+チャネルの疎水性アミノ酸と結合してNa^+チャネルの開口を阻害し，Na^+の流入を抑制する（図1B）．その結果，活動電位の発生は抑制され，痛覚の伝導が遮断されることにより無痛下での処置を行うことができる．局所麻酔薬によるNa^+チャネルの遮断は，高頻度の刺激インパルスが神経を伝導する場合や，脱分極の程度が大きい時ほど強くなる．この刺激頻度や膜電位依存性効果は，荷電した局所麻酔薬がNa^+チャネルが開いた状態でのみ結合部位に接近でき，Na^+チャネルの不活性化状態に強く結合して安定化し，脱分極を阻害することにより起こる．

すべての神経線維は局所麻酔薬に感受性があり，感覚神経だけでなく自律神経や運動神経にも作用するため，全身的な有害作用の危険もあり急速な全身循環への吸収を避ける必要がある．一般的に，局所麻酔薬は細い線維ほど早く遮断され，無髄線維は有髄線維よりも遮断されやすい[*1]．このため，感覚麻痺は鈍い痛覚（C線維），鋭い痛覚と温冷覚（Aδ線維），触覚・圧覚（Aβ線維）の順に起こる．麻酔の回復は逆の順で起こる．

3. 局所麻酔薬の解離型と非解離型の割合

細胞膜は極性をもった二層のリン脂質膜（脂質二重膜）から構成される半透膜である．そのため，**非解離（非イオン）型で脂溶性**の薬物はこの細胞膜を介した濃度勾配にしたがって**受動拡散**により細胞外より細胞内へ通過するが，**解離型（イオン型）で水溶性**の薬物は細胞膜を通過しにくい．したがって，解離型と非解離型の比率は，細胞内から作用する薬物に大きな影響を与える．一般的な薬物の解離型と非解離型の割合はHenderson-Hasselbalchの式によって決定され，解離して陽イオンになる塩基性薬物の場合は以下の式になる．

$$B + H^+ \rightleftharpoons BH^+ \quad (B：非解離型, \ BH^+：解離型)$$

$$pKa - pH = \log \frac{[BH^+]}{[B]} \quad \begin{array}{l}：解離型モル濃度\\：非解離型モル濃度\end{array}$$

ここでpKa[*2]は薬物に固有の値なので，**pHが解離型と非解離型の割合を決定する**大きな要因となる（4章Ⅱ参照）．

[*1] B線維（自律神経節前線維）はC線維より太い有髄線維であるが，C線維より先に遮断される．
[*2] 解離定数Kaの逆数の対数であり，Kaは薬物に固有の定数である．Henderson-Hasselbalchの式から環境のpH＝pKaの場合，解離型：非解離型の割合は1：1となる．

現在使用されている**局所麻酔薬はいずれも弱塩基**（pKa：8〜9）なので，解離型と非解離型の割合は上記の式で決定される．非解離型の局所麻酔薬は脂溶性なので神経細胞膜を通過して，細胞内の pH に依存して再び解離する．Na^+ チャネル抑制説では，細胞内で再び解離型となった局所麻酔薬が，膜の内側からチャネルに結合して抑制する．

4．作用部位での有効濃度に影響する因子

局所麻酔注射された薬液は拡散して神経細胞に到達し，非解離型で脂溶性のものが神経細胞膜を通過して細胞内に入り麻酔作用を生じる．一部は注射部位から血管内へ吸収されて血流に入り，局所から消失する．これらの過程で，以下のような因子が有効濃度に影響する．

1）局所麻酔薬の水溶液中での安定性と pH

局所麻酔薬の遊離塩基は水に不溶性のため，塩酸塩の形で使用される．塩酸塩とすることにより弱塩基性の局所麻酔薬の溶液は弱酸性となり，麻酔薬自体および併用される血管収縮薬の安定性も高めるので好都合である．投薬後は細胞外液の pH に応じて，Henderson-Hasselbalch の式に従った解離型と非解離型の割合で存在する．

2）炎症などの局所の状態と作用部位の pH[*3]

炎症があるとその部位の pH は酸性に傾くため pH 値は小さくなり，Henderson-Hasselbalch の式における pKa-pH の値が大きくなる．その結果，右辺の対数の真数部分は大きくなり，分子の［解離型モル濃度］が相対的に増加することになる．そのため，細胞膜を通過しにくい解離型の局所麻酔薬が増加して麻酔が効きにくくなる．同様な理由で，全身性アシドーシスの場合も局所麻酔薬の作用は得られにくい（図2）．

3）局所の血流と血管分布

顔面，頭皮などの血管分布量や血流量が多い部位への局所麻酔薬の適用は血管への吸収（受動拡散）が速く，局所組織からの消失が速くなるため，局所麻酔作用は低下し持続時間も短くなる．一方，全身的な中毒の危険性は増加する．

5．血管収縮薬の併用

コカイン[*4]以外の局所麻酔薬は血管拡張作用を示し，投与に伴って局所の血管の血流量が増加して局所麻酔薬の吸収が促進される．その結果，作用強度は低下し作用の持続時間も短縮する．また，血中濃度の速やかな上昇に伴う全身的な中毒の危険性も増大する．

そこで，局所からの麻酔薬の吸収遅延を目的として**血管収縮薬**を添加した製剤が多い．血管収縮薬としては，**アドレナリン作動薬**である**アドレナリン**（adrenaline），**ノルアドレナリン**（noradrenaline），**フェニレフリン塩酸塩**（phenylephrine hydrochloride）などがよく使用される．α_1 受容体を介した末梢血管収縮作用の結果として，**局所麻酔薬に血管収縮薬を添加する目的**は，以下の3つがあげられる．

①麻酔薬の吸収遅延による麻酔効果の増強と持続．
②血中への移行速度低下による中毒の予防．
③止血効果や出血量の減少による手術野の明示．

[*3] 炎症時の組織は，低酸素，乳酸の遊離などの影響で正常組織の pH 7.4 よりも酸性に傾く（おおよそ pH 6.7〜7.4）．
[*4] コカイン（麻薬）は，自身に末梢血管の収縮作用があり表面麻酔（口腔，気道などの粘膜，点眼）薬として用いられている．

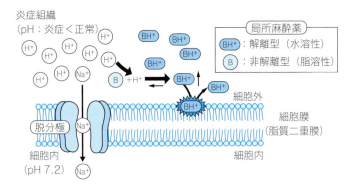

図2 炎症組織への局所麻酔薬の適用
塩基性薬物の局所麻酔薬は，炎症組織では，組織からの乳酸の遊離などの理由で，正常組織と比較して組織のpHが低下（酸性側に傾く）する．解離型の割合が増加し，脂溶性の非解離型の割合が低下する．細胞内からの電位依存性 Na^+ チャネルの阻害が低下して局所麻酔作用が得られにくい．同様の理由で全身性アシドーシスの場合も局所麻酔薬の作用は得られにくい．

　一方で，血管収縮薬を添加したことにより生じる欠点もある．アドレナリン作動薬による末梢血管の収縮および心機能亢進による血圧上昇や心臓への負担増加は，高血圧や狭心症，動脈硬化，心不全などに対する増悪因子となる．また，代謝の亢進作用は，甲状腺機能亢進や糖尿病の悪化の原因となり，**抗うつ薬**などアドレナリン作用を高める薬物を投与されている患者に対するアドレナリン含有の局所麻酔薬の使用には注意を要する（**11章「添付文書」参照**）．これらの危険が予測される場合には，血管収縮薬を含有しない製剤を選択することもある．また，局所の血管収縮作用のみでその他の交感神経系促進効果を示さない，**フェリプレシン**（felypressin）[*5]などのペプチド性血管収縮薬を添加した製剤を選択することも可能である．

III ― 局所麻酔薬

1. 合成局所麻酔薬の開発

　最初に臨床応用された局所麻酔薬は天然化合物のコカイン（cocaine）である．しかし，麻薬としての有害作用が多く，安全性の高い局所麻酔薬の合成が試みられた．その結果，1904年に最初の合成局所麻酔薬としてプロカイン（procaine）が合成された．その後，その基本骨格を基に多くの局所麻酔薬が合成されて臨床に使用されている．

　局所麻酔薬の重篤な副作用である**過敏症（アレルギー反応）**は，アミド型よりエステル型において多いとされている．また，ある局所麻酔薬に過敏症を示す場合には，同じ型の他の薬物にも過敏症を示す**交叉感受性**が知られており，分類は臨床上でも重要である．

2. 化学構造による分類[1)]

　局所麻酔薬は，①**脂溶性の芳香族**，②**水溶性のアミノ基**，それらを連結する③**中間鎖**の構造の違いによりアミド型とエステル型に分類され（**図3**），代謝経路が異なる．
　エステル型は血中へ移行した後，血漿コリンエステラーゼや肝臓エステラーゼにより加水分解され，パラアミノ安息香酸とアルキルエタノールアミンとなる．エステラーゼは生体内に広く分布しているため容易に分解されるが，その作用持続時間は薬物により異なり，局所に存在するエステラーゼに対する感受性の相違も影響が大きい．一方，アミド型は主に肝臓に存在する薬物代謝酵素シトクロムP-450（CYP1A2およびCYP3A4）によって代謝（酸化）される．そのため，肝機能低下など代謝能力が低下した患者への投与には注意が必要である．

[*5] 抗利尿ホルモンであるバソプレシンから合成されたポリペプチドである．アドレナリンと比較して注射部位の血管収縮作用は弱いとされるが，交感神経亢進作用はない．

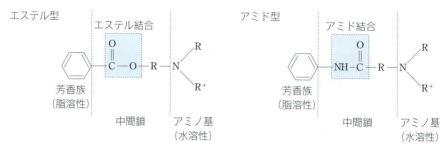

図3 局所麻酔薬の基本構造

3. 主なエステル型局所麻酔薬[4]

1) コカイン塩酸塩（cocaine hydrochloride, コカイン塩酸塩®）

麻薬であり，口腔，眼科などの表面麻酔に使用される．

2) プロカイン塩酸塩（procaine hydrochloride, プロカニン®, プロカイン塩酸塩®, ロカイン® など）

エステル型局所麻酔薬の代表薬．1950年代まで歯科医療において浸潤麻酔，伝達麻酔などで多用されたが，現在はリドカインなどのアミド型に代わられている．

3) テトラカイン塩酸塩（tetracaine hydrochloride, テトカイン®, プロネス®[*6] など）

効力，毒性ともにプロカインの10倍と強力である．歯科では表面麻酔でのみ使用されるが，医科では脊髄クモ膜下麻酔にも使用される．

4) アミノ安息香酸エチル（ethyl aminobenzoate, ハリケインリキッド歯科用® 20％, プロネス®[*6] など）

水に難溶性であるため吸収が遅く，長時間作用が持続する．また，毒性も少ない．表面麻酔に使用される．

4. 主なアミド型局所麻酔薬[4]

1) リドカイン塩酸塩（lidocaine hydrochloride, キシロカイン®, リドカイン塩酸塩® など）

現在，臨床で最もよく使用されている．作用発現まで5～7分と迅速で作用も強く，持続的な麻酔効果が期待でき確実である．アドレナリンを添加した製剤を浸潤および伝達麻酔に使用する場合の基準最高用量は500 mg以下とされている．1.8 mLの2％リドカインカートリッジには36 mg含まれることから，13.8本以下となる．アドレナリン非添加では200 mgが基準最高用量とされ，この場合は5.5本となる．しかし，臨床で使用する際には必要最小限に留める．過量では眠気，めまい，感覚異常，昏睡などの中枢神経系に対する副作用が起こる．また，妊婦への安全性は確立されていない．また，全身投与により抗不整脈薬[*7]として使用される（**20章Ⅲ参照**）．

[*6] プロネスは，アミノ安息香酸エチル（10％），テトラカイン（1％），ジブカイン（1％）を含有した局所麻酔薬で表面麻酔に用いる．

[*7] 局所麻酔薬には膜安定化作用（キニジン様作用）があり，心筋に対して抑制的に作用し抗不整脈作用を発現する．アミド型のリドカインは心室性不整脈（**20章Ⅲ参照**）に用いられ，エステル型のプロカインのエステル結合をアミド結合に変えたプロカインアミドも抗不整脈薬として用いられている．

2) **メピバカイン塩酸塩**（mepivacaine hydrochloride，スキャンドネスト®，カルボカイン®など）

構造も薬理作用もリドカインに類似しているが，リドカインより作用発現が早く，持続時間も長い．

3) **プロピトカイン塩酸塩**（propitocaine hydrochloride，**プリロカイン**：prilocaine，シタネスト-オクタプレシン®）

薬理作用はリドカインに類似しているが，作用の持続時間はリドカインより長い．血管収縮薬の添加量が少なくてすむのが特徴である．プロピトカイン-フェリプレシン注射液（歯科用シタネスト-オクタプレシン®）が歯科領域では高血圧症患者などに好んで用いられる傾向があるが，高血圧症患者への使用が推奨されているわけではない．妊婦・小児への使用については安全性が確立されていない．プロピトカインの代謝物にはメトヘモグロビン形成作用があり，メトヘモグロビン血症の患者には禁忌である．

4) **ブピバカイン塩酸塩水和物**（bupivacaine hydrochloride hydrate，マーカイン®）

メピバカインと類似構造で作用発現は早く，長時間作用が持続する強力な薬物である．

5) **ジブカイン塩酸塩**（dibucaine hydrochloride，シカベリン®，プロネス®[*6]）

中間鎖の構造からアミド型で，環の部分の構造からキノリン誘導体である．長時間作用が持続し，効力，毒性とも最強とされ，表面麻酔，浸潤麻酔，伝達麻酔，硬膜外麻酔などに用いられる．

5. 歯科領域で使用される局所麻酔薬[4]

1) 歯科用局所麻酔薬（表）

歯科では，カートリッジタイプの歯科用局所麻酔薬が使用される．通常，医科用と比較し高濃度であり（歯科用：2～3％，医科用：0.5～2％），その多くは作用時間の延長と出血の防止，および全身的中毒の予防のために血管収縮薬（アドレナリンもしくはフェリプレシン）が添加されている．特に，血管収縮薬非添加の製剤は効果が低いが，高血圧患者など血管収縮薬非添加の局所麻酔薬を選択したい場合には便利である．

2) 表面麻酔薬

表面麻酔用の製剤は注射剤より2倍以上高い濃度（2～20％）の薬剤があり，効力や毒性ともに強力である．そのため，歯科用表面麻酔薬は歯科領域以外に使用してはならない．

Ⅳ ── 局所麻酔薬の適用法

1) 表面麻酔（topical anesthesia）

表面麻酔は主に鼻腔，口腔，咽頭，食道などの粘膜表面に適用して作用させる方法であり，表面麻酔薬，経口表面麻酔薬，粘滑・表面麻酔薬，定量噴霧式表面麻酔薬がある．局所麻酔薬は皮膚面からはほとんど吸収されないが，粘膜適用では浸透し感覚神経を麻痺させる．作用は粘膜表面に留まり，粘膜下組織には及ばない．麻酔効果は数分でピークに達し，10～20分位持続する．リドカイン，テトラカイン，ジブカイン，アミノ安息香酸エチル，コカインなどが表面麻酔に使用可能であるが，プロカインは粘膜からの吸収が悪く表面麻酔に適さない．

歯科では，針を刺入する部位に局所麻酔薬を塗布または噴霧し，数分間作用させることで刺入時の疼痛を軽減させる方法が一般的であるが，その他，表在性で小範囲の歯周膿瘍切開部位の麻酔，歯石除去や乳歯の抜去時，印象採得用トレーなどの口腔内接触に対する嘔吐反射の抑

表　歯科用局所麻酔薬一覧

歯科用局所麻酔薬（一般名） 〔商品名（代表例）〕	血管収縮薬	基準最高用量（推奨） 1本分の容量：1.8 mL
リドカイン塩酸塩・アドレナリン注射剤 （歯科用キシロカインカートリッジ2％）	アドレナリン	500 mg （カートリッジで13本分）
リドカイン塩酸塩・アドレナリン酒石酸水素塩注射剤 （オーラ注歯科用カートリッジ2％）	アドレナリン酒石酸水素塩	500 mg （カートリッジで13本分）
プロピトカイン塩酸塩・フェリプレシン注射剤 （歯科用シタネスト－オクタプレシンカートリッジ3％）	フェリプレシン	400 mg （カートリッジで7本分）
メピバカイン塩酸塩注射液 （スキャンドネストカートリッジ3％）	なし	500 mg （カートリッジで9本分）

制なども使用される．また，歯科治療での表面麻酔時の不快感を軽減する目的で，フレーバー（香料）を含有し，麻酔薬特有の苦みをマスキングする製剤も販売されている．

2) 浸潤麻酔 (infiltration anesthesia)

手術部位周囲の皮下，筋肉，粘膜下などに注射し，浸潤した薬液により局所の無痛を得る．歯科では最も使用頻度の高い麻酔法である．歯髄処置や抜歯などを無痛状態で行うために歯肉下，骨膜下への注射を行い，歯髄，歯根膜の感覚神経を麻痺させる．アドレナリン添加により局所麻酔薬の血液内への吸収が緩徐になるため麻酔の持続時間は約2倍に延長し，血中でのピーク濃度を低下させることができるため局所麻酔薬中毒の可能性も低下する．

3) 伝達麻酔 (conduction anesthesia)

神経幹，神経叢などの周囲に薬液を注入することにより，神経支配領域を広範囲に麻酔する方法である．歯科では，抜歯・口腔内小手術などにおいて上顎神経，下顎神経支配部位の麻酔に使用される．特に，下顎の大臼歯部の歯槽骨は骨質が厚く緻密であり，麻酔薬の浸透性が低く浸潤麻酔が効きにくいため，外科的侵襲が大きい埋伏歯抜去や局所炎症のため浸潤麻酔効果が期待できない場合などにおいて下顎神経では下顎孔あるいはオトガイ孔伝達麻酔，上顎神経領域では上顎結節，眼窩下孔，大口蓋孔，切歯孔で伝達麻酔が行われる．

4) 脊髄クモ膜下麻酔 (spinal anesthesia)

以前は脊椎麻酔，腰椎麻酔とも呼ばれ，腰椎穿刺を行って脊髄クモ膜下腔へ局所麻酔薬を注入し，神経根を麻酔して下半身の感覚および運動を麻痺させる．下肢や虫垂炎，帝王切開の手術などで用いられるが，カテーテル挿入を行わないため短時間の手術への適応となる．

5) 硬膜外麻酔 (epidural anesthesia)

硬膜外腔に局所麻酔薬や麻薬性鎮痛薬を注入して脊髄神経を麻酔する．術中鎮痛やカテーテル留置による術後鎮痛に適用される．

局所麻酔薬の副作用・有害作用

局所麻酔操作では，刺入部への痛みや為害作用[*8]，歯科治療の疼痛性・神経性ショックによる迷走神経反射（30章Ⅱ-1）参照）や精神的不安による過換気症候群（30章Ⅱ-2）参照）などの偶発症がある．局所麻酔薬自体にも，以下のような副作用・有害作用がある．

[*8] 切れの悪い注射針の使用，粗雑な針穿刺，薬液注入時の強圧，高速注入，注射器の把持不良などが原因で痛みを生じることがある．浸潤麻酔の際に，刺入部に粘膜壊死・感染によるアフタ形成，炎症の伝播・拡大，神経損傷などが生じると注射後に痛みが生じる．

1) 局所麻酔薬中毒（30章Ⅱ-3）参照）

局所麻酔薬は血液脳関門を容易に通過するので，血中濃度が上昇すると，眠気，めまい，頭部の拍動感，耳鳴り，目のかすみ，手足のしびれが生じる．さらに，顔面蒼白，呼吸抑制を生じ，けいれん発作へと進展することもある．けいれん発作にはミダゾラムやジアゼパムなど，抗けいれん作用を示す薬物が有効である．

2) 局所麻酔薬アレルギー（アナフィラキシーショック）（30章Ⅱ-4）参照）

薬物などによるアレルギー反応のうちIgE抗体を介したⅠ型アレルギーがアナフィラキシーである．歯科用局所麻酔薬によるアナフィラキシーは稀であるが，添加剤（安定剤，保存剤）が原因となることがあり，バイアル瓶では添加剤のメチルパラベン（methyl-p-hydroxybenzoate）が強い抗原性を示すため，薬物に対するアレルギーの有無を投与前に問診，検査などで確認することが大切である．局所麻酔薬が原因となるアナフィラキシーはエステル型の発生頻度がアミド型と比較し高いとされ，交叉感受性を示すこともある．ショック時の迅速対応として，アドレナリンの筋注が有効である．

3) メトヘモグロビン血症（30章Ⅱ-6）参照）

メトヘモグロビン血症は，血液中にメトヘモグロビンが多い状態をいう．メトヘモグロビンはヘモグロビンの二価の鉄イオンが三価に変化しており，酸素を運搬できないのでチアノーゼを引き起こす．プロピトカインの代謝物であるオルト-トルイジンはメトヘモグロビンを産生し，メトヘモグロビン血症を悪化させる．

4) 悪性高熱症

揮発性麻酔薬（ハロタンなど），局所麻酔薬，筋弛緩薬（多くの場合スキサメトニウム塩化物水和物）などの投与を受けた後，急速に体温が上昇する致死率の高い症候群である．通常は，3回程度の薬物曝露の後に発症する．本疾患は遺伝性骨格筋疾患であり，薬物投与によって細胞内Ca^{2+}濃度が異常に上昇することにより起こる．治療は体を強力に冷やすとともにダントロレンナトリウム水和物が有効である（17章Ⅵ-2.-3)参照）．

臨床コラム

局所麻酔の注意すべき生体反応

局所麻酔薬使用や歯科治療に対する不安・緊張・恐怖などに誘発された精神的ストレスによる血管迷走神経反射〔疼痛性ショック，神経（原）性ショック〕や過換気症候群などにも注意を払わなければならない．また，局所麻酔後の鎮痛効果が理解できない患者（小児や障害者，認知症患者）において咬傷が生じることがあるため，本人，保護者，介護者に十分な注意を促す必要がある．

18章　局所麻酔薬

歯科医師国家試験出題基準（令和5年版）では，歯科医学総論の「手術・周術期の管理，麻酔」に「麻酔，局所麻酔」「局所麻酔薬，血管収縮薬」を挙げている．実際の歯科医師国家試験では，局所麻酔薬の作用機序，血管収縮薬と薬理作用，血管収縮薬の使用に注意が必要な患者などに関して出題されている．

19章 薬理学 各論

中枢神経系に作用する薬物

学修目標とポイント

- 中枢神経系とその疾患および中枢神経系作動薬について概説できる．
- 中枢神経系の神経伝達物質とその受容体の特徴および機能について説明できる．
- 中枢神経系作動薬のシナプスにおける情報伝達の調節機構について説明できる．
- 歯科臨床において使用される，あるいは歯科臨床に影響を与える中枢神経系作動薬について説明できる．
- 全身麻酔薬，麻薬性鎮痛薬，精神疾患治療薬（催眠薬，抗精神病薬，抗不安薬，抗うつ薬），中枢神経疾患治療薬（抗てんかん薬，Parkinson病治療薬，認知症治療薬）などの基本的な薬理作用を説明できる．

本章のキーワード

吸入麻酔薬，静脈麻酔薬，麻薬性鎮痛薬，抗不安薬，催眠薬，抗てんかん薬，抗精神病薬，抗うつ薬，気分安定薬（抗躁薬），中枢神経興奮薬，Parkinson病治療薬，脳循環代謝改善薬，認知症治療薬

I ─ 全身麻酔薬

[総論]

1. 全身麻酔

　全身麻酔（general anesthesia）の目的は，安全かつ円滑に手術が行えるよう，患者の意識を消失させるだけでなく，手術による侵害刺激を制御することで患者のストレスを可及的に軽減することである．この全身麻酔の主要な薬物が**全身麻酔薬**（general anesthetics）で，投与経路によって**吸入麻酔薬**（inhalational anesthetics）と**静脈麻酔薬**（intravenous anesthetics）に分類される．

　全身麻酔に必要な要素は，①意識の消失，②鎮痛，③身体の不動化（筋弛緩），④有害な自律神経反射の抑制である．これらは単一の全身麻酔薬によって，すべてが同時に得られるのではなく，麻酔深度によって，健忘，意識の消失，鎮痛，筋弛緩，自律神経反射の抑制の順で生じる．かつての全身麻酔では，単一の全身麻酔薬で必要な要素すべてを実現していた．しかしそのためには，高用量の全身麻酔薬が必要となる．例えば，反射抑制を実現するための至適量を投与した場合，意識消失の要素にとっては過量となる．全身麻酔薬は急峻な**用量-反応曲線**をもち，**治療係数**が小さいので，過量投与は呼吸抑制や循環抑制などの有害作用を引き起こす原因にもなる．以上から，現代の麻酔はそれぞれの目的に応じた薬物を少量ずつ組み合わせることにより，全身麻酔の要素を満たしながら有害作用が生じないように行われている．このことを**バランス麻酔**という．

2. 全身麻酔薬の作用機序

　全身麻酔薬は中枢神経系を可逆的に抑制する．作用順序は，大脳皮質→間脳→中脳→脊髄→延髄と進む．延髄に作用が及ぶ前が手術に適している段階である．これまでに多数の研究が行われているが，全身麻酔薬の正確な作用機序はまだわかっていない．異なる化学構造をもった分子が同様の麻酔作用をもつことから，特異的部位に作用するとは限らない．このことは，全身麻酔薬の拮抗薬がいまだに発見されていないことからも，全身麻酔薬と拮抗薬とが競合できる特異的な部位がないことを示唆している[1]．これまでに，Meyer-Overtonの法則による脂質溶解性仮説やFranks-Liebの膜タンパク説などが議論されてきた．

　一方，分子レベルの研究では，ほとんどの全身麻酔薬が**GABA$_A$受容体**の機能を増強することが示されている．他にも，抑制性のグリシン受容体の活性化や，興奮性 N-メチル-D-アスパラギン酸（N-methyl-D-aspartic acid；**NMDA**）型グルタミン酸受容体，ニコチン性アセチルコリン受容体（N_N型）の遮断，two-pore domain K$^+$（K$_{2p}$）チャネル活性やシナプス前Na$^+$チャネルの遮断などを引き起こすことがわかっている．**バルビツール酸系薬物やプロポフォール**は，GABA$_A$受容体に選択的に作用する．また，**亜酸化窒素やケタミンはNMDA受容体**を遮断して鎮痛作用を発揮する[2]．このように現在では，多くの受容体やチャネルへの特異的な作用が統合されたものが麻酔作用であるとされている．

3. 吸入麻酔薬

　吸入麻酔薬は呼吸により，肺胞を介して吸収および排泄される全身麻酔薬である．常温常圧下で気体である麻酔薬を**ガス麻酔薬**といい，常温常圧下で液体である麻酔薬を**揮発性麻酔薬**という．揮発性麻酔薬は気化器を用いて液体をガス化し，酸素や空気などのキャリアガスとともに投与する．

1) 薬物動態

　吸入麻酔薬は，気道を経て肺胞へと送り込まれる．吸入麻酔薬の吸収・分布は，①肺胞気中での麻酔薬濃度の上昇，②肺胞から血中への麻酔薬の移行，③中枢神経を含む臓器・組織への移行，これら3つの過程を経て行われる．吸入気，肺胞気，血液，中枢神経組織，それぞれの麻酔薬濃度が平衡に達した時点で麻酔導入が完了し，麻酔深度の調節が可能となる．麻酔状態を維持する過程を麻酔維持といい，麻酔薬の投与を中止した後，麻酔状態から脱却する過程を覚醒という．

(1) 吸入気における麻酔薬の濃度

a) 濃度効果

　吸入麻酔薬の吸入濃度が高いほど肺胞内濃度の上昇が速くなることを濃度効果という．

b) 二次ガス効果

　2種類の吸入麻酔薬を混合した場合，第1の麻酔薬が高濃度であると濃度効果によって吸収が速くなり，第2の麻酔薬の吸収も速くなることを二次ガス効果という．

(2) 麻酔薬の肺胞から血液への移行

　肺胞気中の麻酔薬濃度を1とした場合の血中濃度比を，**血液/ガス分配係数**（表1）といい，係数が大きいほど麻酔薬の血液への溶け込みが多く，肺胞気中の麻酔薬濃度と血液中の麻酔薬濃度とが平衡に達するのに時間がかかるため，麻酔の導入・覚醒は遅くなる．

2) 麻酔深度

　中枢神経組織における吸入麻酔薬の濃度により，全身麻酔の深度が決定される．Guedelが

表1 吸入麻酔薬の比較

分類	ガス麻酔薬	揮発性麻酔薬				
種類	亜酸化窒素	セボフルラン	デスフルラン	イソフルラン	ハロタン	エーテル
気道刺激性	—	—	+++	±	—	+++
血液/ガス分配係数	0.47	0.63	0.42	1.43	2.3	12
MAC（%）	105	1.71	6	1.15	0.77	1.92
生体内代謝率（%）	0.004	3.3	0.02	0.2	15-20	3.6

現在，エーテル，ハロタンは使用されていない．イソフルランもほとんど使用されていない．

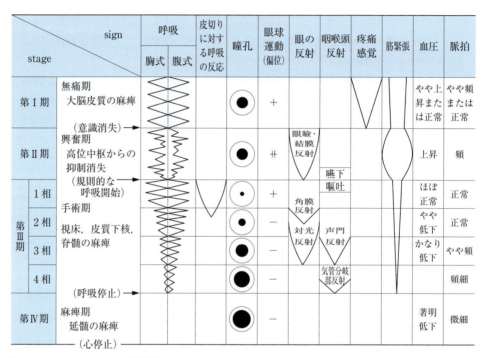

図1 Guedelのエーテル麻酔深度表（現代歯科薬理学 第5版. p.137. より）

1920年に発表した，エーテルを半開放法で吸入させた場合に観察された徴候をまとめた深度分類がある（図1）．これらの徴候は，吸入麻酔薬の種類，筋弛緩薬や他の麻酔薬の併用，呼吸の補助，低酸素症や炭酸ガスの蓄積などによって影響を受ける．しかしながら，エーテル以外の吸入麻酔薬も，Guedelの麻酔深度表に記載されている臨床徴候を段階的に変化させることに変わりはなく，麻酔深度が深くなっていく過程の基本的変化を表すものとして現在も参考にされている．

第Ⅰ期ではまだ意識が残り，第Ⅱ期では意識は消失するものの，興奮状態で自律神経反射の抑制や不動化が実現できないため，手術には適さない．一方で，著しく深い麻酔であると呼吸や心臓が停止してしまう（第Ⅳ期）．適切な麻酔深度は第Ⅲ期で，この時に手術が可能となる．

3）麻酔作用の強さの評価

侵害刺激に対して50%の生体が体動を示さない，1気圧における麻酔薬の**最小肺胞内濃度**（%）を **MAC**（minimum alveolar concentration）という．MACはすべての吸入麻酔薬に用

いることのできる麻酔作用の指標で，値が小さいほど麻酔作用が強い（表1）．

4. 静脈麻酔薬

静脈麻酔薬は，静脈内に投与する全身麻酔薬である．静脈麻酔薬は吸入麻酔薬と異なり，興奮期がなく，迅速に手術期（第Ⅲ期）に達することができる（図1）．吸入麻酔薬は肺胞から吸収され，ほとんど代謝されることなく排泄されるが（表1），静脈麻酔薬は代謝された後に排泄型となるため，代謝経路と時間が必要である．かつての静脈麻酔薬は作用時間が長いため調節性に乏しく，維持麻酔薬としては不向きであった．現在は代謝の速い静脈麻酔薬が開発され，持続投与による麻酔維持が可能となった．

1）吸入麻酔薬と比較した静脈麻酔薬の利点・欠点

利点は，①麻酔導入が円滑で迅速，②臭いなど吸入による患者の苦痛がない，③気道を刺激しない，④室内の空気汚染や環境汚染がない，などである．欠点は，①呼吸・循環の変動が大きい，②肝機能障害患者では作用が延長する，③麻酔深度の調節性に乏しい，などである．

［各論］

1. 吸入麻酔薬

1）亜酸化窒素（笑気, nitrous oxide）

亜酸化窒素は，ガス麻酔薬で助燃性がある．使用時はボンベから供給される．無色でわずかな甘味臭がある．亜酸化窒素の鎮痛作用は強く，濃度50％でモルヒネ10 mgと同等である．しかしながら，麻酔作用は弱い（MAC：105％）ので他の揮発性麻酔薬と併用する．併用した場合，二次ガス効果により麻酔導入が速くなる．歯科外来では，歯科治療に対して不安や恐怖心が強い患者に対して，精神鎮静を目的に吸入濃度30％程度を吸入させる（**笑気吸入鎮静法**）．

(1) 生体への作用

呼吸抑制作用はなく，気道刺激性もない．軽度の交感神経刺激作用があり，血圧や心拍数をわずかに上昇させる．また，軽度の脳血流量増加，頭蓋内圧亢進作用をもつ．生体内ではほとんど代謝されずに呼気中に排泄される（表1）．

(2) 問題点

a）拡散性低酸素症

高濃度の亜酸化窒素を投与した後，ただちに空気を吸入させると，窒素が肺胞から血液中に移行するよりもはるかに大量の亜酸化窒素が血液中から肺胞に排泄される．このため肺胞内の酸素分圧が低下し，低酸素症となる．これを予防するために亜酸化窒素投与中止後，数分間は100％の酸素を吸入させる．

b）体内閉鎖腔への貯留

通常，体内閉鎖腔にある気体は窒素である．一方，亜酸化窒素の血液への溶解度は窒素の30倍以上あるので，窒素が閉鎖腔から血液に移行するよりも，亜酸化窒素が閉鎖腔へ拡散していく方が速く，容積が増大する．腸閉塞，ブラ（肺囊胞），気胸，中耳炎などの閉鎖腔が問題となる場合には，亜酸化窒素を使用しない．

c）環境汚染

亜酸化窒素は医療現場での医療従事者への曝露だけでなく，二酸化炭素同様，温室効果ガスであるために，環境汚染が懸念される．これらの理由から，現在手術室では，ほとんど使用されなくなっている．

2）セボフルラン（sevoflurane）

1971年に合成され，最初は米国で開発が進められていたものの，それを引き継いだ日本企業によって開発が進められた．世界に先駆けて1990年に市販された揮発性麻酔薬である．血液/ガス分配係数が0.63と小さいので，導入・覚醒が速やかである．気道刺激性がないため，小児などマスクを介した緩徐導入に適している．また気管支拡張作用があることから，気管支喘息や閉塞性肺疾患の麻酔に適している．末梢血管拡張作用があり，濃度依存性に血圧を低下させる．生体内代謝率が3.3%と高いが，肝障害は少ない（表1）．

3）デスフルラン（desflurane）

1960年代に米国で合成され，臨床応用は1989年であった．日本へは2011年に導入され，以後，その使用は急速に拡大している．生体内代謝率が0.02%ときわめて低く，また，血液/ガス分配係数が0.42と小さいため，個体差の少ない迅速かつ確実な覚醒が特徴である．一方で，MACは6%と非常に大きいので，**レミフェンタニル塩酸塩**などの**麻薬性鎮痛薬**との併用が必要である（表1）．

4）イソフルラン（isoflurane）

生体内代謝率が0.2%と低いハロゲン化揮発性麻酔薬である．導入・覚醒の速いセボフルランやデスフルランの登場により，日本ではほとんど使用されなくなった．気管支拡張作用があるが，軽度の気道刺激性がある．末梢血管拡張作用が比較的強く，濃度依存性に血圧を低下させる．また，頻脈を増加させやすい．

5）使用されなくなった麻酔薬

（1）エーテル（ether）

1846年に歯科医師のMorton WTGにより全身麻酔で使用された．燃焼性があり，また気道刺激性が強く，現在では使われていない．

（2）ハロタン（halothane）

1956年より米国で使用された．麻酔力が強い（MAC：0.77%）一方で，導入・覚醒は遅い（血液/ガス分配係数：2.3）．重篤な肝機能障害や悪性高熱症の誘発薬でもあるため，現在，日本では使われていない．

2．静脈麻酔薬

1）プロポフォール（propofol）

主な作用機序は，GABA$_A$受容体活性化による鎮静，麻酔作用である．一方，鎮痛作用をもたないため，デスフルラン同様，レミフェンタニルなどの麻薬性鎮痛薬との併用が必要である．その他の中枢作用として制吐作用や多幸感がある．作用発現が速く，持続時間が短く，代謝が速い．麻酔導入だけでなく，持続静注により維持麻酔薬としても使用される．現在，最も使用されている静脈麻酔薬である．

プロポフォールは脂質，有機溶媒にはよく溶けるが，水には溶けない．そのため，プロポフォール製剤は，大豆油，グリセオール，精製卵黄レシチンからなる脂肪乳剤に溶解した乳濁性注射液となっている．この溶媒により注入時の血管痛がある．新生児，乳児，幼児または小児に対する安全性が確立していないことから，集中治療における人工呼吸中の鎮静においては投与禁忌である．

2）バルビツール酸系薬物（barbiturates）

作用時間から超短時間作用型，短時間作用型，中間作用型，長時間作用型に分類される．全

身麻酔に用いるのは，超短時間作用型の**チオペンタールナトリウムとチアミラールナトリウム**である．作用時間が長く調節性に乏しいため，維持麻酔薬としては使用されない．主な作用機序は，$GABA_A$ 受容体活性化による鎮静，麻酔，抗けいれん作用である．用量依存性に脳の酸素消費量と脳血流量を減少させ，頭蓋内圧を低下させる．プロポフォール同様，鎮痛作用はない．チオペンタールとチアミラールは，ヒスタミン遊離作用による気管支収縮作用があるために，気管支喘息患者に対しては禁忌である（**本章Ⅳ［各論］2.参照**）．

3）ケタミン塩酸塩（ketamine hydrochloride）

ケタミンは，視床-新皮質系の抑制と海馬など大脳辺縁系の興奮作用をもつ**解離性麻酔薬**で，2007 年に麻薬指定された．鎮静・催眠状態になる一方，幻覚や悪夢を惹起させる．脊髄から高位脳中枢への侵害情報伝達に関与する内側延髄網様体における興奮伝導を抑制することや，NMDA 受容体を遮断することで，知覚侵害性入力を抑制して鎮痛効果を発揮する．特に，体性痛に対し強い鎮痛作用をもつ．

気管支拡張作用があるので，気管支喘息患者の麻酔には適しているが，小児においては，唾液分泌増加による上気道の閉塞や喉頭けいれんを誘発しやすいため，アトロピン硫酸塩水和物などの抗コリン薬併用が必須である．交感神経を刺激するので，血圧上昇，心拍数増加，心拍出量の増加が認められる．術後の悪心・嘔吐の発生が多いのも問題点の 1 つである．作用時間も長く調節性に乏しいことからも，現在は静脈麻酔薬としてほとんど使用されていない．

4）レミマゾラムベシル酸塩（remimazolam besylate）

レミマゾラムは 2020 年に市販された新しい静脈麻酔薬で，**ミダゾラムと類似した化学構造をもつベンゾジアゼピン系薬物**である．ミダゾラムと同様，$GABA_A$ 受容体のベンゾジアゼピン結合部位を介して，GABA の $GABA_A$ 受容体への結合を促進させることで鎮静・麻酔作用を示す．ベンゾジアゼピン系薬物の特異的拮抗薬（**フルマゼニル**）を用いることで過度の呼吸抑制や覚醒遅延などに対して使用でき，全身麻酔のリスクを回避できることが最大の特徴である．

また，プロポフォールは比較的循環抑制が強いが，レミマゾラムは循環動態の安定性を有する．さらにレミマゾラムはプロポフォールのように溶媒に脂肪を含まないため，脂質負荷がなく血管痛もない．ミダゾラムは肝臓で**シトクロム P-450**（cytochrome P-450；CYP）によって代謝され，その代謝産物にも $GABA_A$ 受容体親和性が約 1/8 残存しているのに対して，レミマゾラムは肝臓のカルボキシルエステラーゼによって速やかに加水分解され，その代謝産物の $GABA_A$ 受容体への親和性はほとんどない．したがって，ミダゾラムに比べ持続時間が短く，代謝が速いので維持麻酔薬としても使用できる．

Ⅱ─アルコール（エタノール）

酒に含まれるアルコール（エタノール）と，その代謝産物のアセトアルデヒドは生体に様々な薬理作用を示す．

1）薬理作用

（1）中枢神経系

少量の飲酒では興奮が認められるが，これは中枢神経抑制系の抑制（脱抑制）によるものなので，中枢神経系が抑制されることに変わりはない．作用順序は大脳皮質→小脳→脊髄→延髄と下行性に抑制が進む．その作用機序の一部には，$GABA_A$ 受容体機能を増強することが示されている．大量の飲酒により意識障害，運動障害，体温低下などが認められる．また，大量の飲酒は急速に延髄麻痺に移行させる可能性があり，場合によっては死に至る．

(2) その他の臓器への影響

少量の飲酒で呼吸促進，末梢血管拡張，胃酸分泌促進，利尿，アドレナリン分泌促進などが認められる．一方，大量の飲酒では呼吸抑制，血圧低下，徐脈などが認められる．長期の飲酒により肝臓において肝細胞が傷害されるため，線維化，脂肪蓄積，肝障害，肝硬変を引き起こす．

2) 代謝

吸収されたアルコールは肝臓において，その90％がアルコール脱水素酵素（alcohol dehydrogenase；ADH）により代謝される．残りのアルコールは，小胞体に存在するミクロソームエタノール酸化系酵素群（microsomal ethanol-oxidizing system；MEOS）によって代謝される．MEOSの代表的な酵素がCYP2E1，CYP1A2，CYP3A4で，それぞれ50％，25％，25％ずつ残りのアルコールを代謝する．これらの酵素群によって，アルコール[*1]は酸化されてアセトアルデヒドになる．アセトアルデヒドは主にアルデヒド脱水素酵素2型（aldehyde dehydrogenase 2；ALDH2）によって酢酸とアセチルCoAとなる．

3) 中毒作用

飲酒により血中アルコール濃度が上昇し，意識障害や運動失調，体温低下，嘔吐などが認められ，生命の危険がある状態を急性アルコール中毒という．アルコールの血中濃度が0.4％以上になると，昏睡や尿失禁，呼吸抑制，循環不全をきたし，生命の危険が生じる．一方，長期の習慣性飲酒により，高度の身体依存や精神依存，耐性が生じる（**6章参照**）．治療には，ALDH2を阻害する嫌酒薬（ジスルフィラム）を用いる．

  麻薬性鎮痛薬

[総論]

普段と違うことが身体に起きていることを知らせる警報として痛みを捉えると，痛みは危害からの回避はもちろん，安静も促すことで回復の促進にも役立っている．一方，過度で長く続

臨床コラム

アセトアルデヒド代謝能とALDH2の遺伝子多型

アルコール代謝産物のアセトアルデヒドを代謝するALDH2には遺伝子多型がある．487番目のアミノ酸がグルタミン酸（Glu）か，変異型のリシン（Lys）である．Lysの場合にはALDH2は働かないので，強い毒性をもつアセトアルデヒドが代謝されずに蓄積し，顔面紅潮，動悸，頭痛などの不快症状を引き起こす．対立遺伝子の組み合わせがGlu-Gluをもつヒトのアセトアルデヒド代謝能を1とした時，Glu-Lysは約1/6，Lys-Lysは約1/19にまで代謝能が低下する．酒に対する強さに個人差がある大きな理由は，ALDH2の遺伝子多型である．

[*1] メタノールとエタノールの違い，メタノールの危険性：メタノール（CH_4O）もエタノール（C_2H_6O）もアルコールである．メタノールは天然ガス，石炭などから製造される．一方，エタノールはサトウキビやトウモロコシなどから造られる．メタノールの代謝において，ADHによる第一段階の酸化で生じるホルムアルデヒド，ALDHによる第二段階の酸化で生じるギ酸が毒性をもつ．特に，ヒトのギ酸代謝能は低く，そのため強い毒性を示し，アシドーシス，頭痛，めまい，悪心，けいれん，昏睡を起こす．また，網膜および視神経の損傷を引き起こし，視力障害・失明の原因となる．

く痛みは，生活の質の低下に繋がるので治療を行わなくてはならない．**麻薬性鎮痛薬**は，法律上麻薬としての管理（**12 章参照**）が必要な鎮痛薬で，**非ステロイド性抗炎症薬**や解熱鎮痛薬が無効な強い痛みにも効果が期待できる薬物が含まれる．

1. 痛みの発生と伝導

1) 痛みの発生

　身体に傷害を起こす機械的刺激，高・低温刺激，化学物質の刺激などを侵害刺激と呼ぶ．神経細胞の自由神経終末は，侵害受容器（nociceptor）として侵害刺激を検知する．侵害受容器には，反応する刺激により機械的侵害受容器，熱侵害受容器，冷侵害受容器がある他，機械的刺激，熱刺激，化学刺激のいずれにも反応するポリモーダル受容器もある．化学侵害刺激となる発痛物質には**プロトン**（H^+），**ブラジキニン**，ATP，**セロトニン**（5-HT），**ヒスタミン**などがある．侵害刺激は，細胞内への Na^+ や Ca^{2+} の流入（Na^+ または Ca^{2+} チャネルの開口）や細胞外への K^+ の流出減少を起こし（K^+ チャネルの閉鎖），一次感覚神経の自由神経終末で膜電位を上げて神経発火を誘発する．

2) 痛みの伝導

　自由神経終末の機械的侵害受容器を介した刺激は Aδ 線維，ポリモーダル受容器を介した刺激は無髄の C 線維が伝える．これらは一次ニューロンとして脊髄後角に入り，二次ニューロンと直接シナプスを形成するか介在ニューロンを介して繋がる．一次ニューロンの終末にはアドレナリン α_2 受容体，セロトニン 5-HT_1 受容体，オピオイド μ 受容体などが，二次ニューロン上にはグルタミン酸 AMPA 受容体，サブスタンス P NK_1 受容体の他，α_2 受容体，5-HT_1 受容体，μ 受容体などが分布する．このシナプスでは，一次ニューロンの終末から放出された神経伝達物質による二次ニューロンの受容体を介した神経伝達が行われる．Aδ と C 線維から放出された**グルタミン酸**は AMPA 受容体，C 線維から放出された**サブスタンス P** は NK_1 受容体を刺激し，二次ニューロンの発火を起こす．

　二次ニューロンには，一次ニューロンの入力とは反対側の脊髄前索と側索を上行し視床に到達するものがある（脊髄視床路）．主に Aδ 線維の刺激を伝えるこの経路は視床を経て大脳の体性感覚野に至っており，局在の明瞭な痛みの伝わりにかかわる．二次ニューロンには脳幹網様体へ至る脊髄網様体路もある．この経路を伝わった刺激は脳幹で止まるか，脳幹を経由して視床の内側核や視床下部まで進み，ニューロンを替えて大脳辺縁系まで至る．体性感覚野の他，快・不快情動を起こす大脳辺縁系に至る経路は，C 線維による痛みの伝わりの他，痛みの不快感にもかかわると考えられている．二次ニューロンが脊髄後角から視床に至る間に脳幹（中脳，橋，延髄）に出す側副路は，下記の下行性疼痛抑制系の活性化にかかわる．

2. 下行性疼痛抑制系による痛みの制御

　身体には，痛みが過剰にならないよう痛みの伝わりを抑える仕組みもある．その1つが**下行性疼痛抑制系**で，脳幹や他の脳部位から下行する神経が脊髄後角での神経伝達を抑制する（**図 2**）．脳幹から始まる下行性疼痛抑制系には，**ノルアドレナリン神経**と **5-HT 神経**がある．これらの神経は橋にある青斑核（ノルアドレナリン神経）と橋から延髄にかけて存在する大縫線核（5-HT 神経）に細胞体があり，いずれも脊髄後角に投射する．間脳（例えば視床下部），大脳辺縁系，新皮質からの神経入力がある中脳水道周囲灰白質と呼ばれる中脳の領域は，青斑核または大縫線核へ投射する神経を介してこれらにある神経核のノルアドレナリンおよび

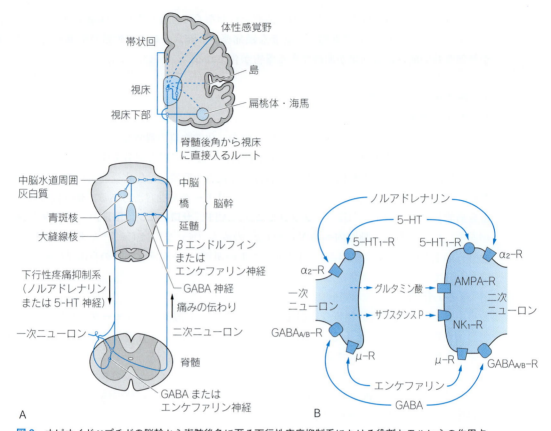

図2 オピオイドペプチドの脳幹から脊髄後角に至る下行性疼痛抑制系における役割とモルヒネの作用点
A：一次感覚神経（一次ニューロン）から中枢への痛みの伝わりと，下行性疼痛抑制系による痛みの制御にかかわる神経回路．
B：脊髄後角での一次ニューロン（神経終末）と二次ニューロン（樹状突起など）の間のグルタミン酸とサブスタンスPによる痛みの神経伝達と，それを抑制する内因性作動物質〔ノルアドレナリン，セロトニン（5-HT），エンケファリン，GABA〕が作用する主な受容体（-R）を示す模式図．下行性疼痛抑制系の活性化でこれらの受容体への刺激が高まる．鎮痛作用発現にこの部位のμ受容体刺激がかかわる麻薬性および非麻薬性オピオイド鎮痛薬がある．鎮痛補助薬（本章Ⅲ［各論］2.-2）として用いる抗うつ薬にはノルアドレナリンや5-HTを増加させるものがある．

5-HT神経の活動に影響を及ぼす．二次ニューロンの神経発火は，その側副路を介して延髄や中脳水道周囲灰白質にあるβエンドルフィンやエンケファリンを放出する神経を活性化する．これらの抑制性の神経の活性化は同部位のGABA神経の抑制を介して，青斑核または大縫線核から脊髄後角へ投射するノルアドレナリン神経と5-HT神経の活動を促進し，脊髄後角でノルアドレナリンと5-HTを増加させて一次，二次ニューロン間での神経伝達を抑制する．

［各論］

1. 麻薬性鎮痛薬（narcotic analgesics，29章Ⅲ参照）

麻薬性鎮痛薬の多くは**オピオイド受容体**を介して作用を発揮する．オピオイド受容体には，μ（ミュー），δ（デルタ），κ（カッパ）のサブタイプがあり，麻薬性鎮痛薬の作用にかかわる多様な生体現象に関与する（表2）．いずれもGタンパク質共役型受容体でG_iタンパク質を介したアデニル酸シクラーゼ活性の抑制やK^+チャネルの開口促進などを起こす．オピオイド受容体のリガンドは，体内

表2 オピオイド受容体

薬理作用＼種類	μ受容体	δ受容体	κ受容体
鎮痛作用	＋＋	＋	＋＋
鎮静作用	＋＋	＋	＋＋
消化管運動抑制	＋＋	＋	＋
呼吸抑制	＋	＋	－
咳嗽反射抑制	＋	－	＋
情動性	＋	＋	－
徐脈	＋	－	＋
利尿作用	－	－	＋

(がん疼痛の薬物療法に関するガイドライン2014年版．より)

表3 モルヒネと関連した化学構造を有する薬物

モルヒネの構造式

薬物名		置換基と位置			その他**
		3	6	17	
麻薬	モルヒネ塩酸塩水和物	－OH	－OH	－CH₃	－
	コデインリン酸塩水和物*	－OCH₃	－OH	－CH₃	－
	オキシコドン塩酸塩水和物	－OCH₃	＝O	－CH₃	(1), (2)
	ヘロイン	－OCOCH₃	－OCOCH₃	－CH₃	－
非麻薬	ブトルファノール	－OH	－H	－CH₂— 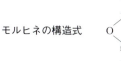	(1), (2), (3)
麻薬拮抗薬	ナロキソン塩酸塩	－OH	＝O	－CH₂CH＝CH₂	(1), (2)
	レバロルファン酒石酸塩	－OH	－H	－CH₂CH＝CH₂	(1), (3)

＊：コデインの100倍散は非麻薬として取り扱う
＊＊：(1) C7＝C8の代わりにC7－C8，(2) C14－Hの代わりにC14－OH，(3) C4とC5の間にOがない

にあるもの（内因性）であれ薬物であれオピオイドと呼ばれる．内因性作動物質として，μ受容体には，βエンドルフィン，エンケファリン，エンドモルフィン-1と2，δ受容体にはエンケファリン，κ受容体にはダイノルフィンAがあり，いずれもペプチドである．
　麻薬性鎮痛薬は，主に強い痛みの緩和に用いる．副作用には呼吸抑制，嘔吐，便秘がある．連用による精神・身体依存の形成に注意し（**6章参照**），がん疼痛などの緩和に適切に用いる（**本章Ⅲ［各論］2.-3）参照**）．

1）モルヒネ塩酸塩水和物（morphine hydrochloride hydrate）

　アヘン由来のアルカロイドの1つで，麻薬性鎮痛薬の基本形である．構造式ならびに関連した化学構造をもつ化合物を**表3**に示す．選択的μ受容体作動薬であり，多くの薬理作用はμ受容体を介して発現する（**表2**）．

(1) 薬理作用
a) 鎮痛作用
- 脊髄後角において，一次ニューロンの終末や同部位の介在神経にあるμ受容体を刺激し，神経伝達物質の放出を抑える．
- 中脳水道周囲灰白質，延髄網様体に分布するGABA神経にあるμ受容体を刺激し，このGABA神経で抑制されていた下行性疼痛抑制系の賦活化（脱抑制）を起こし，脊髄後角での痛みにかかわる神経伝達を抑える．
- 視床のμ受容体を刺激し，大脳皮質感覚野への痛みの伝わりを抑える．
- 視床下部，大脳皮質感覚野などのμ受容体を刺激し，脳内での痛みの伝わりを抑える．

b) 鎮静作用

眠気を催す．思考力，記銘力などが低下する．

c) 消化管運動抑制作用（便秘）

腸管の輪状筋を収縮させて蠕動運動を抑制する他，副交感神経終末のμ受容体を介して**アセチルコリン**放出を抑制し，腸管収縮を抑制する．これらのため消化管運動が抑制され便秘が起こる．連用で耐性は形成されない．

d) 呼吸抑制作用

呼吸中枢へ直接作用し，血液中の炭酸ガス分圧の増加への呼吸中枢の反応性を低下させる．過量投与はチェーン・ストークス型呼吸の誘因となる．

e) 鎮咳作用

気道の感覚神経の刺激は延髄の孤束核などを介して咳反射を起こすが，この孤束核への感覚神経の入力を抑制して鎮咳（咳を抑える）作用を示す．

f) 向精神作用

傾眠，情緒変調，精神混濁，多幸感などを起こす（不正な使用の誘因）．

g) 催吐作用

延髄第四脳室底にある**化学受容器引き金帯**（chemoreceptor trigger zone；CTZ）への直接作用により，悪心，嘔気・嘔吐を惹起する．連用により耐性が形成されやすい．

h) 瞳孔に及ぼす作用

動眼神経核の刺激を介した副交感神経の興奮で瞳孔括約筋が収縮し，**縮瞳**が起こる．耐性が形成されにくいため，治療目的外での連用（依存）の発見に繋がる徴候の1つになる．

i) その他

皮膚のマスト細胞からのヒスタミン遊離などにより皮膚血管が拡張し，上半身の皮膚の潮紅とかゆみが起こることがある．

(2) 体内動態

脳内移行は成人では悪いが，**血液脳関門**の発達していない小児は速やかで影響を受けやすい．生体内利用率は20％程度と低い．主にモルヒネ-3-グルクロニド（M3G）あるいはモルヒネ-6-グルクロニド（M6G）に代謝される（グルクロン酸抱合）．M6Gにはモルヒネ以上の鎮痛効果があるが，M3Gにはそのような効果はない．代謝産物とともに主に腎臓から排泄される．

(3) 臨床での用途

ほとんどの疼痛に有効だが長期投与は耐性や依存が問題となるため，がん疼痛，術後痛の他，心筋梗塞疼痛などの特定の疾患で用いる．他の用途は鎮静，鎮痙，鎮咳，麻酔前投薬および麻酔補助である．注射剤，経口剤（水剤，カプセル剤，徐放剤），坐剤などの剤形がある．

2）コデインリン酸塩水和物（codeine phosphate hydrate）

投与された5〜15％が肝臓のCYP2D6で代謝され，モルヒネとなり鎮痛作用を示す．モルヒネの他，M6Gにも代謝される．鎮痛作用は経口投与でモルヒネの1/6である．咳嗽中枢の抑制作用が強く，咳止めとして用いられる．三段階除痛ラダーの第2段階で用いる弱オピオイドである．

3）オキシコドン塩酸塩水和物（oxycodone hydrochloride hydrate）

μ受容体とκ受容体の作動薬で鎮痛作用は経口投与でモルヒネの1.5倍（経口徐放剤がある），硬膜外投与では1/10ほどである．脂溶性はモルヒネより高く，生体内利用率は60％である．モルヒネよりも瘙痒感やせん妄の症状は弱い．有効限界がなく（投与量の増加に伴い鎮痛効果も増す），三段階除痛ラダーの第3段階で用いる強オピオイドである．

4）フェンタニルクエン酸塩（fentanyl citrate）

選択的μ受容体作動薬で，鎮痛作用はモルヒネの100倍である．短時間作用型の合成オピオイドで，脂溶性が高く，胎盤移行が速い．生体内利用率はモルヒネ（24％）に比べ高い（92％）．注射剤（バランス麻酔と全身麻酔における鎮痛で使用）と経皮徐放剤（フェンタニルパッチ）がある．三段階除痛ラダーの第3段階で用いられる強オピオイドで，有効限界がない．モルヒネに比べ便秘は生じにくい．持続投与すると体内に蓄積し，投与終了後にも作用が残存し遅発性呼吸抑制や覚醒遅延，悪心・嘔吐を起こす危険がある他，鎮痛作用の調節は難しい．

5）タペンタドール塩酸塩（tapentadol hydrochloride）

後述のトラマドールのμ受容体刺激作用とノルアドレナリン再取り込み抑制作用を高め，5-HT再取り込み阻害作用を弱めた合成オピオイドである．モルヒネに比べ，μ受容体に対する親和性は1/100〜1/10，鎮痛効果は1/4〜1/1.5である．がん疼痛治療で中等度から高度の痛みの治療に用いる．神経障害性疼痛にも有効とされている．

6）レミフェンタニル塩酸塩（remifentanil hydrochloride）

超短時間作用型の合成オピオイドで，選択的μ受容体作動薬として作用する．鎮痛作用はフェンタニルと同等である．全身麻酔用鎮痛薬として用いられる．化学構造中にエステル結合があり，生体内の非特異的コリンエステラーゼにより速やかに代謝される．このため，血中半減期は8〜20分と非常に短い上，作用発現までの時間は約1分と速い．フェンタニルと異なり，体内に蓄積しないため投与量を素早く調節できる．

7）ペチジン塩酸塩（pethidine hydrochloride）

合成オピオイドのμ受容体とκ受容体の作動薬で，モルヒネの1/8ほどの鎮痛作用がある．鎮痛，鎮痙には主に注射剤として用いる．麻酔前投薬，無痛分娩，麻酔補助薬としても用いられる．モルヒネと比べ便秘の誘発は軽度だが，同程度の鎮痛作用を起こす用量ではモルヒネと同程度の呼吸抑制，嘔吐を起こす．代謝産物ノルペチジンの蓄積により振戦，けいれんなどの副作用が現れるため，がん疼痛治療のような持続的な長期反復投与には向かない．

2. 麻薬性鎮痛薬の関連事項

1）バランス麻酔（本章 I-1. 参照）

麻酔薬，鎮痛薬ならびに筋弛緩薬を組み合わせることで，意識消失，鎮痛，筋弛緩ならびに反射抑制を個別に調整して全身麻酔を行う方法で，麻薬性鎮痛薬を用いる．フェンタニルあるいはレミフェンタニルと静脈麻酔薬のプロポフォールを組み合わせた全身静脈麻酔（total intravenous anesthesia；TIVA）などがある．

2）がん疼痛治療

がんの痛みを防ぐための国際基準に「WHO方式がん疼痛治療法」がある．がんと診断された時から痛みも必要に応じて治療することを推奨するとともに，鎮痛薬は「経口的に」「時間を決めて」「患者ごとに」「細かい配慮をもって」投与することを基本とする．この国際基準の教育ツールの**三段階除痛ラダー**は，痛みの程度に合う鎮痛薬を選択する他，オピオイド使用時もオピオイド以外の鎮痛薬を併用することと，鎮痛補助薬も必要に応じて併用することを示している．鎮痛補助薬は主な薬理作用に鎮痛作用はないが併用で鎮痛薬の効果を高めて特定の状況下で鎮痛効果を示す．ステロイド性抗炎症薬，抗うつ薬，抗てんかん薬，抗不整脈薬，NMDA受容体拮抗薬などがある．副作用で鎮痛効果のある投与ができない時や，鎮痛効果が不十分な時に投与中のオピオイドから他のオピオイドに変更することをオピオイドスイッチングという．

三段階除痛ラダーによると，軽度の痛みでは非オピオイド鎮痛薬（アスピリン，アセトアミノフェンなど）を，非オピオイド鎮痛薬が無効か軽度から中等度の強さの痛みでは弱オピオイド（コデイン，トラマドールなど）を，弱オピオイドが無効か中等度から高度の強さの痛みでは強オピオイド（モルヒネ，オキシコドンなど）を採用する．

3）慢性疼痛と麻薬性オピオイド鎮痛薬への精神依存

がんなどに伴う慢性痛へ適切に使用する限り，麻薬性オピオイド鎮痛薬は精神依存を起こしにくい．精神依存性のある薬物は，中脳の腹側被蓋野から大脳基底核の腹側にある側坐核へ投射する中脳辺縁系ドパミン神経を活性化するが，この神経の活性化が薬物使用に伴う快情動にかかわる．麻薬性オピオイド鎮痛薬は，中脳辺縁系ドパミン神経の活動を抑制するGABA神経に分布するオピオイド受容体を刺激することで，このドパミン神経を活性化できる．しかし，慢性疼痛がある場合，側坐核ではダイノルフィン神経の活性化が起きて，同部位でドパミン神経活動を抑制するκ受容体への刺激が高まる．加えて腹側被蓋野でも，βエンドルフィン神経の活性化に伴い，同部位でドパミン神経活動を抑制するGABA神経に分布するμ受容体の感受性が低下する．このため，麻薬性オピオイド鎮痛薬はこのドパミン神経を活性化しにくくなるので，精神依存を起こしにくいと考えられている．

3．非麻薬性オピオイド鎮痛薬（非麻薬性鎮痛薬）

オピオイド受容体に作動薬として働き鎮痛作用を示すが，麻薬性オピオイド鎮痛薬の作用を競合的に抑制（拮抗）する．このため，**麻薬拮抗性鎮痛薬**とも呼ぶ．オピオイド受容体を作用点としているが，麻薬としての管理は要さないので非麻薬性鎮痛薬とも呼ばれる．

1）ペンタゾシン（pentazocine）

ペンタゾシンはκ受容体作動薬だが，μ受容体に弱い拮抗薬として作用する．鎮痛作用はモルヒネの1/4〜1/2程度である．拮抗性があるため退薬症状（**6章参照**）を誘発する危険があり，オピオイドスイッチングには適さない．有効限界もある（投与量を増加しても鎮痛効果は増さない）．注射剤は疼痛，術後疼痛の他，心筋梗塞，消化性潰瘍，腎・尿管結石の疼痛に用いる．

2）ブプレノルフィン塩酸塩（buprenorphine hydrochloride）

ブプレノルフィンはκ受容体拮抗薬，μ受容体に対する部分作動薬ならびにδ受容体作動薬作用をもち，鎮痛作用はモルヒネの20〜50倍である．初回通過効果が高いため，経口投与はできない．ブプレノルフィンの注射剤はがん疼痛，心筋梗塞の鎮痛，および麻酔補助として，坐剤は術後疼痛やがん疼痛に用いる．

3）トラマドール塩酸塩（tramadol hydrochloride）

　トラマドールとその代謝産物がμ受容体刺激作用を示す．弱いながら抗うつ薬様のノルアドレナリンならびに5-HTの再取り込みの抑制作用もあり，これらを介して下行性疼痛抑制系を活性化する．モルヒネと比べ鎮痛作用は注射剤では1/10，経口薬で1/5である．便秘や呼吸抑制の副作用は少なく，長期投与しても耐性や乱用の危険性が少ない．三段階除痛ラダーの第2段階で用いる弱オピオイドである．トラマドール・アセトアミノフェン配合剤（トラムセット®）は口腔顔面痛を含む慢性疼痛の他，抜歯後の疼痛に使用できる．

4．オピオイド拮抗薬（麻薬拮抗薬）

　オピオイド受容体の拮抗薬であり，鎮痛作用はない．麻薬性オピオイド鎮痛薬ならびに非麻薬性オピオイド鎮痛薬の作用を競合的に抑制する薬物で**麻薬拮抗薬**とも呼ばれる．

1）ナロキソン塩酸塩（naloxone hydrochloride）

　μ受容体との親和性が高いが，δ受容体，κ受容体に対しても，μ受容体のそれぞれ1/15と1/40の効力で拮抗作用を示す．モルヒネの大量投与など，オピオイド受容体への過剰刺激が関わる呼吸抑制などの治療に用いる．経口投与では全身循環に入る前に多く（約70％）が代謝され，尿中に排泄される．

2）レバロルファン酒石酸塩（levallorphan tartrate）

　μ受容体拮抗薬としての作用はナロキソンに匹敵する．オピオイドの大量投与による呼吸抑制に用いるが，κ受容体へは作動薬として作用するため，ナロキソンほどの作用は期待しがたい．

3）ナルデメジントシル酸塩（naldemedine tosylate）

　末梢性μ受容体拮抗薬で，オピオイド鎮痛薬が誘発した便秘（p.150参照）の治療薬である．血液脳関門を通過しにくく，オピオイド鎮痛薬の鎮痛作用は妨げないが副作用の便秘を防ぐ．

Ⅳ──催眠鎮静薬，抗不安薬

［総論］

　中枢神経系には抑制性神経と興奮性神経があるが，これらのバランスが適切であることが精神・神経活動に重要である．両者のバランスがくずれると，睡眠の異常や様々な精神・神経疾患が引き起こされる．脳では，GABA作動性神経活動が抑制系を制御している．一方，興奮性神経活動は，グルタミン酸作動性神経によるものが重要な調節の一端を担っている．

　中枢神経系の抑制性神経活動を亢進させたり興奮性神経活動を低下させると，抑制性神経機能が強化され，抗不安作用（抗不安薬，antianxiety drugs），鎮静作用（鎮静薬，sedatives），催眠作用（催眠薬，hypnotics），抗けいれん作用（抗てんかん薬，antiepileptic drugs），麻酔作用（麻酔薬）を得ることができる．臨床では，GABA作動性神経機能を亢進するベンゾジアゼピン系薬物やバルビツール酸系薬物がこれらの用途に使用される．

1．催眠鎮静薬

　睡眠障害の原因として，内因性の原因（統合失調症・双極性障害），外因性の原因（恐怖や情緒的不安など精神生理的要因，疼痛・発熱・頻尿などを伴う身体的疾患），薬物性の原因（向精神薬等の連用で薬物耐性による不眠，薬物摂取の中断による反跳性不眠，覚醒剤やカフェインなどの中枢神経興奮薬服用による不眠）などが挙げられる．また，高齢者ではnon-REM（rapid eye movement）睡眠が少なくなり，途中覚醒や朝早く目覚める人が多くなる．

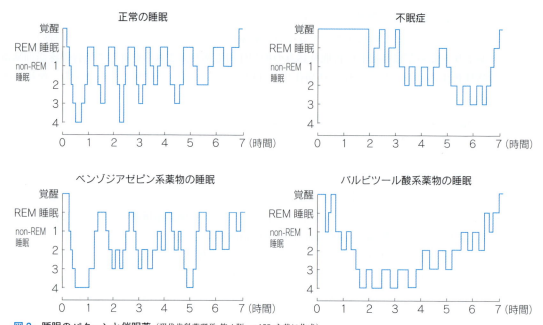

図3 睡眠のパターンと催眠薬（現代歯科薬理学 第4版, p.155. を基に作成）
正常な睡眠のパターンは，不眠症患者や高齢者で乱れる．ベンゾジアゼピン系薬物とバルビツール酸系薬物の改善睡眠パターンは異なる．

覚醒は，non-REM睡眠やREM睡眠どちらからも起こるが，覚醒から直後にREM睡眠へ入眠することは普通起こらない（**図3**）．これが頻回に起こる場合は，ナルコレプシー（narcolepsy）として治療の対象となる．

催眠薬は，その活性代謝物の生物学的半減期から，臨床的にはいくつかの作用型に分類される．理想的な催眠薬は，正常な睡眠パターンに近い睡眠を引き起こす薬物といわれている．以前は，**バルビツール酸系薬物**が鎮静や導眠・睡眠維持を目的として使われていた．しかし，現在は，正常な睡眠パターンに近い薬効を示す**ベンゾジアゼピン系薬物**に取って代わられた．

2. 抗不安薬

緊張・心配あるいは動揺などによる不快な状態が不安（anxiety）を導く．重篤な不安では，頻脈，発汗，震え，動悸などといった恐怖症状に似た身体症状を示し，交感神経系の活性化が関与している．**抗不安薬**は，精神的な原因によって惹起された不安や恐怖によって引き起こされる伝統的に神経症という概念でまとめられてきた病態の治療に使用される．最新のDSM-5[*2]の分類では，神経症は，不安症・強迫症とその関連症候群，解離症・身体症状症とその関連障害群，ストレス反応と適応障害，反応性精神病といった項目で扱われている．治療薬としては主にベンゾジアゼピン系薬物が用いられる．セロトニン受容体作動薬が用いられることもある（**本章Ⅵ 2.-2) 参照**）．

[*2] DSM（diagnostic and statistical manual of mental disorders）とは，米国精神医学会が発行する精神障害の診断と統計マニュアルである．最新版は5版で2013年5月に公開された．また，WHOが作成するICD（international statistical classification of diseases and related health problems）による疾患分類（ICD-11）の「精神，行動，神経発達の疾患」も参照のこと．

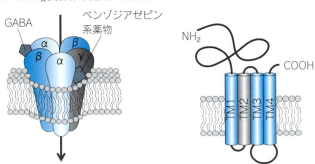
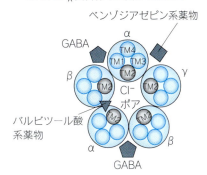

図4 GABA_A 受容体の模式図
A：GABA_A 受容体は5つのサブユニット（$\alpha_{1\sim6}$, $\beta_{1\sim3}$, $\gamma_{1\sim3}$, δ, ε, θ, πサブユニット）からなるヘテロ五量体構造である．代表的な構成比（$\alpha:\beta:\gamma=2:2:1$）の受容体を示す．
B，C：それぞれのサブユニットは4つの膜貫通部分（TM1〜4）から構成されており（B），TM2 が Cl⁻ チャネルポア部分を形成する（B，C）．
GABA 結合部位：α/βサブユニット界面．ベンゾジアゼピン系薬物結合部位：α/γサブユニット界面．バルビツール酸系薬物結合部位：膜貫通部分．

[各論]
1．ベンゾジアゼピン系薬物

　ベンゾジアゼピン系薬物（benzodiazepines）の臨床使用では，その薬物動態および薬理作用の特徴から，抗不安薬，鎮静薬，催眠薬，抗けいれん薬，筋弛緩薬としての応用がある．

1）薬理作用
　ベンゾジアゼピン系薬物は，**γ-アミノ酪酸**（γ-aminobutyric acid；GABA）をリガンドとするイオンチャネル内蔵型受容体（**GABA_A 受容体**）を標的とする．GABA_A 受容体は，細胞の形質膜上にあり，GABA が結合すると塩化物イオン（Cl⁻）が流入し細胞は過分極する．すると，神経細胞は，興奮性入力による脱分極効果が抑制され興奮しにくくなる．GABA_A 受容体は，4回膜を貫通するサブユニットが，5つ集まる**ヘテロ五量体構造をとる**（図4）．中枢神経系では，α，β，γサブユニットが2：2：1の割合で構成される受容体がほとんどである．GABA はαとβサブユニットの界面に結合する．ベンゾジアゼピン系薬物は，GABA_A 受容体

> **臨床コラム**
>
> ### 歯科診療における静脈内鎮静法
>
> 　ミダゾラムなどのベンゾジアゼピン系薬物と静脈麻酔薬の**プロポフォール**は，歯科診療における**静脈内鎮静法**に使用される．静脈内鎮静法では，これらの薬物の投与方法や投与量を調整して使用し，意識を失わせることなく精神鎮静を図ることがある（意識下鎮静）．歯科治療に対する恐怖心や不安感を最小限に抑え，血管迷走神経反射や過換気症候群などの**全身的偶発症を予防することができ**，本薬による**健忘効果**も期待できる．そのため，歯科治療恐怖症や歯科治療でパニック障害などを起こす患者，嘔吐反射が強い患者（**異常絞扼反射**），鎮静を必要とする疾患をもつ患者（脳性麻痺や Parkinson 病など）が適応となる．

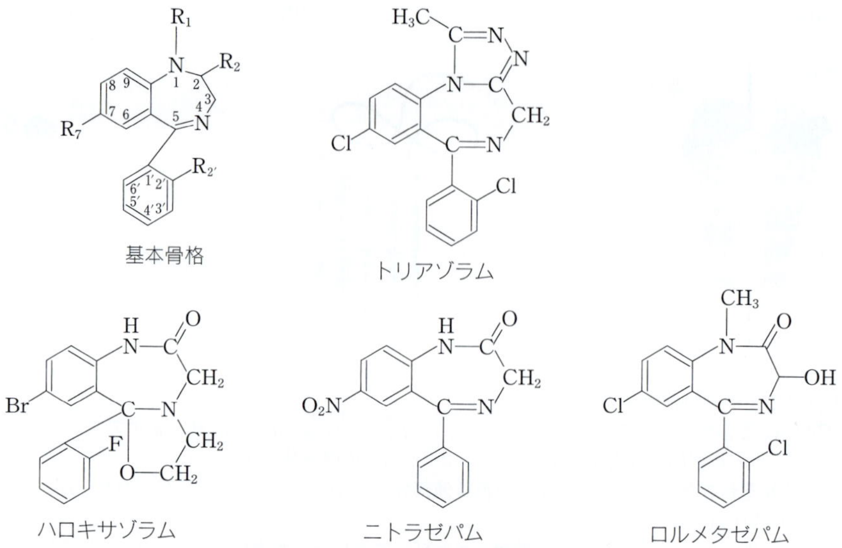

図5 ベンゾジアゼピン系薬物の基本骨格と代表的催眠薬
基本骨格にベンゾジアゼピン環（N原子2個の7員環構造）とベンゼン環をもつ．中枢神経機能抑制作用：1,4-ジアゼピン環とアリール基（5位）が重要．抑制作用の増強：アリール基のR_2'位へのハロゲンの結合，R_7位へのブロム基，クロル基の結合．抗けいれん作用の増強：R_7位へのニトロ基の結合．

のαとγサブユニットの界面に結合し，GABA親和性を高めCl^-チャネルの開口確率を上昇させる．

ベンゾジアゼピン系薬物（図5）は，情動に関連の深い大脳辺縁系や視床下部に作用し，情動異常を抑制することで不安・緊張・興奮を和らげ，抗不安作用や鎮静・催眠作用，抗けいれん作用を示す．作用発現・持続時間を考慮し用量を調節することで，抗不安薬，鎮静薬，催眠薬，抗てんかん薬として用いられている．

2) 薬物動態

ベンゾジアゼピン系薬物は，一般に脂溶性が高く，消化管からの吸収が速く，短時間（0.5～3時間）で最高血中濃度に達する．血液脳関門の通過もよく経口投与後の作用は速やかに発現する．血漿タンパク質との結合率が75～90％と比較的高く，血中で遊離型薬物濃度が上昇した場合は，薬効が増強される．肝臓で**シトクロム P-450**によって酸化され，薬理学的活性を有する活性代謝物となり，その後，グルクロン酸抱合体（不活性体）または酸化代謝物として尿中に排泄される．排泄は一般に遅く，数日間にわたり尿中へ徐々に排泄される．

ベンゾジアゼピン系薬物は，血液胎盤関門を通過するため，胎児に薬物が移行し中枢神経系を抑制する可能性がある．また，母乳中にも移行するため，乳児に嗜眠，筋弛緩，呼吸抑制，離脱症状が出ることがあるので注意を要する．

3) 副作用

(1) 傾眠

一般的な副作用として，行動力の低下や運動失調が現れる．反復投与により蓄積し，傾眠・精神運動機能障害を引き起こすことがある．例えば，高齢者では蓄積を起こしやすく，過度の鎮静，性欲減退，身体活動低下，うつ状態，認知障害，せん妄が出現することがある（奇異反応）．

表4 ベンゾジアゼピン系薬物の利点

1. 睡眠リズムをさほど変化させず，自然に近い睡眠を促す．
2. REM睡眠の抑制は少なく，バルビツール酸系薬物に比べ軽度である．
3. 連用中止時にみられる反跳性のREM睡眠の増加作用が少ない．
4. 呼吸抑制が弱いので安全性が高い．
5. 薬物代謝酵素誘導が起こりにくいので，薬物耐性や薬物相互作用が少ない．
6. 薬物依存が起こる可能性が少ない．

(2) 前向性健忘[*3]

ベンゾジアゼピン系薬物は，大脳辺縁系（扁桃体や海馬など）に作用するため記憶障害（記憶の獲得，記憶固定の障害，長期記憶の障害）を引き起こす．記憶障害の特徴は，一過性の前向性健忘であり，この効果が麻酔前投薬として用いられる理由の1つである．

(3) 持ち越し効果

長時間型の催眠薬は，翌日へ精神運動機能抑制の持ち越し（hangover）を起こしやすく，眠気，ふらつき，頭痛，倦怠感，脱力感，構音障害などがみられることがある．

(4) 反跳現象

超短・短時間型の催眠薬は持ち越し効果は現れにくい．連用を中止すると反跳性不眠を引き起こし，不安が強くなるので，退薬は徐々に行う．また，前向性健忘やせん妄を起こしやすく短期・少量投与に留める．特にアルコールとの併用は避けるべきである．長時間型は，血中半減期が長く，退薬による反跳現象を起こしにくい．

(5) その他

アルコールや他の中枢神経系抑制薬は，ベンゾジアゼピン系薬物の薬効を増強するので注意を要する．ベンゾジアゼピン系薬物は，旧来の他の催眠薬（バルビツール酸系薬物）に比べれば安全性が高く，過量投与でもアルコールなどと併用をしない限り，死に至ることはほとんどない．また，薬物依存（精神依存・身体依存）は生じにくいと考えられている．

4）催眠鎮静薬

睡眠脳波パターンへのベンゾジアゼピン系薬物の影響は（図3），①入眠潜時の単縮，②入眠後の覚醒回数・時間の減少，③全睡眠時間の延長などが挙げられる．また，ベンゾジアゼピン系催眠薬がバルビツール酸系催眠薬に取って代わった理由は表4のような利点をもつからである．不眠治療では睡眠時の鎮静効果・入眠作用と起床時における残眠効果（持ち越し効果）のバランスが重要となる．睡眠障害で広く使用される薬物は，超短時間型のトリアゾラム（triazolam），中時間型のニトラゼパム（nitrazepam），長時間型のフルラゼパム塩酸塩（flurazepam hydrochloride）などがある（表5）．

5）抗不安薬

抗不安薬は，全般性不安障害やパニック症/パニック障害などの長期的な管理に加え，パニック発作などの急速なコントロールにも広く使用される．また，抗不安作用，鎮静作用，健忘効果を期待し，不快な検査や治療手技（胃内視鏡検査・小手術など），大手術前の麻酔前投薬として緊張やストレス緩和を目的に用いられる．さらに，処置が長時間に及ぶ歯科治療（難

[*3] その時点から未来の記憶をなくすこと．すなわち，服薬前の記憶を障害させず，服薬後ある一定期間または夜間に中途覚醒した際の記憶が障害される．

表5 ベンゾジアゼピン系などの薬物の分類

分類	作用時間	特徴・適応	一般名	商品名	臨床容量(mg)
超短時間型	6時間以内	・催眠作用の出現や消失が速いため、翌日への持ち越し効果は少ない ・中断すると反跳性不眠を生じやすい ・適応は入眠障害など	トリアゾラム ゾピクロン[*3] ゾルピデム酒石酸塩[*3]	ハルシオン アモバン マイスリー	0.25〜0.5 7.5〜10 5〜10
短時間型	12時間以内	・翌日への持ち越し効果が少しある ・連用した場合、中断すると反跳性不眠を生じやすい ・適応は熟眠障害[*1]	エチゾラム リルマザホン塩酸塩水和物 ロルメタゼパム ブロチゾラム	デパス リスミー ロラメット レンドルミン	1〜3 1〜2 1〜2 0.25
中時間型	24時間以内	・翌日への持ち越し効果がある(覚醒時の眠気、頭痛、ふらつきなど) ・連用すると蓄積するが、中断した場合の反跳性不眠は生じにくい ・適応は中断型睡眠障害[*2]	アルプラゾラム ロラゼパム ニトラゼパム フルニトラゼパム エスタゾラム ミダゾラム	コンスタン ワイパックス ベンザリン サイレース ユーロジン ドルミカム	0.4 1〜3 5〜10 0.5〜2 1〜4 1〜3
長時間型	30時間以上	・昼間の血中濃度も高いレベルで維持され、持ち越し効果がある ・体内に蓄積した薬物により、中断しても反跳性不眠を生じにくい	ジアゼパム ハロキサゾラム フルラゼパム塩酸塩 クアゼパム	セルシン ソメリン ダルメート ドラール	2〜5 5〜10 10〜30 20

[*1] 熟眠障害:眠りが浅く熟睡感が得られず、中途覚醒が何度も続く状態。
[*2] 中断型睡眠障害:早朝覚醒(起床予定時刻まで寝られない、二度寝する)や途中覚醒(中途覚醒後再び寝つけない、何度も目が覚める)が起きる障害。高齢者、精神的ストレスを感じている人、うつ病患者などに多い。
[*3] 非ベンゾジアゼピン系:ベンゾジアゼピン系薬物と化学構造は異なるが、$GABA_A$受容体作動薬。

表6 バルビツール酸系薬物の作用時間による分類

分類	一般名	商品名	臨床用量(mg)	備考
超短時間型	チオペンタールナトリウム チアミラールナトリウム	ラボナール イソゾール	50〜100 50〜100	静脈麻酔薬 静脈麻酔薬
短時間型	ペントバルビタールカルシウム	ラボナ	50〜100	
中時間型	アモバルビタール セコバルビタールナトリウム	イソミタール アイオナール・ナトリウム	100〜300 100〜200	 注射用
長時間型	フェノバルビタール	フェノバール	30〜200	抗てんかん薬

バルビツール酸系薬物は、作用時間の違いによって臨床応用される。

抜歯・インプラント手術など)における不安・緊張の緩和を目的として、歯科恐怖症患者の一般治療などにも応用される。短時間型のエチゾラム(etizolam)、中時間型のアルプラゾラム(alprazolam)、長時間型のジアゼパム(diazepam)などがある(表5)。

2. バルビツール酸系薬物

バルビツール酸系薬物は、ベンゾジアゼピン系薬物が登場するまでは、最も重要な鎮静薬、催眠薬(表6、図6)として使用されてきた。**ペントバルビタールカルシウム**(pentobarbital calcium)が代表的な薬物である。

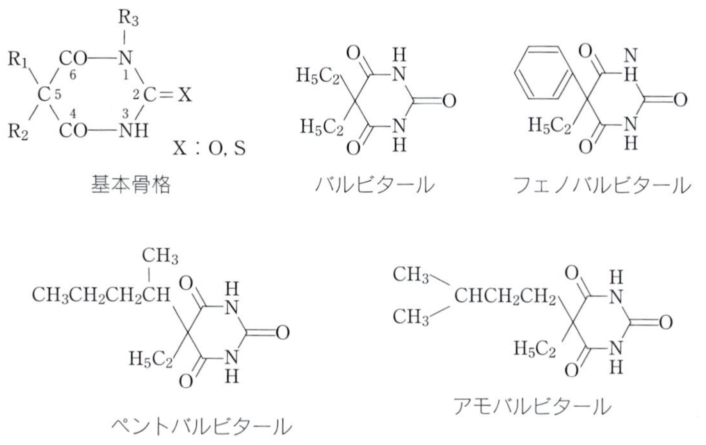

図6 バルビツール酸系薬物の基本骨格と代表的催眠薬
バルビツール酸自身には中枢神経抑制作用はなく，R_1，R_2，R_3に置換基が入ると中枢神経抑制作用が現れる．

表7 バルビツール酸系薬物の欠点

1. REM睡眠を抑制する（図5）．
2. 呼吸抑制が強く，過量による急性中毒は呼吸麻痺で死に至る．
3. 肝臓における薬物代謝酵素（CYP）を誘導するので薬物相互作用を引き起こす．
4. 薬物依存や薬物耐性を形成しやすい．

1）薬理作用

バルビツール酸系薬物は，**GABA$_A$受容体**の膜貫通部に結合し，Cl$^-$チャネルの開口時間を延長させCl$^-$の流入を増強する（図4）．さらに，AMPA受容体を阻害したり，麻酔用量では高頻度にNa$^+$チャネルも阻害する．これらは全て神経活動を低下させる方向へと導く．延髄の呼吸中枢に対して抑制的に作用し，多量投与では呼吸を抑制または停止させる．バルビツール酸系薬物は表7のような欠点を有するため，現在では鎮静薬，催眠薬としての臨床応用は少なくなった．抗てんかん薬や静脈麻酔薬として用いられる（表6）．

2）薬物動態

内服されたバルビツール酸系薬物は消化管から速やかに吸収される．体内分布は一般に脳，肝臓，腎臓，脂肪組織に広く分布し，脳内の特定部位に集積されることはない．胎盤は容易に通過する．多くのバルビツール酸系薬物は，肝臓で代謝されて不活性の代謝物質となって尿から排泄される．

3）副作用

（1）耐性

一般的な副作用として，覚醒時に頭痛，めまい，脱力感，悪心，嘔吐など不快感を伴う宿酔感を示すことがある．反復使用により**耐性**が生じ，薬物量を増加しないと効かなくなる．耐性の機序は，肝臓の**CYP（薬物代謝酵素）の誘導**による薬物代謝の亢進と中枢神経系の感受性の低下によるといわれる．またCYPを誘導するため，CYPに依存した多くの薬物の代謝が促進し，併用薬の薬効が減弱する点（薬物相互作用）に注意が必要である（**6章参照**）．

（2）傾眠・持ち越し効果

眠気，傾眠，集中力の低下，精神的・身体的緩慢さを引き起こす．アルコールとの併用は避けるべきである．

(3) 中毒
過量の摂取によって致命的な呼吸抑制（急性中毒）を起こす．

(4) 薬物依存
多量を長期間連用すると身体依存・精神依存をきたす．また，急に使用を中止すると精神錯乱，幻覚，全身けいれんなど禁断症状を招くことがある．

3. その他

1) ゾルピデム酒石酸塩（ゾルピデム，zolpidem tartrate）
非ベンゾジアゼピン系薬物の**ゾルピデム**（マイスリー®）などが催眠薬の主流となってきている．非ベンゾジアゼピン系薬物は，ベンゾジアゼピン系薬物と化学構造は異なるが，$GABA_A$受容体のベンゾジアゼピン結合部位に結合してGABA受容体機能を亢進する．ゾルピデムは，鎮静が主な作用で，催眠潜時を短縮し，REM睡眠に影響することなくnon-REM睡眠を増加させる．持ち越し効果や反跳性不眠も比較的少ない．また，禁断症状もないとされる．筋弛緩作用が弱く高齢者に使用しやすい．消化管から短時間で吸収され，効果発現が迅速で，消失半減期が短い超短時間型催眠薬である．

2) 抗ヒスタミン薬
第1世代の抗ヒスタミン薬である**ジフェンヒドラミン塩酸塩**は，抗アレルギー薬として用いられているが，副作用として中枢神経抑制作用が強い（眠気）．そこで，この鎮静作用を利用して，軽度の不眠の治療に利用され各種一般薬が販売されている．

3) メラトニン受容体作動薬
脳の松果体から分泌される体内時計のリズムを整えるホルモンとして知られるメラトニンは，夕方から夜間にかけて血中濃度が増加する．そして，メラトニンが視床下部視交叉上核にあるメラトニン受容体（MT_1やMT_2受容体）に作用すると睡眠を誘発する．メラトニン受容体作動薬である**ラメルテオン**は，メラトニン受容体の選択的な作動薬であり，自然に近い生理的睡眠の誘導が期待できる．$GABA_A$受容体に作用しないため，効果は弱いが副作用は少ない．不眠症における入眠困難などを改善する．

4) オレキシン受容体拮抗薬
視床下部外側野で産生されるオレキシンは，覚醒中枢を刺激する神経ペプチドで，オレキシン受容体に作用すると覚醒システムを活性化させて覚醒状態を維持する．オレキシン受容体拮抗薬である**スボレキサント**は，オレキシン受容体（OX_1やOX_2受容体）を可逆的に阻害することで睡眠を誘発する．中途覚醒などに効果を示す．また，服用開始から比較的早期に睡眠改善が期待でき，反跳性不眠への懸念が少ないとされる．

V ― 抗てんかん薬

てんかん（epilepsy）は，脳波の異常を伴う多様な症候群であり，けいれんや意識障害などが発作的に繰り返し起こる慢性脳障害である．異常な電気活動の結果，意識消失，異常な動作，奇異な行動，治療しないと繰り返し起こる歪んだ知覚が生じる．てんかんには，特発性てんかん（発作の原因が明らかでない）と症候性てんかん（明らかな原因があり複数回てんかん発作を起こした二次的な発症）がある．後者の場合，発作の原疾患が治療できれば，てんかん治療は不要となる．多彩なてんかん発作を正確に分類することで，治療薬の選択が可能となる．

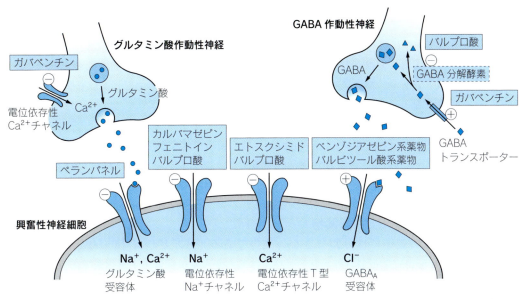

図7 抗てんかん薬の作用機序

抗てんかん薬は，従来用いられてきた薬物（ベンゾジアゼピン系薬物，バルビツール酸系薬物，フェニトイン，カルバマゼピン，バルプロ酸など）に加え，新しい抗てんかん薬（ガバペンチンなど）も開発されている（図7）．

1）薬理作用

（1）GABA作動性の抑制性神経活動の強化

a）$GABA_A$受容体の機能を強化（ベンゾジアゼピン系薬物，バルビツール酸系薬物）

興奮性神経細胞内へのCl^-流入増加（過分極）によるニューロン活動の低下（**本章Ⅳ[各論] 1.，2. 参照**）．

b）脳内GABA濃度の増加（バルプロ酸）

GABA作動性神経におけるGABA分解酵素［GABAトランスアミナーゼ（GABAアミノ基転移酵素）やコハク酸セミアルデヒドデヒドロゲナーゼ（コハク酸セミアルデヒド脱水素酵素）］の阻害で脳内GABA濃度が上昇．

c）脳内GABA濃度の増加（ガバペンチン）

GABA作動性神経におけるGABAトランスポーターを活性化してGABA利用率を高める．

（2）電位依存性Na^+チャネルの遮断（フェニトイン，カルバマゼピン，バルプロ酸）

興奮性神経細胞の電位依存性Na^+チャネルに結合してチャネルを遮断し，神経細胞の異常放電を選択的に抑制する．

（3）電位依存性T型Ca^{2+}チャネルの遮断（エトスクシミド，バルプロ酸）

欠神発作で見られる意識消失は，視床のT型Ca^{2+}チャネルの異常に起因する．興奮性神経細胞のT型Ca^{2+}チャネルの開口を抑制し，欠神発作の発生を抑制する．

（4）興奮性伝達物質の放出抑制（ガバペンチン）

グルタミン酸作動性神経（前シナプス）の電位依存性Ca^{2+}チャネルの$\alpha_2\delta$サブユニットに強く結合してチャネルの開口を阻害し，前シナプスでのCa^{2+}流入を低下させ，グルタミン酸（興奮性神経伝達物質）遊離を抑制する．

2）薬物動態

抗てんかん薬は，中枢神経系に移行して作用することが基本であるので通常吸収はよく，高い割合で血中に移行する．通常，血漿タンパク質とは強固な結合をしない．多くの薬物が肝臓で活性代謝物に変換され，薬物作用時間は延長され，ほとんどの抗てんかん薬の半減期は12時間以上である．フェノバルビタールやその誘導体，カルバマゼピンは肝臓のCYP酵素を強く誘導する．

3）バルビツール酸系薬物

フェノバルビタール（phenobarbital）は，使用可能な抗てんかん薬として最も古い．プリミドン（primidone，自身と代謝活性物質であるフェノバルビタール・フェニルエチルマロンアミドが作用する）などがある．部分発作と全般性強直-間代発作に有効であるが，欠神発作には無効である．

4）ベンゾジアゼピン系薬物

発作型の適応では分類できない薬物である．**ジアゼパム**（diazepam），クロナゼパム（clonazepam）などがある．ジアゼパムはてんかん重積症の第1選択薬である．クロナゼパムは欠神発作やミオクローヌス発作に効果がある．

5）ヒダントイン誘導体（hydantoin derivatives）

フェニトイン（phenytoin）は，古典的な鎮静作用をもたない抗てんかん薬である．部分発作，全般強直-間代性発作，てんかん重積症の治療に有効である．不活性化状態の電位依存性Na^+チャネルに選択的に結合して，不活性化状態の延長を引き起こし作用する．本薬物は，血漿タンパク質との結合性が高く薬物相互作用に注意する．副作用は，複視，運動失調，**歯肉増殖**，多毛である．**歯肉増殖症**は，服用者の50％にものぼるとの報告があり歯科臨床上重要である．歯肉増殖症は，本薬物によりコラーゲンの異化が抑制され，不溶性コラーゲンが結合組織に沈着するために発症するとされる．

6）カルバマゼピン（carbamazepine）

カルバマゼピン（テグレトール®）の作用機序は，フェニトインに類似し電位依存性Na^+チャネルを遮断する．部分発作に用いられる．また，**三叉神経痛**にも非常に有効であり，**双極性障害躁病エピソード**の治療に有効な三環系化合物でもある（気分安定薬）．副作用は，複視，運動失調である．

臨床コラム

抗てんかん薬と三叉神経痛

三叉神経は顔面および口腔内の感覚を司る神経であるため，三叉神経痛の患者が歯の痛みを訴えて歯科を受診することがある．**三叉神経痛の薬物治療の第1選択薬は，抗てんかん薬のカルバマゼピンである**．カルバマゼピンは主に神経細胞の電位依存性Na^+チャネルを遮断し，神経細胞の過剰な興奮伝導（疼痛）を抑制する．三叉神経痛は，抗てんかん薬が顕著に効く一方で消炎鎮痛薬はほとんど効果を認めないという特徴があり，臨床的診断が困難な場合にはこの特徴から治療的診断を行う場合がある．

7）バルプロ酸ナトリウム（sodium valproate）

バルプロ酸とバルプロ酸ナトリウムいずれで投与されても体内 pH 環境で完全にイオン化されるため，バルプロ酸イオンが活性型と推定されている．Ca^{2+} チャネル遮断作用や脳内 GABA 濃度上昇作用など広い作用スペクトルを示す．欠神発作に非常に効果的であり，全般強直-間代性発作にも有効，全般発作の第 1 選択薬であり，部分発作にも使用される．双極性障害躁病エピソードの治療（気分安定薬）としても有用である．本薬物の重大な副作用として催奇形性がある．

8）エトスクシミド（ethosuximide）

視床神経で電位依存性 T 型 Ca^{2+} 電流が供給するペースメーカー電流を阻害し，欠神発作時の棘徐波を抑制する．欠神発作の治療にのみ有効である．

9）ガバペンチン（gabapentin）

GABA トランスポーターを活性化し GABA 利用率を高め（GABA 濃度亢進），前シナプスの電位依存性 Ca^{2+} チャネルの開口を阻害してグルタミン酸遊離を抑制する．ガバペンチンは，ほとんど代謝されず CYP を誘導しない．したがって，他の薬物と併用がしやすく，部分発作などの治療補助薬として使用される．また，**鎮痛補助薬**としてがん疼痛や神経障害性疼痛に対しても使用される．

VI 向精神薬

向精神薬（psychotropic あるいは psychoactive drugs）とは，脳機能を変化させ，気分，意識，認知，または行動に影響を与える薬物の総称である．抗精神病薬，抗不安薬，抗うつ薬，抗躁薬など神経精神障害の治療に使用される薬物に加えて，メタンフェタミン，コカイン，ヘロインなど娯楽的な乱用により社会に害悪を及ぼす薬物が含まれる．薬物乱用の懸念がある薬物については，国際的な薬物規制条約に従い国が定めた法律「麻薬及び向精神薬取締法」により，第 1 種向精神薬から第 3 種向精神薬に指定されている．

1．抗精神病薬

抗精神病薬（antipsychotic drugs）は，幻覚・妄想や精神興奮などを緩和する作用をもつ薬物の総称で，**統合失調症**（schizophrenia）の主たる治療薬として用いられる他，他の精神病や躁状態にも効果を示す．統合失調症は，人口の約 1％に発症する代表的な慢性精神病で，多くは思春期後期または成人期初期に初発する．統合失調症は，遺伝的要因と環境的要因が関与する多因子疾患でありその病態基盤は複雑であるが，中脳辺縁系のドパミン神経の過活動が**陽性症状**（幻覚や妄想）に，中脳皮質のドパミン神経の活動低下が**陰性症状**（意欲低下や感情の平板化）と認知障害にかかわる基本的な神経生化学的基盤であると考えられている．さらに，陰性症状にはセロトニン（5-HT）神経の過活動やグルタミン酸神経の活動低下の関与が示唆されている．抗精神病薬は，ドパミン D_2 受容体に対する親和性の違いにより，第 1 世代の**定型抗精神病薬**と第 2 世代の**非定型抗精神病薬**に分類される．

1）薬理作用

（1）ドパミン D_2 受容体遮断作用

定型抗精神病薬のすべてと非定型抗精神病薬のほとんどが，脳と末梢の D_2 受容体遮断作用を有する．抗精神病薬の陽性症状に対する臨床効果は，中脳辺縁系の D_2 受容体に対する競合的遮断作用と強い相関関係を示す．また，延髄の化学受容器引き金帯（CTZ）での D_2 受容

遮断により制吐作用を現す．一方，黒質-線条体系および視床下部隆起-漏斗系（下垂体前葉）での D_2 受容体遮断は，それぞれ錐体外路障害および高プロラクチン血症を引き起こすため，抗精神病薬による薬物治療においては副作用となる．

(2) セロトニン 5-HT 受容体遮断作用

非定型抗精神病薬のほとんどが 5-HT 受容体，特に $5\text{-}HT_{2A}$ 受容体に対する遮断作用を有しており，定型抗精神病薬では効果がほとんど見られない陰性症状と認知障害に対しても改善効果を示す．

(3) 他の受容体への作用

抗精神病薬の多くが，アドレナリン α_1 受容体，ムスカリン性アセチルコリン受容体，ヒスタミン H_1 受容体など他の受容体に対しても遮断作用を示す．中枢での α_1 受容体遮断および H_1 受容体遮断は鎮静作用をもたらす．末梢での α_1 受容体遮断は起立性低血圧を，ムスカリン性受容体遮断は口渇や便秘などのいわゆる抗コリン作用をもたらし，抗精神病薬による副作用と関連する．

2) 臨床適用

(1) 精神神経安定薬

統合失調症を主な対象疾患とするが，双極性障害における躁症状および抑うつ症状，神経症における不安・緊張・抑うつ症状，認知症の周辺症状（暴力や精神運動興奮など）に対しても用いられる．

(2) 制吐薬

アリピプラゾールを除くほとんどの抗精神病薬が制吐作用を示し，フェノチアジン系薬物などが制吐薬として用いられている．抗腫瘍薬による悪心・嘔吐に対する使用は保険適用外であったが，2017年よりオランザピンが保険適用となった．

3) 副作用

抗精神病薬の有害作用は発現頻度が高く，約80％の患者で認められる．

(1) 錐体外路障害

抗精神病薬により線条体の D_2 受容体が遮断されると，コリン作動性神経の働きが相対的に過剰となり，運動障害（錐体外路障害）が生じる．運動障害の出現は，一般に時間と用量に依存し，ジストニア（dystonia），アカシジア（akathisia），薬物性パーキンソニズム（無動，固縮，振戦など），遅発性ジスキネジア（tardive dyskinesia）などが見られる．

(2) 遅発性ジスキネジア

抗精神病薬による長期治療で生じる副作用で，口腔顔面領域，四肢および体幹の不随意運動を特徴とする神経障害である．特に口唇，舌および下顎で見られるものは**口腔ジスキネジア**（oral dyskinesia）と呼ばれている．遅発性ジスキネジアは，長期的な D_2 受容体遮断に対する代償反応として生じる D_2 受容体の過感受性とムスカリン性受容体の感受性低下に起因するとされており，薬物性パーキンソニズムを生じやすい抗精神病薬ほど発症しやすい．薬物治療の中止により症状が軽減または消失することがあるが，多くの場合，難治性であり長期休薬後も持続する．重症になれば嚥下障害や呼吸困難を引き起こす．高齢者や女性で発現しやすい．有効な治療法がないため，症状の早期発見が大切である．

(3) 悪性症候群（syndrome malin）

抗精神病薬の重大な副作用の1つで，錐体外路症状（無動，筋強剛，嚥下困難など）や自律神経症状（頻脈，血圧の変動，発汗など）の発現と，それに引き続く高熱（38℃以上）を主症状

表8 主な抗精神病薬の各受容体に対する拮抗作用

	分類	一般名	ドパミン D_2	ドパミン D_4	セロトニン $5-HT_{2A}$	アドレナリン $α_1$	ムスカリン M	ヒスタミン H_1
定型抗精神病薬	フェノチアジン系	クロルプロマジン	○	△	○	○	△	○
		フルフェナジン	○		△	△		△
	ブチロフェノン系	ハロペリドール	○	△	△	△		
		スピペロン	◎	○	○	△		
	ベンズアミド系	スルピリド	△	△				
非定型抗精神病薬	セロトニン・ドパミン拮抗薬（SDA）	リスペリドン	○		◎	○		○
		ペロスピロン	○		◎			◎
	多元受容体作用抗精神病薬（MARTA）	クロザピン		○	○	○	◎	○
		オランザピン		△	○		◎	○
		クエチアピン	△		△	○	△	○
	ドパミン部分作動薬	アリピプラゾール	◎	△	○	△		△

◎：強い，○：中等度，△：弱い，無印：不明または極めて弱い．

とする．麻酔薬による副作用である**悪性高熱症**（malignant hyperthermia）やセロトニン作動薬による副作用である**セロトニン症候群**（serotonin syndrome）と症状の共通性および類似性が見られるため鑑別診断が重要である．高熱が持続すると脱水症状や急性腎障害へと移行し，意識障害，呼吸困難，循環虚脱を起こして死に至ることがある．悪性症候群が疑われる場合，速やかに抗精神病薬の投薬を中止する．治療薬としてダントロレンナトリウム水和物が用いられる．

(4) 自律神経症状

$α_1$受容体遮断作用による起立性低血圧と反射性頻脈，ムスカリン性受容体遮断による口渇，尿閉，便秘と緑内障の悪化が主な副作用となる．

(5) 内分泌症状

下垂体前葉でのD_2受容体遮断はプロラクチン分泌の増加をもたらし，無月経，乳汁漏出，女性化乳房，不妊症，および勃起不全を引き起こす．

(6) 代謝異常

主に5-HT受容体遮断作用に起因するため，非定型抗精神病薬で顕著である．過食と体重増加が見られ，しばしば服薬アドヒアランス低下の原因となる．

4）薬物動態

経口投与された抗精神病薬の多くは，食物の影響を受けずに速やかに吸収され，シトクロムP-450（特にCYP2D6，CYP1A2，およびCYP3A4アイソザイム）により高い割合で初回通過効果を受ける．脂溶性が高く，血液脳関門を容易に通過できるため脳内分布が高い．また，アルブミン結合率が非常に高く，体内脂肪への移行・蓄積も多いため，血中半減期が長い．

5）定型抗精神病薬

定型抗精神病薬（第1世代抗精神病薬，メジャートランキライザーとも呼ばれる）は，様々な受容体に対する競合的阻害作用を有する（**表8**）が，抗精神病効果はD_2受容体の競合的遮断作用と強く相関する．また，D_2受容体に対する結合親和性が高い薬物は，錐体外路障害のリスクが高い．フェノチアジン誘導体のクロルプロマジン塩酸塩（chlorpromazine hydrochloride），ブチロフェノン誘導体のハロペリドール（haloperidol）などが代表薬である．

6）非定型抗精神病薬

非定型抗精神病薬（第2世代抗精神病薬とも呼ばれる）は，弱い D_2 受容体遮断作用と 5-HT_{2A} 受容体遮断作用に加えて，多くの薬物はさらに他の受容体の遮断作用を有する（**表8**）．作用機序により，**セロトニン・ドパミン拮抗薬**（serotonin-dopamine antagonists；SDA），**多元受容体作用抗精神病薬**（multi-acting receptor targeting antipsychotic；MARTA）および**ドパミン部分作動薬**に分類される．錐体外路障害の発生率が低いため，現在，統合失調症に対する第1選択薬とされている．代表薬として，SDAのリスペリドン（risperidone），MARTAのオランザピン（olanzapine），ドパミン部分作動薬のアリピプラゾール（aripiprazole）などがある．

2. 抗不安薬

抗不安薬（anxiolytics）は不安，イライラや緊張を軽減させ，憂うつな気分を改善させる薬物で，不安症やうつ病の治療に処方される．現在，**ベンゾジアゼピン系薬物**と **5-HT_{1A} 受容体作動薬**が抗不安薬として分類されている．また，慢性不安障害においては，抗不安薬のみならず，抗うつ薬の単独使用や両者の併用により治療が行われる．

1）ベンゾジアゼピン系抗不安薬（本章Ⅳ参照）

ベンゾジアゼピン系薬物は，$GABA_A$ 受容体に結合し，GABAの働きを増強することにより抗不安作用，鎮静作用，催眠作用，抗けいれん作用や筋弛緩作用など多様な臨床効果を発現する．臨床効果ごとに薬物を分類することは難しく，抗不安作用の強い薬物が抗不安薬として用いられている．生体内半減期によって超短時間型，短時間型，中間型，長時間型に分類されており（**表5**），例えば，急に高まった不安症状に対しては短時間型の抗不安薬が，持続する不安症状に対しては長時間型の抗不安薬が処方される．副作用として，眠気や運動失調がよく見られる．重症筋無力症や急性閉塞隅角緑内障の患者には禁忌である．

2）セロトニン作動性抗不安薬（5-HT_{1A} 受容体作動薬）

海馬，外側中隔のシナプス後膜 5-HT_{1A} 受容体および縫線核セロトニン神経細胞に局在するシナプス前膜 5-HT_{1A} 受容体（自己受容体）に作用して，cAMP産生の抑制あるいは K^+ チャネルの開口促進によって神経活動を抑制する．

（1）タンドスピロンクエン酸塩（tandospirone citrate）

5-HT_{1A} 受容体の部分作動薬で，抗不安作用と抗うつ作用を示す．神経症における抑うつと恐怖，ならびに心身症における身体症候や抑うつ，不安，焦躁，睡眠障害に対して処方される．重大な副作用として，肝機能障害，セロトニン症候群，悪性症候群が見られる．

3. 抗うつ薬

うつ病（大うつ病性障害；major depressive disorder）は，抑うつ気分，日常の活動に対する興味または喜びの喪失，睡眠パターンや食欲の変化，精神運動性の低下，自殺願望などを症状とする精神疾患である．

うつ病の病因として，中枢モノアミン神経系（特にセロトニン系およびノルアドレナリン作動性神経）の機能低下が関与するという「**モノアミン仮説**」が古くより提唱されており，この仮説に基づいて脳内のノルアドレナリンまたはセロトニンの作用，あるいは両神経伝達物質の作用を直接的または間接的に増強する薬物が臨床的に有用な抗うつ薬（antidepressants）として用いられている．

現在の薬物治療では，**セロトニントランスポーター**（SERT）や**ノルアドレナリントランスポーター**（NAT，ノルエピネフリントランスポーター；NET の表記も使用される）を標的分子として，モノアミン再取り込み阻害作用を示す薬物が日本では抗うつ薬として用いられている．

1) 三環系抗うつ薬（tricyclic antidepressants；TCA）

ジベンズアゼピン誘導体もしくはジベンゾシクロヘプタジン誘導体で，2つのベンゼン環がエチレン基で連結された三環構造に基づく．モノアミントランスポーターに作用し，主にセロトニンとノルアドレナリンの再取り込みを阻害する．標的分子への選択性が低く，抗コリン作用や末梢での $α_1$ 受容体拮抗作用が強いため，口渇や便秘，起立性低血圧などの副作用が見られる．

イミプラミン塩酸塩（imipramine hydrochloride），アミトリプチリン塩酸塩（amitriptyline hydrochloride）などの第1世代抗うつ薬と，アモキサピン（amoxapine），ノルトリプチリン塩酸塩（nortriptyline hydrochloride）などの第2世代抗うつ薬に分類される．第2世代では，副作用にかかわる抗コリン作用が軽減されている．

2) 四環系抗うつ薬（tetracyclic antidepressants）

マプロチリン塩酸塩（maprotiline hydrochloride）は，ノルアドレナリンの取り込み阻害作用により三環系抗うつ薬と同様の作用を示す．ミアンセリン塩酸塩（mianserin hydrochloride）は，シナプス前 $α_2$ 受容体（自己受容体）の遮断によりノルアドレナリン遊離を増大させ抗うつ作用を示す．ミアンセリンは H_1 受容体に強い親和性（遮断作用）をもち，眠気や注意力の低下が問題となる．また，副作用として口渇がしばしば見られる．

3) 選択的セロトニン再取り込み阻害薬
　　　（selective serotonin-reuptake inhibitors；SSRI）

セロトニン神経終末に存在する SERT を特異的に阻害し，シナプス間隙のセロトニン濃度の上昇を介して抗うつ作用を発現する．第3世代抗うつ薬とも呼ばれる．抗コリン作用による口渇や便秘，抗アドレナリン作用による鎮静作用や心血管系への影響という副作用は見られず，安全性が高いため，現在うつ病治療の第1選択薬として用いられている．フルボキサミンマレイン酸塩（fluvoxamine maleate），パロキセチン塩酸塩水和物（paroxetine hydrochloride hydrate）が代表薬である．

4) セロトニン・ノルアドレナリン再取り込み阻害薬
　　　（serotonin noradrenaline reuptake inhibitors；SNRI）

SERT と NAT（NET）を特異的に阻害することにより抗うつ作用を発現する．第4世代抗うつ薬とも呼ばれる．三環/四環系抗うつ薬や SSRI と比べて抗うつ効果の発現が少し速く（1週間以内），うつ病の急性期治療に用いられる．抗コリン性の副作用や心毒性，鎮静作用は少ないが，排尿障害や尿閉などノルアドレナリン上昇による副作用が見られる．

ミルナシプラン塩酸塩（milnacipran hydrochloride），デュロキセチン塩酸塩（duloxetine hydrochloride）が代表薬である．SERT と NAT（NET）の阻害は，**下行性疼痛抑制系**を増強することにより，現在，デュロキセチンは，うつ病・うつ状態への適用に加えて，糖尿病性神経障害，線維筋痛症などの慢性疼痛に対する適用が承認されている．

5) ノルアドレナリン作動性・特異的セロトニン作動性抗うつ薬
　　　（noradrenergic and specific serotonergic antidepressant；NaSSA）

ミルタザピン（mirtazapine）は，化学構造は四環系であるが，作用機序より NaSSA というカテゴリに分類される．第5世代抗うつ薬とも呼ばれる．アドレナリン神経終末およびセロトニ

ン神経終末に存在するα₂受容体に対する拮抗作用によりノルアドレナリンとセロトニンの遊離を亢進させ，さらに，α₁受容体および5-HT$_{1A}$受容体への活性化作用が相重なって，抗うつ効果を発現する．5-HT$_{2A/2C}$受容体と5-HT$_3$受容体に対しては遮断作用を示すため，SSRIで見られる悪心・嘔吐などの副作用が少ない．一方，H$_1$受容体遮断作用が強く，副作用として眠気が高頻度で見られる．

4. 気分安定薬（抗躁薬）

双極性障害（bipolar disorder）は気分の高揚と落ち込み，すなわち躁状態と抑うつ状態を繰り返す精神疾患で，激しい躁状態と抑うつ状態のある双極Ⅰ型と，軽い躁的な状態と抑うつ状態のある双極Ⅱ型がある．

1）リチウム

炭酸リチウム（lithium carbonate；Li$_2$CO$_3$）は，双極性障害（躁うつ病）患者の60〜80％に有効であるが，その作用機序は明確ではない．臨床上の有効濃度より，イノシトール-1-リン酸分解酵素（inositol monophosphatase）の阻害，およびグリコーゲンシンターゼキナーゼ3β（GSK-3β）の阻害が薬効発現に関与するものと考えられている．

一般的な副作用として，頭痛，悪心，口渇，多飲食，多尿，胃腸障害，鎮静作用が見られる．治療係数が低く，血漿濃度が高くなると運動失調，振戦，錯乱，けいれんなどの中毒症状が現れ，さらに高濃度になると腎障害，尿閉，昏睡，血圧低下を招き死に至る場合がある．利尿薬（チアジド系利尿薬およびループ利尿薬），ACE阻害薬あるいはNSAIDsとの併用は，高リチウム血症をもたらし中毒を誘発させることがあるので注意を要する．また，妊婦への投与は禁忌である．

2）その他の薬物

抗てんかん薬であるカルバマゼピン，バルプロ酸，ラモトリギンが気分安定薬として双極性障害に用いられている（**本章Ⅴ参照**）．また，非定型抗精神病薬のリスペリドン，オランザピン，クエチアピン，ジプラシドン，アリピプラゾールが急性の躁病性精神病に対して用いられることが増えている．妊婦への投与は出生児の奇形と発達障害のリスクを増大させるため，治療上の有益性が危険性を上回ると判断される場合にのみ限られる．

Ⅶ 中枢興奮薬

中枢興奮薬は，中枢神経系に作用し，その機能を活発化させる薬物の総称である．幻覚をもたらす向精神薬である幻覚薬を含める場合もある．薬物の主な作用部位によって，大脳型，脳幹型，脊髄型の3種に分けられる．大脳型の薬物には，アンフェタミンやメタンフェタミンなどの覚せい剤，コカイン，メチルフェニデート，MDMA（methylenedioxymethamphetamine），ニコチン，カフェインなどがあり，精神刺激薬（psychostimulant）とも呼ばれる．

精神刺激薬の中には，ナルコレプシーや過眠症などの睡眠障害や，注意欠陥多動性障害（ADHD；attention-deficit hyperactivity disorder）の治療に使用される重要な薬物が含まれる．脳幹型の薬物にはピクロトキシンやペンテトラゾールなど，そして脊髄型の薬物にはストリキニーネがあり，いずれもけいれんを誘発する．

1）ADHD治療薬

（1）メチルフェニデート塩酸塩（methylphenidate hydrochloride）

ドパミンおよびノルアドレナリン再取込み阻害作用によって，大脳皮質などの脳部位におい

てシナプス間隙のドパミン，ノルアドレナリン量を増加させることで，脳機能の一部の向上や覚醒効果をもたらす．ADHDに対しては，メチルフェニデートの徐放剤（コンサータ®）が承認されている．依存性があるため患者登録を要するが，乱用のリスクは少ないとされている．

(2) **アトモキセチン塩酸塩**（atomoxetine hydrochloride）

選択的ノルアドレナリン再取込み阻害薬であり，効果はメチルフェニデートより弱いが，依存性がなく患者登録は不要である．

(3) **グアンファシン塩酸塩**（guanfacine hydrochloride）

選択的α_{2A}受容体作動薬であり，交感神経系を抑制し，多動性，衝動性，攻撃性を抑制する．依存性がない．

(4) **リスデキサンフェタミンメシル酸塩**（lisdexamfetamine mesilate）

アンフェタミンのプロドラッグであり，覚醒効果は優れるが，依存性への懸念がある．適応は小児期におけるADHDである．メチルフェニデート徐放剤とリスデキサンフェタミンは，ADHD治療に習熟し，投与の資格をもつ医師でのみ処方可能であり，また患者登録が必要である．

2) ナルコレプシー治療薬

(1) **メチルフェニデート**

強力な覚醒作用により，錠剤（リタリン®）がナルコレプシーの治療に用いられている．連用による薬物依存は，アンフェタミン類に比べると少ない．投与年齢の確認や処方医の資格の確認が必要である．

(2) **モダフィニル**（modafinil）

覚せい促進薬で，ナルコレプシーや特発性過眠症，閉塞性無呼吸症候群に伴う日中の過度の眠気に適用となる．低親和性のドパミントランスポーター阻害作用があるが，メタンフェタミンやメチルフェニデートなどと比べると依存性は低い．

3) キサンチン誘導体（xanthines）

カフェイン（caffeine），**テオフィリン**（theophylline），**テオブロミン**（theobromine）などが含まれる．キサンチン誘導体は大脳皮質および延髄の興奮により，中枢機能および循環機能の亢進をもたらす．特にカフェインは，アデノシンA_1ならびにA_{2A}受容体拮抗作用によって強い中枢興奮作用を示す．摂取により眠気，疲労感などがとれ，思考が円滑になるといわれる．キサンチン誘導体は，非選択的ホスホジエステラーゼ阻害作用を有しており，細胞内のcAMPやcGMPの増加を介して，これらの下流シグナルの作用を増強する（**22章I-2.および3.-(5) 参照**）．

4) コカイン

コカインはコカの葉に含まれるアルカロイドで，強力な局所麻酔作用があり，エステル型の局所麻酔薬のプロトタイプである．眼科や歯科などの臨床に用いられていたが，毒性も強く，またモノアミン再取り込み阻害による強い中枢興奮作用と精神的依存作用を有することから，現在臨床ではほとんど使用されない．乱用により幻覚や妄想が現れ，錯乱状態に陥る．

5) けいれん薬

ピクロトキシンは脳各部位，特に脳幹に，ペンテトラゾールはほとんどすべての脳部位に作用し，ストリキニーネは脊髄を興奮させてけいれんを誘発する．ピクロトキシンは$GABA_A$受容体のCl^-チャネルを遮断し，GABAによるシナプス前抑制を遮断することで興奮作用を引き起こす（脱抑制）．ペンテトラゾールは$GABA_A$受容体のベンゾジアゼピン結合部位に作用して，Cl^-チャネルを遮断する．ストリキニーネは，介在ニューロンの抑制性神経伝達物質であるグリシンが受容体に結合するのを阻害する．

Parkinson 病治療薬

Parkinson 病は，中脳黒質のドパミン神経細胞の変性を中核とする神経変性疾患であり，静止時振戦，筋強剛，無動，姿勢反射障害の四症状を特徴とする．パーキンソニズムの臨床所見として，まず「運動緩慢が必須」であり，加えて「静止時振戦か筋強剛のどちらか1つまたは両方」が見られるものと定義される．

「パーキンソン病診療ガイドライン 2018」によれば，発症年齢が 65 歳以上であれば L-ドパから，65 歳未満であれば L-ドパ以外の薬物療法（ドパミン作動薬および MAO-B 阻害薬）から治療を開始する．治療開始後，数年で運動合併症状として wearing off 現象（L-DOPA の薬効時間が短縮し，次の服用前に症状が強くなる現象），ジスキネジア（不随意運動）が存在することがあるので，いかに運動合併症状の発現を抑えるかが重要である．

1）レボドパ（levodopa，L-DOPA）

生体内で L-チロシンから合成されるドパミン前駆物質である．血液脳関門を通過して脳内でドパミンとなり，不足しているドパミンを補充する．Parkinson 病に最も有効といわれ，早期の効果が見られる．長期投与により，症状の日内変動（wearing off 現象，on-off 現象，no-on/delayed on 現象），ジスキネジア，精神症状などを起こす問題がある．末梢での消費を抑え，L-ドパを高濃度に中枢へ移行させるために，L-ドパと**ドパ脱炭酸酵素阻害薬**であるカルビドパ（carbidopa）あるいはベンセラジド（benserazide）との合剤が用いられる．

2）ドパミン受容体作動薬（ドパミンアゴニスト）

現在わが国では，8 種類の D_2 受容体のドパミン作動薬が利用可能である．**ブロモクリプチンメシル酸塩**（bromocriptine mesilate），ペルゴリドメシル酸塩（pergolide mesilate），カベルゴリン（cabergoline）は麦角系，タリペキソール塩酸塩（talipexole hydrochloride），プラミペキソール塩酸塩水和物（pramipexole hydrochloride hydrate），ロピニロール塩酸塩（ropinirole hydrochloride），アポモルヒネ塩酸塩水和物（apomorphine hydrochloride hydrate），ロチゴチン（rotigotine）は非麦角系である．

ロチゴチンは貼付剤のため食事の影響を受けず，また 24 時間血中濃度が一定のため，夜間の wearing off 症状に効果が期待できる．麦角系は非麦角系と比較して心臓弁膜症や肺線維症の副作用報告が多い一方，非麦角系は運転中に突然入眠して事故を起こす突発的睡眠が問題となる．

3）ドパミン分解酵素阻害薬（17 章 II-1. 参照）

（1）モノアミン酸化酵素-B（MAO-B）阻害薬

セレギリン塩酸塩（selegiline hydrochloride）はドパミン代謝酵素である MAO-B を阻害し，シナプス間隙のドパミン量を増やすことでドパミンの再利用を促進する．サフィナミドメシル酸塩（safinamide mesilate）は，選択的で可逆的な新しい MAO-B 阻害薬であるが，Na^+ チャネル阻害作用やグルタミン酸放出抑制作用などの非ドパミン作用を有していることが特徴である．いずれも wearing off 症状の改善が期待される．

（2）カテコール-O-メチル基転移酵素（COMT）阻害薬

エンタカポン（entacapone）とオピカポン（opicapone）は末梢にのみ作用し，**COMT** による L-ドパの代謝を抑制することで L-ドパの血中濃度を保ち，脳移行を増加させる．wearing off 症状に有効である．

4）アマンタジン塩酸塩

抗 A 型インフルエンザウイルス作用をもつアマンタジン塩酸塩（amantadine hydrochloride）は，インフルエンザ予防の目的で Parkinson 病患者に投与したところ症状が改善したことが報

告され，Parkinson病に対する治療効果があることが明らかになった．従来，ドパミン遊離促進薬として知られているが，通常量では脳内の細胞外ドパミンやドパミン代謝物濃度には変化が見られない．レボドパによる進行期のジスキネジア治療に効果を示すが，その効果発現にはグルタミン酸神経系の調節機構が関与しているとされている．

5）抗コリン薬（中枢ムスカリン性受容体遮断薬）

黒質-線条体系のドパミンが低下すると，相対的にACh神経系が優位になる．このため，抗コリン薬としてトリヘキシフェニジル塩酸塩（trihexyphenidyl hydrochloride），ビペリデン（biperiden）が使用されており，振戦に効果がある．

6）ノルアドレナリン前駆体

Parkinson病は進行するにつれて脳内のノルアドレナリンが低下するので，これを補充するために，その前駆物質である**ドロキシドパ**（droxidopa）を投与する．慢性のすくみ足や起立性低血圧に有効である．

7）アデノシン A_{2A} 受容体拮抗薬

イストラデフィリン（istradefylline）は，Parkinson病の状態でドパミンが減少し，アデノシン優位となっている状況を是正することで，wearing off症状を改善する．

IX 脳循環代謝改善薬

1）抗血栓薬

脳梗塞発症4.5時間以内の症例では，血栓溶解療法として組織プラスミノゲンアクチベーター（t-PA）であるアルテプラーゼ（alteplase）の静脈内投与が適用される．脳梗塞急性期に使用される抗血小板薬として，アスピリン（aspirin），シロスタゾール（cilostazol）とトロンボキサン合成酵素阻害薬であるオザグレルナトリウム（ozagrel sodium）がある．

イフェンプロジル酒石酸塩（ifenprodil tartrate）は，$α_1$受容体阻害による脳血流量増加作用と血小板凝集抑制作用により，脳梗塞後遺症，脳出血後遺症に伴うめまいの改善に使用される．ニセルゴリン（nicergoline）は脳血流量の増加作用や脳エネルギー代謝改善作用により，脳梗塞後遺症に伴う慢性脳循環障害による意欲低下の改善に用いられている．イブジラスト（ibudilast）は，ケミカルメディエーター遊離抑制作用により気管支喘息の治療薬として用いられているが，ホスホジエステラーゼ阻害作用を併せもっており，脳血流量増加による脳循環改善作用を有する．脳梗塞後遺症に伴う慢性脳循環障害によるめまいを改善する．アマンタジンは，脳血管障害による意欲・自発性低下の改善に使用される．

2）脳保護薬

エダラボン（edaravone）は，脳血管障害時のフリーラジカル捕捉薬であり，脳梗塞発症後24時間以内に使用する．脳梗塞急性期に伴う神経症候，日常生活動作障害，機能障害の改善に適応がある．

3）脳循環・代謝改善薬

アデノシン三リン酸二ナトリウム水和物（adenosine triphosphate disodium hydrate）は，いわゆるATPで，血管拡張作用により各種臓器組織の血流量を増加させることで，頭部外傷後遺症に伴う諸症状の改善に用いられる．また，Ménière病・内耳障害に基づくめまいにも有効である．メクロフェノキサート塩酸塩（meclofenoxate hydrochloride）は，頭部外傷後遺症におけるめまいに用いられている．

X 認知症治療薬

認知症には大きく分けてAlzheimer型認知症，Lewy小体型認知症，脳血管性認知症，前頭側頭型認知症がある．特に，Alzheimer型認知症の発症の原因として指摘されているものに，コリン作動性仮説，グルタミン酸仮説，アミロイド仮説，タウ仮説などがある．現在，Alzheimer型認知症を完治させる根本的治療法はないが，症状の進行を抑制する薬物として，コリンエステラーゼ阻害薬とNMDA受容体拮抗薬が上市されている．

中核症状として記憶障害，遂行機能障害，視空間認知障害，言語障害，社会的認知の障害などがある．周辺症状として，抑うつ，幻覚・妄想などの精神症状と徘徊，暴言，暴力などの問題行動などがあり，認知症の行動・心理症状（behavioral and psychological symptoms of dementia；BPSD）と呼ばれる．BPSDには，抗精神病薬，抗うつ薬，抗不安薬などが必要に応じて使用されている．

1）コリンエステラーゼ阻害薬

（1）ドネペジル塩酸塩（donepezil hydrochloride）

ACh分解酵素であるAChエステラーゼを競合的に阻害することで，AChの神経伝達効率を上昇させる．軽度から高度のAlzheimer型認知症に用いられる．また，Lewy小体型認知症による認知機能障害の進行の抑制として適応がある．Lewy小体型認知症に伴うパーキンソニズムには，抗てんかん薬としても使用されるゾニサミド（zonisamide）が認可されている．

（2）ガランタミン臭化水素塩（galantamine hydrobromide）

AChエステラーゼ阻害作用に加え，ニコチン性受容体の活性化作用（アロステリック増強作用）を有する．軽度から中等度のAlzheimer型認知症に用いられる．

（3）リバスチグミン（rivastigmine）

AChエステラーゼ阻害作用に加え，ブチリルコリン分解酵素であるブチリルコリンエステラーゼの阻害作用も有する．軽度から中等度のAlzheimer型認知症に用いられる．リバスチグミンテープとして貼付剤が開発されている．

2）NMDA受容体拮抗薬

メマンチン塩酸塩（memantine hydrochloride）は，NMDA受容体拮抗薬であり，細胞内へのカルシウムの過剰流入を抑え，脳内の興奮性神経伝達物質であるグルタミン酸のシグナルを調節することで，認知症症状の進行を抑制する．メマンチンは，中等度から高度のAlzheimer型認知症に用いられる．また，AChエステラーゼ阻害薬との併用が可能である．

19章　中枢神経系に作用する薬物

歯科医師国家試験出題基準（令和5年版）では，歯科医学総論の「手術・周術期の管理，麻酔」に「麻酔」「全身麻酔（麻酔前投薬，吸入麻酔薬，静脈麻酔薬，筋弛緩薬，麻薬性鎮痛薬とその拮抗薬）」を挙げている．実際の歯科医師国家試験では，全身麻酔で使用する薬物とその分類，特に全身麻酔中の鎮痛に使用する薬物，筋弛緩薬の作用機序などに関して出題されている．

20章　薬理学　各論

循環器に作用する薬物

学修目標とポイント

- 血圧調節の仕組みを説明できる．
- 高血圧治療薬を作用機序から分類できる．
- 心不全の病態生理と代表的な治療薬の種類・作用機序を説明できる．
- 虚血性心疾患の病態生理と代表的な治療薬の種類・作用機序を説明できる．
- 歯科治療において注意すべき不整脈と抗不整脈薬の作用機序・副作用を説明できる．

本章のキーワード

血圧調節，高血圧治療薬，心不全治療薬，虚血性心疾患治療薬，不整脈治療薬，利尿薬

I 高血圧治療薬

1．血圧調節因子と高血圧の病態生理

血圧は心拍数，1回心拍出量，全身血管抵抗で決定される．これらの決定因子は神経性調節と液性調節によって制御されている．心拍数は主に自律神経活動により決定され，交感神経活動の亢進により増加し，副交感神経活動の亢進により抑制される．1回心拍出量は心臓のポンプ機能を指し，静脈還流量（**前負荷**）と心筋収縮力で決まる．血管抵抗は血管平滑筋の緊張度（**後負荷**）によって決定される．前負荷は静脈血管系の緊張度とナトリウム・水分量で影響を受ける．心拍数，前負荷，後負荷は神経性因子と液性因子の両方により制御されている（図1）．

高血圧は血圧の正常調節範囲を逸脱し，高いレベルに維持されている状態である．高血圧は動脈硬化を中心とする心血管系病変，腎疾患，神経系，内分泌系の異常，妊娠中毒症，甘草や麻黄を含む漢方薬，鎮痛薬や免疫抑制薬などの薬物など様々な原因で起こるが，その多くは特定できないことが多い．高血圧症自体は症状が乏しく，サイレントキラーと呼ばれる．放置することで脳卒中，冠動脈性心疾患，網膜症，腎不全の危険性を増加させる．

2．高血圧治療薬

高血圧治療の基本方針は，①**過剰な水分，Na^+ 量を排泄**する，②**血管平滑筋を弛緩させ，血管抵抗を減少**させる，③**過剰な心筋収縮力を抑制**することである．したがって，水分，Na^+ 量の排泄には利尿薬，レニン-アンジオテンシン-アルドステロン系の抑制薬が使用される（**前負荷の軽減**）．また，血管平滑筋の弛緩には交感神経系の受容体を介しての収縮を抑制するか，直接血管平滑筋に作用し弛緩させることで血管抵抗を低下させる（**後負荷の軽減**）．

1）利尿薬

作用機序の詳細は21章Ⅱ利尿薬を参照．降圧利尿薬はチアジド系利尿薬の**ヒドロクロロチアジド**，**トリクロルメチアジド**を用いることが多い．うっ血性心不全など浮腫を伴う時は，K

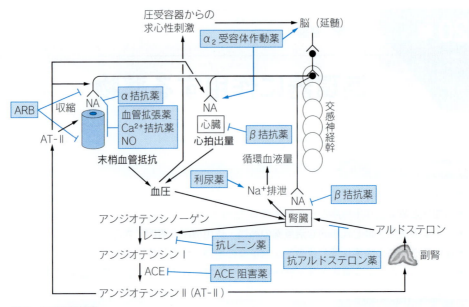

図1　血圧調節機構

保持性利尿薬の**トリアムテレン**が使用される．

2）自律神経受容体抑制による降圧薬

(1) アドレナリンα_1受容体遮断薬

　血管平滑筋の交感神経受容体はα_1受容体とβ_2受容体が存在し，α_1受容体刺激は血管平滑筋を収縮させ血圧を上昇させる．したがって，α_1受容体拮抗薬は末梢血管抵抗を減少させ，血圧を低下させる．**プラゾシン塩酸塩**（prazosin hydrochloride），ドキサゾシンメシル酸塩（doxazosin mesilate）が使用される．また，フェントラミンメシル酸塩（phentolamine mesilate）は，褐色細胞腫の診断，手術前・手術中の血圧調節に用いる．

(2) アドレナリンβ受容体遮断薬

　プロプラノロール塩酸塩（propranolol hydrochloride），**メトプロロール酒石酸塩**（metoprolol tartrate），**アテノロール**（atenolol）は心合併症や交感神経優位の高血圧に有効である．β遮断薬の降圧作用はβ_1遮断による心機能抑制と腎臓でのレニン分泌抑制による．

(3) アドレナリン$\alpha\beta$受容体遮断薬

　カルベジロール（carvedilol），ラベタロール塩酸塩（labetalol hydrochloride）のβ遮断作用はα遮断作用より強い．α_1受容体遮断作用で血管平滑筋を弛緩させ，降圧による反射性頻脈と心機能亢進を心臓にあるβ_1受容体の遮断で抑制できる．

(4) 中枢性交感神経遮断薬

　α_2受容体作動薬で，延髄血管運動中枢のα_2受容体に作用しノルアドレナリンの遊離を抑制する．また，副腎髄質からのアドレナリンの放出を抑制する．**クロニジン塩酸塩**（clonidine hydrochloride），グアナベンズ酢酸塩（guanabenz acetate），メチルドパ水和物（methyldopa hydrate）が使用されるが，高血圧治療におけるα_2受容体作動薬の使用は減少している．メチルドパは胎児への影響の報告がなく，妊娠高血圧に使用される．口渇，めまい，ふらつきなど副作用が多く，治療抵抗性高血圧，早朝高血圧に使用されることが多い．

3）エンドセリン受容体拮抗薬

エンドセリンは血管内皮細胞由来のペプチドで3種類のアイソフォーム（ET-1，ET-2，ET-3）が存在する．エンドセリンは血管平滑筋に存在する2種類のエンドセリン受容体（ET_AとET_B）に作用し，血管平滑筋を収縮させる．アンブリセンタン（ambrisentan）はET_Aを選択的に阻害する．ボセンタン水和物（bosentan hydrate）はET_AとET_Bの両方を非選択的に阻害する．エンドセリン受容体を阻害することで血管平滑筋を弛緩させる．

4）直接的血管拡張薬

血管平滑筋を弛緩させることで血管抵抗を減少させる．主な作用機序は電位依存性Ca^{2+}チャネルの阻害とK^+チャネルの開口による．血管平滑筋の収縮は細胞外液のCa^{2+}濃度に依存する．

（1）電位依存性 Ca^{2+} チャネルと拮抗薬

L型Ca^{2+}チャネルを介したCa^{2+}の流入は，血管平滑筋の緊張や心収縮力の重要な決定因子である．血管平滑筋のCa^{2+}流入が減少すると，細胞内のCa^{2+}濃度は低く保たれる．そのため，Ca^{2+}-カルモジュリンを介したミオシン軽鎖キナーゼの活性低下，アクチン-ミオシン相互作用の減弱をもたらし血管平滑筋が弛緩し，血管が拡張するため血圧が低下する．この反応は静脈系より動脈系で強い．

ジヒドロピリジン系の**ニフェジピン**（nifedipine），**アムロジピンベシル酸塩**（amlodipine besilate）などが使用される．降圧効果が確実で，心不全合併以外では適応が広い．各種臓器合併症例や高齢者でも副作用なく使用できるが，ニフェジピンの舌下投与は過度の血圧低下のリスクがあるため禁忌である．冠状動脈を含む末梢血管拡張作用を示す．

ベンゾチアゼピン系の**ジルチアゼム塩酸塩**（diltiazem hydrochloride）は末梢血管拡張作用が比較的緩徐であるが，血行動態に影響を与え，心筋収縮力の抑制（**陰性変力作用**），心拍数減少（**陰性変時作用**），刺激伝導系の抑制（**変伝導作用**）を示す．したがって，洞性徐脈，房室ブロックの危険があるため，高齢者では慎重投与が必要である．心不全，Ⅱ度以上の房室ブロックでは禁忌である．

（2）その他の血管平滑筋弛緩薬

ヒドララジン塩酸塩（hydralazine hydrochloride）は経口投与型の細動脈拡張薬であるが，膜の過分極作用，K^+ATPチャネルの開口作用，筋小胞体からのイノシトール三リン酸誘発性Ca^{2+}放出抑制が想定されているが，今日でも作用機序は不明な点が多い．主に妊娠高血圧に使用される．

5）レニン-アンジオテンシン-アルドステロン（renin-angiotensin-aldosterone；RAA）系を抑制する薬

アンジオテンシンⅡは強力な血管平滑筋を収縮させるペプチドである．また，アンジオテンシンⅡは副腎皮質から分泌されるアルドステロンを増加させる．アルドステロンは腎臓でのNa^+再吸収を行う．アンジオテンシン変換酵素（angiotensin converting enzyme；ACE）はアンジオテンシンⅠ（不活性型）からアンジオテンシンⅡ（活性型）への変換を触媒する．RAA系の活性化は末梢血管抵抗の上昇と血液量の増加をもたらし，血圧は上昇する．したがって，血圧を低下させるためには，①**レニン活性の阻害**，②**ACE阻害薬**，③**アンジオテンシンⅡタイプ1（AT_1）受容体の阻害**（angiotensinⅡ receptor blocker；**ARB**），④**アルドステロン受容体拮抗薬**が用いられる（図2, 3）．

（1）レニン阻害薬

血漿レニン活性を抑えることでアンジオテンシンⅡの産生を減少させ，血圧を低下させる．

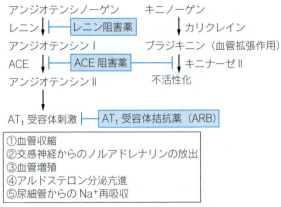

図2 レニン-アンジオテンシン系とその阻害薬

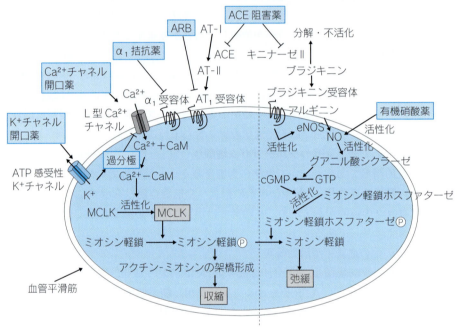

図3 血管平滑筋の収縮・弛緩と治療薬

アリスキレンフマル酸塩（ariskiren fumarate）が使用される．

(2) ACE 阻害薬

　ACE はアンジオテンシンⅡの産生を促進し，さらにブラジキニンの分解も促進するため，アンジオテンシンⅡの昇圧作用とブラジキニンの血管拡張作用の抑制のため血圧が上昇する．ブラジキニンはブラジキニン受容体を介して血管内皮由来一酸化窒素合成酵素（eNOS）を活性化させ，NOによる血管平滑筋弛緩が起こる．したがって，ACE 阻害薬により，アンジオテンシンⅡの産生を抑え，ブラジキニンが増加し，血圧が低下する．高血圧による腎機能障害の保護効果が知られている．**カプトプリル**（captopril），**エナラプリルマレイン酸塩**（enalapril maleate）（プロドラッグ）が使用される．ブラジキニンの増加により空咳を誘発することがある．また，妊婦には催奇形性のため使用禁忌である．

(3) ARB

AT$_1$受容体を遮断し，血管平滑筋の収縮抑制とアルドステロン分泌の抑制により血圧を低下させる．**ロサルタンカリウム**（losartan potassium），カンデサルタンシレキセチル（candesartan cilexetil）が使用される．ほとんど副作用はなく，高血圧による腎機能障害の保護効果が知られている．妊婦には ACE 阻害薬と同様の理由で，使用禁忌である．

(4) アルドステロン受容体拮抗薬

アルドステロンは Na$^+$ の再吸収を促進し，血圧上昇をもたらす．**スピロノラクトン**はアルドステロン受容体を阻害し，Na$^+$ チャネルの作用を抑制し，降圧作用を示す．レニン-アンジオテンシン系阻害薬の併用時，あるいは腎障害を伴う時は，高 K$^+$ 血症に注意する．性ホルモン様作用があるため女性化乳房，無月経を認めることもある．

II — 心不全治療薬

1. 心不全の病因と病態生理

心不全は心筋収縮力の低下によって起こり，心臓のポンプ機能が低下し，心拍出量が低下，血圧低下を示す．そのため，末梢組織に十分な血液を供給できず，酸素不足による組織の機能不全が起こる．さらに，交感神経活動の亢進と RAA 系が亢進し，細動脈の収縮（後負荷の亢進）と Na$^+$ と水分の貯留（前負荷の亢進）が起こる．左心不全では肺静脈系の後負荷のため，肺血管系に血液が貯留し，重症化すると呼吸困難を起こす．右心不全では下大静脈，上大静脈系に血液が貯留し，頸静脈の怒張，下腿の浮腫を示す．虚血性心疾患，弁膜症の他，心筋炎や特発性心筋症が原因となる．

2. 心不全治療薬

心不全の治療は，①**前負荷の軽減**，②**後負荷の軽減**，③**心筋収縮力の改善**，④**交感神経活動の亢進による不整脈の改善**が目標となる（図 4）．原因により病態が異なり，複数の治療薬を併用する．急性心不全，あるいは慢性心不全の急性増悪の時は緊急対応が必要である．

1) 強心薬（図 5）

(1) 強心配糖体

化学構造の中に糖を含有し，**ジゴキシン**（digoxin）と**ジギトキシン**（digitoxin）がある．ジギタリス製剤と呼ばれ，心筋の Na$^+$，K$^+$-ATPase を阻害することで細胞内の Na$^+$ 濃度が上昇する．すると，細胞内外の Na$^+$ 濃度の補正に Na$^+$-Ca^{2+} 交換輸送体（Na$^+$-Ca^{2+} exchanger；NCX）が通常とは逆方向に活性化し，細胞内の Ca^{2+} を上昇させ，筋小胞体からの Ca^{2+} 遊離を促進し，さらに細胞内の Ca^{2+} 濃度を増加させる．心筋収縮力を増加させ，強心作用を示す．

(2) カテコラミン類

急性および慢性心不全の急性増悪時に使用される．**ドパミン塩酸塩**（dopamine hydrochloride）は低用量でドパミン受容体を刺激し，腎血流量の増加により利尿作用が認められ，中等用量では**β$_1$ 受容体**を刺激し心筋収縮力を増加させる．ドブタミン塩酸塩（dobutamine hydrochloride），**アドレナリン**（adrenaline），**ℓ-イソプレナリン塩酸塩**（isoprenaline hydrochloride）は β$_1$ 受容体を刺激し，心筋収縮力を増加させる．カテコラミン類似薬のデノパミンは，経口投与可能な選択的 β$_1$ 受容体作動薬である．

(3) ホスホジエステラーゼⅢ阻害薬（PDE-Ⅲ阻害薬）

筋小胞体膜に局在する PDE-Ⅲ を選択的に阻害する．サイクリック AMP を増加させ，受容

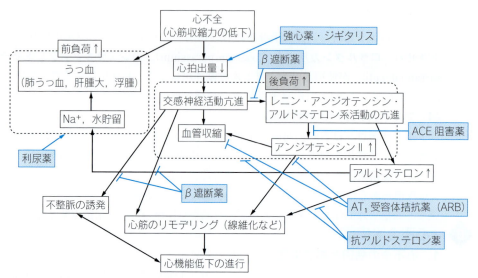

図4　心不全における前負荷・後負荷と治療薬

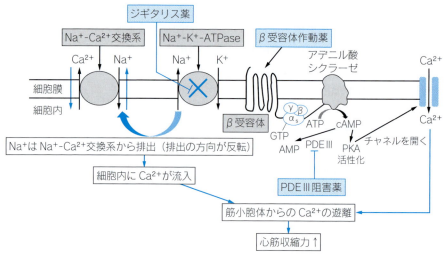

図5　強心薬の作用機序

体を介さないため，慢性心不全の急性増悪時にも使用できる．ミルリノン（milrinone）が使用される．ピモベンダン（pimobendane）はPDE-Ⅲ阻害作用の他に**心筋収縮タンパク（トロポニン）のCa感受性増強作用**を有し，心筋収縮力を高める．コルホルシンダロパート塩酸塩（colforsin daropate hydrochloride）はβ受容体を介さずに**アデニル酸シクラーゼを活性化**する．

2）血管拡張薬

（1）ACE阻害薬，ARB

　アンジオテンシンⅡの細動脈収縮作用，交感神経亢進作用，アルドステロン分泌作用を阻害することで血管平滑筋の弛緩（後負荷軽減）と水とNa$^+$の貯留を抑制（前負荷軽減）し，心筋収縮力を改善する．

（2）α_1受容体遮断薬，カルシウム拮抗薬による血管拡張

　α_1受容体遮断薬の**プラゾシン**や，Ca^{2+}チャネル遮断薬の**アムロジピン**，フェロジピン

(felodipine）で血管平滑筋を弛緩させ，主に後負荷を改善する．
(3) 心房性ナトリウム利尿ペプチド製剤
　心房性ナトリウム利尿ペプチド（atrial natriuretic peptide：**ANP**）の**カルペリチド**（carperitide）は腎臓に対してNa^+排泄を促進する．さらに血管平滑筋のANP受容体に結合し，膜結合型グアニル酸シクラーゼの活性化を介して細胞内サイクリックGMPを増加させ，尿量増加，血管拡張により前負荷，後負荷を改善することで心筋負荷を軽減する．
(4) 有機硝酸塩：ニトログリセリン（nitroglycerin）
　冠状動脈拡張と末梢血管（動静脈）の拡張により，前負荷と後負荷を軽減し心機能を改善する．

3) β受容体遮断薬
　β遮断薬は心筋収縮力を低下させるため心不全の治療薬としては禁忌であったが，近年，拡張型心筋症，陳旧性心筋梗塞による左室収縮不全において心不全治療薬と併用で使用されるようになった．

4) 利尿薬
　前負荷の軽減を行う．Na^+・水分の貯留を尿排泄によって改善する．

Ⅲ 抗不整脈薬

　心臓は電気的興奮伝導機能と機械的機能が協調して働き，全身に十分な血液を送ることができる．機械的機能とはポンプ機能を指し，一方，電気的興奮伝導機能はリズムを示す．正常な洞性調律でないものを不整脈という（表）．動悸，めまい，立ち眩みなどの症状を示すこともあるが，健康診断の心電図検査で指摘されることも多い．不整脈はその成因から**興奮刺激生成の異常**と**刺激伝導の異常**に分けられる．興奮刺激生成の異常は，洞房結節機能の病的状態により房室結節以外に発生する自動能の亢進による場合（**異常自動能**），正常な脱分極に引き続き起こる異常な脱分極（**後脱分極**）と虚血，強い交感神経刺激，ジギタリス中毒で起こる心筋細胞の過剰なCa^{2+}負荷で起こる．刺激伝導の異常は**リエントリー**，**伝導ブロック**，**副伝導路**によって起こると考えられている．

　抗不整脈薬はその作用機序に基づいてⅠ～Ⅳ群の4種類に分類される．基本的な作用機序は，**Ⅰ群はNa^+チャネル遮断薬，Ⅱ群はβ受容体拮抗薬，Ⅲ群はK^+チャネル遮断薬，Ⅳ群はCa^{2+}チャネル遮断薬**である．しかしながら，多くの抗不整脈薬はNa^+，K^+，Ca^{2+}チャネルに対して特異的にブロックするわけではなく，むしろ複数のイオンチャネルをブロックすることが多い．抗不整脈薬は不整脈の発生を抑制する一方で，不整脈を誘発することもあること，陰性変力作用を示すことがある点は注意が必要である．抗不整脈薬の各群の作用機序と特徴を図6に示す．

1) 第Ⅰ群（電位依存性Na^+チャネル遮断）
　活動電位の持続時間の違いにより，さらに3種類のサブタイプに分類される．

表　代表的な不整脈

頻脈性不整脈	洞性頻脈，心房粗・細動，発作性上室性頻拍，心室頻拍，心室細動，倒錯型心室細動（torsades de pointes）
徐脈性不整脈	洞不全症候群，房室ブロック
期外収縮	上室性期外収縮，心室性期外収縮

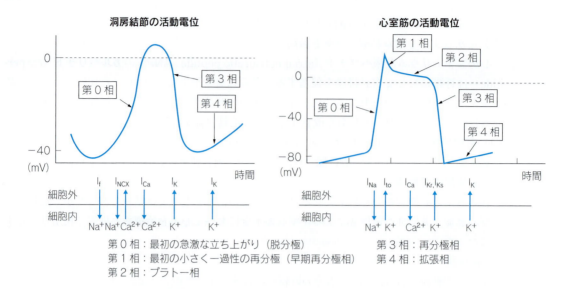

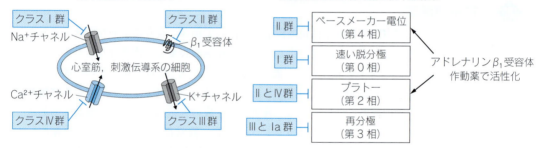

図6 心臓の活動電位と抗不整脈薬の作用機序

(1) Ia群（電位依存性Na$^+$チャネル＋電位依存性K$^+$チャネル遮断薬）

Na$^+$チャネルの他にK$^+$チャネルを遮断し，**活動電位持続時間が延長**し，**不応期を延長**する．心電図ではQT延長を示す．**心房性不整脈**，**心室性不整脈に有効**である．催不整脈作用があり，陰性変力作用も示す．キニジン硫酸塩水和物（quinidine sulfate），**プロカインアミド塩酸塩**（procainamide hydrochloride），ジソピラミド（disopyramide）などがある．

(2) Ib群（電位依存性Na$^+$チャネルを遮断）

活動電位持続時間が短縮し，**不応期を短縮**させる．**心室性不整脈に有効**である．リドカイン塩酸塩（lidocaine hydrochloride），メキシレチン塩酸塩（mexiletine hydrochloride）などがある．リドカイン塩酸塩は局所麻酔薬としても使用される．陰性変力作用は弱い．

(3) Ic群（電位依存性Na$^+$チャネルを遮断）

活動電位持続時間は変わらないが，**不応期は延長**する．**心房性不整脈**，**心室性不整脈に有効**である．催不整脈作用があり，陰性変力作用も強い．フレカイニド酢酸塩（flecainide acetate），プロパフェノン塩酸塩（propafenone hydrochloride），ピルシカイニド塩酸塩水和物（pilsicainide hydrochloride hydrate）などがある．

2）**第Ⅱ群**（β_1受容体遮断）

プロプラノロール塩酸塩（propranolol hydrochloride）は交感神経活動の亢進による上室性

および心室性不整脈を予防できる．頻脈性不整脈に有効である．陰性変力作用があり，心機能抑制や血圧低下，さらに$β_2$受容体遮断作用のため気管支平滑筋の収縮などが起こることがある．洞機能不全症候群やⅡ度以上の房室ブロック，心不全，末梢血管疾患，気管支喘息患者には使用できない．

3) 第Ⅲ群（K^+チャネル遮断）

活動電位持続時間，不応期の延長を示す．**アミオダロン塩酸塩**（amiodarone hydrochloride）はK^+チャネル遮断の他，Ca^{2+}チャネル，Na^+チャネルの遮断作用，$α$，$β$受容体拮抗作用も示す．多面的作用な効果が認められ，心機能低下でも使用できるが，長期使用では甲状腺機能障害，間質性肺炎など特有の副作用がある．難治性の不整脈に使用される．

4) 第Ⅳ群（Ca^{2+}チャネル遮断）

フェニルアルキルアミン系の**ベラパミル塩酸塩**（verapamil hydrochloride），**ベプリジル塩酸塩水和物**（bepridil hydrochloride hydrate）はCa^{2+}チャネルを遮断する．不応期は変わらないが，房室伝導を抑制する．頻拍性心房粗・細動の心拍数コントロールに使用される．心不全，Ⅱ度以上の房室ブロックでは使用できない．

Ⅳ ─ 狭心症治療薬（図7）

1. 虚血性心疾患の原因と病態生理

虚血性心疾患とは冠状動脈の血流が低下し，酸素の供給と需要のバランスが破綻し，需要が供給を上回る状態を示す疾患の総称である．これには冠状動脈が完全閉塞したために心筋細胞が壊死する心筋梗塞と，冠状動脈が狭窄し心筋の一時的な酸素欠乏による狭心症に分けられる．両疾患とも胸痛，胸部圧迫感を示すが，心筋梗塞では30分以上持続する痛みを示すことが多い．

2. 狭心症治療薬

狭心症の治療は，①**冠状動脈の拡張**，②**前負荷の軽減**，③**後負荷の軽減**により，心筋の仕事量を低下させ，心筋の酸素需要量を低下させる．したがって，心筋酸素消費量を低下させることで症状を軽減させる．また，急性心筋梗塞への移行が懸念される場合は**予防的に少量のアスピリンを投与して**，血小板凝集抑制により血栓形成を抑制し，冠状動脈の完全閉塞を防ぐ．

1) 有機硝酸薬

ニトログリセリン，**硝酸イソソルビド**（isosorbide dinitrate）は冠状動脈，抵抗血管の拡張，容量血管の拡張により心筋負荷を低下させ，心筋酸素消費量を低下させる．

2) β受容体遮断薬

アテノロールは労作性狭心症に奏効する．心拍数，心筋収縮力を低下させ，心筋仕事量を減少させる．

3) カルシウム拮抗薬

ジヒドロピリジン系の**ニフェジピン**，**アムロジピン**は血管平滑筋のCa^{2+}チャネルを遮断し，血管平滑筋を弛緩させ，後負荷を軽減する．

4) 冠血管拡張薬

ニコランジル（nicorandil）はニトログリセリンと同様に硝酸薬としての機能と血管平滑筋のアデノシン三リン酸感受性K^+チャネル（adenosine triphosphate-modulated K^+ channel；K_{ATP} channel）を開口させ，膜電位を過分極にする．膜の脱分極が起きにくくなり，電位依存性Ca^{2+}チャネルは開かず，Ca^{2+}流入とそれに続く平滑筋収縮は抑制される．

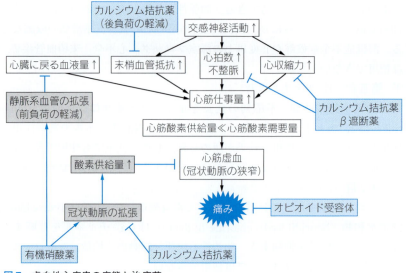

図7 虚血性心疾患の病態と治療薬

循環器作用薬と歯科臨床

1. 抗腫瘍薬と心疾患

近年の分子標的治療薬，免疫チェックポイント阻害薬によりがん医療の目覚ましい進歩が示され，長期予後が期待できるようになった．しかしながら，癌サバイバー数の増加により心血管疾患のハイリスク患者が注目されている．以前からアントラサイクリン系薬剤の用量依存性の心毒性や放射線治療に伴う心血管疾患の存在は知られていたが，近年使用される分子標的治療薬や免疫チェックポイント阻害薬による心不全，動脈硬化症，心臓弁膜症，高血圧症，不整脈，血栓塞栓症などは癌治療関連心血管疾患として新たな病態として注目され，腫瘍循環器学（Onco-Cardiology）と呼ばれ，新たな学際領域をなし，歯科領域も含む多職種の連携が必要な分野である．

2. 高齢者の高血圧と薬物

高齢社会では 80 歳以上の高血圧患者が増加し，降圧療法が行われる．高齢者の高血圧症の特徴は低レニン性の高血圧が多く，利尿薬や Ca^{2+} 拮抗薬がよく反応するが，失神，めまい，転倒などの過剰な降圧症状を示すことがある．特に 50 歳以上の男性では動脈硬化により，頸動脈洞の圧受容器の感受性が亢進し，脈圧の増大として示され神経調節性失神の原因となることがある．利尿薬，RA 系抑制薬は電解質や腎機能異常をきたしやすい一方，チアジド系利尿薬はカルシウム排泄抑制効果により骨粗鬆症に有益な他，ACE 阻害薬は咳誘発作用により誤嚥性肺炎のリスクがある時は使用しやすい．

21章 薬理学 各論

腎臓に作用する薬物

学修目標とポイント
- 腎臓の構造と機能および尿の生成過程について説明できる.
- 利尿薬の薬理作用と適応症を説明できる.
- 代表的な利尿薬（ループ利尿薬，チアジド系利尿薬，浸透圧利尿薬，炭酸脱水酵素阻害薬，カリウム保持性利尿薬）の作用機序と副作用を説明できる.

本章のキーワード
利尿薬，腎臓，糸球体濾過，尿細管再吸収，尿細管分泌，高血圧症，浮腫，ループ利尿薬，浸透圧利尿薬，炭酸脱水酵素阻害薬，チアジド系利尿薬，カリウム保持性利尿薬，アルドステロン，バソプレシン

I ― 腎臓の構造と機能

腎臓（kidney）は血管に富む尿の生成器官であり，成人で重さ約100 gのソラマメ形の器官として左右に一対（2つ）存在する．腎臓には腎動脈から血液が送り込まれ，腎血流量の約1/5が糸球体で濾過され原尿となる．原尿はBowman囊から尿細管へと移行し，尿細管では原尿が再吸収と分泌を受けて最終的に尿となり，腎盂から尿管を経て膀胱に入る（図）．最初に濾過が行われる糸球体とBowman囊を合わせて**腎小体**といい，これに**尿細管**を合わせたものが尿生成の機能単位，すなわち**ネフロン**である．なお，尿細管は近位尿細管，Henleループ（Henle蹄），遠位尿細管および集合管に分節され，Henleループはさらに近位直尿細管，下行脚，上行脚に区分される．

腎臓は1日でおよそ1.4 Lの尿を生成する．この尿生成によって3つの機能すなわち，①体液量とそれに含まれる電解質（Na^+，K^+，Cl^-）の調節，②体液pH（酸塩基平衡）の調節，③尿素やクレアチニンなどの代謝産物の排泄を実現する．これに加え，④レニン，エリスロポエチン，活性型ビタミンDなどのホルモン産生も腎臓の重要な機能の1つである．また，体液量や電解質排泄による血漿浸透圧の変化は血圧に直接影響することから，腎臓は心臓や血管などとともに血圧調節の一端を担っている．

1. 尿生成の過程
1）糸球体濾過

血球・血小板やタンパク質，脂質および陰イオンは糸球体毛細血管から濾過されにくく，それ以外の物質は生体に必要なグルコースやアミノ酸であっても，いったん濾過されて原尿（血漿に似た成分）となり，Bowman囊を経て尿細管へ移行する．単位時間あたりに糸球体で濾過される血漿（原尿）の量を**糸球体濾過量**（glomerular filtration rate；**GFR**）といい，クレアチニンクリアランスとともに腎機能を評価する指標の1つとされている（正常で100 mL/分

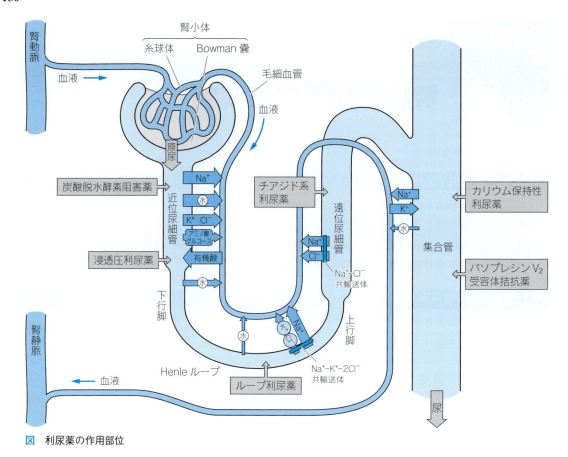

図　利尿薬の作用部位

前後，腎不全や加齢により値が低下する）．

2）尿細管再吸収

　近位尿細管では，水をはじめグルコースやアミノ酸など，生体に必要な物質の大半を原尿から回収（**再吸収**）し血液に戻す．水は浸透圧に応じて受動的に再吸収され，グルコースやアミノ酸は能動輸送によりほぼ100％再吸収される．次のHenleループでは，下行脚で水が，上行脚〜遠位尿細管の間ではNa^+-Cl^-共輸送体によりNa^+が再吸収される．また，Ca^{2+}は副甲状腺ホルモンや活性型ビタミンDの作用によって，尿細管の様々な部位から能動輸送により再吸収される．最後の集合管では，アルドステロン（aldosterone）が鉱質コルチコイド受容体（mineralcorticoid receptor）に結合することでNa^+の再吸収を促進する．また，抗利尿ホルモンであるバソプレシン（vasopressin）がバソプレシンV_2受容体（vasopressin V_2 receptor）に結合し，水の再吸収を促す．

3）尿細管分泌

　近位尿細管では，尿素やクレアチニン（creatinine）などの不要な代謝産物が血中（血管）から尿中（尿細管）に排泄（**分泌**）される．集合管では，アルドステロンによりK^+の分泌が促進される．

2. 尿生成を調節するホルモン
1) アルドステロン

　血圧低下や循環血漿量の減少が引き金となって腎臓の傍糸球体細胞（顆粒細胞）からレニン（renin）が分泌される．レニンによりアンジオテンシノーゲン（angiotensinogen）からアンジオテンシンⅠ（angiotensin Ⅰ）が生成され，それを肺から分泌されるアンジオテンシン変換酵素（angiotensin converting enzyme；ACE）がアンジオテンシンⅡに変換する．アンジオテンシンⅡは，全身の血管を収縮させて血圧を上昇させる他，副腎皮質や腎臓に作用する［レニン-アンジオテンシン（RA）系］．副腎皮質からはステロイドホルモンであるアルドステロンが分泌され，集合管のNa^+チャネルを増加させ，Na^+の再吸収とそれに伴う水の再吸収を促進する．その結果，血圧上昇と体液量の増加をもたらす［レニン-アンジオテンシン-アルドステロン（RAA）系］．

　このRA系を標的とした**ACE阻害薬**（カプトプリルなど）や**アンジオテンシンⅡ受容体拮抗薬**（バルサルタンなど）は，末梢血管収縮阻害作用に加え，腎臓における水の再吸収を阻害することで体液量を減少させ，降圧作用を発揮する（20章Ⅰ-2.-5）参照）．

2) バソプレシン

　循環血漿量の減少や浸透圧上昇により，脳下垂体後葉からペプチドホルモンであるバソプレシンが分泌される．バソプレシンは抗利尿ホルモンと呼ばれ，集合管のバソプレシン受容体に結合し，水チャネル（アクアポリン，aquaporin）を開き浸透圧差によって水の再吸収を促進させる．その結果，血漿の浸透圧が低下する．

3) 心房性ナトリウム利尿ペプチド（atrial natriuretic peptide；ANP）

　アルドステロンとは逆の作用をもつペプチドホルモンであり，心房の心筋細胞から分泌され，集合管におけるNa^+の再吸収を抑制することで，利尿作用を発揮する．また，全身の血管を拡張させる作用があり，体液量の減少と血圧低下をもたらす．

4) その他

　セリンプロテアーゼであるカリクレイン（kallikrein）が腎臓で産生され，それがキニノーゲン（kininogen）を切断して血圧降下作用をもつブラジキニンを生成する．また，腎臓のブラジキニンはプロスタグランジンE_2（prostaglandin E_2；PGE_2）の産生を介して腎血流量の増加とナトリウム利尿作用による血圧低下をもたらすことが知られている．

Ⅱ—利尿薬（表）

　利尿とは尿量増加作用のことであり，尿細管における水の再吸収が抑制されると尿量が増加する．水の再吸収量は尿の浸透圧に応じて増減するが，この浸透圧に最も大きな影響を与える尿中の電解質がNa^+である．したがって，一部の利尿薬は尿細管でのNa^+再吸収を抑制することで水の再吸収も抑制し，Na^+とともに水を排泄させる作用をもつ．これを**ナトリウム利尿**という．また，Na^+が再吸収されても，薬物により尿の浸透圧を高く保持することで水の再吸収を抑制でき，これを**浸透圧利尿**という．集合管の水透過性を制御するバソプレシンの作用を阻害して水の再吸収を抑制する場合は，電解質の排泄を伴わないので**水利尿**と呼ばれる．

　利尿薬の使用目的は，うっ血性心不全（心性浮腫），ネフローゼ症候群や糸球体腎炎（腎性浮腫），肝硬変（肝性浮腫）などによる全身性浮腫や脳浮腫の改善を図る場合，高血圧症において血圧降下を期待する場合に大別される．

表 利尿薬の名称および適用

分類		薬物名	適用（添付文書に記載されている主な効能）
ループ利尿薬		アゾセミド，トラセミド，ピレタニド，ブメタニド	浮腫（心性，腎性，肝性）
		フロセミド	浮腫（心性，腎性，肝性），高血圧症（本態性，腎性），悪性高血圧
チアジド系利尿薬	チアジド系利尿薬	トリクロルメチアジド，ヒドロクロロチアジド，ベンチルヒドロクロロチアジド	浮腫（心性，腎性，肝性），高血圧症（本態性，腎性），悪性高血圧
	チアジド系類似利尿薬	メフルシド	浮腫（心性，腎性，肝性），高血圧症（本態性，腎性）
		インダパミド，トリパミド，メチクラン	高血圧症（本態性）
カリウム保持性利尿薬（抗アルドステロン薬）		トリアムテレン，スピロノラクトン	浮腫（心性，腎性，肝性），高血圧症（本態性，腎性）
		エプレレノン	高血圧症（本態性，腎性）
		カンレノ酸カリウム	浮腫（心性，肝性）
炭酸脱水酵素阻害薬		アセタゾラミド	浮腫（心性，肝性），Ménière病，緑内障の眼圧降下
浸透圧利尿薬		イソソルビド	Ménière病，緑内障の眼圧降下，脳圧降下
		D-マンニトール，高張グリセロール	緑内障の眼圧降下，脳圧降下
バソプレシンV_2受容体拮抗薬		トルバプタン	浮腫（心性）
		モザバプタン	低ナトリウム血症

（現代歯科薬理学 第5版．p.193．より）

1．ループ利尿薬

　利尿薬の中では最も作用が強く，ハイシーリング（high-ceiling）利尿薬と呼ばれている．**フロセミド**（furosemide），**ブメタニド**（bumetanide），**トラセミド**（torasemide），アゾセミド（azosemide），ピレタニド（piretanide）などの製剤があり，これらは，Henleループ上行脚に存在するNa^+-K^+-$2Cl^-$共輸送体の作用を阻害することでNa^+の再吸収を阻害し，ナトリウム利尿をもたらす．

　高血圧症（本態性，腎性），浮腫（心性，腎性，肝性，脳性），尿路結石排出促進，腎不全による乏尿に効果があり，副作用として低カリウム血症，高尿酸血症，脱水，口渇，低血圧，低ナトリウム血症，低クロライド性アルカローシスなどが見られることがある．併用に関しては，ゲンタマイシン硫酸塩（gentamicin sulfate）などのアミノグリコシド系抗菌薬やセファロスポリン系抗菌薬が腎毒性の増強をもたらし，酸性非ステロイド性抗炎症薬（NSAIDs）は腎臓でのプロスタグランジン合成を阻害して利尿作用を減弱させるため注意が必要である．

2．チアジド（サイアザイド）系利尿薬

　利尿効果はループ利尿薬よりも弱いが，高血圧症治療に用いる利尿薬としては第1選択とされる．**トリクロルメチアジド**（trichlormethiazide），**ヒドロクロロチアジド**（hydrochlorothiazide），ベンチルヒドロクロロチアジド（benzylhydrochlorothiazide）などがあり，これらは遠位尿細管のNa^+-Cl^-共輸送体に作用し，Na^+の再吸収を阻害することでナトリウム利尿を引き起こす．また，化学構造は異なるがチアジド系に近い作用をもつ利尿薬として，**インダパミド**（indapamide），**メフルシド**（mefruside），トリパミド（tripamide），メチクラン（meticrane）があり，チアジド系類似利尿薬とも呼ばれる．

これらの薬物は，高血圧症や浮腫（心性，腎性，肝性）などの治療に用いられ，低カリウム血症，低ナトリウム血症，低クロライド血症，低クロライド性アルカローシス，高カルシウム血症，高尿酸血症，高血糖，口渇などが副作用として現れることがある．酸性NSAIDsの併用により，利尿降圧作用が減弱することが知られている．

3. 炭酸脱水酵素阻害薬

利尿作用は弱いため，Ménière（メニエール）病や緑内障の治療における眼圧降下薬として用いられている．**アセタゾラミド**（acetazolamide）は近位尿細管の炭酸脱水酵素（carbonic anhydrase；CA）を阻害することによりH^+とHCO_3^-の生成を減少させる．その結果，Na^+-H^+交換輸送が正常に機能しなくなり，尿中へのNa^+とHCO_3^-の排出が促進されることで利尿効果が引き起こされる．副作用として，代謝性アシドーシス，低カリウム血症，低ナトリウム血症，味覚異常などが知られている．

4. カリウム保持性利尿薬（potassium sparing diuretics）

ループ利尿薬やチアジド系利尿薬では，低カリウム血症が副作用として生じることがある．これは，尿細管での再吸収が阻害されて流れてきたNa^+が集合管で再吸収される際に，K^+が陽イオンの代替としてNa^+, K^+-ATPaseによって血中から分泌されるためである．これに対して，**スピロノラクトン**（spironolactone），**エプレレノン**（eplerenone），**カンレノ酸カリウム**（potassium canrenoate）などの抗アルドステロン薬や，**トリアムテレン**（triamterene）などのNa^+チャネル遮断薬は，間接的または直接的に集合管のNa^+チャネルの機能を阻害するため，Na^+, K^+-ATPaseの活性が低下し，K^+分泌量も低下する．よって，カリウム保持性利尿薬は，低カリウム血症を軽減させる目的でループ利尿薬やチアジド系利尿薬と併用されることが多い．

これらの薬物は，浮腫（心性，腎性，肝性）および高血圧症の治療に用いられ，副作用として高カリウム血症と口渇がある．多くの酸性NSAIDsはプロスタグランジン産生を抑制して，トリアムテレンの腎血流量低下作用を増強するため併用注意である．ただし，ジクロフェナクナトリウムおよびインドメタシンとそのプロドラッグは併用禁忌なので注意が必要である．

5. 浸透圧利尿薬（osmotic diuretics）

全身の血漿浸透圧を上げることにより，組織から水分を血液中に引き出すことで腎血流量が増加し，GFRが高くなる．また，浸透圧利尿薬は糸球体で濾過されるものの，尿細管での再吸収は受けにくいため，尿細管腔内の浸透圧が上昇し，水の再吸収が抑制される．この2つの作用によって，尿量が増加する．**D-マンニトール**（D-mannitol），**イソソルビド**（isosorbide）などは脳浮腫の脳圧降下や緑内障の眼圧降下に使用されている．Ménière病の発作予防にはイソソルビドが用いられている．副作用として，肝機能障害や黄疸を生じることがある．

6. バソプレシンV_2受容体拮抗薬（vasopressin V_2 receptor antagonists）

バソプレシンは抗利尿ホルモン（antidiuretic hormone；ADH）ともいわれ，集合管の主細胞に発現するV_2受容体に結合すると水チャネルが開き，浸透圧差によって水が再吸収される．**トルバプタン**（tolvaptan）は，V_2受容体を遮断して水の再吸収を抑制し，利尿作用を発現する．この時，他の利尿薬とは異なり，電解質の排泄は増加しないのが特徴である（水利尿）．

V_2受容体拮抗薬は，心不全や肝硬変による浮腫の治療や多発性囊胞腎に対する適応があり，副作用として，口渇，頻尿，高ナトリウム血症，腎不全，肝障害などが報告されている．CYP3A4により代謝を受けるため，抗菌薬のエリスロマイシン（erythromycin）やクラリスロマイシン（clarithromycin），抗真菌薬のイトラコナゾール（itraconazole）との併用で作用が増強される．

Ⅲ 利尿薬の注意点

利尿薬の副作用として過度の水分排出による**脱水**があり，立ちくらみやふらつき，低血圧の症状をもたらすため注意が必要である．また，神経や筋肉の機能に必要なNa^+やK^+などのバランスが崩れる**電解質異常**により脱力感や吐き気の他，めまい，頭痛，聴覚障害などの精神神経系症状が現れることがある．

利尿薬とRA系阻害薬またはアンジオテンシンⅡ受容体拮抗薬を併用している患者にNSAIDsを投与すると**急性腎障害**のリスクが上昇する．これら3剤（利尿薬＋RA系阻害薬／アンジオテンシンⅡ受容体拮抗薬＋NSAIDs）の併用は腎臓に対する"三段攻撃（triple whammy）"と呼ばれており，高齢者や腎障害患者への使用を避ける．

Ⅳ 抗利尿薬

中枢性尿崩症（central diabetes insipidus；CDI）や夜尿症の治療に用いられる．両者ともバソプレシンの分泌不足に起因するため，バソプレシンやその合成アナログであるデスモプレシン酢酸塩水和物（desmopressin acetate hydrate）の補充療法が行われる．副作用として，脳浮腫，昏睡，けいれんなどを伴う重篤な水中毒が現れることがある．

22章 薬理学　各論

呼吸器系に作用する薬物

学修目標とポイント

- 呼吸器疾患〔気管支喘息，慢性閉塞性肺疾患（COPD）〕の病態についてその特徴を説明できる．
- 気管支喘息の治療薬について説明できる．
- 慢性閉塞性肺疾患（COPD）の治療薬について説明できる．
- 呼吸器疾患に特徴的な症状と対症療法薬を説明できる．

本章のキーワード

気管支喘息，気管支平滑筋，アドレナリン β_2 受容体作動薬，ムスカリン性アセチルコリン M_3 受容体拮抗薬，キサンチン誘導体，吸入ステロイド，鎮咳薬，去痰薬

I ─ 気管支喘息治療薬

1. 気管支喘息の病態生理（図1）

　気管支喘息は気道の慢性炎症性疾患で，肥満細胞（マスト細胞）の活性化を中心とした病態であるが，好酸球も炎症性物質を放出し，気道上皮細胞の障害を起こし，病態の進展に重要な役割を果たしている．肥満細胞にある IgE（immunoglobulin E）受容体に抗原特異的な IgE が結合する．さらに IgE に抗原が結合すると，肥満細胞は活性化し，ヒスタミンやロイコトリエンを放出し，気管支平滑筋の収縮を誘発し，喘鳴，呼吸困難などの症状を示す．

2. 気管支平滑筋の収縮・弛緩と気管支喘息治療薬の種類

　気管支喘息の特徴は，①気道の慢性炎症，②可逆的な気道閉塞，③気道過敏性であり，気道炎症が長期間続くと気道の構造変化（リモデリング）が起こり，気道可逆性が失われる．気管支平滑筋には様々な受容体が存在する．気管支平滑筋を弛緩させる受容体はアドレナリン β_2 受容体である．一方，気管支平滑筋を収縮させる受容体はムスカリン性 M_3 受容体，ロイコトリエン（LT）受容体，アデノシン A_1 受容体，ヒスタミン H_1 受容体が知られている．

　したがって，気管支平滑筋の弛緩と気道環境の過剰な免疫反応を抑制することで炎症を抑える治療が行われる．気管支喘息発作時には短時間作用型 β_2 作動薬，抗コリン薬，キサンチン誘導体の**テオフィリン**（theophylline），**アミノフィリン**（aminophylline）を使用し気管支平滑筋を弛緩させる（図2）．**非発作時**には喘息長期管理薬として吸入ステロイド薬（inhaled corticosteroid；ICS），吸入抗コリン薬，長時間作用型 β_2 受容体作動薬（long-acting β_2-agonist；LABA），ロイコトリエン受容体拮抗薬，徐放性テオフィリン，抗 IgE 抗体，メディエーター遊離抑制薬，H_1 受容体拮抗薬，トロンボキサン A_2 受容体拮抗薬，Th2 サイトカイン合成酵素阻害薬が使用される（図3，表）．

　ICS は抗炎症薬で薬物療法の中心であるが，発作時に使用する薬物ではなく，長期管理に使

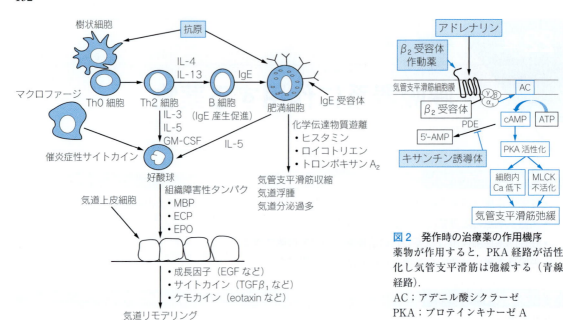

図1 気管支喘息の病態生理
IL；interleukin
GM-CSF；granulocyte macrophage colony-stimulating factor
MBP；major basic protein
ECP；eosinophil cationic protein
EPO；eosinophil peroxidase
EGF；epidermal growth factor
TGFβ_1；tumor growth factor β_1

図2 発作時の治療薬の作用機序
薬物が作用すると，PKA経路が活性化し気管支平滑筋は弛緩する（青線経路）．
AC；アデニル酸シクラーゼ
PKA；プロテインキナーゼA
MLCK；ミオシン軽鎖キナーゼ

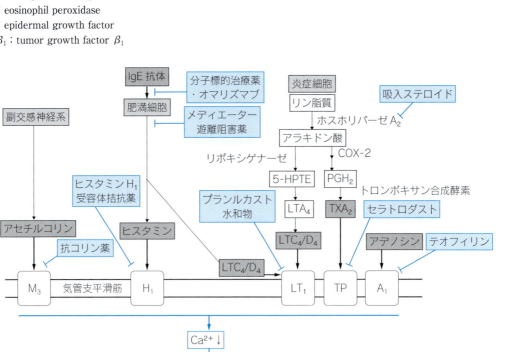

図3 非発作時に使用される治療薬の作用機序
薬物が作用すると細胞内Ca^{2+}濃度は低下し気管支平滑筋は弛緩する（青線経路）．

表 気管支喘息治療薬の分類

種類	主な薬物
$β_2$受容体作動薬	アドレナリン，エフェドリン塩酸塩，ℓ-イソプレナリン塩酸塩，サルブタモール硫酸塩
吸入抗コリン薬	イプラトロピウム臭化物水和物
吸入ステロイド薬	ベクロメタゾンプロピオン酸エステル，フルチカゾンプロピオン酸エステル
ロイコトリエン受容体拮抗薬	プランルカスト水和物，モンテルカストナトリウム
メディエーター遊離抑制薬	クロモグリク酸ナトリウム，トラニラスト
トロンボキサンA_2受容体拮抗薬	セラトロダスト
Th2サイトカイン合成酵素阻害薬	スプラタストトシル酸塩
H_1受容体拮抗薬	ケトチフェンフマル酸塩，エピナスチン塩酸塩
キサンチン誘導体	テオフィリン徐放剤，アミノフィリン
分子標的治療薬	オマリズマブ（抗IgE抗体），メポリズマブ（抗IL-5抗体），ベンラリズマブ（抗IL-5受容体抗体），デュピルマブ（抗IL-4/13受容体抗体）

用する．吸入抗コリン薬は長時間作用型抗コリン薬（long-acting muscarinic antagonist；LAMA）を使用することが多い．近年はICS/LABAあるいはICS/LAMA/LABA配合剤の使用が可能となっている．また，長期管理薬が発作時にも使用できるSMART療法（symbicort maintenance and reliever therapy）が注目され，これはICSのフルチカゾンとLABAのサルメテロールの合剤である．定期的使用の他，症状悪化時の追加吸入が可能となった．

3. 気管支喘息治療薬（表）の特徴・作用機序と副作用・服薬指導
1) $β_2$受容体作動薬

気管支平滑筋の$β_2$受容体に作用し，GTP結合タンパク質（G_s）を介してアデニル酸シクラーゼ（AC）を活性化し，サイクリックAMP（cyclic AMP）を産生し，タンパク質リン酸化酵素A（PKA）を活性化する．PKAはミオシン軽鎖キナーゼをリン酸化して活性を抑制し，さらにカルシウムポンプを活性化して細胞内カルシウム濃度を減少させ，気管支平滑筋を弛緩させる．長期管理では吸入薬が中心となる．口腔内に残存すると全身作用による副作用のリスクがあるため，吸入後はうがいが必要である．

心悸亢進（動悸），不安，不眠，頭痛，悪心・嘔吐，めまい，振戦，高血糖，低カリウム血症，骨格筋のけいれんの副作用が認められることがある．高血圧，心疾患，甲状腺機能亢進症，糖尿病の患者には慎重に投与する．アドレナリンは緑内障など眼圧上昇患者には禁忌である．エフェドリン塩酸塩は緑内障，前立腺肥大の患者には禁忌である．

2) 抗コリン薬

気管支平滑筋にはムスカリン性M_3受容体が存在し，GTP結合タンパク質（G_q）を介してホスホリパーゼCを活性化する．活性化により細胞内Ca^{2+}が増加し，カルモジュリンと結合しミオシン軽鎖キナーゼを活性化し，ミオシンのリン酸化を促進し気管支平滑筋が収縮する．ムスカリン性受容体拮抗による副作用として，唾液分泌低下による口腔乾燥症，毛様体筋の収縮により，眼房水の排泄が抑制されるため起こる眼圧上昇，洞結節のムスカリン性受容体抑制による心悸亢進（動悸），膀胱体部の平滑筋の収縮抑制による排尿困難を誘発し，**前立腺肥大症，閉塞隅角緑内障**の患者には禁忌である．

3）吸入ステロイド薬

気道炎症を抑制する作用として，最も抗炎症作用の強いステロイド性抗炎症薬が使用される．副作用の少ない吸入ステロイドが気管支喘息管理薬の基軸の薬物である．作用発現には数日〜数週間かかるので急性増悪時には用いられない．局所投与で T 細胞，マクロファージ，好酸球，肥満細胞の働きを抑制し，サイトカイン産生の抑制，血管透過性亢進の抑制，気道粘液分泌の抑制などがその作用機序である．吸入後は口腔内に残存した薬を洗い流すため，**うがいを行うことを指導**する．それによって嗄声の予防，全身作用を抑えることができる．

4）ロイコトリエン受容体拮抗薬とトロンボキサン受容体拮抗薬

気管支平滑筋にはロイコトリエン受容体が存在し，ロイコトリエン（LTC_4，LTD_4）により収縮反応が認められる．また，アラキドン酸の代謝産物であるトロンボキサン A_2 も A_2 受容体を介して気管支平滑筋を収縮させる．したがって，ロイコトリエン受容体拮抗薬，A_2 受容体拮抗薬は気管支喘息発作の**予防薬**として使用される．吸入ステロイドの効果が十分でない時に追加で使用される．

5）キサンチン誘導体

ホスホジエステラーゼを阻害することにより cyclic AMP を増加させ，$β_2$ 受容体を刺激した状態になるため気管支平滑筋は弛緩する．さらに**テオフィリン**は気管支平滑筋のアデノシン A_1 受容体の作用に拮抗する．A_1 受容体にアデノシンが作用すると気管支平滑筋が収縮する．血中濃度に依存して副作用が出現するため，使用にあたっては血中濃度測定が必要となる（TDM を行う）．悪心嘔吐などの消化器症状，けいれんなどの中枢神経症状，不整脈，尿酸値上昇，高血糖を示す．

6）抗アレルギー薬

Ⅰ型アレルギー反応で気道粘膜に存在する肥満細胞からヒスタミン，ロイコトリエンなどの**ケミカルメディエーター**が遊離される．遊離抑制により発作を予防できるので遊離抑制薬として**クロモグリク酸ナトリウム**（sodium cromoglicate），トラニラスト（tranilast）がある．また，肥満細胞から遊離されたヒスタミンは気管支平滑筋収縮作用，粘液分泌作用があるため，これらの作用を抑制するため H_1 受容体拮抗薬として，**ケトチフェンフマル酸塩**（ketotifen fumarate），アゼラスチン塩酸塩（azelastine hydrochloride），エピナスチン塩酸塩（epinastine hydrochloride）がある．

7）分子標的治療薬

近年，分子標的治療薬の進歩は目覚ましいものがある．肥満細胞にある IgE 受容体と IgE の結合を阻害することで肥満細胞からの**メディエーター**の遊離を抑制できる．IgE に対する抗体として**オマリズマブ**（omalizumab）があり，IgE 受容体と IgE の相互作用を抑制する．IL-5 は好酸球の活性化を誘導し，気道炎症を悪化させる．IL-5 に対する抗体〔メポリズマブ（mepolizumab）〕，IL-5 受容体に対する抗体〔ベンラリズマブ（benralizumab）〕は好酸球による気道炎症を抑制する．Th2 細胞は IL-4 や IL-13 を放出し B 細胞の IgE 抗体の転写活性を促進し，抗体産生を誘導する．IL-4/IL-13 受容体に対する抗体として，デュピルマブ（dupilumab）がある．

II ― 慢性閉塞性肺疾患（COPD）治療薬

　COPDは肺胞構造の破壊による肺気腫，慢性気管支炎と末梢気道病変による気道閉塞を示す．喫煙，大気汚染，呼吸器感染症，粉塵曝露が主な原因であるが，遺伝的素因も指摘されている．患者の9割は喫煙が原因である．治療は**吸入薬**が中心となる．**抗コリン薬**（チオトロピウム）および**β₂受容体作動薬**（サルメテロール）で気管支平滑筋を弛緩させ，**ステロイド**（フルチカゾンプロピオン酸エステル）で慢性気道炎症を抑制する．3種類の吸入合剤が使用されることが多い．

III ― 鎮咳薬

　咳は気道に侵入した異物，感染，アレルギー反応，刺激性ガスの吸入などで起こる突発性呼吸運動で生体防御反射である．咳反射は気道異物などによる機械的刺激やサブスタンスPなどの神経ペプチドで咳受容体が刺激され舌咽神経，迷走神経，横隔神経の求心性線維が延髄の咳中枢に伝えられ，迷走神経，肋間神経，横隔神経の遠心性線維による急激な筋肉の収縮が起こる．過剰な咳反射は多大なエネルギーを消費し，体力を消耗させる．一方，高齢者は咳反射が低下し，誤嚥性肺炎を起こすリスクがある．

　鎮咳薬は作用部位から2種類に分類される．咳中枢の求心性インパルスに対する閾値を上昇させ，咳反射を抑制する中枢性鎮咳薬と，気道粘膜にある咳受容体からのインパルスを抑制する末梢性鎮咳薬がある．**オピオイドμ受容体**および**オピオイドκ受容体**は鎮咳作用に関係し，コデインリン酸塩水和物（codeine phosphate hydrate），ジヒドロコデインリン酸塩（dihydrocodeine phosphate）は作動薬として作用する．1%濃度以下の製剤は麻薬指定を受けない．

　気道分泌を低下させ，粘膜の乾燥を生じるので気道分泌物が多い時には適しているが，気管支喘息やCOPDでは気道分泌の粘度が高くなり，症状を悪化させるので不適である．薬物依存はあるが，鎮咳効果を得る量では陶酔は生じない．また，便秘を生じることがあるので注意が必要である．非麻薬性の合成鎮咳薬としてはデキストロメトルファン臭化水素酸塩水和物（dextromethorphan hydrobromide hydrate）がある．末梢性の鎮咳薬は含嗽薬，局所麻酔薬，去痰薬，気管支拡張薬が使用される．

IV ― 去痰薬

　気管支腺や杯細胞は分泌物の産生・分泌を行う．分泌物により気道内面を湿潤化し，侵入した異物を分泌物と一緒に痰として排出する．去痰薬は気道の分泌作用を促進し，痰の粘度を減少させ，分泌物の喀出を容易にする薬である．気道分泌物の粘性に対する影響は感染などによるDNA量の増加，水分の減少，Na^+，K^+の減少，Ca^{2+}の増加，タンパク質，ムコ多糖類の増加があげられる．去痰薬としては気道分泌促進薬〔**ブロムヘキシン塩酸塩**（bromhexine hydrochloride）〕，気道粘液溶解薬〔**アセチルシステイン**（acetylcysteine）〕，タンパク質分解酵素，DNA分解酵素，多糖類分解酵素，気道粘液修復薬〔**L-カルボシステイン**（carbocysteine）〕，気道潤滑薬〔**アンブロキソール塩酸塩**（ambroxol hydrochloride）〕がある．

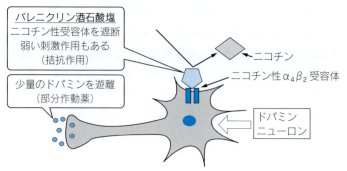

図4 禁煙補助薬の作用機序

呼吸促進薬

　呼吸促進薬は，呼吸中枢を直接刺激するものと末梢化学受容器を介して呼吸中枢を興奮させるものがある．**ジモルホラミン**（dimorpholamine）は延髄の呼吸中枢を直接刺激する．**ドキサプラム塩酸塩水和物**（doxapram hydrochloride hydrate）は頸動脈小体，大動脈小体に存在する化学受容器を刺激して反射性に呼吸を促進させる．ベンゾジアゼピン系催眠薬，静脈麻酔薬の過量投与では呼吸抑制が起こる．**フルマゼニル**（flumazenil）は$GABA_A$受容体のベンゾジアゼピン系薬物の結合部位に拮抗することで自発呼吸を回復させることができる．麻薬性鎮痛薬による中毒での呼吸抑制はオピオイド受容体拮抗薬のレバロルファン酒石酸塩（levallorphan tartrate），ナロキソン塩酸塩（naloxone hydrochloride）が用いられる．

呼吸器系に作用する薬物と歯科臨床

1．喫煙の有害性と禁煙補助薬

　タバコの煙にはニコチンの他に，多くの発がん物質，有害物質を含んでいる．これらを吸い込むことにより高血圧，喉頭癌，肺癌のリスクを高める．また，歯周病の悪化や，口腔扁平上皮癌の誘因となる．喫煙の有害性を納得し禁煙を試みる人は多いが，ニコチン依存症のためなかなか達成できない．ニコチン依存症はニコチンによるドパミンニューロンのニコチン性（$\alpha_4\beta_2$）受容体の刺激による．そこでこの受容体の部分作動薬であるバレニクリン酒石酸塩（varenicline tartrate）を使用し，ドパミン遊離を抑制する（図4）ことにより禁煙を始めた時の離脱症状を軽減することができる．

23章 薬理学 各論

消化器系に作用する薬物

学修目標とポイント
- 消化性潰瘍とその治療薬の種類と特徴を説明できる.
- 消化管の機能を調節する薬物を説明できる.
- 肝機能の改善に使用する薬物を説明できる.

本章のキーワード
消化性潰瘍,ヘリコバクター・ピロリ,NSAIDs,壁細胞,プロトンポンプ,ヒスタミン H_2 受容体,プロスタグランジン

I 消化性潰瘍治療薬

1. 消化性潰瘍

　胃または十二指腸の粘膜に潰瘍が生じた状態を消化性潰瘍という.胃酸による粘膜の損傷が潰瘍を引き起こすが,ヘリコバクター・ピロリ（*Helicobacter pylori*）感染と非ステロイド性抗炎症薬（non-steroidal anti-inflammatory drugs；**NSAIDs**）が発症の2大リスク因子である.日本では,ヘリコバクター・ピロリ感染率の低下により消化性潰瘍の全体数は減少してきたが,NSAIDsや低用量アスピリン内服者の消化性潰瘍（薬剤性潰瘍）が増加傾向にある.

　消化性潰瘍の治療は胃酸の分泌を抑制し,潰瘍の治癒を促すことが中心となる.ヘリコバクター・ピロリ陽性の場合,胃酸分泌抑制薬と抗菌薬を併用した除菌治療を行うことが推奨されており,治癒の促進,再発予防の効果が明らかになっている.また,NSAIDsに起因する潰瘍では可能であれば原因となったNSAIDsの使用を中止するが,中止が不可能ならば胃酸分泌抑制薬の投与が推奨されている.

2. 消化性潰瘍治療薬

　消化性潰瘍治療薬は胃酸を抑制する胃酸分泌抑制薬や制酸薬,ヘリコバクター・ピロリ除菌治療に使用する薬物,そして粘膜防御を強化する防御因子増強薬に分けられる（図）.

1）胃酸分泌抑制薬

　胃酸は胃粘膜にある胃腺の壁細胞から分泌される.壁細胞の腺腔側にあるプロトンポンプ（H^+,K^+-ATPase）は腺腔内にプロトン（H^+）を放出する.そして電気的勾配により塩化物イオン（Cl^-）がチャネルを通って腺腔内に移動することで,胃酸（HCl）となる.

　壁細胞の基底側には**アセチルコリンムスカリン性 M_3 受容体**,**ヒスタミン H_2 受容体**,CCK_B 受容体が発現しており,内因性リガンドによって刺激されると**プロトンポンプ**が活性化して胃酸分泌が促進される.迷走神経（副交感神経）はアセチルコリンを放出して壁細胞の M_3 受容体を直接刺激するとともにECL細胞（腸クロム親和性細胞様細胞）からヒスタミンを遊離さ

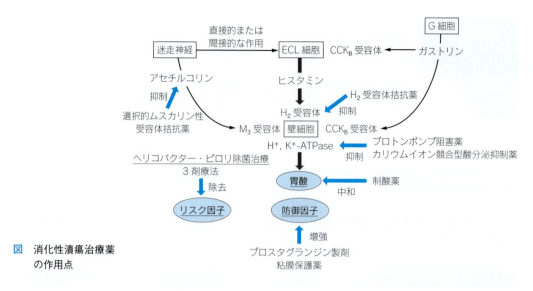

図 消化性潰瘍治療薬の作用点

せる．さらに，ヒスタミンが壁細胞のH_2受容体に結合して胃酸の分泌を促進する．G細胞から分泌されるガストリンもまた，壁細胞のCCK_B受容体を直接刺激するとともにECL細胞のヒスタミン遊離を介して胃酸分泌を促す．

胃酸分泌抑制薬には，プロトンポンプ阻害薬，カリウムイオン競合型酸分泌抑制薬，H_2受容体拮抗薬，選択的ムスカリン性受容体拮抗薬などがある．

(1) プロトンポンプ阻害薬（proton pump inhibitor；PPI）

プロトンポンプ阻害薬は酸の存在下で活性体へと変換されてH^+,K^+-ATPaseのSH基と結合し，酵素活性を不可逆的に阻害することで胃酸分泌を抑制する．胃・十二指腸潰瘍の他，逆流性食道炎の治療にも用いられる．代表的な薬物には，**オメプラゾール**（omeprazole，オメプラゾン®，オメプラール®），**エソメプラゾールマグネシウム水和物**（esomeprazole magnesium hydrate，ネキシウム®），**ラベプラゾールナトリウム**（rabeprazole sodium，パリエット®），**ランソプラゾール**（lansoprazole，タケプロン®）などがある．

(2) カリウムイオン競合型酸分泌抑制薬

ボノプラザンフマル酸塩（ボノプラザン，vonoprazan fumarate，タケキャブ®）はカリウムイオンに競合的な様式で，H^+,K^+-ATPaseを阻害する．また，酸に安定であり，壁細胞の酸生成部位に長時間残存して胃酸生成を抑制することができる．PPIと同様，胃・十二指腸潰瘍の他，逆流性食道炎の治療にも用いられる．

(3) H_2受容体拮抗薬（H_2 receptor antagonist；H_2RA）

壁細胞のH_2受容体を遮断して胃酸分泌を抑制する．H_2受容体拮抗薬は防御因子増強薬との併用によって潰瘍治療の上乗せ効果が得られる．代表的な薬物には，**シメチジン**（cimetidine，カイロック®，タガメット®），**ファモチジン**（famotidine，ガスター®），**ニザチジン**（nizatidine，アシノン®），**ロキサチジン酢酸エステル塩酸塩**（roxatidine acetate hydrochloride，アルタット®）などがある．シメチジンは薬物代謝酵素P-450を阻害するため，併用による薬物相互作用に注意が必要である．

(4) 選択的ムスカリン性受容体拮抗薬

ピレンゼピン塩酸塩水和物（pirenzepine hydrochloride hydrate）は胃酸分泌を選択的に抑制するため，胃炎や胃・十二指腸潰瘍の治療に用いられる．M_1受容体に対して高い選択性を示すことが報告されているが，胃酸分泌抑制機序の詳細はわかっていない．

2) 制酸薬

制酸薬とは，胃酸を中和することで胃粘膜を保護する薬物である．代表的な薬物には，アルミニウム製剤〔**水酸化アルミニウム**（aluminum hydroxide），合成ケイ酸アルミニウム（synthetic aluminum silicate）〕，マグネシウム製剤〔**酸化マグネシウム**（magnesium oxide），水酸化マグネシウム（magnesium hydroxide），炭酸マグネシウム（magnesium carbonate）〕，**炭酸水素ナトリウム**（sodium bicarbonate），沈降炭酸カルシウム（precipitated calcium carbonate）などがある．アルミニウム製剤は中和反応による制酸作用とともにAl^{3+}によって収斂作用を示す．マグネシウム製剤は胃内における制酸作用と腸内における緩下作用をもつ．また，炭酸イオンが含まれる塩ではCO_2を発生させ，二次的な胃酸分泌を促すことがある．

テトラサイクリン系およびニューキノロン系の経口抗菌薬は，制酸薬と併用すると難溶性のキレートを形成して吸収が低下し，薬効が減弱するおそれがあるので注意が必要である．

3) ヘリコバクター・ピロリ除菌治療に使用する薬物

ヘリコバクター・ピロリ除菌治療では，胃酸分泌抑制薬（PPIまたはボノプラザン）と2種類の抗菌薬を併用する3剤療法が行われる．一次除菌治療はボノプラザン，アモキシシリン水和物，クラリスロマイシンを用いた3剤療法，二次除菌治療ではボノプラザン，アモキシシリン，メトロニダゾールの組み合わせが推奨されている．二次除菌まで不成功であった場合，三次除菌治療を行うことができるが保険適用外となる．

4) 防御因子増強薬

防御因子増強薬とは，胃酸から粘膜を防御する胃粘液の分泌促進や胃粘膜の組織修復および血流改善などにより胃腸粘膜保護作用を示す薬物である．

（1）プロスタグランジン（PG）製剤

ミソプロストール（misoprostol，サイトテック®）は胃粘液および十二指腸粘膜の重炭酸イオン分泌を促進し，さらに粘膜の血流量を維持することで粘膜防御機構を増強する．また，壁細胞に発現するEP_3受容体に結合して胃酸分泌抑制作用を示す．副作用として，5％以上に下痢，腹痛，嘔気が見られる．また，妊婦または妊娠している可能性のある女性への投与は禁忌である．

（2）粘膜保護薬

スクラルファート水和物（sucralfate hydrate，アルサルミン®）は潰瘍部位へ選択的に結合して保護層を形成する．さらに再生粘膜の発育や血管増生によって潰瘍の治癒を促進させる．**テプレノン**（teprenone，セルベックス®），**レバミピド**（rebamipide，ムコスタ®），エカベトナトリウム水和物（ecabet sodium hydrate，ガストローム®），セトラキサート塩酸塩（cetraxate hydrochloride，ノイエル®），ソファルコン（sofalcone）などは胃粘膜内PG増加作用，胃粘液増加作用，胃粘膜血流増加作用など多面的な防御因子増強作用を示す．エグアレンナトリウム水和物（egualen sodium hydrate，アズロキサ®）は内因性PGを介さない保護作用を示す薬物であり，H_2受容体拮抗薬との併用で用いられる．その他，アズレンスルホン酸ナトリウム水和物（sodium gualenate hydrate），アルギン酸ナトリウム（sodium alginate），イソグラジンマレイン酸塩（irsogladine maleate）などの薬物がある．

II 健胃消化薬

健胃消化薬とは胃機能の増進や消化酵素による消化機能改善により胃部不快症状，消化異常症状を改善する薬物である．代表的な薬物には，センブリ・重曹（powdered swertia herb and sodium bicarbonate），ジアスターゼ（diastase），パンクレアチン（pancreatin）などがある．

Ⅲ 消化管運動改善薬

消化管運動改善薬とは消化管運動の低下による消化器症状（悪心，嘔吐，食欲不振，腹部膨満感，胸やけなど）を改善させる薬物である．**ドンペリドン**（domperidone，ナウゼリン®）や**メトクロプラミド**（metoclopramide，プリンペラン®）は，消化管壁内の神経叢において抑制性の役割をするドパミン D_2 受容体を遮断し，消化管運動を促進させる．また，中枢の化学受容器引き金帯での D_2 受容体抑制により制吐作用も示す．モサプリドクエン酸塩水和物（mosapride citrate hydrate，ガスモチン®）は，消化管壁内神経叢のセロトニン 5-HT_4 受容体活性化により消化管運動を促進する．イトプリド塩酸塩（itopride hydrochloride，ガナトン®）は D_2 受容体拮抗作用とアセチルコリンエステラーゼ阻害作用を併せもち，消化管運動を亢進させる．その他，アコチアミド塩酸塩水和物（acotiamide hydrochloride hydrate，アコファイド®）は機能性ディスペプシア治療薬として使用され，アセチルコリンエステラーゼ阻害作用により消化管運動を亢進させることが確認されている．

Ⅳ 鎮痙薬

鎮痙薬とは胃腸や胆道の異常緊張およびけいれん性の収縮に伴う症状を改善する薬物である．**ブチルスコポラミン臭化物**（scopolamine butylbromide，ブスコパン®），ロートエキス〔scopolia extract（アトロピン，スコポラミンなどベラドンナアルカロイド含有）〕は，抗コリン作用によって平滑筋の収縮を抑制する．パパベリン塩酸塩（papaverine hydrochloride）は平滑筋に直接作用し，細胞内 cAMP を増加させて収縮を抑制する（**コラム参照**）．

臨床コラム

パパベリン

パパベリンは，1848年にアヘン（ケシの実から採取した液汁を凝固させたもの）から単離されたアルカロイドであり，1910年代には平滑筋弛緩作用を有することが報告された．アヘンの成分にはモルヒネ，コデインなども含まれるが，パパベリンとそれらの基本骨格は異なる．パパベリンは平滑筋細胞においてホスホジエステラーゼの阻害による細胞内 cAMP の増加，さらに Ca^{2+} の細胞内への流入抑制により弛緩作用を現すと考えられており，臨床的には鎮痙薬，塞栓症や循環障害の治療における血管拡張薬として使用される．

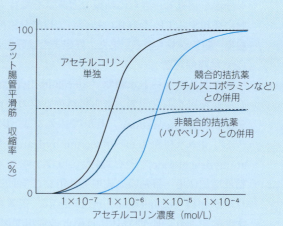

アセチルコリンは消化管運動を亢進させる神経伝達物質であり，平滑筋の M_3 受容体に結合してホスホリパーゼ C 活性化を介した細胞内 Ca^{2+} の上昇により収縮させる．パパベリンはアセチルコリンによる平滑筋の収縮を非競合的な拮抗様式で抑制する．同じく鎮痙薬として使用されるブチルスコポラミンやロートエキス（有効成分：アトロピン，スコポラミン）は M_3 受容体においてアセチルコリンと競合的に拮抗することで平滑筋の収縮を抑制する．

Ⅴ 止瀉薬

　止瀉薬とは，腸粘膜への刺激の除去，炎症の抑制，異常な蠕動運動の抑制などにより下痢の症状を改善する薬物である．細菌性下痢患者は治療期間の延長をきたすおそれがあり注意が必要であり，出血性大腸炎〔腸管出血性大腸菌（O157 など）や赤痢菌など〕の患者への投与は禁忌である．代表的な薬物には，**タンニン酸アルブミン**（albumin tannate），**ロペラミド塩酸塩**（loperamide hydrochloride，ロペミン®），ベルベリン塩化物水和物（berberine chloride hydrate），次硝酸ビスマス（bismuth subnitrate），薬用炭（medical carbon）などがある．その他，モルヒネ塩酸塩水和物（morphine hydrochloride hydrate）やコデインリン酸塩水和物（codeine phosphate hydrate）などが激しい下痢症状の改善に使用されることがある．

Ⅵ 整腸薬

　整腸薬とは，腸内環境を改善することで腹部の不快症状を改善する薬物である．胃腸管内のガスを駆除するジメチコン（dimethicone，ガスコン®）や腸内細菌叢を改善する耐性乳酸菌製剤，ビフィズス菌製剤，酪酸菌製剤などがある．

Ⅶ 下剤（瀉下薬）

　下剤とは，便秘の症状を改善するために排便を促す薬物である．**酸化マグネシウム**，硫酸マグネシウム水和物（magnesium sulfate hydrate），ラクツロース（lactulose），グリセリン（glycerin）浣腸剤などは，浸透圧勾配により腸管内に水分を貯留させて排便を促進する．カルメロースナトリウム（carmellose sodium）は腸管内で水分を吸収して膨張し，ゼラチン様の塊となって排便を促す．センナ（senna extract），センノシド A・B カルシウム塩（sennoside A・B calcium），ビサコジル（bisacodyl，テレミンソフト®）坐剤，ピコスルファートナトリウム水和物（sodium picosulfate hydrate）などは腸管粘膜を刺激し，蠕動運動を亢進させて瀉下作用を現す．エロビキシバット水和物（elobixibat hydrate，グーフィス®）は胆汁酸トランスポーターを阻害し，大腸管腔内に流入する胆汁酸の量を増加させて便秘を改善させる．ルビプロストン（lubiprostone，アミティーザ®）は小腸上皮の ClC-2 クロライドチャネルを活性化し，水分分泌を促進することで排便を促進する．ナルデメジントシル酸塩（naldemedine tosylate，スインプロイク®）は末梢性オピオイド μ 受容体拮抗薬であり，オピオイド誘発性便秘症に使用される．

Ⅷ 利胆薬

　利胆薬とは肝臓からの胆汁の分泌量を増加させたり，消化管への排出を促進する薬物である．**ウルソデオキシコール酸**（ursodeoxycholic acid，ウルソ®）は利胆作用（肝胆汁流量およびビリルビン排泄量の増加），肝血流量増加作用，脂肪吸収促進作用などがあり，胆道系疾患および胆汁うっ滞を伴う肝疾患における利胆，慢性肝疾患における肝機能異常の改善，石灰化を認めないコレステロール系胆石の溶解などに使用される．その他，ケノデオキシコール酸（chenodeoxycholic acid），トレピブトン（trepibutone）などの薬物がある．

Ⅸ 肝庇護薬

　肝庇護薬とは，慢性肝疾患において肝機能の安定化と病態進行の抑止を目的に使用される薬物である．**グリチルリチン**（glycyrrhizin）**製剤**は抗炎症作用，抗アレルギー作用，解毒作用，肝障害回復作用などをもつ．

消化器系に作用する薬物と歯科臨床

　歯科臨床で繁用されるNSAIDsや抗感染症薬との関係で留意すべき点がある．NSAIDsは消化性潰瘍（薬剤性潰瘍）のリスク因子であり，消化性潰瘍のある患者への投与は禁忌となっている．抗感染症薬では，テトラサイクリン系およびニューキノロン系の経口抗菌薬は制酸薬と同時に服用すると消化管からの吸収が低下するため，服用時間をずらす必要がある．マクロライド系抗菌薬のエリスロマイシンは，シメチジンとの併用で血中濃度上昇に伴う難聴が報告されており，減量するなど慎重に投与しなければならない．アゾール系抗真菌薬のイトラコナゾールは胃酸分泌抑制薬（PPI，ボノプラザン，H_2受容体拮抗薬）や制酸薬との併用により消化管での溶解性が低下し，吸収が低下することがあり併用注意となっている．

24章 薬理学 各論

血液および造血器に作用する薬物

学修目標とポイント

- 血小板の機能や血液凝固系を理解し，止血-線溶機構を説明できる．
- 全身性止血薬（凝固因子増加作動薬，毛細血管強化薬，抗プラスミン薬，血小板機能改善作動薬，抗ヘパリン薬など）を説明できる．
- 局所性止血薬（吸収性止血薬，物理的止血薬，収斂薬，血管収縮薬など）を説明できる．
- 血小板凝集抑制薬（TXA_2阻害薬，血小板cAMP濃度上昇薬，血小板カルシウム動態抑制薬など）を説明できる．

本章のキーワード

止血-線溶機構，全身性止血薬，局所性止血薬，血小板凝集抑制薬，（直接作用型）経口抗凝固薬，血液溶解薬，貧血

I ─ 止血薬

1. 止血-線溶機構

1) 血小板凝集と一次止血

　血管が損傷を受け，血管内皮細胞が剝がれると血漿中の**フォン・ヴィレブランド因子**（von Willebrand factor；vWF）が内皮下組織と結合し，血小板表面の糖タンパク質CD42b（GP Ibα）への結合能を獲得する．これを足場にして血小板が付着するとともに活性化される．血小板が活性化すると膜表面の糖タンパク質複合体のCD41（GP IIb/IIIa）に構造変化が生じ，フィブリノゲン結合部位が露出する．これに**フィブリノゲン**が結合し，次々と血小板を互いに架橋して結びつける．この**粘着・活性化血小板**は，**トロンボキサンA_2**（TXA_2）を産生するとともに，血小板顆粒内に蓄えていた**アデノシンニリン酸**（ADP）や**カルシウムイオン**（Ca^{2+}），**セロトニン**を放出する．これらの因子はさらに多くの血小板の凝集と活性化を引き起こし，白色血栓を形成し，一次止血が終了する（図1，図3-②）．

2) 凝固因子のカスケードと二次止血

　血液凝固因子（以下，凝固因子）の多くはセリンプロテアーゼ前駆体である．これが**凝固因子カスケード**の上流のプロテアーゼ（活性型凝固因子）により限定分解され，プロテアーゼ活性をもった**活性型凝固因子**となり，下流の凝固因子を限定分解し活性化する．血液凝固反応は，破壊された組織の第Ⅲ因子が凝固の引き金となる**外因系**と血管内の第XII因子の活性化が引き金となる**内因系**の活性化によって開始する．

　外因系の活性化は，血管損傷部位で第Ⅲ因子である**組織因子**（tissue factor；TF）が，細胞膜リン脂質層上で**第VII因子**と複合体を形成し，**第IX因子**および**第X因子**の活性化を引き起こす．内因系の活性化は，露出したコラーゲンや異物面との接触による**第XII因子**の活性化に始まり，

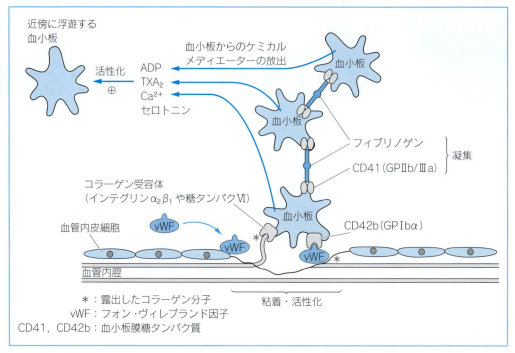

図1 血小板の粘着，活性化，凝集

第XI，第IX因子，第X因子の順に活性化される．活性化された**第Xa因子**はCa^{2+}，リン脂質（PL）の存在下で**第Va因子**と複合体（プロトロンビナーゼ複合体）を形成し，**プロトロンビン（第II因子）**を限定分解し，活性型の**トロンビン**（第IIa因子）を産生する．次いで，トロンビンはフィブリン前駆体の**フィブリノゲン**を限定分解し，**フィブリン単量体**を作るとともに，第XIII因子を活性化する．フィブリン単量体は，第XIIIa因子のトランスグルタミナーゼ活性によりβ鎖間が架橋され網状の**安定化フィブリン**となり，これに血球が補足されて赤色血栓（凝血塊）となって二次止血が完了する（図2，図3-①，③）．また，トロンビンは，血管内皮細胞表面にあるトロンボモジュリンに捕捉され，その凝固活性を失うとともに，抗凝固因子であるプロテインCを活性化する．活性型プロテインCは，第Vaと第VIIIa因子を不活性化して凝固系を抑制する．すなわち，トロンビンは，凝固系の促進作用と抑制作用も併せもち，凝固系の過剰反応を制御している．

3）線溶系

凝固系で形成された血液凝固塊中の**フィブリン**は，止血完了後，**プラスミン**により分解され，赤色血栓が溶解除去される．血中には前駆体の**プラスミノゲン**が存在し，これが組織中に含まれる**プラスミノゲンアクチベーター**（plasminogen activator；PA）あるいは**カリクレイン**によって限定分解され，プロテアーゼ活性をもつプラスミンになる．PAには内皮細胞で産生される**組織型PA**（t-PA）と血液中や組織マトリクス内にある**ウロキナーゼ型PA**（u-PA）の2種がある．液相におけるt-PAのプラスミノゲンに対する親和性は低いが，フィブリンが存在すると**固相反応**となり，親和性が高まる．これは，血栓形成部位に存在するプラスミノゲンのみを特異的に活性化するという利点をもつ．一方，t-PAは内皮細胞から分泌される**PAインヒビター1**（plasminogen activator inhibitor 1；PAI-1）によってその活性が阻害される．プ

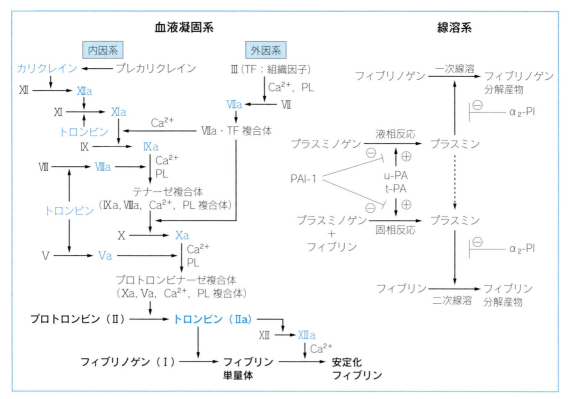

図2 血液凝固と線溶系
各因子の語尾の（a）は，活性化因子であることを示す．

ラスミンはα_2プラスミンインヒビター（α_2-plasmin inhibitor；α_2-PI）により不活性化される（図2，図3-④）．

2. 全身性止血薬

出血性素因やそれに関連する疾患を有する患者，あるいは内臓出血や大血管に破綻をきたした患者で，十分に止血が期待できない場合は，止血薬を全身的に投与する．

1）血液製剤

先天性凝固因子欠乏症患者の出血傾向には，補充療法として欠乏している凝固因子そのものやこれに修飾を施した半減期延長製剤が投与される．**血友病Aには第Ⅷ因子製剤，血友病Bには第Ⅸ因子製剤**が，**無フィブリノゲン血症**の患者には**フィブリノゲン製剤**が用いられる．

（1）血小板輸血

全ての血小板異常に確実に奏効する．**多血小板血漿**（platelet rich plasma；PRP），**濃縮血小板血漿**（platelet concentrate；PC）などが日本赤十字社から提供されている．輸血後移植片対宿主病の予防対策として放射線照射したものが推奨される．

2）ビタミンK類

ビタミンK依存性凝固因子には，プロトロンビン（**第Ⅱ**），**第Ⅶ**，**第Ⅸおよび第Ⅹ因子**があり，いずれも肝臓で合成される．これらの前駆体タンパク質のN末端アミノ酸配列には相同性が高い領域が存在する．肝小胞体内に存在する**γ-カルボキシラーゼ**（γ-carboxylase）に

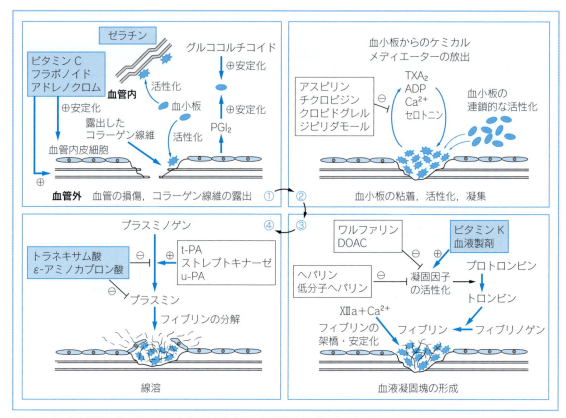

図3 止血-線溶機構と代表的な止血薬（色付き枠内）と抗凝固薬（白枠内）の作用点（現代歯科薬理学 第3版, p.298.を基に作成）

よって，このアミノ酸配列中の**グルタミン酸残基（Glu残基）**のγ位の炭素にカルボキシ基が付加されると，これらの凝固因子は成熟化される．この反応において**ビタミンK**は補酵素として働く（図4）．カルボキシ基が付加されて成熟化されたグルタミン酸残基を**γ-カルボキシグルタミン酸残基（Gla残基）**という．Gla残基をもつタンパク質は**Glaタンパク質**と呼ばれる．Glaタンパク質には，凝固因子の他に凝固阻害因子であるプロテインCと，その補酵素のプロテインSなどがある．

Gla残基はグルタミン酸のγ位の炭素に2つのカルボキシ基が結合した構造をもち，この部位がCa^{2+}とのキレート結合を可能にする．このCa^{2+}との結合は，ビタミンK依存性血液凝固因子の活性発現や細胞外への分泌に重要な役割を担う．すなわち，ビタミンKの欠乏や後述する**ワルファリン**のような**ビタミンK拮抗薬**の投与時には，ビタミンK依存性凝固因子の機能および量的な低下が生じ，血液凝固反応に障害が現れる．**ビタミンK_1製剤**の**フィトナジオン（phytonadione）**，**ビタミンK_2製剤**の**メナテトレノン（menatetrenone）**などがビタミンK欠乏により血液凝固時間の延長をきたしている際に補充的に投与される．

ビタミンKは腸内細菌により合成されているため，欠乏症は起こりにくい．しかし，化学療法薬（サルファ薬，抗菌薬）の投与で腸内細菌叢のビタミンK合成障害が生じたり，胆汁うっ滞，潰瘍性大腸炎などでビタミンKの吸収不足をきたすとビタミンKの欠乏が起こる．近年の母乳による育児の推奨とともに，母乳のみによって育てられる新生児のビタミンK欠乏症が問題とされ，新生児低プロトロンビン血症や新生児出血症に対して，ビタミンK製剤

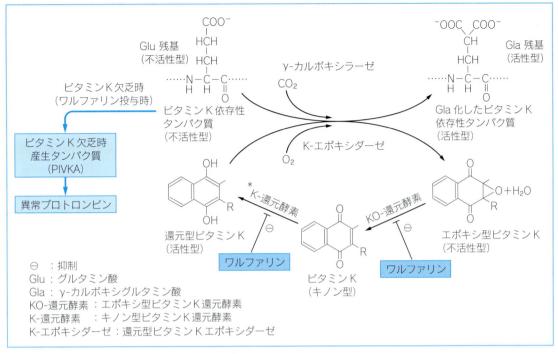

図4 ビタミンKサイクルとワルファリンの作用点 (Vermeer C. 1990.を基に作成)

＊：K-還元酵素にはNADH依存性酵素とジチオール依存性酵素があるが，ワルファリンはジチオール依存性酵素のみを阻害する．また，ワルファリンはラセミ混合物で，鏡像異性体（enantiomer）としてR体とS体からなる．S体の方が酵素阻害活性が3倍程度高い．

の予防的投与が行われている．ビタミンKは胆汁存在下において腸管より吸収され，リンパ管により全身に分布する．代謝は肝臓で行われ，グルクロン酸または硫酸抱合された後に尿中に排泄される．

3）毛細血管強化薬

紫斑病，壊血病，真性糖尿病などに起因する血管壁の脆弱化による出血傾向の増大や血管透過性の亢進の改善を目的に用いられる．血小板や血液凝固，線溶系には作用しない．

（1）アドレノクロム剤

アドレノクロム（adrenochrome）はアドレナリンの酸化誘導体で，主として血管壁の透過性抑制作用と血管抵抗力増強作用により，毛細血管透過性増大に起因した出血に対して止血作用を示す．しかし，アドレノクロムはきわめて不安定なため，この不安定性を改善したカルバゾクロムスルホン酸ナトリウム（carbazochrome sodium sulfonate hydrate）が合成された．止血作用の他に抗ヒスタミン作用や抗ヒアルロニダーゼ作用をもつ．アドレナリンα，β受容体とは結合しない．

（2）ビタミンC

ビタミンC（L-アスコルビン酸）は，血管壁の構成要素であるコラーゲンの円滑な産生を促し，毛細血管を強化・緊密化して血管抵抗性を増強させる．欠乏すると壊血病や乳児の壊血病であるMöller-Barlow病となる．ビタミンCが補充療法として用いられる（**16章Ⅱ-2.参照**）．

4）抗プラスミン薬
（1）トラネキサム酸
　プラスミンやプラスミノゲンのリジン結合部位と強く結合し，プラスミンやプラスミノゲンとフィブリンとの結合を阻止して，抗出血，抗アレルギー，抗炎症反応効果を示す．トロンビンを投与中の患者には，血栓形成を促進させるので併用禁忌である．

5）その他
（1）酵素止血薬
　蛇毒由来のヘモコアグラーゼは，トロンビンやトロンボプラスチン様作用や血小板凝集促進作用を有し，口腔内出血などに対して筋肉内や静脈内に投与される．
（2）トロンボポエチン受容体作動薬
　トロンボポエチンの受容体に結合して，血小板産生を促す．エルトロンボパグ，ルストロンボパグ，ロミプロスチムなどがある．

3．局所性止血薬
1）吸収性止血薬（absorbable hemostatics）
　適用部位の止血終了後に，組織に吸収される止血薬をいう．したがって，除去する必要がない．
（1）ゼラチン（gelatin，スポンゼル®/ゼルフォーム®）
　ゼラチン（変性コラーゲンが主成分で精製ゼラチンを多孔化したもの）は，創傷面に強く付着する．変性コラーゲンの血小板崩壊作用により，血小板から凝固因子を放出させ，血小板の凝集を促進させて，出血を速やかに停止させる（図1，図3-①）．組織吸収性であり，約1か月以内に液化吸収される．さらに，組織傷害性，刺激性，抗原性などの為害性をもたない．
（2）酸化セルロース（oxidized cellulose，サージセル・アブソーバブル・ヘモスタットMD®）
　セルロースを酸化して得られる酸性多糖類線維をガーゼ状や綿状に成型した組織吸収性製剤である．適用部位で血液をよく吸収し，止血する．血液に触れると急速に膨潤し，粘着性の暗褐色から黒色の塊となり，迅速に出血表面に密着して止血作用を示す．通常は2～7日で吸収される．手術時に止血や創腔の充填に用いられる．酸性で，カルシウム親和性があり，骨形成や上皮化（epithelization）も抑制するため，表面包帯（surface dressing）としての使用は推奨されない．また，トロンビンの活性化を抑制するため，併用に注意する．なお，酸化セルロースは現在，医薬品ではなく医療機器（医療材料）として薬事承認されている．
（3）アルギン酸ナトリウム（sodium alginate，アルト®原末）
　アルギン酸ナトリウムは，フィブリノゲンと相互作用し，フィブリン形成を促進する．また，出血部に吸着被覆し血小板の粘着・凝集を促進させる．さらに，赤血球と架橋することで，より強固な止血栓を形成する．これに加え，プラスミンによるフィブリンの線溶活性を抑制し，止血作用を持続させる．所用量の粉末を創面に散布し，脱脂綿などで短時間押さえて止血する．適用局所でCa^{2+}と結合し，小血管を閉塞する不溶性のアルギン酸カルシウムとなり止血効果を高めるが，止血作用発現後は再び可溶性の塩となる．しかし，体内には吸収されにくい．

2）凝固機序作用薬
　トロンビン（thrombin）は，生理的凝固因子（第Ⅱa因子）である．通常の結紮で止血困難な小血管，毛細血管からの出血時や抜歯後の出血時などに用いる．凝固による血流遮断やアナフィラキシーの原因となるので，注射による投与は禁止されている．粉末のまま，もしくは溶解液を局所に散布する．吸収性止血薬との併用で止血効果が増す．抗プラスミン薬（トラネキ

サム酸）との併用は禁忌である（図 3-③）．

3）収斂薬（astringents）
出血部位の毛細血管の透過性を，血液のタンパク質の凝集と収斂作用により低下させ，止血する．

4）血管収縮薬
破綻をきたした出血部位の小血管を収縮させることにより止血する．これには 0.1% **アドレナリン**が用いられる．α_1 作用による血管収縮作用により止血効果が現れる．

5）骨髄止血薬
ミツロウを主成分とするボーンワックス®は，骨の手術部分に塗布することにより，骨からの出血を物理的に阻止する非吸収性の止血薬である．

II 抗血栓薬

1．血栓症
血液凝固-線溶系の不均衡による凝固系の亢進，血管内皮細胞の炎症や動脈硬化による血管の障害，血流の低下（うっ血）や心房細動などにより血栓ができやすくなる．血栓が微小血管に詰まることで血流障害が起こり，重要な臓器（脳，心臓，肺）に虚血性病変や梗塞を引き起こす．また，近年，エコノミークラス症候群としての肺血栓塞栓症や深部静脈血栓症が問題となっている．このような血栓症の予防と治療を目的として抗血栓薬の投与が行われる．**抗血栓薬**は，作用機序により，**抗血小板薬**，**抗凝固薬**および**血栓溶解薬**の 3 種類に大別される．

2．抗血小板薬（図 3-②）

1）TXA_2 産生抑制薬
低用量**アスピリン**が用いられる．血小板のシクロオキシゲナーゼ（COX）を**アセチル化**して不可逆的に阻害して，TXA_2 の産生を抑制し，血小板の連鎖的な活性化を抑制する．この作用は，核をもたない血小板では，COX の新生がないので低用量で出現する．一方，解熱・鎮痛や抗炎症作用を発揮する高用量では，血管内皮細胞から放出され，血小板凝集を抑制して有害な血栓形成を抑制している**プロスタグランジン I_2**（PGI_2）の阻害が生じ，逆に血小板凝集促進に向かわせる（アスピリンジレンマ，**p.264 臨床コラム参照**）．通常，1 回 100 mg 1 日 1 回の低用量アスピリンが経口投与される．製剤としては**バイアスピリン®**や**バファリン®**配合錠 A 81 などが用いられる．また，トロンボキサン合成酵素阻害薬として**オザグレル塩酸塩水和物**（ozagrel hydrochloride hydrate）がある．PGI_2 の産生増強作用による血小板抑制作用も併せもつが，作用はアスピリンにやや劣る．

2）ホスホジエステラーゼ阻害薬
シロスタゾール（cilostazol）は，cAMP の代謝酵素である**ホスホジエステラーゼ**を選択的に阻害し，細胞内 cAMP 濃度を上昇させ，血小板の細胞内顆粒の放出を阻害する．このため，血小板の凝集が抑制される．また，狭心症などの治療薬である**ジピリダモール**（dipyridamole）も同様の作用を示すが，単独投与では抗血小板作用は弱く，通常，アスピリンとの併用で適用される．また，ワルファリンとの併用で血栓形成阻害作用は著明に増強される．プロスタグランジン I_2 の安定な誘導体であるベラプロスト（beraprost）は，PGI_2 受容体に結合しアデニル酸シクラーゼを活性化して cAMP を増加させ血小板の活性化を抑制する．

3）ADP受容体阻害薬

臨床では，抗血小板薬の**チクロピジン塩酸塩**（ticlopidine hydrochloride），**クロピドグレル硫酸塩**（clopidogrel sulfate），プラスグレル塩酸塩（prasugrel hydrochloride），チカグレロル（ticagrelor）がアスピリンに次いで広く用いられている．これらの薬物は，ADP受容体（P2Y12）を阻害し，細胞内のcAMPを上昇させ，血小板の細胞内顆粒の放出を抑制することで血小板機能を障害する．クロピドグレルは，チクロピジンに比較して，肝機能障害や汎血球減少症などの副作用が少ない．

4）その他の抗血小板作用を示す薬物

セロトニンは，血小板細胞膜上の5-HT$_2$受容体に作用して細胞内Ca^{2+}濃度を上昇させ，血小板凝集を誘発する．**サルポグレラート塩酸塩**（sarpogrelate hydrochloride）は，**5-HT$_2$受容体**を拮抗的に阻害して，血小板凝集を抑制する．アラキドン酸代謝拮抗薬の**イコサペント酸エチル**（ethyl icosapentate）は，アラキドン酸の代わりに代謝され，凝集作用が弱いTXA$_3$を産生して血小板の凝集作用を抑制するが，作用発現が遅い．また，血清脂質低下作用も示す．

3．抗凝固薬

クマリン系抗凝固薬の**ワルファリン**（warfarin）が経口抗凝固薬として，従来から広く用いられてきた．しかし，至適用量域の狭さ，PT-INR（prothrombin time-international normalized ratio）による定期的なモニタリング，他の薬物との相互作用，頭蓋内出血のリスク，骨粗鬆症発症リスクなどに加え，服薬アドヒアランス[*1]や食事制限など長期管理の難しさが問題となっていた．このような背景から，食事制限が不要で薬物相互作用も少なく，頭蓋内出血のリスクも比較的低い**直接作用型経口抗凝固薬**（direct oral anticoagulant；**DOAC**）が開発され，使用頻度が増している．

1）経口抗凝固薬
（1）クマリン系抗凝固薬（図3-③）

ワルファリンカリウム（warfarin potassium，ワーファリン®）が経口抗凝固薬として心房細動由来血栓形成の予防や心，肺，脳における血栓形成の抑制などに用いられる．クマリン誘導体はビタミンK類似構造を有し，生体内でビタミンKの還元酵素反応を競合的に阻害して，凝固因子群を含むビタミンK依存性タンパク質のカルボキシル化（Gla化）を抑制し，成熟化を妨げる（図4）．すなわち，プロトロンビン，凝固因子第Ⅶ，Ⅸ，Ⅹ因子のGla化が阻害され，これらの活性型凝固因子の血中濃度が低下する．さらに，不活性型の**PIVKA型凝固因子**（protein induced by vitamin K absence or antagonist）が増加することで，ワルファリンの抗凝固作用および血栓形成抑制作用が現れる（図4）．

ワルファリンは，主に肝臓の薬物代謝酵素CYP2C9やCYP3A4などで代謝され不活性化し，腎臓から尿中に排泄される．後述のDOACに比べ，腎機能が比較的低下した患者にも投与できる．

（2）直接作用型経口抗凝固薬

DOACには，トロンビンの活性を直接かつ選択的に阻害してフィブリノゲンからフィブリンへの転換を抑制し，抗凝固作用や抗血栓作用を示す直接トロンビン阻害薬と，トロンビンの

[*1] 医師との対話により患者が疾病の治療方針を理解し受け入れ，患者自身が治療薬の選択・決定に関与するとともに，患者みずから服薬管理を積極的に行っていくこと．

活性化を促進する第Xa因子を阻害して作用する活性化第X因子阻害薬（第Xa因子阻害薬）がある．DOACは，固定用量の投与が可能で用量調整用の定期的採血も不要である．さらに食事に影響されにくい．また，効果が速やかに現れ，半減期も短いなどの利点がある．

しかし，使用に際しては薬物相互作用に注意が必要である．DOACの多くは，主に細胞に有害な疎水性分子を細胞内から外へ排出するP糖タンパク質（P-gp）の基質である．また，薬物代謝酵素（CYP3A4/5）で代謝されるP-gpは小腸，肝臓，腎臓に存在し，薬物の吸収や排泄に関与している．したがって，P-gpの阻害薬との併用は，DOACの血中濃度を上昇させ，誘導剤との併用は血中濃度を低下させる可能性がある．

また，CYP3A4/5は小腸や肝臓に多く存在するため，P-gpとCYP3A4/5に作用する薬剤との併用には注意が必要であり，直接トロンビン阻害薬のダビガトランはP-gpとCYP3A4/5を阻害するアゾール系抗真菌薬のイトラコナゾールとの併用は禁忌である．同様の理由で，直接第Xa因子阻害薬のリバーロキサバンとフルコナゾールを除くアゾール系抗真菌薬の併用やHIV-プロテアーゼ阻害薬（リトナビルなど）との併用は禁忌である．投与に際しては出血，貧血に関する徴候を十分に観察する必要がある．

a）直接トロンビン阻害薬

ダビガトラン（dabigatran）は直接トロンビンに作用して阻害する．**プロドラッグとしてダビガトランエテキシラートメタンスルホン酸塩**（dabigatran etexilate methanesulfonate）が経口投与され，吸収後に活性代謝産物のダビガトランとなる．ワルファリンよりも塞栓症の予防効果が高く，脳出血の頻度も少ない．また最近，ダビガトランに対する特異的中和薬として，遺伝子組換えモノクローナル抗体のイダルシズマブ（プリズバインド®）が承認された．欠点は，出血リスクを正確に評価できる指標がないことである．

ダビガトランの副作用には，出血（消化管，頭蓋内，鼻），間質性肺炎，アナフィラキシー，急性肝不全，上腹部痛，下痢，消化不良，悪心などがある．さらに，ダビガトランは腎排泄型薬剤であるため，透析患者を含む高度腎障害患者への投与は禁忌である．

b）直接第Xa因子阻害薬

直接第Xa因子阻害薬には，**リバーロキサバン**（rivaroxaban），**エドキサバン**（edoxaban）および**アピキサバン**（apixaban）があり，いずれも経口投与される．活性化血液凝固第X因子（第Xa因子）を選択的かつ直接的に阻害し，トロンビンの生成を抑制し抗凝固作用を示す．直接トロンビン阻害薬よりも出血リスクが少ない利点がある．しかし，年齢，体重，腎機能などが効果に影響するので使用に際しては注意が必要である．最近，直接第Xa因子阻害薬中和薬として，遺伝子組換え改変型ヒト第Xa因子デコイタンパクのアンデキサネットアルファ（andexanet alfa）が承認された．副作用には共通して出血および肝機能障害が見られ，その他，間質性肺疾患（アピキサバンとリバーロキサバン）や血小板減少症（リバーロキサバン）がある．

2) ヘパリン

ヘパリン（heparin）は，肝臓や肺で合成される硫酸化ムコ多糖類で，肝のヘパリナーゼ（heparinase）によって分解され尿中に排泄される．ヘパリンは，分子の質量が平均で約30,000 Daの**未分画ヘパリン**（unfractionated heparin）と，分解処理された4,000〜8,000 Da程度の**低分子ヘパリン**（low molecular weight heparin）に分類される．ヘパリン自体には抗凝固作用はないが，血中のセリンプロテアーゼインヒビターの1つであるアンチトロンビン（antithrombin Ⅲ）を介して抗血液凝固作用を発揮する．

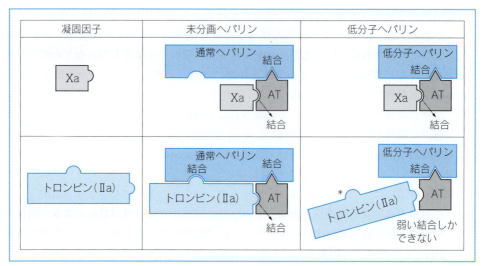

図5 分子量によるヘパリンの抗凝固作用機序の違い
＊：低分子ヘパリンでは，トロンビンとの結合に必要な構造が低分子化の際に除かれるため，この部位は結合に関与できない．このため，トロンビンとアンチトロンビン（AT）の結合は弱くなる．

血液中セリンプロテアーゼインヒビターの1つである**アンチトロンビン**は，トロンビン，第IXa，Xa因子のセリンプロテアーゼ活性中心と結合して酵素活性を阻害し，凝固系を抑制する．しかし，その結合親和性は比較的弱い．一方，ヘパリンが共存すると，アンチトロンビンとトロンビン，第IXa，Xa因子との親和性は約1,000倍に増強され，血液凝固反応を強力に阻害する．トロンビンの阻害には，トロンビンとアンチトロンビンの両分子がヘパリンに結合している必要があるが，第Xa因子の阻害では，第Xa因子とヘパリンの結合は必要なく，アンチトロンビンとヘパリンの結合だけでよい．したがって，低分子ヘパリンでは第Xa因子の阻害作用が主体となる（図5）．

ヘパリンは分子量が大きく，腸管から吸収されず，静脈内注射で投与される．術後の血栓形成防止や急性心不全の予防の目的で用いられる他，採血時にも多用される．半減期は1〜2時間と短く，長期投与には向かない．

重大な副作用は出血である．中和薬の**プロタミン硫酸塩**（protamine sulfate）はヘパリンによる出血傾向を抑制し，術後出血を防止する．出血以外の副作用には，脱灰作用による骨粗鬆症やヘパリン起因性血小板減少症（heparin-induced thrombocytopenia；HIT）がある．

低分子ヘパリンには**ダルテパリンナトリウム**（dalteparin sodium）と**エノキサパリンナトリウム**（enoxaparin sodium）があり，間接第Xa因子阻害薬として作用する．一般に，未分画ヘパリンに比べ出血のリスクが少なく，血小板との相互作用も少ない．また，血漿タンパクとの結合が少なく，血中濃度も安定しやすい．胎盤を通過するので，妊婦には未分画ヘパリンを用いる．

3）その他の薬物（非経口抗凝固薬）
(1) 抗トロンビン薬

アルガトロバン水和物（argatroban hydrate）がある．脳血栓急性期の神経症状の改善や血液透析時の凝固防止などを目的に点滴静注される．

(2) タンパク分解酵素阻害薬

ナファモスタット（nafamostat）や**ガベキサート**（gabexate）は，トロンビンや活性化血液凝固第X因子を抑制して微小血栓形成を抑制する．**播種性血管内凝固症**（disseminated intravascular coagulation；**DIC**）の治療に用いられる．

(3) 遺伝子組換えトロンボモジュリン製剤（recombinant thrombomodulin, リコモジュリン®）

トロンビンと結合し，その凝固活性を失活させるとともに，抗凝固因子のプロテインCを活性化して第Va，Ⅷa因子を阻害し，トロンビンの生成を抑制する．そのため，DICの発症抑制に用いられる．活動性の出血時や妊婦には禁忌である．

4. 血栓溶解薬（図3-④）

プラスミノゲンアクチベーター（t-PAとu-PA）によりプラスミノゲンが活性型のプラスミンとなる．プラスミンは，血栓の主成分であるフィブリンを分解し，可溶性のフィブリン分解産物（fibrin degradation product；FDP）に変え，血栓の溶解と除去が起こる（図2，図3-④）．これらの線溶促進薬は，副作用として消化管潰瘍や脳出血の既往のあった患者では，再度の出血が起きやすいことがある．

1) 組織プラスミノゲンアクチベーター

組織プラスミノゲンアクチベーター（tissue-type plasminogen activator；t-PA）製剤は，遺伝子組換え型t-PAが用いられている．製剤として**アルテプラーゼ**（alteplase），**モンテプラーゼ**（monteplase），**パミテプラーゼ**（pamiteplase）などがある．t-PAは，血栓中のフィブリンへの親和性が高く，心筋梗塞における冠動脈血栓の溶解薬として，主に静注で用いられる．

2) ウロキナーゼ型プラスミノゲンアクチベーター（ウロキナーゼ）

ウロキナーゼ型プラスミノゲンアクチベーター（urokinase-type plasminogen activator；u-PA）製剤としてウロキナーゼがある．腎で合成され尿中に排泄される．ウロキナーゼは，病変部の血栓のみならず，循環血液中の線溶性を亢進させるため，出血傾向に陥りやすい．急性心筋梗塞における冠動脈血栓の溶解，脳梗塞の治療に用いられる．

III ― 貧血に用いられる薬物

貧血とは，血中ヘモグロビン量（Hb）が正常範囲を超えて減少した状態を指す．その原因は，出血や溶血による赤血球の減少（失血性貧血や溶血性貧血），赤血球の産生量やヘモグロビン自体の産生量減少（鉄欠乏性貧血，悪性貧血，再生不良性貧血，腎性貧血など）に大別される．このうちで薬物療法の対象として重要なのは，鉄欠乏性貧血と葉酸やビタミンB_{12}欠乏による悪性貧血である．

1) 鉄

鉄（Fe）は，ヘモグロビン中の4個のヘム骨格のそれぞれ中心に2価の鉄原子として存在し，血液の酸素運搬の主体をなす．食事性の鉄不足，鉄の吸収障害，持続性の出血などが原因で鉄欠乏性貧血が生じる．補充療法として**硫酸鉄**（ferrous sulfate）や**クエン酸第一鉄ナトリウム**（sodium ferrous citrate）などが経口投与される．

2) 葉酸

葉酸（folic acid）は**ビタミンB_{12}**とともに核酸合成に不可欠な役割を果たす．欠乏により，赤血球の産生に必要な幹細胞の分裂が阻害され，貧血が生じる．妊婦・授乳中も含め，適切に摂取する限り安全である．過剰摂取では，発熱，紅斑，気管支けいれんなどを起こす．また，

亜鉛と複合体を形成して吸収を阻害し，亜鉛欠乏（味覚障害など）を起こす可能性がある．

3) ビタミンB_{12}

ビタミンB_{12}（シアノコバラミン）は，**葉酸**の代謝を介して核酸の合成に関与し，赤血球の新生を促す．ビタミンB_{12}の欠乏は，食事性の欠乏の他，腸管からの吸収に不可欠な輸送体であり胃粘膜の壁細胞から分泌される内因子［intrinsic factor，キャッスル因子（Castle's factor）］の欠乏によっても引き起こされ，**悪性貧血**（pernicious anemia）を惹起させる．口腔内ではHunter舌炎を引き起こす．悪性貧血患者では，腸管からの吸収が期待できないので，筋注や皮下注で投与される．食事性の欠乏に対しては，経口投与される．

4) エリスロポエチン

エリスロポエチン（erythropoietin；EPO）は，腎で合成され，低酸素状態に応答して分泌される分子量が34,000の糖タンパク質である．赤芽球系前駆細胞に働いて赤血球の分化と増殖を促す．製剤としては，エポエチンアルファ，エポエチンベーターなどの遺伝子組換えEPO製剤がある．

IV 血液および造血器に作用する薬物と歯科臨床

超高齢社会の到来やライフスタイルの変化に伴う生活習慣病の増加によって，アテローム血栓症，心房細動由来の心原性脳塞栓症あるいは静脈血栓塞栓症などの血栓性疾患が急増している．これらの治療や予防を目的として血栓の形成を抑える**抗血小板薬**（アスピリンやADP受容体阻害薬など），**抗凝固薬**（ワルファリン，DOAC，ヘパリン類）や形成された血栓を溶解する**血栓溶解薬**（ウロキナーゼや組織プラスミノゲンアクチベーター製剤）を投与された患者に遭遇する機会が増えている．

これらの患者に抜歯などの観血処置を行う際は，上記薬剤の持続投与下で行うことが推奨されている．特に，ワルファリン投与患者に観血処置を行う場合は担当主治医と連携をとり，患者の病態を把握する必要がある．局所止血処置としては圧迫止血，縫合に加えゼラチンスポンジや酸化セルロースなどの局所止血剤の使用が有効である．また，投与後の血中濃度低下を待って処置を行うことも考慮する．さらに，術後のNSAIDs，COX-2阻害薬，アセトアミノフェンの投与は慎重に行うべきであり，特に大出血をきたすリスク回避のため，上記薬剤との相互作用で血中濃度を高める薬物の投与や食品の摂取は控えるべきである．場合によっては，主治医との連携や対応可能な医療機関に相談する必要がある．

24章　血液および造血器に作用する薬物

歯科医師国家試験出題基準（令和5年版）では，歯科医学総論の「薬物療法，疾患に応じた薬物療法」に「止血薬，抗血栓薬」を挙げている．実際の歯科医師国家試験では，抗血小板薬，メトヘモグロビン血症の治療に用いる薬物などに関して出題されている．

25章 薬理学 各論

免疫機能に影響する薬物

学修目標とポイント

- 生体防御システムが生体に不利に働く場合の免疫反応について例を挙げて説明できる.
- 免疫抑制薬の分類，主な薬物，作用機構，副作用および臨床応用について説明できる.
- 免疫賦活薬の分類，主な薬物，作用機構，副作用および臨床応用について説明できる.
- 抗アレルギー薬の分類，主な薬物，作用機構，副作用および臨床応用について説明できる.
- サイトカインを標的とする抗体医薬について説明できる.
- 免疫系に作用する薬物と歯科臨床の関わりについて説明できる.

本章のキーワード

自己免疫疾患，臓器移植，拒絶反応，シクロスポリン，タクロリムス，カルシニューリン，歯肉増殖，サイトカイン，抗ヒスタミン薬，ヒスタミン H_1 受容体，抗コリン作用，抗アレルギー薬

I ― 免疫とは

　免疫とは，生体に侵入した細菌やウイルスなどの病原体（外来異物）を「非自己」として認識し，「自己」から排除する生体防御システムである．一方，その破綻や過剰な応答は生体に様々な問題を生じる．

1. 免疫反応

　生体に病原体などの異物が侵入すると，まず**自然免疫系**が働いて補体，食細胞やナチュラルキラー（NK）細胞により迅速かつ非特異的に排除される．異物を貪食した細胞は**抗原提示細胞**（antigen-presenting cell；APC）としてその情報をリンパ球に提供し，抗原特異的に働く**獲得免疫系**を誘導する．**獲得免疫系**は，T細胞が中心的に働く**細胞性免疫**と，B細胞が産生する抗体が中心となる**体液性免疫**からなる．

　T細胞には**ヘルパーT細胞**（Th）と**細胞傷害性T細胞**（cytotoxic T lymphocyte；CTL）があり，Thはさらに，役割や産生するサイトカインの異なるTh1やTh2に分かれる．Th1はマクロファージやCTL，NK細胞を活性化して細胞性免疫を促進する．CTLは，結核菌などの細胞内寄生細菌やウイルスに感染した細胞，腫瘍細胞などがMHCクラスIとの複合体として提示する抗原ペプチドをTCRで認識すると，標的細胞のアポトーシスを誘導し破壊する．
　細胞性免疫は自己免疫疾患や臓器移植後の拒絶反応，遅延型過敏症の発現などにかかわる．Th2は抗原特異的に活性化されてB細胞の増殖促進，形質細胞やメモリーB細胞への分化を誘導し，体液性免疫を促進する．形質細胞は抗原特異的な抗体を大量に産生・放出してウイルスの凝集沈殿，貪食細胞による細菌除去，補体系による細胞融解などを引き起こす．メモリーB細胞や一部のThは，再度同じ異物が侵入した際に，速やかに応答するための役割を担う（図1）．

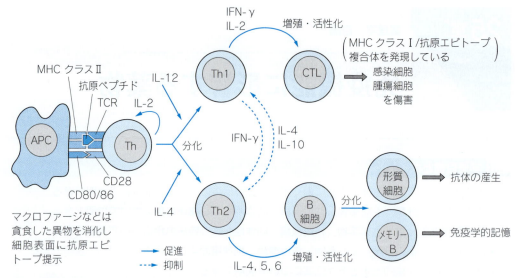

図1 獲得免疫系
マクロファージや樹状細胞などの APC は取り込んだ可溶性抗原を消化し，主要組織適合性複合体（major histocompatibility complex；MHC）クラスⅡタンパク質との複合体として細胞表面に提示する．この複合体と T 細胞受容体（T cell receptor；TCR）が特異的に結合し，さらに APC 表面の CD80/CD86 が T 細胞表面の CD28 に結合する補助刺激が加わると，ヘルパーT 細胞（Th）が活性化する．活性化 Th はインターロイキン-2（IL-2）を分泌し，T 細胞自身の増殖と活性化を促す．一方，活性化された未分化 Th は，IL-12 の作用で Th1 に，IL-4 により Th2 へと分化が誘導される．Th1 から分泌される IL-2 やインターフェロン-γ（IFN-γ）は，マクロファージや CTL，NK 細胞を活性化する一方，Th2 を抑制して細胞性免疫を促進する．Th2 は IL-4，5，6，10，13 などを介して B 細胞に作用し，増殖促進および形質細胞やメモリーB 細胞への分化を誘導する一方で，Th1 を抑制して体液性免疫を促進する．

2．免疫にかかわるサイトカイン

サイトカイン（cytokine）は，種々の細胞が産生・放出し，周囲の細胞の増殖，分化，死，機能を制御する微量タンパク質の総称である（**表**）．白血球が産生し，お互いの情報交換に関与する**インターロイキン**（interleukin；IL）の他，**インターフェロン**（interferon；IFN），**コロニー刺激因子**（colony-stimulating factor；CSF）など免疫の調節にかかわるものが多い．サイトカインは細胞表面の受容体に結合して，細胞内シグナルを惹起する．サイトカインは，作用の違いからいくつかの群に分けられる．

1）炎症性サイトカイン

炎症反応を誘導・増悪させるもので，関節リウマチの病態形成では中心的な役割をもつ．IL-1β と**腫瘍壊死因子**（tumor necrosis factor；**TNF**）-α が代表的である．これらは直接的な炎症のメディエーターとしては働かず，様々な細胞に作用して，IL-6，IL-8，IFN-γ など他の炎症性サイトカインの産生を促す．

2）抗炎症性サイトカイン

炎症反応時に産生誘導され，炎症反応に抑制的に作用する．代表的な IL-4 は活性化 T 細胞から，また IL-10 はそれに加えて単球・マクロファージからも産生され，炎症性サイトカインの産生・作用を抑制する．

3）造血性サイトカイン

血液系幹細胞から血液細胞への分化を促進する．G-CSF（granulocyte CSF），M-CSF（macro-

表 サイトカイン

名称	産生細胞	作用・特徴
IL-1	単球・マクロファージ	T 細胞増殖，抗体産生増強，炎症反応の誘導
IL-2	T 細胞	T 細胞増殖，NK 細胞活性化
IL-3	T 細胞	造血系前駆細胞の増殖
IL-4	Th2	Th2 増殖促進，Th1 抑制，B 細胞活性化，B 細胞の IgE クラススイッチ
IL-5	T 細胞	好酸球の増殖・分化
IL-6	単球・マクロファージ，内皮細胞　など	炎症反応の誘導，B 細胞の増殖・分化
IL-10	Th2，単球・マクロファージ	Th1 のサイトカイン産生抑制，マクロファージ抑制，抗炎症作用
IL-12	単球・マクロファージ	NK 細胞活性化，Th1 への分化誘導
IL-13	Th2	B 細胞活性化，B 細胞の IgE クラススイッチ
IL-17	Th1	Th17 誘導，炎症反応の誘導
IFN-α	単球・マクロファージ	抗ウイルス作用，抗腫瘍作用
IFN-β	線維芽細胞，上皮細胞	抗ウイルス作用，抗腫瘍作用
IFN-γ	Th1，NK 細胞	Th1 増殖，Th2 抑制
TNF-α	T 細胞，単球・マクロファージ，肥満細胞	炎症反応の誘導，腫瘍細胞傷害
GM-CSF	T 細胞，線維芽細胞，内皮細胞　など	単球，顆粒球の増殖分化
M-CSF	線維芽細胞，内皮細胞　など	単球前駆細胞の増殖分化
G-CSF	線維芽細胞，内皮細胞　など	顆粒球前駆細胞の増殖分化

phage CSF），GM-CSF（granulocyte macrophage CSF），TPO（thrombopoietin），EPO（erythropoietin），IL-3 などがある．

3. アレルギー反応

免疫系は，花粉や食物など，本来は生体に害のないものに対しても過剰に反応し，生体に不都合な症状を引き起こすことがある．これをアレルギー反応といい，アレルギー反応を誘発する抗原物質をアレルゲン[*1]と呼ぶ．自己の成分に対して免疫系が病的に反応して生じる自己免疫疾患の機序は，アレルギーと類似している．

アレルギー反応は，Coombs と Gell により発症機構の違いに基づいて 4 つに分類された．狭義のアレルギーとは I 型アレルギーを指す．

1) I 型アレルギー反応（アナフィラキシー型，即時型アレルギー）

I 型アレルギー反応は IgE が主体となって引き起こされる．生体にアレルゲンが侵入してくると，そのアレルゲンに特異的な IgE クラスの抗体が産生され，IgE は肥満細胞や好塩基球に細胞表面の **Fcε 受容体**を介して結合する．IgE を結合した肥満細胞が，次にアレルゲンに遭遇すると，IgE がアレルゲンによって架橋される．すると細胞は脱顆粒を起こし，顆粒内に蓄積していたヒスタミンやセロトニンなどのオータコイドが遊離される（**14 章 II-1.，28 章［総論］III-1. 参照**）．このヒスタミンなどによる平滑筋の収縮や血管透過性の亢進は，抗原に曝露されて 30 分以内に起こるので，I 型アレルギーの即発相という．

[*1] 薬などもアレルゲンとなる．

一方，**ロイコトリエン**（leukotriene；LT）や**プロスタグランジン**（prostaglandin；PG），**トロンボキサン**（thromboxane；TX）などのエイコサノイドは顆粒に蓄積されず，刺激に伴って誘導されるリポキシゲナーゼやシクロオキシゲナーゼにより数時間かけて新たに生合成される（14章Ⅱ-3., 28章［総論］Ⅲ-2.参照）．これらエイコサノイドの作用による平滑筋の収縮，血管透過性の亢進，末梢血管拡張，粘液分泌の増加などの反応をⅠ型アレルギーの遅発相といい，症状悪化の原因となる．Ⅰ型アレルギーは，アナフィラキシーショック，気管支喘息，花粉症，アレルギー性鼻炎，蕁麻疹などに関与する．

2）Ⅱ型アレルギー反応（細胞傷害型アレルギー）

細胞膜上に付着した薬剤（ハプテン）や自己抗原などのアレルゲンと抗体の複合体に補体が作用して細胞膜を傷害する．この型の疾患として不適合輸血による溶血性貧血，自己免疫性溶血性貧血，突発性血小板減少性紫斑病，薬剤性溶血性貧血などがある．

3）Ⅲ型アレルギー反応（免疫複合体型）

免疫複合体（可溶性抗原と抗体の結合物）が組織に沈着し，そこで補体系を活性化することで組織が傷害される．この型の疾患として血清病，糸球体腎炎，関節リウマチがある．

4）Ⅳ型アレルギー反応（遅延型アレルギー）

ツベルクリン反応に見られる反応で，特異抗原が感作Tリンパ球を刺激すると，サイトカインが放出される．サイトカインにより炎症性細胞が活性化され組織傷害を引き起こし，抗原注射後，24〜48時間で遅延型アレルギー特有の反応が見られる．この型の疾患としてStevens-Johnson症候群，接触性皮膚炎，金属アレルギー，移植拒絶反応などがある．

4. 免疫機能に影響する薬物の主な対象疾患

1）臓器移植時の拒絶反応

移植医療では臓器や造血幹細胞を提供する側をドナー，受ける側をレシピエントという．腎移植，骨髄移植などにおける拒絶反応では，レシピエントの免疫系がドナー由来の細胞を非自己と認識して攻撃するため，移植した臓器が傷害される．一方，ドナー由来のリンパ球がレシピエントの組織や細胞を非自己と認識して攻撃する病態を，**移植片対宿主病**（graft-versus-host disease；GVHD）といい，造血幹細胞移植などで問題となる．

2）自己免疫疾患

本来，免疫システムには自己の生体成分に対しては免疫反応を起こさない「免疫学的寛容」が備わっている．何らかの原因により免疫学的寛容システムが崩壊すると，宿主の免疫系が自己の成分を異物として誤認し，免疫応答によって自分自身の組織を攻撃するようになる．**関節リウマチ**，全身性エリテマトーデス（systemic lupus erythematosus；SLE），Basedow病などの他，口腔領域に関連する顎関節リウマチやBehçet病，Sjögren症候群などが挙げられる．

3）免疫不全症

遺伝子変異による原発性と，後天性免疫不全症候群（acquired immune deficiency syndrome；AIDS），悪性腫瘍の治療，糖尿病などによる続発性がある．血液幹細胞移植や原疾患の治療に加えて薬物療法を行う．

4）アレルギー疾患

狭義のアレルギー疾患は，アレルギー性鼻炎，気管支喘息，アトピー性皮膚炎など，Ⅰ型アレルギーが関与するものを指す．

II 免疫抑制薬

免疫抑制薬は，臓器移植時の拒絶反応や自己免疫疾患における過剰な免疫反応を抑制する．リンパ球の増殖や活性化を阻害することで効果を発揮する．共通の副作用として，免疫能の低下による日和見感染などの易感染性や二次的な発癌リスクの上昇がある．また生ワクチンは，免疫抑制下で接種すると増殖して病原性を現す可能性があるので併用禁忌となる．ステロイド性抗炎症薬が広く用いられるが，効果不十分や副作用の問題から他の免疫抑制薬が代替・併用される．

1. 細胞増殖阻害薬

細胞毒性を示す抗腫瘍薬は，増殖のさかんなリンパ球の増殖も阻害するので，免疫抑制薬にも適用される．選択性が低いので骨髄抑制などの副作用が強い．催奇形性（teratogenicity）の危険があり，いずれも妊婦や授乳婦への使用は基本的に禁忌となる．

アルキル化薬の**シクロホスファミド水和物**（cyclophosphamide hydrate），**葉酸代謝拮抗薬**の**メトトレキサート**（methotrexate；**MTX**），プリン代謝に拮抗する**アザチオプリン**（azathioprine）と**ミゾリビン**（mizoribine），**ミコフェノール酸モフェチル**（mycophenolate mofetil）が用いられる．免疫応答時の活発な増殖期にあるリンパ球では，プリン合成が *de novo* 経路[*2]に大きく依存するため，プリン代謝の *de novo* 経路のみを阻害するミゾリビンとミコフェノール酸モフェチルの方が，*salvage* 経路[*3]も阻害するアザチオプリンよりもリンパ球に対する特異性が高い．

放線菌（*Streptomyces hygroscopeicus*）由来のマクロライド化合物シロリムス［sirolimus, ラパマイシン（rapamycin）］の誘導体であるエベロリムス（everolimus）は，後述するタクロリムスと同じイムノフィリン FKBP12 と複合体を形成し，細胞の増殖シグナルに関与するタンパク質リン酸化酵素 mTOR（mammalian target of rapamycin）の活性を阻害する．T および B 細胞を抑制するため，免疫抑制薬として心・腎移植後の拒絶反応抑制などに適用される（図2）．

2. リンパ球機能阻害薬

シクロスポリンと**タクロリムス**は，T 細胞の活性化を阻害する抗生物質である．細胞質中でイムノフィリンと総称されるタンパク質と特異的な複合体を形成し，T 細胞受容体シグナル下流で Ca^{2+} 依存性プロテインホスファターゼの**カルシニューリン**の活性を直接阻害する．その結果，転写因子 NFAT（nuclear factor of activated T cells）によって誘導される IL-2 などのサイトカイン遺伝子の発現が抑制される（図2）．細胞増殖阻害薬と比べ，骨髄抑制をきたさずに免疫反応を抑制することから，拒絶反応抑制による移植成功率の改善に大きく貢献した．

1）シクロスポリン（cyclosporin）

土壌真菌（*Beauveria nivea*）の代謝産物から分離された環状ポリペプチドで 11 個のアミノ酸からなる．**イムノフィリンのシクロフィリンと複合体を形成する**．腎，肝，骨髄移植時の拒絶反応および移植片対宿主病の抑制，Behçet 病などの自己免疫疾患，難治性の尋常性乾癬などに適用される．主な副作用は，腎障害，肝障害，感染症，高血圧，高脂血症，および感覚器

[*2] 原料となる別の物質から新生合成する経路．
[*3] 不要となった RNA や DNA の分解産物を再利用して合成する経路．

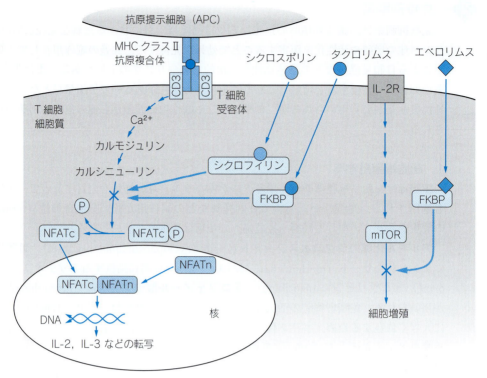

図2 シクロスポリン，タクロリムス，エベロリムスの作用機序
　T細胞が抗原提示を受けると，T細胞受容体と複合体を形成するCD3を介してシグナルが伝わり細胞内 Ca^{2+} 濃度が上昇する．Ca^{2+} は細胞内タンパク質カルモジュリンと結合し，プロテインホスファターゼであるカルシニューリンを活性化する．カルシニューリンがNFATを脱リン酸化すると，NFATは核内に移行し，そこでNFATnと協調してIL-2をはじめとするサイトカイン遺伝子の転写を促進する．シクロスポリンとタクロリムスは，それぞれ固有のイムノフィリンと結合してカルシニューリンを阻害するので，NFATは脱リン酸化されない．よってNFATは核内に移行できず，IL-2遺伝子の転写が抑制される（NFATc：平時にはリン酸化されて細胞質にとどまっているNFAT本体，NFATn：核内に移行したNFATcと協調的に働くAP-1など他の転写因子の総称）．
　エベロリムスはタクロリムスと同じくFKBP12と結合し，IL-2受容体（IL-2R）からの細胞増殖シグナルを伝達するタンパク質リン酸化酵素mTORに作用して細胞の増殖を阻害する．

障害（視力障害，難聴，耳鳴）である．また，連用により**歯肉増殖**を生じる．腎障害は用量依存的な腎血管収縮作用によるため，薬物血中濃度モニタリングを要する．シクロスポリンは主に肝臓でCYP3Aにより代謝されるため，グレープフルーツジュースやCYP3Aに影響する薬物はシクロスポリンの血中濃度を変動させる可能性があり，併用に注意する．

2) タクロリムス水和物（tacrolimus hydrate, FK506）

　筑波放線菌（*Streptomyces tsukubaensis*）由来のマクロライド系抗生物質で，イムノフィリンの**FK506結合タンパク質-12（FKBP-12）**と複合体を形成する．シクロスポリンより10〜100倍強い免疫抑制作用を示す．シクロスポリン同様に肝CYP3Aによって代謝される．

3．生物学的製剤

　免疫細胞の表面分子やサイトカインに対するモノクローナル抗体製剤は，反応性T細胞や炎症性サイトカインなどに特異的に作用する．標的分子の中和作用や，抗体依存性細胞傷害

(antibody dependent cellular cytotoxicity；ADCC）作用によって効果を発揮し，臓器移植の急性拒絶反応の抑制に使用される．**抗体医薬**は近年，遺伝子組換え技術による抗体分子のヒト化が進み，免疫抑制薬の他，関節リウマチや腫瘍の治療に用いる多くの薬剤が次々と開発されている（**26章Ⅱ-8. 参照**).

Ⅲ 免疫賦活薬

　免疫賦活薬は，重症感染症や免疫不全症，悪性腫瘍に罹患した患者の免疫機構を刺激，調節して生体の抵抗力を増強する．各種サイトカイン，生体応答調整物質（biological response modifiers；BRM），免疫グロブリン，モノクローナル抗体などの製剤が用いられる．BRM は，腫瘍細胞に対する生物学的応答を修飾して治療効果をもたらすものの総称で，特に悪性腫瘍の治療に用いられる細菌製剤，多糖類，抗原類などの非特異的免疫賦活薬を指す．

　インターフェロン（IFN），インターロイキン-2（IL-2），コロニー刺激因子（CSF）などサイトカインの組換え体製剤や，抗悪性腫瘍溶連菌製剤（OK-432，ピシバニール®）などの**非特異的免疫賦活薬**が悪性腫瘍の治療に併用される．

　また，IFN-α，βはB型肝炎やC型肝炎にも用いられる．宿主細胞の2',5'-オリゴアデニル酸合成酵素の誘導を通じてRNA 分解酵素を活性化させ，ウイルスの増殖を抑制するため，特にRNAウイルスが原因となるC型肝炎に高い効果を示す．IFNの副作用として，発熱，全身倦怠感などのインフルエンザ様症状，うつ状態，自殺企図，間質性肺炎などがある．CYP1A2 などの代謝酵素を抑制するので，ワルファリン，テオフィリンなど基質となる薬物との併用に注意する．

　免疫不全症や自己免疫性疾患に対して様々なヒト**免疫グロブリン**（immunoglobulin）製剤が用いられる．非特異的免疫グロブリン製剤である静注用ヒト免疫グロブリンは，免疫不全症，重症感染症や突発性血小板減少性紫斑病，川崎病の急性期などに適応となる．副作用にショックや肝障害，無菌性髄膜炎がある．なお，非特異的免疫グロブリンの大量投与は，自己抗体の中和やマクロファージFc受容体への自己抗体結合阻害などにより，過剰な免疫反応を抑制するため，自己免疫性疾患にも適応となる．一方，特定の抗原に対して高力価の抗体を含む特異的免疫グロブリン製剤として，抗破傷風ヒト免疫グロブリンや抗HBsヒト免疫グロブリンなどが，それぞれ破傷風，B型肝炎の発症予防に用いられる．

Ⅳ アレルギーの治療薬

　抗アレルギー薬は，主にⅠ型アレルギーの症状を抑える薬物である．そのため，ケミカルメディエーターの合成や遊離の抑制，受容体における拮抗，Th2サイトカインの阻害などによって効果を発揮する（**図3**）．気管支喘息，花粉症，アレルギー性鼻炎，アレルギー性結膜炎，およびアトピー性皮膚炎や蕁麻疹などのアレルギー性皮膚疾患が適応となるが，効果発現までに数週間を要するものが多いため，急性効果を期待されず，疾患の長期管理に使用される．ステロイド性抗炎症薬は発作の急性期に用いられるが，副作用のため全身投与による長期使用には不向きである．

1. 抗ヒスタミン薬（第1世代 H_1 受容体拮抗薬）

　ヒスタミン H_1 受容体拮抗薬は第1世代と第2世代に分類され，第1世代の薬物は一般に**抗ヒスタミン薬**と呼ばれる．第1世代はエタノールアミン系，プロピルアミン系，フェノチアジ

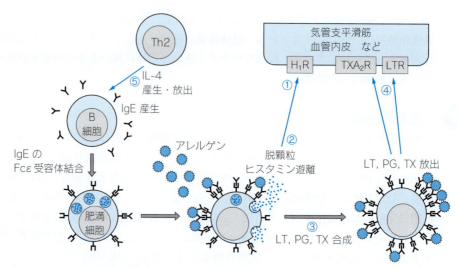

図3 抗アレルギー薬の作用点

体液性免疫がかかわるI型アレルギーでは，活性化Th2が産生するサイトカインの刺激を受けたB細胞からIgEが放出され，肥満細胞表面にFcγ受容体を介して結合する．このIgEに特異的に結合するアレルゲンが，肥満細胞の脱顆粒や各種ケミカルメディエーターの合成・遊離を誘導する．

抗アレルギー薬は，①H_1受容体（H_1R）における拮抗阻害，②肥満細胞の細胞膜安定化による脱顆粒の抑制，③ロイコトリエン（LT），プロスタグランジン（PG），トロンボキサン（TX）などケミカルメディエーターの合成・遊離の抑制，④トロンボキサンA_2受容体（TXA_2R）やロイコトリエン受容体（LTR）における拮抗阻害，⑤Th2サイトカインの阻害，などにより効果を発揮する．

ン系などに分類されるが，代表薬である**ジフェンヒドラミン塩酸塩**（diphenhydramine hydrochloride）をはじめ，脂溶性が高く血液脳関門を通過して中枢に移行しやすいため，ヒスタミン含有神経を抑制して鎮静作用（眠気）を生じさせる．この作用により，併用する中枢神経抑制薬の効果増強に注意する必要がある一方，Ménière病や乗り物酔いの予防，睡眠改善薬などにも応用されている．

また，第1世代はコリン作動性拮抗薬との化学構造の類似性からムスカリン性受容体とも親和性が高く，口渇などの**抗コリン作用**（アトロピン様作用）が強い．そのため緑内障や前立腺肥大など下部尿路閉塞疾患患者には禁忌となる．蕁麻疹，湿疹，虫刺され，アレルギー性鼻炎が適応となるが，**抗コリン作用**により外用での使用が多い．複合感冒薬成分としての利用もある．プロメタジン塩酸塩（promethazine hydrochloride）はパーキンソニズムや振戦麻痺などにも適応がある．第1世代の薬物は，アレルギー疾患治療で重要な役割を果たすが，習慣的に抗アレルギー薬と区別されることが多い．

2．抗アレルギー薬
1）第2世代H_1受容体拮抗薬（図3-①）

第2世代では，抗コリン作用や眠気の副作用が改善されている．中枢抑制の強さから，アゼラスチン塩酸塩（azelastine hydrochloride）などの抗アレルギー性と，フェキソフェナジン塩

酸塩（fexofenadine hydrochloride）などの非鎮静性に分けられ，後者はカルボキシ基やアミノ基の導入により脂溶性が低下し，前者と比べて血液脳関門を通過しにくい．いずれも H_1 受容体拮抗作用に加えて，肥満細胞の膜を安定化し各種ケミカルメディエーターの遊離を抑制する作用をもつ．メキタジン（mequitazine）以外は抗コリン作用が弱く，緑内障や下部尿路閉塞性疾患が禁忌とされない．

2）化学伝達物質遊離抑制薬（図3-②）

オータコイドやサイトカインなど，炎症反応を誘発する様々なケミカルメディエーターが細胞から遊離されるのを抑制する．クロモグリク酸ナトリウム（sodium cromoglicate）やトラニラスト（tranilast）は，肥満細胞の膜を安定化させて脱顆粒を抑制する．既に放出されたヒスタミンなどの作用は抑制しないので，起きている発作には無効である．トラニラストには膀胱炎様症状などの副作用がある．

3）トロンボキサン A_2 阻害薬（図3-③④）

トロンボキサン A_2（TXA_2）による気管支平滑筋の収縮を抑制する．TXA_2 合成阻害薬のオザグレル塩酸塩水和物（ozagrel hydrochloride hydrate），TXA_2 受容体拮抗薬のセラトロダスト（seratrodast），ラマトロバン（ramatroban）がある．気管支喘息やアレルギー性鼻炎に適応があるが，効果発現に時間がかかるため，既に起きている発作には効果がない．血液凝固を抑制するので抗凝固薬との併用に注意する．

4）抗ロイコトリエン薬（図3-④）

プランルカスト水和物（pranlukast hydrate），モンテルカストナトリウム（montelukast sodium）は，ロイコトリエン受容体に拮抗的に作用する．

5）Th2サイトカイン阻害薬（図3-⑤）

スプラタストトシル酸塩（suplatast tosylate）は，Th2細胞におけるIL-4, IL-5の産生を抑制するので，IgE産生や好酸球の浸潤を抑制する．

3．糖質コルチコイド（ステロイド性抗炎症薬）

強力な免疫抑制作用，抗炎症作用，抗アレルギー作用があり，アレルギー疾患，自己免疫疾患の治療や臓器移植において重要な地位を占める．核内受容体に作用して遺伝子発現を制御する．副腎萎縮，成長阻害，筋肉萎縮，骨粗鬆症，塩の貯留，耐糖能異常など，多くの副作用があり，全身的・長期間にわたる使用が制限されるため，他の薬物と併用される．

V 抗リウマチ薬

関節リウマチ（RA）では，関節滑膜において過剰な免疫応答により増殖した滑膜組織から各種炎症性メディエーターが産生され，破骨細胞の活性化や軟骨細胞の変性を介して関節破壊が起こる．治療は，NSAIDs，ステロイド性抗炎症薬によって対症的に消炎・鎮痛を図りながら，**疾患修飾性抗リウマチ薬**（disease-modifying antirheumatic drugs；**DMARDs**）を用いてリンパ球と炎症性サイトカインの働きを抑制し，骨・軟骨破壊の進行を防ぐ．DMARDsは，免疫異常を是正し，活動期の関節リウマチの進展を抑える薬物の総称で，単に抗リウマチ薬とも呼ばれる．作用機序により，免疫抑制薬，免疫調節薬，生物学的製剤に分けられる．催奇形性を認めるものが多く，妊婦などへの投与は禁忌である．

1. 免疫抑制薬

メトトレキサート（MTX）が，RA治療の中心的薬剤（アンカードラッグ）である．免疫担当細胞の葉酸代謝に拮抗して増殖を抑制するが，RAでは炎症局所のアデノシン濃度を上昇させ，白血球のアデノシン A_2 受容体を介したサイトカイン産生抑制による抗炎症作用ももつ．副作用として間質性肺炎，骨髄抑制，感染症，腎障害，肝障害などがある．慢性肝疾患，腎障害など禁忌が多い．その他，タクロリムス，ミゾリビン，ピリミジン代謝に拮抗するレフルノミドなどが用いられる．

2. 免疫調節薬

筋注製剤の金チオリンゴ酸ナトリウム（sodium aurothiomalate）が，金製剤として古くから用いられている．SH基に作用し，様々な酵素活性の阻害により免疫反応を抑制するとされる．副作用に，ショックや口内炎など皮膚粘膜症状がある．SH化合物のブシラミン（bucillamine）は，活性酸素除去作用や，キレート作用によるコラゲナーゼ活性阻害作用などをもつ．サラゾスルファピリジンは，アデノシン放出促進やプロスタグランジンおよびロイコトリエン産生抑制による抗炎症作用，T細胞やマクロファージの炎症性サイトカイン産生抑制などによる免疫調節作用をもつ．その他，炎症性サイトカイン受容体の下流シグナルを阻害する経口分子標的治療薬として，トファシチニブクエン酸塩（tofacitinib citrate）やイグラチモド（iguratimod）がある．

3. 生物学的製剤

RAの発症や病態進行において中心的な役割を果たす，炎症性サイトカインのIL-6やTNF-αとその受容体を標的とするモノクローナル抗体製剤（抗IL-6受容体抗体，抗TNF-α抗体）が，近年多く開発されている．サイトカインの細胞への作用を直接阻害するので効果発現が早く，関節破壊の進行を抑制して関節機能を改善する場合がある．また，T細胞活性化を阻害してサイトカイン産生を抑制するRA治療薬として，CD80/86に結合するCTLA-4分子が応用されている．重要な副作用は感染症で，肺炎や結核といった呼吸器感染症などの発症に注意する．骨粗鬆治療薬デノスマブ（抗RANKL抗体）がRAでも骨びらんの進行抑制に用いられる．

VI 免疫系に作用する薬物と歯科臨床

自己免疫疾患，臓器移植後，アレルギー疾患などに対する免疫抑制薬の使用は長期にわたる．投薬中患者の歯科治療では，易感染性への配慮と対応が必要となる．口腔領域に生じる副作用として，シクロスポリンの歯肉増殖，抗ヒスタミン薬の抗コリン作用による口渇，多くの免疫抑制薬による口内炎などがある．シクロスポリンおよびタクロリムスでは酸性NSAIDs，抗菌薬，抗真菌薬など歯科で処方される薬物にも併用注意が多い．薬物療法中のRA患者では易感染性に加え，顎骨壊死を生じるデノスマブ投与中である可能性も念頭におく．

26章 薬理学 各論

抗腫瘍薬

学修目標とポイント

- 化学療法薬の特徴と作用機序と副作用について説明できる．
- ホルモン療法薬の特徴と作用機序と副作用について説明できる．
- 分子標的治療薬の特徴と作用機序と副作用について説明できる．
- 頭頸部癌に適応のある抗腫瘍薬について説明できる．

本章のキーワード

細胞周期，細胞増殖，細胞成長因子，化学療法薬，ホルモン療法薬，モノクローナル抗体，チェックポイント阻害薬，プロテインキナーゼ伝達阻害薬

I ── 腫瘍とその薬物療法

組織や器官を構成している細胞が自律的な増殖を起こし，無秩序に増殖を続ける病的変化を腫瘍（tumor）という．腫瘍は良性腫瘍と悪性腫瘍（cancer）に大別され，悪性腫瘍は癌（carcinoma）と肉腫（sarcoma）にさらに分類される．近年，悪性腫瘍に対しての抗腫瘍薬の適用に関する知見は進歩を遂げており，これまで致命的であるとされたリンパ腫や白血病などに対しての有効な治療法が確立され，外科的切除法や放射線療法でしか有効でなかった腫瘍にも治療薬が用いられている．現在，悪性腫瘍の治療法は表1のように分類される．本章では，抗腫瘍薬として化学療法薬，ホルモン療法薬および分子標的治療薬について述べる．

II ── 化学療法薬，ホルモン療法薬，分子標的治療薬

化学療法薬（図1）を用いるためには，**細胞周期**と種々の薬物の作用点についての知識が必要である（図2）．細胞は以下の①〜④のパターンで分裂周期を繰り返す．①DNA合成に先行する期間（G1期），②DNA合成期（S期），③DNA合成の終了に続く休止期（G2期），④有糸分裂期と細胞分裂の期間（M期）．化学療法薬には，M期，S期あるいはG2期に作用するものがある．また，抗腫瘍薬のもつ濃度依存性や時間依存性の特徴を考慮し，よりよい投与方法を検討する必要がある．

化学療法薬には共通した副作用が見られる．骨髄抑制（白血球，赤血球および血小板の減少症），消化管障害（口内炎，下痢）および発毛障害（脱毛）などである．これらの組織細胞はさかんな細胞増殖によって機能しているために化学療法薬の影響を受けやすく，障害を生じやすい．化学療法薬の投与には副作用が不可避であり，治療では徹底した副作用の管理と投与計画が重要となる．また，癌細胞と正常細胞の違いは大きくなく，薬効の選択性は低いといわざるを得ない．そのため，化学療法薬の使用は多剤併用療法による治療が効果的である．

性ホルモンに依存性の組織（乳腺や前立腺など）は性ホルモン拮抗薬によるホルモン療法が

表1 悪性腫瘍の治療法

外科的手術	手術によって病変部位を含む周囲組織を外科的に取り除く．
放射線療法	手術後あるいは手術不可能な症例に対して，外部照射療法，密封小線源治療，内用療法などが実施される．
化学療法	腫瘍細胞のDNA合成や分裂を抑制させるための薬物治療で，増殖のさかんな細胞により強い影響を与える．
ホルモン療法	ホルモン依存性の高い腫瘍に対して行われる治療で，腫瘍細胞のホルモン作用を枯渇させて腫瘍増殖を抑制させる．
BRM療法	宿主の生物学的な応答能を修飾して，免疫を賦活化して抗腫瘍効果を生じさせる．
癌免疫療法	抗原抗体反応を利用した薬物療法で，抗体（薬物）が腫瘍細胞膜上の抗原と結合することで腫瘍細胞に対する免疫力を高めて，アポトーシスや細胞の増殖抑制を誘導する方法である．
分子標的治療	癌細胞の特性を分子レベルあるいは遺伝子レベルで解析して，癌細胞の増殖や転移を促す分子を特異的に抑制して治療する．

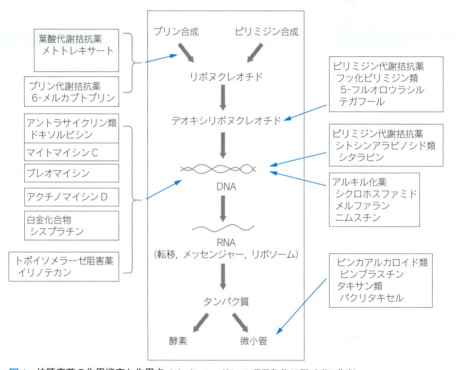

図1 抗腫瘍薬の作用機序と作用点（グッドマン・ギルマン薬理書 第11版．を基に作成）

効果的である．また，近年開発が目覚ましい分子標的治療薬の抗体薬としては，癌細胞の細胞表面抗原や細胞成長因子やその受容体を認識する抗体，癌細胞が免疫系から逃避して生き延びるために活用する免疫抑制分子に対する抗体などが利用されている．さらに，癌細胞で活性化している細胞増殖シグナルの伝達阻害薬なども見出されている．

1．アルキル化薬

生物学的に活性のある核酸やタンパク質にアルキル基（$-CH_2-CH_2-$）を結合させる薬物群を**アルキル化薬**という．抗腫瘍薬の起源である毒ガス（マスタードガス）から開発された薬物群

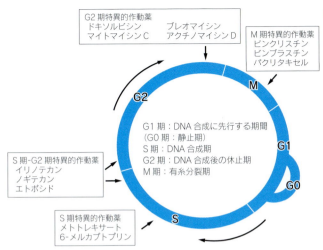

図2 細胞周期と抗腫瘍薬の作用点
細胞は，G1期（G0期は静止状態の細胞）→S期→G2期→M期→G1期というサイクルを繰り返して細胞増殖を起こす．S期あるいはM期の細胞に効果的に作用する薬物を示した．抗腫瘍薬の多くは，どのステージでも細胞毒性を示す．

のマスタード類やニトロソ尿素類などがある．アルキル化薬はDNAに架橋構造を形成するため，DNA合成と細胞分裂が抑制される．濃度依存性で，細胞周期非特異性の作用をもつ．代表的な薬物として，**シクロホスファミド水和物**（cyclophosphamide hydrate；CPA），**イホスファミド**（ifosfamide；IFM），**ニムスチン塩酸塩**（nimustine hydrochloride；ACNU）などがある．

2. 代謝拮抗薬

代謝拮抗薬は要求性が亢進している葉酸，プリンおよびピリミジンヌクレオチドの構造類似物で，正常な代謝物として間違って取り込まれて腫瘍細胞のDNA合成を阻害する．時間依存性で細胞周期**S期**に特異的に作用する．

1）葉酸代謝拮抗薬（folic acid antagonists）

(1) メトトレキサート（methotrexate；MTX）

メトトレキサートは葉酸ときわめて類似した化学構造で，ジヒドロ葉酸レダクターゼに不可逆的に結合して還元型葉酸の生成を阻害し，チミジンおよびプリン核の合成を抑制する．その結果，DNA合成が抑制されて抗腫瘍作用を現す．血液脳関門を通過しにくいため，白血病の髄膜浸潤には髄腔内注射によって投与される．急性白血病，急性リンパ性白血病，慢性髄膜性白血病，乳癌，尿路上皮癌に有効とされる．副作用には骨髄抑制（白血球・好中球減少），過敏症・アナフィラキシー，悪心・嘔吐，肺障害（間質性肺疾患），腎障害，口内炎，肝障害などがある．

メトトレキサート

2）ピリミジン代謝拮抗薬（pyrimidine antagonists）

(1) フッ化ピリミジン類

a）**フルオロウラシル**（fluorouracil；5-FU）

細胞内に取り込まれたフルオロウラシルは，ウラシルと同じ代謝経路で5-fluorodeoxyuridylate（5-FdUMP）に変換されてチミジル酸合成酵素を不可逆的に阻害する．その結果，チミジル酸が欠乏してDNA合成が阻害される．主に，頭頸部癌，消化器癌，乳癌，子宮癌，皮膚癌などの治療に用いられる．副作用には骨髄抑制（白血球・好中球減少），口内炎，心障害，消化管障害（下痢）などがある．抗ウイルス薬（単純ヘルペス，水痘・帯状疱疹，EBウイルス感染治療薬）の**ソリブジン**と5-FUとの併用で重篤な血液障害により多数の死者を出したことから，ソリブジンの製造および販売は全面的に禁止された（ソリブジン事件，1993）．

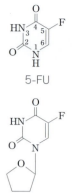

5-FU

b）**テガフール**（tegafur；FT），**ドキシフルリジン**（doxifluridine；5'-DFUR），**カペシタビン**（capecitabine）

フルオロウラシルの**プロドラッグ**であり，生体内において徐々に活性型に変換されて比較的長時間の抗腫瘍活性を示す．

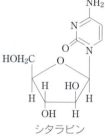

テガフール

(2) シトシンアラビノシド類

シタラビン（cytarabine；Ara-C）は，大腸菌の変異株から最初に発見された．生体内でリン酸化され，シタラビン三リン酸ヌクレオチド（Ara-CTP）に変換されて，DNAポリメラーゼによるDNA合成を阻害する．消化器癌，肺癌，乳癌，膀胱癌などに用いる．副作用には白血球減少症，血小板減少症，悪心・嘔吐などがある．

3）プリン代謝拮抗薬

メルカプトプリン水和物（mercaptopurine hydrate；6-MP）は急性白血病，慢性骨髄性白血病などに用いられる．副作用には骨髄抑制，肝障害，消化管障害，悪心・嘔吐，過敏症などがある．

3. 抗腫瘍性抗生物質

ある種の細菌の増殖を選択的に抑制する物質として発見された**抗生物質の抗腫瘍性**の研究から，DNAらせん構造に結合してDNAの合成の抑制や，DNA鎖の切断の作用をもつ物質が発見されている．時間依存性で細胞周期のG2期に作用する．

1）ブレオマイシン類

(1) **ブレオマイシン塩酸塩**（bleomycin hydrochloride；BLM）

土壌放線菌 *Streptomyces verticillus* の発酵産物として発見された糖ペプチドである．フリーラジカルを産生してDNAに特異的に酸化的ダメージを与える．高分子であるため血液脳関門は通過しにくい．頭頸部癌，肺癌，食道癌，悪性リンパ腫，子宮頸癌，神経膠腫，甲状腺癌，胚細胞腫瘍などに用いる．副作用には過敏症・アナフィラキシー，肺障害（肺線維症），骨髄抑制，腎障害，皮膚障害（色素沈着），消化管障害などがある．

(2) **ペプロマイシン硫酸塩**（peplomycin sulfate；PEP）

BLM類似の抗腫瘍薬である．BLMよりも強い抗腫瘍作用をもち，効果の出現も早い．肺毒性は比較的弱いとされる．頭頸部癌，前立腺癌，悪性リンパ腫，皮膚癌，肺癌に用いる．

2）アクチノマイシンD（actinomycin D；ACT-D）

Streptomyces 放線菌の培養液から単離された最初の抗腫瘍性抗生物質がアクチノマイシン類として発見された．DNAの二重らせんと結合することによって，RNAポリメラーゼによる転写反応を阻害する．また，一部の作用機序としてフリーラジカルの産生によるDNAの1本鎖切断も考えられている．Wilms腫瘍，絨毛上皮腫，小児悪性固形腫瘍（ユーイング肉腫

ファミリー腫瘍など）に有効である．副作用には骨髄抑制（白血球・好中球減少，血小板減少），過敏症・アナフィラキシー，皮膚障害，悪心・嘔吐などがある．

3）アントラサイクリン系抗腫瘍薬

土壌から分離された*Streptomyces*属の抽出液に含まれる多環系芳香族の赤色の抗生物質である．**ドキソルビシン塩酸塩**（doxorubicin hydrochloride；DXR）とその誘導体の**エピルビシン塩酸塩**（epirubicin hydrochloride；EPI），**ダウノルビシン塩酸塩**（daunorubicin hydrochloride；DNR）とその誘導体の**イダルビシン塩酸塩**（idarubicin hydrochloride；IDR）などがある．

4）マイトマイシンC（mitomycin C；MMC）

*Streptomyces caespitosus*の培養液から分離された物質で，細胞内の酵素，あるいは化学的に還元されてアルキル化薬として作用する．

4．微小管阻害薬

有糸分裂期（M期）に出現する紡錘体は，細胞分裂の前に複製された染色体を引き離す役割をもっている．微小管は紡錘体を構成する重要なタンパク質で，α-チューブリンとβ-チューブリンが重合することで形成される．これらの薬物は，微小管の機能を阻害することで細胞分裂を停止させて抗腫瘍活性を現す．細胞周期M期特異性と時間依存性の作用が知られている．

1）ビンカアルカロイド類

ニチニチソウ抽出物がラットの顆粒球減少と骨髄抑制を誘発することが見出され，さらに抽出物から単離されたアルカロイド（ビンカアルカロイド）がマウスの急性リンパ性白血病に有効であったことから，これらの薬物が登場した．ビンカアルカロイドの成分である**ビンクリスチン硫酸塩**（vincristine sulfate；VCR），VCRから合成された**ビンブラスチン硫酸塩**（vinblastine sulfate；VLB），**ビンデシン硫酸塩**（vindesine sulfate；VDS）などがある．悪性リンパ腫，急性白血病，小児腫瘍などに用いる．副作用には血管障害，骨髄抑制（白血球・好中球減少），末梢神経障害，脱毛などがある．

	R^1	R^2	R^3
ビンデシン	$-CH_3$	$-CONH_2$	$-OH$
ビンクリスチン	$-CHO$	$-COOCH_3$	$-OCOCH_3$
ビンブラスチン	$-CH_3$	$-COOCH_3$	$-OCOCH_3$

2）タキサン類

タキサン類が処理された細胞では，微小管やそれに由来する異常構造物の束が有糸分裂期で蓄積して有糸分裂を停止させる．タキサン類には，**パクリタキセル**（paclitaxel；PTX）や**ドセタキセル水和物**（docetaxel hydrate；DTX）などがある．**頭頸部癌**，卵巣癌，乳癌，食道癌，膀胱癌，睾丸腫瘍の治療に用いる．副作用には過敏症・ア

パクリタキセル

ナフィラキシー，骨髄抑制（白血球・好中球減少），心毒性，末梢神経障害，脱毛などがある．

5. 白金化合物

白金電極間で放電を行うと，大腸菌の増殖が抑制されたことがきっかけとなり，白金化合物の抗菌活性が発見された．白金化合物はDNAと反応して，DNA鎖内およびDNA鎖間でグアニン間やグアニン・アデニン間に架橋を形成する．形成された架橋はDNAの複製と転写を阻害する．細胞周期非依存性および時間依存性に作用する．

1）シスプラチン（cisplatin；CDDP）

頭頸部癌，睾丸癌，膀胱癌，前立腺癌，食道癌，子宮頸癌，胃癌などの癌に有効である．代表的な副作用として，重篤な腎障害や難聴がある．その他の副作用には過敏症・アナフィラキシー，骨髄抑制（白血球・好中球減少），悪心・嘔吐，末梢神経障害がある．

シスプラチン

2）その他の白金製剤

カルボプラチン（carboplatin；CBDCA）は，腎毒性を低減化した白金化合物である．副作用として血小板減少症が知られている．同様に，腎毒性が低減化されている薬物として**ネダプラチン**（nedaplatin）と**オキサリプラチン**（oxaliplatin；L-OHP）がある．

カルボプラチン

6. トポイソメラーゼ阻害薬

中国原産のカンレンボク（*Camptotheca acuminata*）の木から単離されたカンプトテシンは，核内酵素の**トポイソメラーゼⅠ**を標的とする抗腫瘍活性をもった物質として単離された．DNAトポイソメラーゼは，細胞分裂の過程でDNAの切断と再結合を助けて二重らせん構造を解きほぐす働きをもち，DNA複製，組換え，修復，転写などを可能にしている．トポイソメラーゼにはⅠとⅡの2つのタイプが存在している．細胞周期S期からG2期特異性に作用し，時間依存性に作用する．トポイソメラーゼ阻害薬には，イリノテカン塩酸塩水和物（irinotecan hydrochloride hydrate；CPT-11）などがある．

7. ホルモン療法薬

前立腺や乳腺などの組織細胞は性ホルモンに依存して増殖することが知られている．このようなホルモン依存性組織の癌には，ホルモン類による治療が有効である．代表的な薬物として，タモキシフェンクエン酸塩，ビカルタミド，メドロキシプロゲステロン酢酸エステルなどがある．

1）抗エストロゲン薬

エストロゲン受容体に対して競合的拮抗作用を有する薬物群を抗エストロゲン薬といい，ホルモン感受性乳癌の治療に使用される．**タモキシフェンクエン酸塩**（tamoxifen citrate；TAM）は，組織特異的に作用する選択的エストロゲン受容体モジュレーター（selective estrogen receptor modulator；SERM）で，

タモキシフェン

乳癌の治療に最もよく使われている薬物である．臓器によってエストロゲン受容体の種類や転写因子の制御に違いがあることによって，エストロゲン拮抗薬として働く場合とエストロゲン作動薬として働く場合がある．タモキシフェンがエストロゲン作動薬として働いて影響を及ぼ

すのは子宮内膜，凝固系，骨代謝系，肝機能などであり，そのためタモキシフェンが子宮内膜癌の発生の要因とされている．現在，エストロゲン作用をもたない，純粋な抗エストロゲン薬の開発が進められている．副作用には無顆粒球症，白血球減少症，好中球減少症，血小板減少症，視覚異常，血栓症，肝臓障害などがある．

2) 抗アンドロゲン薬

前立腺はアンドロゲンに依存した組織であり，アンドロゲンの刺激によって組織細胞の増殖が促進する．前立腺癌にはアンドロゲンの刺激を受けて悪性化するものがあり，**フルタミド**（flutamide）や**ビカルタミド**（bicalutamide）などが使用される．これらの薬物は，アンドロゲンと受容体の結合に続いて起こる受容体複合体の核内への移行を阻害する．副作用には肝障害，間質性肺炎，心不全・心筋梗塞などがある．

3) プロゲステロン類

プロゲステロン薬の**メドロキシプロゲステロン酢酸エステル**（medroxyprogesterone acetate；MPA）は，ホルモン依存性乳癌に対してタモキシフェンと同程度の効果を得ることができるとされる．しかし，血栓症やうっ血性心不全などの副作用を伴うことがあるため，タモキシフェンが無効な乳癌や子宮内膜癌に使用されている．

8. 分子標的治療薬

癌細胞に固有の生物学的特性を規定している分子を標的とし，より特異的に毒作用を示すような薬物を**分子標的治療薬**と呼ぶ．分子標的治療薬は，癌細胞の脱癌化や分化，浸潤・転移の抑制，腫瘍血管新生の抑制，アポトーシス誘導などによって治療することを可能にしている．

1) モノクローナル抗体

マウス骨髄腫細胞とBリンパ球を細胞融合する方法によって，特異的な抗原を認識する抗体（モノクローナル抗体）を作製できるようになった．癌細胞は多くの特異抗原を産生していて，これらの抗原に対する**モノクローナル抗体**が治療に用いられる．マウス抗体をヒトに投与した場合，免疫反応が惹起されてしまう．現在では，治療薬として用いるモノクローナル抗体はキメラ化あるいはヒト化されたものが使用される．キメラ化抗体とはマウスの抗体可変領域とヒト抗体定常領域をもった抗体で，ヒト化抗体とは可変部領域もヒト型に変換して作製した抗体である．抗体名の語尾が –ximab であるのがキメラ化抗体，–umab がヒト化抗体である．

(1) **トラスツズマブ**（trastuzumab，ハーセプチン®）

細胞成長因子として初期に発見された**上皮成長因子**（epidermal growth factor；EGF）の受容体（EGFR，別名 ErbB；4種類存在）の1つで，ErbB2（HER2/neu）に対するヒト化モノクローナル抗体である．ErbB ファミリーは多くの細胞の膜上に発現する高分子糖タンパク質であり，細胞外ドメインに EGF 結合領域，細胞内ドメインにはチロシンキナーゼ酵素を有する1本鎖のタンパク質である．通常，ErbB 受容体の活性化により，細胞は増殖反応を起こし，転移能が高まり，同時にアポトーシスが阻止される．本薬は ErbB2 と結合することによって，NK 細胞や単球による抗体依存性細胞傷害作用を惹起させて抗腫瘍効果を現す．ErbB2 が高発現している乳癌細胞で効率的な抗腫瘍効果が見られる．乳癌，胃癌，唾液腺癌，結腸・直腸癌の治療に用いる．副作用には心障害，間質性肺炎，白血球減少症，肝不全，腎障害などがある．

(2) セツキシマブ(cetuximab, アービタックス®)

上皮成長因子受容体（EGFR）のキメラ化モノクローナル抗体である．癌細胞の膜表面に発現している EGFR の EGF 結合領域に結合し，EGFR の活性化や二量体化を阻害して抗腫瘍効果を現す．**頭頸部癌**，結腸・直腸癌の治療に用いる．副作用には皮膚障害，間質性肺炎，心不全，低マグネシウム血症，下痢，血栓症などがある．

(3) ニボルマブ(nivolumab, オプジーボ®)

活性化したリンパ球や骨髄系細胞が発現する膜タンパク質 PD-1（programmed cell death 1）［CD279］は，抗原提示細胞に発現している PD-1 リガンド（PD-L1）や PD-L2 と結合することで，リンパ球細胞に抑制シグナルを伝達して活性化状態を負に制御する**免疫チェックポイント分子**の1つである．ある種の癌細胞が T 細胞からの攻撃を回避するため，PD-L1 を発現していることが明らかとなったことから，PD-1 と PD-L1 の結合を阻止するモノクローナル抗体が開発された．ニボルマブは PD-1 のヒト型モノクローナル抗体（抗 PD-1 抗体）でチェックポイント阻害薬と呼ばれている．**頭頸部癌**，悪性黒色腫，肺癌，腎癌などに用いる．副作用には間質性肺炎，重症筋無力症，大腸炎，1 型糖尿病，瘙痒症，甲状腺機能障害などがある．

(4) ペムブロリズマブ(pembrolizumab, キイトルーダ®)

ニボルマブと作用機序が同一（抗 PD-1 抗体）の免疫チェックポイント阻害薬のヒト型モノクローナル抗体である．ニボルマブと同様に「再発または遠隔転移を有する頭頸部がん」に単剤，あるいは化学療法との併用で追加承認された．**頭頸部癌**の他，非小細胞肺癌，尿路上皮癌，腎細胞癌，食道癌，直腸癌などに用いる．副作用には間質性肺疾患，大腸炎，肝機能障害，腎機能障害，内分泌障害などがある．

(5) リツキシマブ(rituximab, リツキサン®)

B 細胞表面抗原（CD20）に対するキメラ化モノクローナル抗体である．CD20 は前駆 B 細胞から成熟分化した B 細胞まで発現していることが知られ，ほとんどの B 細胞腫瘍で発現が確認される．リツキシマブは，B 細胞の CD20 と結合することで体内の免疫システムを発動させ，抗体依存性細胞傷害によってリンパ腫を細胞死（アポトーシス）に導く免疫療法薬である．B 細胞性非ホジキンリンパ腫，多発血管炎性肉芽腫症，慢性特発性血小板減少性紫斑病などに用いる．副作用には肝障害，皮膚障害，血球減少症，肺障害，心障害，腎障害などがある．

(6) ベバシズマブ(bevacizumab, アバスチン®)

多くの癌細胞では，血管内皮成長因子（vascular endothelial growth factor；VEGF）を分泌していることが確認されており，腫瘍内に新生血管を誘導して癌の増大や転位・浸潤を容易にしているとされる．ベバシズマブは VEGF に対するヒト型モノクローナル抗体で，VEGF とその 2 種の受容体（VEGF1 と VEGF2）の相互作用を阻害する．進行性大腸癌，非細胞肺癌に用いる．副作用には過敏症・アナフィラキシー，消化管障害，血球減少症，血栓塞栓症などがある．

(7) モガムリズマブ(mogamulizumab, ポテリジオ®)

成人 T 細胞白血病リンパ腫（adult T cell leukemia lymphoma；ATL）の治療に使用されるヒト化抗体製剤である．ヘルパーT 細胞の細胞膜に発現しているケモカイン受容体 CCR4 に結合して，NK 細胞や単球を活性化させる．その結果，抗体依存性細胞傷害により癌細胞が攻撃されることで抗癌作用を現す．副作用には皮膚障害，肝障害，間質性肺疾患などがある．

2）プロテインキナーゼ伝達阻害薬

細胞の内外の状態を細胞核に伝えて遺伝子発現などを調節するシグナル伝達系には，多くのプロテインキナーゼがかかわっている．細胞の増殖と分化を誘導する細胞成長因子の受容体は，

チロシンキナーゼ型受容体に結合してその作用が伝達される．また，細胞内には非受容体型のチロシンキナーゼやセリンスレオニンキナーゼも多く存在し，シグナル伝達にかかわっている．腫瘍細胞で特定のプロテインキナーゼの活性が亢進していることが見つかっており，これらは癌治療の標的になっている（**14章IV参照**）．キナーゼ阻害薬は語尾が -nib であり，チロシンキナーゼ阻害薬は -tinib となる．

(1) ゲフィチニブ（gefitinib，イレッサ®）

上皮成長因子受容体（EGFR）は，多くの一般的な腫瘍で高発現が見られる．また，部分欠損して構成的に活性化している EGF 受容体が膠芽腫から見つかるなど，腫瘍との関連は高い．ゲフィチニブは，EGF 受容体のチロシンキナーゼを特異的に阻害する薬物である．その結果，EGF 受容体シグナルは減衰し，細胞増殖が抑えられ，抗腫瘍効果を生じる．*EGFR* 遺伝子変異陽性の手術不能または再発非小細胞肺癌に用いる．副作用には急性肺障害，下痢，脱水，中毒性表皮壊死融解症などがある．

(2) イマチニブメシル酸塩（imatinib mesilate；GLI，グリベック®）

慢性骨髄性白血病では，多くの症例でフィラデルフィア染色体と呼ばれる転座が見られる．この染色体には Abelson（ABL）チロシンキナーゼと breakpoint cluster region（BCR）が結合した *bcr/abl* 融合遺伝子が見られ，この遺伝子は強力な活性をもったチロシンキナーゼに翻訳される．チロシンキナーゼ高活性化と白血病発症とは関連があり，BCR/ABL チロシンキナーゼの阻害薬が治療薬として使用される．イマチニブは BCR/ABL チロシンキナーゼの他，platelet-derived growth factor（PDGF）受容体（受容体型チロシンキナーゼ）や KIT（受容体型チロシンキナーゼの一種）にも阻害活性をもつマルチターゲット型の阻害薬である．慢性骨髄性白血病や *c-kit* 陽性の消化管間質腫瘍（gastrointestinal stromal tumor；GIST）にも有効である．副作用には骨髄抑制，消化管障害，肝機能障害，腎機能障害，皮膚障害などがある．

臨床コラム

イレッサ®（ゲフィチニブ）

イレッサ®（アストラゼネカ社）は，2002 年 8 月に非小細胞肺癌の治療薬として販売されたゲフィチニブ製剤である．「夢の新薬」として登場して間もなく，副作用による死亡例が相次いで報告されることになった．承認から 2 年半，およそ 4 万 2,000 人の患者に使用され，そのうち 550 人以上が副作用（主に間質性肺炎）によって亡くなり，社会問題になった．その後，イレッサ® の標的分子である EGFR（上皮成長因子受容体）には遺伝子変異が存在し，この変異がある肺癌には特に有効であることが分かってきた．現在，*EGFR* 遺伝子変異陽性の非小細胞肺癌に適応となっている．

(3) スニチニブリンゴ酸塩（sunitinib malate, スーテント®）

血管内皮成長因子受容体（VEGFR）のチロシンキナーゼ阻害薬であるとともに，**血小板由来成長因子受容体**（PDGFR）や KIT などのチロシンキナーゼを阻害するマルチターゲット型阻害薬である．腎癌，消化管間質腫瘍などに有効である．副作用として骨髄抑制，高血圧，出血，心不全などがある．

(4) トラメチニブ ジメチルスルホキシド付加物（trametinib dimethyl sulfoxide, メキニスト®）

EGF に代表される多くの細胞成長因子によって活性化される分裂促進因子活性化タンパク質キナーゼ（mitogen activated protein kinase；MAPK）経路（RAF/MEK/MAPK）は，発癌と関係していると考えられており，多くの抗腫瘍薬の標的となっている．MEK は，MAPK の活性化キナーゼで，MAPK のスレオニンとチロシン残基をリン酸化して活性化状態にさせる．トラメチニブは MEK 阻害薬であり，MAPK 経路の活性化を抑制して抗腫瘍効果を示す．悪性黒色腫や非小細胞肺癌などに用いる．副作用には心不全，肝障害，間質性肺炎などがある．

3）プロテアソーム阻害薬

(1) ボルテゾミブ（bortezomib；PS-341, ベルケイド®）

細胞内に存在するプロテアソームを阻害することで抗骨髄腫細胞作用を現す薬物である．プロテアソームは，細胞内で不要となったタンパク質を分解する酵素複合体であり，細胞周期に重要な役割を担っている．多発性骨髄腫の治療に用いる．副作用には肺障害，心障害，末梢神経障害，骨髄抑制などがある．

Ⅲ 抗腫瘍薬と歯科臨床

口腔癌は舌，上下顎の歯肉，頬粘膜，硬口蓋，口底および口唇に発生し，90％が扁平上皮癌である．頭頸部癌に対する治療の主体は外科的療法や放射線療法である．抗腫瘍薬による化学療法は，治療成績を高めるため，あるいは患者の QOL の観点から併用療法により行う．また，頭頸部癌に適応のある抗腫瘍薬については，薬物名，特徴，作用機序，副作用を知ることが重要である．

1）口腔癌の薬物療法

放射線療法と同時に化学療法を行う化学放射線療法（CCRT），手術や放射線の療法に先行して行う導入化学療法（ICT），術後に行う補助化学療法（ACT）がある．化学療法として使用される抗腫瘍薬には，シスプラチン，フルオロウラシル，タキサン系抗腫瘍薬（パクリタキセル，ドセタキセル）があり，併用投与によって用いられる．

シスプラチン＋フルオロウラシルの併用（PF 療法）では CCRT で有効であること，ドセタキセル＋シスプラチン＋フルオロウラシルの併用（TRF 療法）では PF 療法に比べてさらに有効であることが知られている．また，放射線療法とセツキシマブ（抗 EGF 受容体抗体）併用によって放射線療法単独よりも高い有効性が示されている．さらに，抗 PD-1 抗体薬（免疫チェックポイント阻害薬）の**ニボルマブ**と**ペムブロリズマブ**は「再発または遠隔転移を有する頭頸部がん」への単剤，あるいは化学療法との併用で保険適用されている．ニボルマブは，シスプラチンを含んだ化学療法後に再発した扁平上皮癌に対しての有効性が示されている．

2）副作用対策

抗腫瘍薬による副作用（骨髄抑制，吐き気・嘔吐，下痢，神経障害，感染症など）に対する各種薬物療法が行われている（表 2）．抗腫瘍薬による副作用の対策に十分な効果が見られない場合は，薬物の減量や変更も必要になる．また，当初は他の抗腫瘍薬に比べて副作用が軽減

表2 抗腫瘍薬の副作用対策

症状	投与薬物
骨髄抑制	顆粒球コロニー刺激因子（G-CSF）薬
吐き気・嘔吐	セロトニン受容体（5-HT$_3$）拮抗薬 副腎皮質ステロイド薬
下痢	腸管運動抑制薬（麻薬性鎮痛薬, 抗コリン薬）
神経障害	和漢薬（牛車腎気丸, 芍薬甘草湯）
感染症	抗菌薬

表3 irAE（immune-related adverse event）の種類

障害部位	有害反応
肺障害	間質性肺疾患, 急性呼吸窮迫症候群
心・血管障害	心障害, 心筋炎, 横紋筋融解症, 静脈血栓塞栓症
消化管障害	大腸炎, 小腸炎, 消化管穿孔, 下痢
肝障害	肝炎, 肝不全, 硬化性胆管炎, 自己免疫性肝炎
腎障害	腎不全, 尿細管間質性腎炎, 糸球体腎炎, 間質性腎炎
皮膚障害	乾癬, 中毒性表皮壊死融解症（TEN）, 薬剤性過敏症症候群, 皮膚粘膜眼症候群（Stevens-Johnson症候群）, 皮疹, 発疹, 瘙痒症
血液障害	血球貪食性障害, 免疫性血小板減少性紫斑病, 溶血性貧血, 無顆粒球症
内分泌障害	甲状腺機能障害, 下垂体機能障害, 副腎機能障害, 下垂体炎, 1型糖尿病
神経障害	末梢神経障害, 末梢性ニューロパチー, Guillain-Barré症候群, 頭痛, めまい, 味覚障害, 顔面神経麻痺, 三叉神経痛, 視神経炎

されると考えられていた分子標的治療薬にも数々の副作用があることがわかってきた.

リツキシマブやトラスツズマブなどの抗体医薬品（特にキメラ抗体）による症状は, 一般の過敏症などとは区別されており, インフュージョンリアクション（infusion reaction；発熱, 悪寒, 頭痛, 気管支けいれん, 血圧低下, アナフィラキシーなどの症状）と呼ばれている.

免疫チェックポイント阻害薬は一部の患者で高い抗腫瘍効果が期待される反面, 免疫システムのブレーキを抑制することによる免疫応答の過剰が起こり, これに由来する副作用が生じることがある. これらの副作用は, **免疫関連有害事象（immune-related adverse event；irAE）**と呼ばれるようになった（表3）. 免疫チェックポイント阻害薬の使用に際しては, 投与後の症状の観察や各種検査を十分に行い, irAEの出現があった場合は副腎皮質ステロイドなどの投与を考慮する必要がある.

　　　　26章　抗腫瘍薬

歯科医師国家試験出題基準（令和5年版）では, 歯科医学総論の「薬物療法, 疾患に応じた薬物療法」に「抗腫瘍薬」を挙げている. 実際の歯科医師国家試験では, 抗腫瘍薬の作用機序（核酸合成過程での代謝拮抗や微小管阻害など）に関して出題されている.

27章 薬理学 各論

代謝性疾患治療薬

学修目標とポイント
- 糖尿病とその治療薬の種類と特徴を説明できる.
- 骨・カルシウム代謝と骨粗鬆症について説明できる.
- 骨粗鬆症治療薬の種類と特徴を説明できる.
- 脂質異常症とその治療薬の種類と特徴を説明できる.
- 高尿酸血症・痛風とその治療薬の種類と特徴を説明できる.

本章のキーワード
インスリン,糖尿病,カルシウム調節ホルモン,骨代謝,骨粗鬆症,コレステロール,トリグリセリド,脂質異常症,尿酸,痛風

I ― 糖尿病治療薬

1. 血糖調節とインスリン

ブドウ糖(**グルコース**)は生体における最も重要なエネルギー源であり,血中のグルコース濃度(血糖値)はホルモン(体液性調節)や自律神経(神経性調節)によって適切な範囲に維持されている.**膵β細胞**から分泌される**インスリン**は標的組織(肝臓・骨格筋・脂肪など)のグルコース取り込みやグリコーゲン・脂肪酸合成を促進させ,血糖値を降下させる唯一のホルモンとして作用する.

インスリン分泌は膵β細胞のグルコース代謝を介して血糖依存的に制御されている.膵β細胞にグルコースが取り込まれると解糖系および酸化的リン酸化によってATPが産生される.血糖上昇によりATP産生が亢進すると,ATP感受性K^+チャネルが閉鎖して膜電位の脱分極が生じる.それにより電位依存性Ca^{2+}チャネルが活性化し,Ca^{2+}が流入することでインスリンの開口分泌が引き起こされる.さらに,食事摂取により小腸から分泌される**インクレチン**〔GLP-1(グルカゴン様ペプチド),GIP(グルコース依存性インスリン分泌刺激ホルモン)〕が膵β細胞に発現する受容体に結合し,グルコース代謝によって惹起されたインスリン分泌を増強する.

2. 糖尿病

糖尿病は絶対的または相対的なインスリンの作用不足によって起こる慢性的な高血糖状態を主徴とする疾患であり,その成因から**1型**(膵臓β細胞の破壊),**2型**(インスリン分泌低下,**インスリン抵抗性**),その他の特性の機序・疾患によるもの,妊娠糖尿病に分類される.また,病態においてインスリンを投与しないとケトーシスをきたし生命に危険が及ぶものをインスリン依存状態,生命維持に必要なインスリンが分泌されているものをインスリン非依存状態という.長期間にわたる高血糖は血管障害による慢性合併症(神経障害,網膜症,腎症など)を引

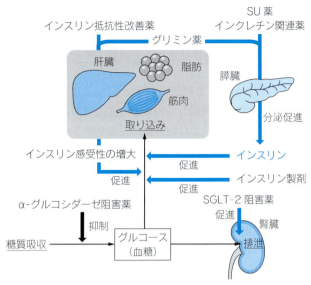

図1　糖尿病治療薬の作用

き起こす．さらに動脈硬化症の促進，悪性腫瘍の合併，歯周疾患，骨折や認知障害リスクの増大など，併発しやすい疾患の存在が指摘されている．

3．糖尿病治療薬

糖尿病の治療では高血糖により生じる合併症および併発症の発症，増悪を防ぐために血糖値を適切な範囲に維持（血糖コントロール）することが目標となる．食事療法，運動療法，さらに薬物療法によって血糖コントロールを行う．糖尿病治療薬は，**インスリン製剤**（insulin preparation）と**血糖降下薬**（hypoglycemic agent）の2つに分けられる（図1）．

1）インスリン製剤

ヒトインスリン（ヒューマリン®，ノボリン®）やそのアミノ酸配列の一部を改変した**インスリンアナログ**（ヒューマログ®，ノボラピッド®，アピドラ®，ランタス®など）を製剤化した医薬品であり，内因性インスリン分泌の不足を補うために使用される（インスリン療法）．作用発現時間および作用持続時間から超速効型，速効型，中間型，持効型に分けられ，さらにそれらを様々な割合で組み合わせた混合型がある．インスリン製剤は主に皮下注射で投与される．副作用として**低血糖**が現れることがあり，症状が認められた場合には糖質を含む食品の摂取やブドウ糖の投与を行う．

2）血糖降下薬

インスリン非依存状態の糖尿病において血糖コントロールのために使用される．

(1) スルホニル尿素（sulfonylurea；SU）**薬・グリニド薬**（glinide）

SU薬は膵β細胞のATP感受性K^+チャネルの構成タンパク質である**SU受容体**を標的にする．SU薬が結合するとイオンチャネルが閉じ，血糖非依存的にインスリンを分泌させる．代表的な薬物には，**グリメピリド**（glimepiride，アマリール®），**グリクラジド**（gliclazide，グリミクロン®），**グリベンクラミド**（glibenclamide，オイグルコン®）などがある．グリニド薬はSU構造をもたないが，SU薬と同様SU受容体に結合してインスリン分泌を促進する．SU薬と比べて作用時間が短く，速効型インスリン分泌促進薬とも呼ばれる．代表的な薬物にナテ

グリニドがある．副作用として低血糖を起こすことがある．SU薬は血漿アルブミンとの結合率が高いため，他の結合率の高い薬物〔酸性非ステロイド性抗炎症薬（NSAIDs）など〕と併用すると遊離型が増加して血糖降下作用が増強するおそれがある．

(2) インクレチン関連薬

インクレチンには，小腸のL細胞から分泌されるGLP-1とK細胞から分泌されるGIPがある．GLP-1とGIPは膵β細胞に作用して血糖依存的なインスリン分泌を促進するが，**ジペプチジルペプチダーゼ-4（DPP-4）**により速やかに分解されるため半減期が短い．インクレチンの効果を高める薬物をインクレチン関連薬といい，DPP-4阻害薬とGLP-1受容体作動薬，GIP/GLP-1受容体作動薬がある．DPP-4阻害薬は内因性インクレチンの血中濃度を上昇させることで，インスリン分泌促進作用を発揮する．代表的な薬物にシタグリプチンリン酸塩水和物（sitagliptin phosphate hydrate，グラクティブ®，ジャヌビア®）がある．GLP-1受容体作動薬はヒトGLP-1アナログであり，GLP-1受容体と選択的に結合してインスリン分泌を促進する．内因性GLP-1より半減期が長く，作用が持続する．代表的な薬物には，セマグルチド（semaglutide，経口：リベルサス®，皮下注射：オゼンピック®），リラグルチド（liraglutide，皮下注射：ビクトーザ®）がある．また，セマグルチドは食欲抑制作用による体重減少を目的に，肥満症治療薬（皮下注射：ウゴービ®）としても使用される．GIP/GLP-1受容体作動薬は両受容体に結合してインスリン分泌を促進する薬物であり，チルゼパチド（tirzepatide，皮下注射：マンジャロ®）がある．インクレチン関連薬は，単独投与では低血糖を起こすことはきわめて少ない．

(3) インスリン抵抗性改善薬

インスリン抵抗性とは，標的組織のインスリンに対する感受性が低下し，インスリンによる血糖降下作用が減弱している状態をいう．2型糖尿病の発症に大きくかかわると考えられている．インスリン抵抗性改善薬は，肝臓での糖新生抑制およびインスリン標的組織（骨格筋，脂肪）のグルコース取り込み促進により血糖降下作用を発揮する薬物であり，**ビグアナイド薬**（biguanide）と**チアゾリジン薬**（thiazolidinediones）に分けられる．

ビグアナイド薬はミトコンドリア呼吸鎖複合体Ⅰを阻害し，AMP（アデノシン一リン酸）キナーゼを活性化することでインスリン抵抗性を改善する．代表的な薬物にはメトホルミン塩酸塩（metformin hydrochloride，グリコラン®，メトグルコ®）がある．単独投与では低血糖を起こしにくく，血中のトリグリセリドやLDLコレステロールを低下させる効果も認められている．副作用では稀に重篤な乳酸アシドーシスが起こることがある．チアゾリジン薬は核内受容体PPAR（peroxisome proliferator-activated receptor）-γの作動薬として作用し，アディポネクチンの分泌促進など脂肪組織の質的な変化を介して肝臓や骨格筋のインスリン感受性を高める．代表的な薬物にピオグリタゾン塩酸塩（pioglitazone hydrochloride，アクトス®）がある．

(4) α-グルコシダーゼ阻害薬

糖質（炭水化物）は単糖類にまで分解され，腸管から吸収される．α-グルコシダーゼ阻害薬は，小腸において二糖類を単糖類に分解する酵素**α-グルコシダーゼ**を阻害して糖質の吸収を遅延させ，食後の急峻な血糖上昇を抑制する．代表的な薬物には，アカルボース（acarbose），ボグリボース（voglibose，ベイスン®），ミグリトール（miglitol，セイブル®）がある．他の血糖降下薬との併用で低血糖が現れることがあり，その場合にはブドウ糖など単糖類を投与する．

(5) ナトリウム・グルコース共輸送体（SGLT)-2阻害薬

血中のグルコースは腎臓の糸球体で濾過されて原尿に移行するが，近位尿細管に発現する**ナトリウム・グルコース共輸送体（SGLT)-2**を介して再吸収される．SGLT-2阻害薬はグルコース

再吸収を抑制し，尿中へグルコースを排泄させることで血糖降下作用を示す．代表的な薬物には，イプラグリフロジン L-プロリン（ipragliflozin L-proline，スーグラ®），ダパグリフロジンプロピレングリコール水和物（dapagliflozin propylene glycolate hydrate，フォシーガ®）などがある．副作用には低血糖の他，ケトアシドーシス，尿糖増加に伴う尿路感染症・性器感染症などがある．

(6) グリミン（テトラヒドロトリアジン）薬

グリミン薬は膵β細胞での血糖依存的インスリン分泌促進作用と，肝臓・骨格筋におけるインスリン抵抗性改善作用を併せもつ薬物である．作用機序の詳細は不明であるが，ミトコンドリアへの作用を介すると考えられている．イメグリミン塩酸塩（imeglimin hydrochloride，ツイミーグ®）がある．

4. 糖尿病治療薬と歯科臨床

歯科臨床で使用されるアドレナリンや副腎皮質ステロイド薬は血糖上昇作用を有し，糖尿病治療薬の血糖降下作用を減弱させることがある．また，SU薬は歯科臨床で繁用される酸性NSAIDsや抗感染症薬との薬物相互作用に注意が必要である．酸性NSAIDsとの併用では，SU薬の血漿アルブミンへの結合が抑制されて遊離型が増加することで，薬効の増強による低血糖症状が起こることがある．さらにサリチル酸製剤（アスピリンなど）は，それ自体も血糖降下作用をもつとされる．抗感染症薬では，アゾール系抗真菌薬（ミコナゾール，フルコナゾールなど）が薬物代謝酵素阻害と血漿アルブミンへの結合抑制によってSU薬の薬効を増強する．その他，テトラサイクリン系抗菌薬（テトラサイクリン塩酸塩，ミノサイクリン塩酸塩など），クラリスロマイシンなども血糖降下作用を増強することがあり，併用注意になっている．

II ― 骨代謝と骨粗鬆症治療薬

1. 骨代謝

硬組織と呼ばれる骨や歯（エナメル質を除く）では，不溶性の**ヒドロキシアパタイト**結晶〔$Ca_{10}(PO_4)_6(OH)_2$〕が，**コラーゲン線維**を主体とした有機成分に沈着して形成される．これらは，いわゆる無機-有機物複合体を形成することで，力学的な強度を保っている．一方，血液中のCaは約50％がイオン化Ca（**Ca^{2+}**）として，40％が血漿タンパク質と結合し，残りは他のイオンと結合した形で存在している．生物学的に活性なCaはCa^{2+}である．血漿タンパク質に異常がない場合は，血中総Ca濃度がCa^{2+}濃度を反映するとみなすことができる．Caは細胞の分化・増殖，筋収縮，神経伝達，ホルモン分泌および血液凝固などきわめて重要な生理的機能の発現に必須の物質である．そのため，その血中濃度は9～10 mg/dLの範囲に厳密にコントロールされている．

硬組織は体重の約2％にあたる全身のCaのうち99％を含有する．特に骨は，いわゆるCaの貯蔵庫として，血中Caの出納に深く関与する．体内のCa貯蔵量の維持は食物からのCa摂取，消化管からのCa吸収および腎臓からのCa排泄に依存する．バランスのとれた食事からは毎日およそ1,000 mgのCaが摂取される．骨は成長を終えた後も，破骨細胞による骨吸収と骨芽細胞による骨形成を繰り返す（図2）．このような骨吸収と骨形成の繰り返しによって，古い骨を新しいものに置き換える**骨の改造：骨リモデリング**という現象が生じ，骨の恒常性は維持されている．同時に骨中のCaと循環血液中のCaの交換が行われ，血中Ca濃度は，正常範囲に維持することができる．循環血液中のCa濃度が低下すると，骨吸収が優位になり骨を溶かして血中にCaを供給する．一方で，血中Ca濃度が上昇すれば骨形成が優位になり，再び骨にCaを

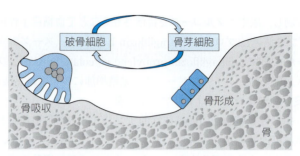

図2 骨代謝回転の模式図　　　（現代歯科薬理学 第6版. p.328)

表1 カルシウム調節ホルモンの標的器官と作用

ホルモン	標的器官と作用			血中濃度変化	
	骨	腸管	腎臓	Ca	P
PTH	骨吸収促進	(ビタミン D_3 活性化を介する間接的作用により) Ca 吸収促進	・遠位尿細管で Ca 再吸収促進 ・近位尿細管からの P 排泄促進 ・近位尿細管でビタミン D_3 活性化促進	↑	↓
活性型ビタミン D_3	骨吸収・骨形成ともに促進	小腸からの Ca, P 吸収促進	・遠位尿細管で PTH の Ca 再吸収作用増強	↑	↑
カルシトニン	骨吸収抑制	—	・遠位尿細管で Ca 再吸収抑制 ・近位尿細管からの P 排泄促進	↓	↓

（現代歯科薬理学 第6版. p.332)

蓄える．このような骨の新陳代謝と共役した血中 Ca の恒常性維持機構は**骨代謝**と呼ばれ，Ca の吸収や排泄に関わる腸管や腎と，Ca の貯蔵庫である骨が協調して働き，生体の恒常性維持に大きく関与している．すなわち，骨代謝の不均衡（アンバランス）は様々な病態を生じる．

血中 Ca 濃度の恒常性維持を担うホルモンとして，①副甲状腺の主細胞から分泌される**副甲状腺ホルモン（PTH）**，②皮膚で不活性型前駆体が生合成された後に肝臓および腎臓で水酸化を受けることにより生成する**活性型ビタミン D_3**，③甲状腺の傍濾胞細胞（C 細胞）から分泌される**カルシトニン**がある．これらは，骨代謝調節の三大ホルモンとも呼ばれ，骨，腸管，腎臓を標的器官として共同して作用する（**表1**）．

副甲状腺機能低下症，**ビタミン D 欠乏症**および腎不全などは，Ca 代謝ホルモンによる代謝調節の機能不全を生じ，低 Ca 血症を引き起こす．低 Ca 血症は血中 Ca 濃度が 8.8 mg/dL 以下になった状態で，その症状としては感覚異常，テタニー他，重度であればけいれん，脳症，心不全が起こる場合もある．歯科治療に際して，不安や恐怖によって自律神経の興奮が高まって起こる過換気症候群においては，呼吸性アルカローシスの状態が誘導されタンパク結合型 Ca の増加により，血漿 Ca^{2+} が低下する．その結果，四肢の硬直など**テタニー症状**が発現しやすくなる．

2. カルシウム代謝調節ホルモン
1) 副甲状腺ホルモン

副甲状腺ホルモン（parathyroid hormone：**PTH**）は，副甲状腺の主細胞で産生分泌される 84 個のアミノ酸から構成されるペプチドホルモンである．PTH の活性断片は，その N 端から 34 番目までのペプチド配列（PTH1-34）であり，標的細胞の受容体である副甲状腺ホルモン 1 型受容体：PTH1R に結合する．PTH1R は G タンパク質共役型受容体であり，PTH との結合により，

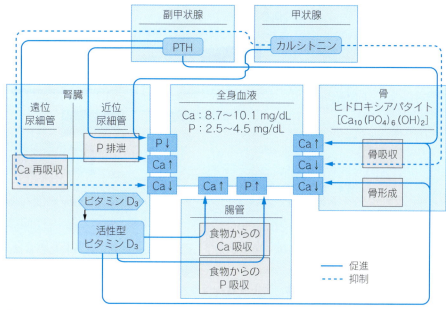

図3 カルシウム調節ホルモンの標的器官と血中 Ca, P 濃度の変化　（現代歯科薬理学 第6版. p.330）

G_s-アデニル酸シクラーゼ系と G_q-ホスホリパーゼ C 系などの細胞内情報伝達系を活性化する．

PTH は血中 Ca 濃度を上昇させるように働くホルモンであり，その標的は骨と腎である（図3）．骨では骨芽細胞前駆細胞や骨芽細胞および骨細胞に作用し，破骨細胞の分化誘導因子である RANKL の発現を誘導する．これによって，破骨細胞の分化や機能を刺激して骨吸収を亢進し，骨から血中へ Ca を動員する．腎の遠位尿細管では Ca の再吸収を促進し，近位尿細管では活性化ビタミン D_3 の産生を促進するとともに P や重炭酸イオン（HCO_3^-）の再吸収を抑制する．ビタミン D_3 の活性化は，腸管からの Ca 吸収を促進する．これらの作用から，PTH は血中 Ca 濃度を上昇させ，P 濃度を低下させる．

PTH の産生分泌は，血中 Ca 濃度によって厳密に調節されている（図4）．血中 Ca 濃度が低下すると，副甲状腺は細胞膜上のカルシウム感知受容体（Ca-sensing receptor）を介して感知し，これに反応して PTH を循環血液中に放出することで血中 Ca 濃度を上昇させるように作用する．一方，血中 Ca 濃度上昇は，ネガティブフィードバック機構により PTH の分泌を抑制する．また，上述のように PTH はビタミン D_3 の活性化を亢進するが，ビタミン D_3 は PTH の産生を抑制する作用を発揮し，ここでもネガティブフィードバック機構による巧妙な調節が行われている．

PTH に反応して血中 Ca 濃度が上昇するにつれて，血漿中での Ca と P の溶解度積〔陽イオンである Ca^{2+} 濃度と陰イオンである HPO_4^{2-} 濃度の積で，$(27\sim40 \text{ mg/dL})^2$ に維持されている〕が過剰に上昇する．腎臓からの P の排泄促進は Ca と P からなる難溶性塩が析出すること（尿路結石）を防ぐ大切な働きである．

2）活性型ビタミン D_3

ビタミン D は，植物由来の**ビタミン D_2**（エルゴカルシフェロール）と動物由来の**ビタミン D_3**（コレカルシフェロール）の総称で，抗**くる病**因子として発見された脂溶性ビタミンである．くる病は，小児期の骨幹部，成長板，軟骨の骨化異常による脊椎や四肢骨の彎曲や変形などの

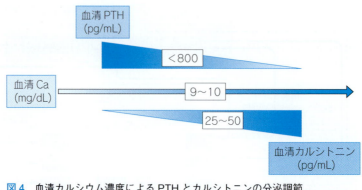

図4 血清カルシウム濃度によるPTHとカルシトニンの分泌調節
　　□内の数値は正常値を表す．　　　　　　　　（現代歯科薬理学 第6版. p.329）

病態である．骨端線（成長板）閉鎖が完了した後の成人に見られる骨化異常は，**骨軟化症**として区別されている．

　コレカルシフェロールは，ヒトを含むほとんどの脊椎動物の皮膚でプロビタミンD_3である7-デヒドロコレステロール（ビタミンD_2はエルゴステロール）から光化学的に生成されるが，他に食品からも摂取される．食物より摂取，皮膚で生成されたビタミンD_3は肝臓で25位が水酸化され，25-ヒドロキシビタミンD_3として血中に放出される．25-ヒドロキシビタミンD_3はビタミンD結合タンパク質と結合して運ばれ，腎臓近位尿細管で1α位が水酸化されて最終活性型代謝産物$1\alpha,25$-ジヒドロキシビタミンD_3となる（図5）．

　腎臓には1α位あるいは24位を水酸化する酵素がそれぞれ存在するが，1α位が水酸化された$1\alpha,25$-ジヒドロキシビタミンD_3のみが標的器官である腸管や骨で作用する活性型である．腎臓でビタミンD_3が活性化されるかどうか，1α位あるいは24位のどちらが水酸化されるかは，血中Ca濃度によって厳密にコントロールされている．血中Caが9 mg/dLを下回ると1α位の水酸化が促進されて**活性型ビタミンD_3**が増加するが，反対に血中Ca濃度の上昇により1α位の水酸化は抑制され，代わりに24位を水酸化することで不活性型のビタミンD_3が合成される．さらに，活性型ビタミンD_3はネガティブフィードバック機構により活性型の産生量をコントロールする．このような巧妙なメカニズムでビタミンD_3の活性化は調節され，血中Ca濃度恒常性を維持している．

　活性型ビタミンD_3は循環器系に放出され，リンパ液中の輸送物質であるビタミンD結合タンパク質と結合して様々な対象臓器に運ばれる．活性型ビタミンD_3はステロイドホルモンと同様に細胞内に存在する**ビタミンD受容体**と結合し，標的遺伝子の転写調節を介して生理作用を発揮するホルモンである．ビタミンD受容体は脳，心臓，皮膚，生殖腺，前立腺および乳房を含むほとんどの臓器の細胞で発現されている．腸，骨，腎臓および副甲状腺の細胞でのビタミンD受容体の活性化は，PTHおよびカルシトニンとの共同作用によって血中のCaおよびPの濃度の維持および骨密度の維持を司っている．活性型ビタミンD_3の主な作用は，小腸におけるCaとPの吸収を促進することである．その他，PTHによる骨吸収促進作用と腎臓におけるCa再吸収促進作用を増強する働きがあり，全体として血中のCaおよびP濃度を上昇させる．

　ビタミンD欠乏は，骨基質の石灰化が不完全となり，くる病，骨軟化症，**骨粗鬆症**の誘因となる．ビタミンD欠乏は食事からの摂取不足の他，胆道系疾患または腸での吸収不良に起因すると考えられる．また，ある種の薬物（**フェニトイン，フェノバルビタール，**リファンピ

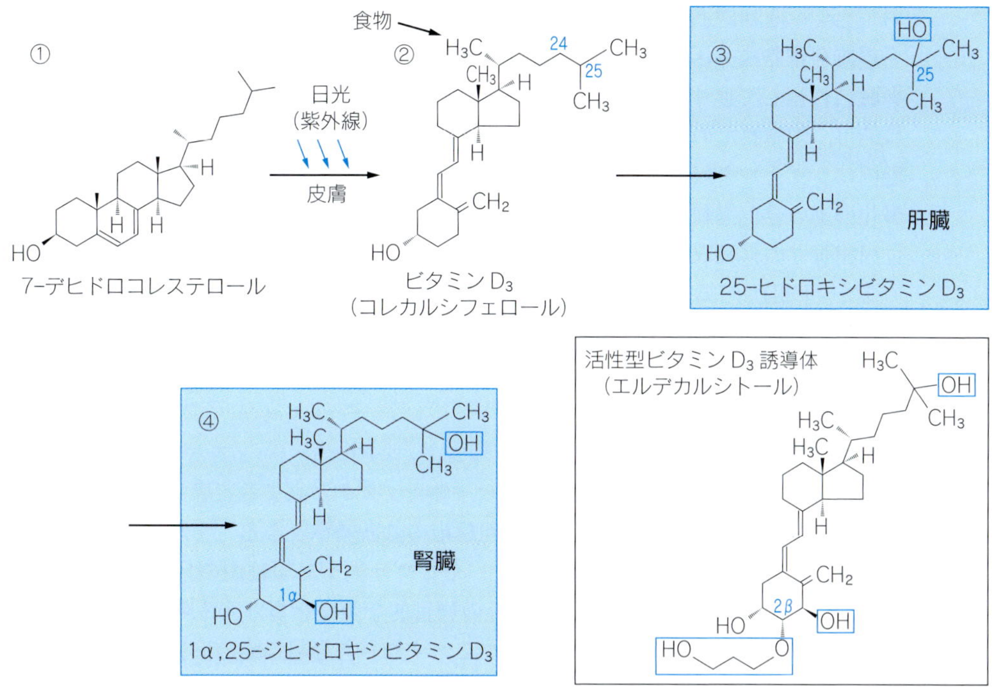

図5 生体内におけるビタミン D_3 の活性化と活性型ビタミン D_3 誘導体（エルデカルシトール）

（現代歯科薬理学 第6版．p.331）

シンなどの**シトクロム P-450 誘導薬**など）に伴うビタミン D 代謝異常や，皮膚の日光曝露不足によっても欠乏状態を生じる．慢性腎不全では，ビタミン D_3 の 1α 位水酸化能が低下し活性型ビタミン D_3 欠乏状態を生じることがあり，血中の Ca および P 濃度が低下するため骨粗鬆症の原因となる．また，ビタミン D_3 は体内に蓄積しやすい脂溶性ビタミンであることから，過剰症は腎臓などでの異所性石灰化の原因となる．

3）カルシトニン

カルシトニン（calcitonin：**CT**）は，甲状腺の傍濾胞細胞（C 細胞）から分泌される 32 個のアミノ酸からなるペプチドホルモンである．Ca 感知受容体は副甲状腺主細胞の他に甲状腺 C 細胞にも発現しており，CT は血中 Ca 濃度が正常範囲を超えて上昇すると分泌され，逆に血中 Ca 濃度が低下すれば分泌が減少する．血中 Ca 濃度変化による CT 分泌の制御は，前述の PTH とは正反対の調節作用である（図4）．CT は破骨細胞に発現しているカルシトニン受容体に結合し，G_s-アデニル酸シクラーゼ系の活性化を介して破骨細胞の波状縁の消失，酸性ホスファターゼ活性低下などにより骨吸収活性を抑制する．これにより，CT は血中 Ca 濃度を低下させる．

一方で，CT は腎臓におけるビタミン D_3 の活性化を促進する作用も有している．PTH や活性型ビタミン D_3 に比べて，Ca 調節作用はあまり強くないと考えられる．甲状腺全摘出患者では血中 Ca および P 濃度は正常に保たれる．CT は，食後や妊娠中の高 Ca 血症を改善する役割を果たしていると考えられる．

3．リン代謝調節ホルモン

P は Ca とともに骨を構成する主要元素であり，その血中濃度は P 代謝調節ホルモンと Ca 代謝調節ホルモンが互いに連携して調節されている．

1）線維芽細胞成長因子23

　線維芽細胞成長因子23（fibroblast growth factor 23；**FGF23**）は，骨の骨細胞で産生され，腎臓に作用して血中P濃度を低下させるタンパク質性のリン代謝調節ホルモンである．その機能は，細胞膜上のFGF受容体とklothoと呼ばれるタンパク質の複合体を形成することで細胞内にシグナルを伝達する．FGF23は腎近位尿細管でのP再吸収を抑制するとともに，1α水酸化酵素の発現抑制を通じて活性型ビタミンD_3濃度を低下させる．すなわち，FGF23は腎近位尿細管での再吸収と腸での吸収抑制により，血中P濃度を低下させる．

　また，PTHとFGF23はネガティブフィードバック機構による相互調節を行っている．PTHは骨細胞でのFGF23発現を亢進し，一方でFGF23は副甲状腺でのPTH産生を抑制する．このように，血中P濃度は上述のCa代謝調節ホルモンとFGF23が協調することで調節されている．

4．骨粗鬆症

　骨粗鬆症は，骨強度の低下を特徴とし，骨折リスクが高まる疾患である．骨量の低下は骨強度の低下を惹起する主要な要因で，骨粗鬆症の診断基準となる．また，骨の微細構造変化（顕微鏡レベルで観察される微小骨折など）や骨コラーゲン線維内の分子架橋の化学構造の変化（糖化と呼ばれる化学変化など）は，骨の物質的な強度を規定する**骨質**として重要な概念である．骨質は糖尿病や老化によって低下する．すなわち骨粗鬆症の病態は，骨吸収が骨形成を上回ることによる**骨密度低下と骨質劣化に起因する易骨折性**と理解できる．

　骨粗鬆症を起因とする骨折は，要介護状態を招き健康寿命を短くする主因となる．性ホルモンの低下による骨量減少は男性でも生じることから，骨粗鬆症は骨代謝疾患のうち最も頻度が高く，超高齢社会であるわが国では克服すべき重要な疾患である．**骨粗鬆症治療薬**は，**骨形成促進薬**と**骨吸収抑制薬**の2つに大別される．骨形成促進薬は骨形成の活性化によって骨密度を上昇させる．一方，骨吸収抑制薬は破骨細胞による骨吸収を低下させることで骨密度上昇をもたらす治療薬である．

5．骨粗鬆症治療薬
1）骨形成促進薬
（1）副甲状腺ホルモン1型受容体（PTH1R）作動薬

　上記のように，PTH1Rの薬物による刺激は骨形成を促進する．PTH1R作動薬には，PTH製剤とPTHrP製剤がある．両製剤ともに，骨密度低下が著しい骨粗鬆症や，すでに骨折がある重篤な骨粗鬆症に限定して用いられている．

　PTH製剤（テリパラチド，teriparatide）は，遺伝子組換えまたは化学合成によるヒトPTHのN端活性ペプチドPTH［1-34］である．ホルモンとしてのPTHは，上述のように骨吸収を促進するなどの作用から血中Ca濃度を上昇させる．しかしながら，PTHの間欠的投与は骨形成と骨吸収をともに亢進し，骨形成が骨吸収よりも優位になるように作用することが明らかとなり，薬剤として応用されるようになった．テリパラチドには，連日投与製剤，週1回投与製剤，週2回投与製剤がある．また，患者個人の生涯におけるテリパラチドの投与期間は最長24か月と定められているため，投与開始時期の判断には注意を要する．

　PTHrP製剤（アバロパラチド，abaloparatide）は，ヒト副甲状腺ホルモン関連ペプチド（parathyroid hormone-related peptide；PTHrP）のN端活性ペプチドPTHrP［1-34］誘導体である．アバロパラチドは，血中での安定化のために本来のPTHrPの配列とは8つのアミノ酸が異なる．PTHrPは生体内では軟骨細胞で産生され，オータコイドとして軟骨の成長・

分化を促進する．PTHrPはPTH1Rに結合し，その作用を発揮する．PTHrPの間欠的投与は，PTHと同様に骨形成促進作用を示すことから，アバロパラチドは開発された．アバロパラチドは連日製剤であり，生涯で最長18か月の投与が認められている．

(2) 抗スクレロスチン抗体製剤

抗スクレロスチン抗体製剤（ロモソズマブ，romosozumab）は，ヒト化抗スクレロスチンモノクローナル抗体である．スクレロスチンは骨細胞が特異的に産生する糖タンパク質で，Wntの共受容体であるLRP5/6へのWntの結合を阻害する分子である．すなわち，スクレロスチンは骨芽細胞の分化に重要なWnt-βカテニン経路を抑制している．抗スクレロスチン抗体は，スクレロスチンの脱抑制によりWnt-βカテニン経路を活性化させ，骨形成促進作用を示す．

ロモソズマブは，PTH1R作動薬同様に重篤な骨粗鬆症に適用され，月に1度の皮下注射で1年間のみの投与が認められている．臨床薬理学的には，骨形成促進作用だけでなく骨吸収抑制作用も認められ高い骨折抑制効果が示されている．虚血性心疾患，脳血管障害の既往がある患者への投与には注意が喚起されている．

2) 骨吸収抑制薬

(1) ビスホスホネート製剤

ビスホスホネート（bisphosphonate）は，ピロリン酸類似の構造を示す化合物で，主に破骨細胞の活性低下やアポトーシスを誘導することで骨吸収抑制作用を示す．ピロリン酸は，リン酸が2つ結合した構造で2価の陽イオンであるCa^{2+}に結合しやすく，リン酸Caの結晶成長を阻害する．この作用から，ピロリン酸はヨーロッパで水道管のCaの沈着を防ぐために使用されている．ビスホスホネートは，Caに強い親和性をもつ**ピロリン酸**の構造を基に設計された骨吸収抑制薬として開発されてきた．ピロリン酸の**P-O-P結合**は化学的に不安定であるため，安定な**P-C-P結合**に基本骨格を変えて側鎖を化学修飾した一連の化合物であり，図6に示すR_1とR_2の2つの側鎖を変化させることにより，骨吸収抑制活性の異なる多くの誘導体が合成されている．

a) 薬物動態と骨吸収抑制作用

ビスホスホネートはリン酸化合物であるため陰性電荷をもち，また脂溶性も低いため消化管からの吸収率は低い．鉄やCaが多い陽性電荷をもつ食物と非可溶性の錯体を作るため，ビスホスホネートの薬理作用は食事による影響を大きく受ける．服用後，少なくとも30分は食事をしない，あるいはしばらく横にならないなどの内服方法が求められるため，**アドヒアランス**に注意が必要である．ビスホスホネートは酵素による分解を受けず，生体内で代謝されにくいため，尿へはそのままの形で排泄される．Caへの親和性が高いため，吸収されたビスホスホネートはいったん骨に吸着されると体内に長く留まる．

ビスホスホネートは側鎖に窒素を含有するものとそうでないものに大別され，それぞれで作用メカニズムが異なる．窒素含有ビスホスホネートは，コレステロール合成系であるメバロン酸経路下流にあるファネシルピロリン酸合成酵素を阻害する．メバロン酸経路の活性化はRhoなどの低分子量Gタンパク質の機能に必須で，細胞骨格の制御に関与する．したがって，窒素含有ビスホスホネートは破骨細胞の骨格維持，細胞内小胞輸送などを抑制し，骨吸収を抑える．側鎖に窒素を含まないビスホスホネートは破骨細胞に取り込まれた後代謝され，アデノシン三リン酸（ATP）末端のピロリン酸構造を機能しない形の分子に置換し，細胞のエネルギー代謝の中でATPを競合的に阻害する．この結果，破骨細胞はアポトーシスに至る．

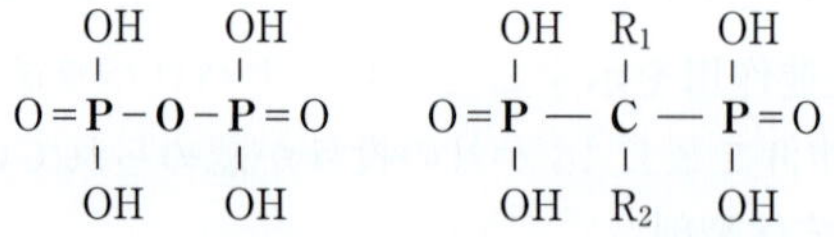

ピロリン酸: $O=P(OH)-O-P(=O)(OH)$ with OH groups

ビスホスホネート: $O=P(OH)(R_1)-C(R_1)(R_2)-P(=O)(OH)$

R_2 の種類	R_1	R_2	一般名	骨吸収抑制活性
アルキル側鎖	-H or -OH -OH	$-C_nH_{2n+1}$ (n : 0〜10) $-CH_3$	エチドロン酸二ナトリウム (エチドロネート)	1
ハロゲン側鎖	-Cl	-Cl	クロドロン酸二ナトリウム (クロドロネート)	1〜10
アミノアルキル側鎖	-OH	$-(CH_2)_2-NH_2$	パミドロン酸二ナトリウム水和物 (パミドロネート)	10〜100
	-OH	$-(CH_2)_3-NH_2$	アレンドロン酸ナトリウム水和物 (アレンドロネート)	100〜1,000
	-OH	$-(CH_2)_2-N(CH_3)((CH_2)_4-CH_3)$	イバンドロン酸ナトリウム水和物 (イバンドロネート)	1,000〜10,000
環状側鎖	-H	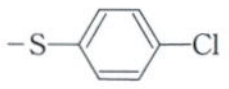 $-S-C_6H_4-Cl$	チルドロン酸二ナトリウム (チルドロネート)	1〜10
	-OH	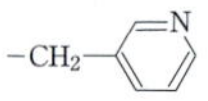 $-CH_2-$ピリジル	リセドロン酸ナトリウム水和物 (リセドロネート)	1,000〜10,000
	-OH	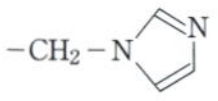 $-CH_2-$イミダゾリル	ゾレドロン酸水和物 (ゾレドロネート)	>10,000
	-OH	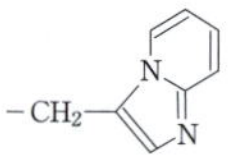 $-CH_2-$イミダゾピリジル	ミノドロン酸水和物 (ミノドロネート)	>10,000

図6 ビスホスホネートの構造式と活性(現代歯科薬理学 第5版. p322.を基に作成)
上段パネルにはピロリン酸とビスホスホネートの構造式を示す.R_1にヒドロキシ基(-OH)が入るとカルシウムへの親和性が増し,R_2の側鎖により作用メカニズムが変わる.下段には,臨床で使われている主なビスホスホネートを示す.培養実験におけるエチドロネートの骨吸収抑制活性を1とした相対的な骨吸収抑制活性を右欄に示す.なお,窒素含有ビスホスホネートでは,非含有ビスホスホネートに比べて骨吸収抑制活性が増すことが分かる.　　　　(現代歯科薬理学 第6版. p.335)

b)臨床応用と副作用

　ビスホスホネート製剤はその骨吸収抑制作用から,骨粗鬆症をはじめ,骨Paget病,高Ca血症,腫瘍性骨破壊などにも適用されている.骨粗鬆症の治療においては,ビスホスホネートはビタミンD_3製剤との併用も行われており,これは体内Ca代謝を正常に戻しながら,骨吸収を抑制することを期待しての薬物療法である.また,骨形成促進薬であるテリパラチドやアバロパラチドは生涯での投与期間が,それぞれ最長24か月や18か月と限定されているため,ビスホスホネートはこれらの薬物の投与期間終了後の逐次療法としても使用される.この場合,骨形成促進薬によって増量した骨を維持することを期待しての投与である.

　ビスホスホネートは腎臓を経て尿中に排泄されるので,重篤な腎疾患をもつ患者には用量を減らす必要がある.また,経口摂取した場合,炎症性の胃腸障害を生じる傾向がある.したがって,胃炎や消化管障害をもつ患者には注意して用いる.ビスホスホネートは,アミノグリコシド系の抗菌薬と併用すると低Ca血症を生じることがある.また,窒素含有ビスホスホネートを静脈内に適用すると,投与後から数日間に一過性の発熱を生じる場合がある.

ビスホスホネート長期間投与により，骨リモデリング活性が極端に抑えられ，古い骨が残り骨質が低下する．その結果，大腿骨骨幹部などでガラスが割れたような骨折（大腿骨非定型骨折）を起こすことがある．また，ビスホスホネートをはじめとした骨吸収抑制薬の投与は骨の再生能を低下させるため，**薬剤関連顎骨壊死**の原因となることがあり，歯科臨床上の重要な課題である（次頁，臨床コラム参照）．

c）骨吸収抑制作用以外の薬理作用とその応用

ビスホスホネートはピロリン酸の誘導体であり，ピロリン酸と同様に生体内での石灰化を抑制する作用がある．この物理化学的作用を利用したエチドロネートの大量投与は，様々な異所性骨化症（脊髄損傷後ないし股関節形成術後の進行性異所性骨化症，後縦靱帯骨化性，人工弁膜の石灰化など）の治療にも応用されている．同様に，エチドロネートを含嗽剤や歯磨剤に添加し，歯石の抑制に用いている国もある．窒素含有型で骨吸収抑制活性の強いビスホスホネートには，このような作用は見られないようである．

ビスホスホネートは骨表面に吸着されるが，特に骨代謝回転が亢進している場所に集積する．この性質を利用して，がんの骨転移箇所を発見するためにビスホスホネートと放射性のテクネチウム（^{99m}Tc）を組み合わせた骨シンチグラフィ用注射剤が用いられている．

（2）抗RANKL抗体製剤

抗RANKL抗体製剤（**デノスマブ**，denosumab）は，破骨細胞分化促進因子であるRANKL（receptor activator of NF-κB ligand）分子に特異的に結合するヒト化モノクローナル抗体である．主に細胞膜から遊離した可溶性RANKLに結合することにより，破骨細胞あるいは破骨細胞前駆細胞膜上に存在する受容体であるRANKとの結合を阻害する．このため，破骨細胞の分化・活性化に必要なRANKの細胞内シグナルの抑制が起こり，強力な骨吸収抑制作用を発揮する．この強力な骨吸収抑制作用により骨代謝回転は骨形成に傾き，骨粗鬆症患者の骨量増加あるいは多発性骨髄腫，がんの骨転移による骨量減少を抑制する．血中半減期は長く，骨粗鬆症治療では6か月に1度皮下投与を行う製剤も開発されている．皮下投与された後，RANKL抗体は主にリンパ管を介して吸収され全身に分布する．

ビスホスホネートとは異なり，投与を中止すると骨吸収抑制作用はただちに消失し，急激な骨吸収の亢進，すなわち**リバウンド**が生じるため休薬には注意が必要である．副作用として低Ca血症，**薬剤関連顎骨壊死**，大腿骨非定型骨折などがあげられる．重篤な低Ca血症の発現を軽減するため，血中Ca値が高値でない限り，投与後はCa製剤と天然型ビタミンDの経口補充が毎日行われる．

3）その他の骨粗鬆症治療薬

（1）活性型ビタミンD_3製剤

アルファカルシドール（alfacalcidol），**カルシトリオール**（calcitriol），**エルデカルシトール**（eldecalcitol）の3剤が骨粗鬆症に適用されている．アルファカルシドールは，ビタミンD_3の1α位のみが水酸化された1α-ヒドロキシビタミンD_3で，服用後，25位が水酸化され活性型ビタミンD_3（1α,25-ジヒドロキシビタミンD_3）となるプロドラッグである（図5）．カルシトリオールは，活性型ビタミンD_3（1α,25-ジヒドロキシビタミンD_3）である．エルデカルシトールは活性型ビタミンD_3の2β位に3-hydroxypropoxy基が導入された誘導体であり（図5），骨折抑制効果がアルファカルシドールに比較して優れていることが示されている．いずれの製剤も，すでに1α位が水酸化されていることから腎不全患者でも有効である．

活性型ビタミンD_3製剤の骨密度上昇効果は，腸管からのCa吸収促進作用に加え，強い骨

> **臨床コラム**

薬剤関連顎骨壊死：MRONJ

　窒素含有ビスホスホネート投与患者に顎骨壊死（osteonecrosis of the jaw；ONJ）が副作用として発症することが2003年以降に報告された．それまで顎骨壊死は，頭頸部領域の放射線治療を受けた患者に生じることが知られていたが，骨粗鬆症治療薬であるビスホスホネートの投与によっても顎骨壊死が発症することが指摘され，ビスホスホネート関連顎骨壊死（bisphosphonate-related ONJ；BRONJ）と名づけられた．その後，抗RANKL抗体投与によっても同様の顎骨壊死が発症することが報告され，骨吸収抑制薬関連顎骨壊死（anti-resorptive agents-related ONJ；ARONJ）と呼ばれるようになった．さらに，がん患者への血管新生阻害薬によっても顎骨壊死が発症することから，現在は薬剤関連顎骨壊死（medication-related ONJ；MRONJ）と呼ばれる．

　日本の顎骨壊死検討委員会が発行した『ポジションペーパー2023』では，以下の3項目を満たした場合にMRONJと診断するとしている．
①ビスホスホネートやデノスマブ製剤による治療歴がある．
②8週間以上持続して口腔・顎・顔面領域に骨露出を認める．または口腔内あるいは口腔外から骨を触知できる瘻孔を8週間以上認める．
③原則として顎骨への放射線照射歴がない．また顎骨病変が原発性がんや顎骨へのがん転移ではない．

　顎骨は口腔粘膜に覆われ，骨と粘膜を貫通して歯が植立しているという特殊な解剖学的特徴を有する組織である．また，口腔粘膜に接して常在細菌が多数存在するため，歯周病に代表される炎症性疾患や食物などによる機械的侵襲，抜歯などの侵襲的歯科治療や不適合補綴装置による粘膜傷害などにより顎骨は口腔と直接連絡しやすく，きわめて感染を受けやすい環境にある．MRONJは，顎骨特異的な感染を受けやすい構造・機能的背景に，薬物による過度の骨吸収抑制や骨リモデリング抑制，口腔上皮の修復機能の抑制，局所の血液循環の抑制といった薬理作用が加わって生じると考えられるが，その発症機序はいまだ十分に解明されていない．

　骨粗鬆症治療の際に用いられる経口のビスホスホネート投与（低用量投与）では顎骨壊死の発生頻度は低い（0.1％未満）が，がん患者への静脈内投与での大量のビスホスホネート投与（高用量投与）では発生頻度が10％を超えるという報告もある．デノスマブ製剤でも，骨粗鬆症患者への投与（低用量投与）に比べ，がん患者への投与（高用量投与）は，MRONJの発症率が高くなるようである．テリパラチド投与患者でのMRONJの報告はまだなく，ビスホスホネートからテリパラチドへの投薬変更によりMRONJが治癒するという報告もある．

　MRONJを予防するには，定期的な口腔検査と口腔ケア，歯科口腔外科手術前後の抗菌薬の投与などの感染対策が重要となる．抜歯をはじめとする歯科口腔外科手術の際に予防的休薬を行うかどうかの是非については，医師・歯科医師の間で重要な議論となってきた．数か月の休薬によっても骨組織に蓄積されたビスホスホネートは除去されないこと，抗RANKL抗体の休薬ではリバウンドによる急激な骨吸収の亢進が生じること，休薬期間中に骨折リスクの増加やがんの進行，歯性・顎骨感染の進行が高まる可能性があることから，ポジションペーパー2023では「原則として抜歯時に骨吸収抑制薬を休薬しないことを提案する」としている．また，壊死骨の除去と粘膜閉鎖による口腔外科的処置はMRONJの治療に効果があるというエビデンスが蓄積されている．

　MRONJの予防には，骨粗鬆症治療薬の開始に際して処方医（医師）が歯科医師への口腔管理を依頼することが重要である．また，MRONJの予防および発症時の治療には，歯科医師と医師間の話し合いによる治療方針の同意や薬剤師による情報提供など，医歯薬連携がきわめて重要である．

吸収抑制作用によると考えられる．骨吸収抑制の作用機序は，骨表面のRANKL発現細胞数を減少させること，血中を循環している破骨細胞前駆細胞の骨への遊走を抑制することなどが報告されている．

(2) カルシトニン製剤

カルシトニン誘導体としての**エルカトニン**（elcatonin）がある．破骨細胞のカルシトニン受容体に結合し，破骨細胞活性を低下させ骨吸収を抑制する．しかしながら，骨折予防効果はあまり高くないとされる．一方で，中枢神経系のセロトニン系に作用し，疼痛改善に有効であることが示されており，国内における効能効果は「骨粗鬆症における疼痛」である．腰背部痛など骨粗鬆症による骨痛に対して使用され，患者のQOLを改善する．

(3) ビタミンK製剤

ビタミンKは脂溶性ビタミンの一種で，肉類，乳製品，鶏卵，納豆の食品に含まれ，ヒトでも腸内細菌（納豆菌も含まれる）によって産生される．天然型ビタミンKには，**ビタミンK$_1$**（フィトナジオン）と**ビタミンK$_2$**（メナテトレノン）がある．ビタミンKはグルタミン酸残基のγ-カルボキシル化を担うγ-カルボキシラーゼの補酵素である．グルタミン酸の表記であるGluに対して，γ-カルボキシル化グルタミン酸はGlaと表記されるため，この酵素過程はGla化とも記載される（**24章参照**）．

ビタミンKは，このGla化の補酵素としての機能から，肝臓においてはビタミンK依存性血液凝固因子（第Ⅱ，Ⅶ，Ⅸ，Ⅹ因子）の合成を促進する．骨においては，骨芽細胞が産生する骨基質タンパク質の1つである**オステオカルシン**のGla化に関与している．ビタミンK摂取不足の高齢者では大腿骨近位部骨折の発生率が高いこと，骨粗鬆症性骨折の既往のある患者や椎体骨折のある女性では血中ビタミンK濃度が低いことから，Gla化オステオカルシン低値が骨折の危険因子である可能性が報告されている．**メナテトレノン**（menatetrenone）は，**骨粗鬆症治療薬**として認可されている．

(4) 選択的エストロゲン受容体モジュレーター

女性ホルモンの1つである**エストロゲン**は，主として卵巣の顆粒細胞においてコレステロールを原料として合成される炭素数18のステロイドホルモンである．エストロゲンは核内受容体スーパーファミリーに属する**エストロゲン受容体**（ER）に結合して，標的遺伝子の転写を特異的に活性化する．エストロゲンの標的臓器は性腺だけではなく，広く他臓器・組織にわたっている．破骨細胞にもその受容体（ERα，ERβ）が存在するが，このうちERαが主として骨量維持作用，すなわち破骨細胞機能の抑制作用に関与する．

閉経後の女性では，血中エストロゲンの低下に伴い骨粗鬆症の発症率が増加するが，これはエストロゲンによる破骨細胞機能の抑制が解除されたことを表している．そのため，古くは**エストロゲン製剤**がホルモン補充療法として閉経後骨粗鬆症の第1選択であったが，乳がん，子宮体がん，血栓症のリスク増加などの危惧があり，積極的には使用されなくなった．

その後，**選択的エストロゲン受容体モジュレーター**（selective estrogen receptor modulator；**SERM**）と総称される薬物が開発され，現在，**ラロキシフェン塩酸塩**（raloxifene hydrochloride）と**バゼドキシフェン酢酸塩**（bazedoxifene acetate）が使用されている．両者とも，有意な骨密度上昇と椎体骨折抑制作用をもつことが明らかになっている．さらに，骨密度改善効果は**ビスホスホネート製剤**と比較して弱いが，骨質改善作用をもつために骨折抑制効果を発揮することが想定されている．

SERMの特徴は，エストロゲンとほぼ同等の親和性でエストロゲン受容体と結合するが，

表2 エストロゲン製剤とSERMの比較

	骨吸収	乳癌細胞増殖	子宮内膜増殖
エストロゲン製剤	↓	↑	↑
SERM	↓	↓	↓

(現代歯科薬理学 第6版. p.334)

乳腺や子宮内膜では拮抗薬として，骨や脂質代謝に対しては作動薬として作用することである．すなわち，エストロゲン依存性腫瘍のリスクを回避しながら，骨吸収抑制作用をもたらすことができる薬物である（**表2**）．

6．その他の骨組織作用薬
1）抗FGF23抗体製剤

ヒト型抗FGF23モノクローナル抗体（ブロスマブ，burosumab）は，FGF23関連低リン血症性くる病・骨軟化症の治療薬として認可されている．FGF23関連低リン血症性くる病・骨軟化症は，FGF23が過剰となることで体内のリンが尿中に過剰に排泄され低リン血症となり，その結果として骨の成長・代謝に障害をきたす疾患である．遺伝子変異によるFGF23の過剰産生，間葉系腫瘍によるFGF23の過剰産生，表皮母斑症候群による皮膚病変からのFGF23の過剰分泌が，この疾患の原因となる．ブロスマブはFGF23に特異的に結合して，上記疾患における過剰なFGF23の機能を阻害する．

7．骨粗鬆症治療薬と歯科臨床

骨粗鬆症治療薬は骨の形成と吸収のバランスに強く影響を与えるため，歯槽骨や顎骨のリモデリングや再生能にも深く関与する．したがって，骨リモデリングを力学的に調節して治療を行う歯科矯正治療や，骨の再生や修復を目的とする歯周外科や顎口腔外科治療において，患者に投与されている骨粗鬆症治療薬の把握・理解は重要であり，処方医（整形外科医や内科医）との連携が必要な場合が生じる．

骨吸収抑制薬や血管新生阻害薬を投与された患者が，抜歯などの観血処置を受けた際に，創面が粘膜で覆われず壊死骨の露出が引き起こされることがある（**薬剤関連顎骨壊死**，medication-related osteonecrosis of the jaw；**MRONJ**）．この顎骨壊死は細菌感染によるものだけでなく，薬物による骨の修復能の低下および口腔粘膜細胞や線維芽細胞の増殖や遊走能の抑制が主要な要因として考えられる．歯科医師と医師および薬剤師の相互連携によるMRONJの予防および治療はますます重要になっている（**p.248 臨床コラム参照**）．

III 脂質代謝と脂質異常症治療薬
1．脂質代謝と脂質異常症

血清脂質としては，**コレステロール**，**トリグリセリド**，**リン脂質**および**遊離脂肪酸**が存在するが，これらの脂質が増加した状態を**脂質異常症**という．脂質はそれ自体では水に溶けないので，アポタンパク質と結合して，リポタンパク質として存在している．リポタンパク質はその比重から，**カイロミクロン**（chylomicron），**VLDL**（very low density lipoprotein，超低比重リポタンパク質），**LDL**（low density lipoprotein，低比重リポタンパク質），**HDL**（high density lipoprotein，高比重リポタンパク質）と分類される．カイロミクロンは腸管から吸収された脂

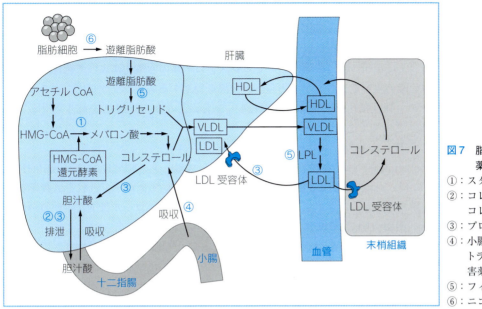

図7 脂質異常症治療薬の作用点
①：スタチン系
②：コレスチラミン，コレスチミド
③：プロブコール
④：小腸コレステロールトランスポーター阻害薬
⑤：フィブラート系
⑥：ニコチン酸

質の肝臓への輸送，VLDLは末梢組織へトリグリセリドを輸送，LDLは肝臓やその他の臓器へのコレステロールの供給源となる．また，HDLは末梢組織からコレステロールを引き抜き，肝臓に送る役割を果たしている．

コレステロールやトリグリセリドを含むリポタンパク質の増加と，冠動脈疾患をはじめとする動脈硬化性疾患の発症とには正の相関が認められることから，脂質異常症の改善は動脈硬化性疾患の予防が目的とされる．基本的には生活習慣の指導，食事療法，運動療法が行われる．

2．脂質異常症治療薬
1）スタチン（図7-①）

HMG-CoA還元酵素（hydroxymethylglutaryl CoA reductase）はコレステロール合成の律速酵素である．**プラバスタチンナトリウム**（pravastatin sodium），**シンバスタチン**（simvastatin），**アトルバスタチンカルシウム水和物**（atorvastatin calcium hydrate）など（スタチン）は，HMG-CoA還元酵素活性を阻害する薬物として開発された．また，これらの薬物によってコレステロール合成を阻害された肝細胞はLDL受容体を増加させ，LDLを細胞内に取り込もうとする．そのため，血中コレステロール量は直接的・間接的に減少傾向を示す．また，横紋筋融解症，ミオパチー，肝障害や，CPK（creatine phosphokinase）上昇などの副作用がある．LDLコレステロールが高い場合の第1選択薬となる．

2）陰イオン交換樹脂（図7-②）

胆汁酸はコレステロールの代謝産物で，胆管を介して十二指腸へ分泌され，その強い界面活性作用により食物中の脂質を乳化させ，消化・吸収を強く助ける．分泌された胆汁酸のほとんどは**腸肝循環**により腸管から再吸収され，門脈を経て再び肝臓へ戻る．**コレスチミド**（cholestymide）や**コレスチラミン**（cholestyramine）は陰イオン交換樹脂で，小腸内に負に荷電している胆汁酸と結合してそのまま大便中に排泄される．腸肝循環による肝臓内への胆汁酸の戻りが少なくなると，コレステロールの胆汁酸への代謝が促進され肝臓内でのコレステロール

量が減る．この減少は，LDL受容体の発現を促進し，血中のLDLを肝臓内へ輸送する．その結果，LDLも減少する．最も多い副作用は便秘や腹部膨満感である．

3）プロブコール（図7-③）

プロブコール（probucol）は，肝臓において**コレステロール**の水酸化によって胆汁酸に代謝される過程と胆汁酸の胆管を介した十二指腸への分泌を促進する．また，プロブコールは抗酸化作用があるため，動脈硬化を予防する作用ももつ．しかしながら，LDLを減少させるとともに，HDLも減少させてしまう．

4）小腸コレステロールトランスポーター阻害薬（図7-④）

エゼチミブ（ezetimibe）は小腸粘膜に存在するトランスポーターNPC1L1（Niemann-Pick C1 Like 1）に作用し，小腸における食事性および胆汁性のコレステロール吸収を直接阻害する．単独でも有効であるが，スタチンとの併用で相乗的なコレステロール低下作用が得られる．

5）フィブラート系薬（図7-⑤）

クロフィブラート（clofibrate）は転写因子PPAR-αと結合し血中のリポタンパク質リパーゼ（LPL）活性を上昇させ，VLDLからLDLへの異化を亢進させ，血中のトリグリセリド濃度を低下させる．また，肝臓におけるコレステロールの生合成を阻害する作用も有し，血中のコレステロール量も減少する．**ワルファリン**の作用を増強するため併用には注意が必要である．副作用として，横紋筋融解症がある．

6）ニコチン酸誘導体（図7-⑥）

ニコチン酸（nicotinic acid）は，脂肪細胞においてトリグリセリドを脂肪酸とグリセロールへ分解する過程を抑制するため，遊離脂肪酸が減少する．それにより血漿中のトリグリセリドとVLDL濃度が低下し，LDL濃度も減少する．一方，LPLの働きを活性化することによりHDLは増加する．

7）その他

エイコサペンタエン酸（EPA）や**ドコサヘキサエン酸**（DHA）は，トリグリセリドの分解にかかわるLPLを増やすことで血漿中のトリグリセリドを低下させる．また，肝臓でのLDL受容体の分解を阻害し，発現を誘導する**PCSK9阻害薬**や肝臓と小腸でのリポタンパク質の合成・分泌を阻害する**MTP阻害薬**はLDLを低下させる．

3．脂質異常症治療薬と歯科臨床

脂質異常症などの生活習慣病により動脈硬化が進行すると血栓ができ，脳梗塞，心筋梗塞，心不全などの重篤な病気に発展することがある．これらの疾患をもつ患者は，抗血小板薬や抗凝固薬を処方されていることも少なくない．脂質異常症治療薬の中にも，副作用として血小板減少による出血傾向があげられており，出血を伴う歯科治療には十分に注意を払う．

尿酸代謝と高尿酸血症・痛風治療薬

1．高尿酸血症・痛風

痛風は**尿酸**や尿酸塩が大量に体内に蓄積し，尿酸結晶を析出することにより起こる疾患である．痛風の急性関節炎発作は，足の親指つけ根の関節を好発部位とし，激痛と発赤，腫脹を伴う．多くのケミカルメディエーターがこの炎症に関与するとともに，結晶を貪食した好中球の破壊も起こり，局所の炎症は増悪する．痛風治療薬は，痛風による炎症症状を改善または予防することを目的とするため，食事療法を行いながら用いる．

2. 急性発作治療薬
1) 酸性 NSAIDs とステロイド薬
　痛風発作時の炎症を抑制するためには，速効性のインドメタシンをはじめ，酸性 NSAIDs が用いられる．痛風関節炎に適用される酸性 NSAIDs は，ナプロキセン，プラノプロフェン，オキサプロジンである．NSAIDs が使用できない場合，あるいは効果が乏しい場合には**プレドニゾロン**などのステロイド性抗炎症薬を用いる．

2) コルヒチン
　ユリ科の植物イヌサフラン（*Colchicum autumnale*）の球根および種子に含まれるアルカロイドの**コルヒチン**（colchicine）が，1,000 年以上も前から経験的に痛風の発作に対し用いられてきた．
　コルヒチンは細胞内の微小管（microtubule）の形成を阻害する．これによって好中球の接着・遊走・走化性の抑制，尿酸結晶貪食抑制，リソソーム性酵素の放出抑制などが起こり，急性発作が抑制される．急性発作の特効薬として用いられてきたが，コルヒチンは治療係数の小さい薬物であり，毒性も強いので，最近では急性発作の前兆や発作の初期などに限って少量投与されている．

3. 尿酸降下薬
1) 尿酸排泄促進薬
　ベンズブロマロン（benzbromarone，ユリノーム®），**プロベネシド**（probenecid，ベネシッド®）が用いられる．ともに尿細管での尿酸の再吸収を阻害して排泄を促進する．両者ともに血中尿酸値減少の目的で，発作のない中間期に投与される．尿中尿酸値が増大して腎臓に尿酸結石を作る危険があるため，投与中は水分を多く摂る必要がある．

2) 尿酸生合成阻害薬
　尿酸生合成は**キサンチンオキシダーゼ**（XO）の酸化反応が関与する．**アロプリノール**（allopurinol，ザイロリック®）は，その代謝産物であるアロキサンチンとともに XO を非競合的に阻害し，尿酸産生を抑制する．前駆体であるヒポキサンチンとキサンチンも速やかに尿中に排泄されるので，血中および尿中尿酸値はともに減少する．腎機能障害や尿酸結石の患者に対しても安全に適用できるが，投薬中断で尿酸生合成は回復されるため，ほとんどの場合，生涯を通じて投与することになる．

4. 高尿酸血症・痛風治療薬と歯科臨床
　高尿酸血症や痛風では，薬物の相互作用に注意する．例えば，尿酸排泄抑制薬のプロベネシドはペニシリン系・セファロスポリン系抗菌薬の排泄を抑制し，抗菌薬の血中濃度を上昇させるので，抗菌薬を減量する必要がある．

27 章　代謝性疾患治療薬

　歯科医師国家試験出題基準（令和 5 年版）では，歯科医学総論の「薬物療法，疾患に応じた薬物療法」に「代謝改善薬」を挙げている．また，歯科医学各論では，特に薬剤関連顎骨疾患として薬剤関連顎骨壊死，骨髄炎を挙げている．実際の歯科医師国家試験では，ビスホスホネート，慢性腎不全による骨粗鬆症の治療薬などに関して出題されている．

28章 薬理学 各論

抗炎症薬

学修目標とポイント

- 炎症の五大徴候と，微小循環系の変化およびケミカルメディエーターとの関連について説明できる．
- アラキドン酸カスケードと抗炎症薬の作用機序との関係について説明できる．
- ステロイド性抗炎症薬に関し，主な薬物，薬理作用，作用機序，副作用，適応症について説明できる．
- 非ステロイド性抗炎症薬に関し，分類と主な薬物，薬理作用，作用機序，副作用，薬物相互作用について説明できる．

本章のキーワード

炎症，抗炎症薬，ステロイド性抗炎症薬（SAIDs），非ステロイド性抗炎症薬（NSAIDs），シクロオキシゲナーゼ（COX），リポキシゲナーゼ（LOX），薬物相互作用

I ― 炎症の基本概念

炎症は生体組織が侵襲刺激を受けた時に生体が示す防御反応の1つであり，傷害された組織を修復するための生理反応である．そのため，過度に炎症を抑制すると治癒が遅延することになる．組織の傷害に伴い炎症が生じると，「**炎症の五大徴候**」と呼ばれる特徴的な臨床症状「発熱（熱感），発赤，腫脹，疼痛，機能障害」が発現する．

炎症を引き起こす原因となる侵害刺激には，物理的要因（機械的刺激，熱，紫外線，放射線など），化学的要因（酸，アルカリなど），生物的要因（細菌，ウイルスなど）などの外的なものと，アレルギーや自己免疫疾患をはじめとする免疫機能の変調や異常，代謝機能の異常などの内的なものがある．これらの侵害刺激が生体に加わると組織の微小循環系が変化し，炎症症状にかかわる病理的変化が引き起こされる．この微小循環系の変化は，炎症の**ケミカルメディエーター**と呼ばれる化学物質によって仲介されており，これらの仲介化学物質は局所で産生・遊離される．

炎症のケミカルメディエーター（後詳述）には，**プロスタグランジン**（prostaglandin；**PG**），**ロイコトリエン**（leukotriene；**LT**），**ブラジキニン**（bradykinin；**BK**），**ヒスタミン**，**セロトニン**などがある（表）．

1）内因性発痛物質と炎症性疼痛

組織が傷害された時に，局所で産生・遊離され，侵害受容器を興奮させる作用を示す生体内物質を内因性発痛物質という．BK や PG 類，細胞から漏出・遊離する K^+ や ATP などが発痛物質として作用する．なお，PG 類は発痛物質に対する侵害受容器の反応性を高め，発痛増強物質として作用する．

炎症性疼痛は，内因性発痛物質が侵害受容器を直接，刺激することで引き起こされるだけでなく，炎症のケミカルメディエーターによる血管拡張や血管透過性亢進の結果，炎症性浮腫や

表 炎症の五大徴候と関連因子

臨床症状	関連する微小循環系の変化	関連する因子
熱感	血管拡張（放熱増加）	プロスタグランジン（PG）E_2, PGI_2, 一酸化窒素（NO），など
発赤	血管拡張（血流量増加）	
腫脹	血管透過性亢進	PGE_2, PGI_2, ヒスタミン，ブラジキニン（BK），ロイコトリエン（LT）C_4, LTD_4, LTE_4, など
疼痛	—	PGE_2, PGI_2, BK，など
機能障害	—	線維芽細胞遊走（痂皮形成） 疼痛（PGE_2, PGI_2, BK），など

炎症は上記の局所性反応とともに，全身性の発熱などを示す．全身症状としての発熱は，中枢神経系にインターロイキン（IL）-1，IL-6，腫瘍壊死因子（TNF）-αなどの炎症性サイトカインが作用することにより発現する．最終的に，これらサイトカイン類が脳内の血管内皮細胞で産生誘導するPGE_2が発熱に関与しているため，脳内でのPGE_2の産生を抑制すると解熱する．

組織の膨化により局所の圧力が増加すること，あるいは組織pHが低下（H^+の増加）することなどによっても増強される．

2）炎症性疼痛とカプサイシン受容体（TRPV1）

炎症性疼痛発生機序の1つとして，PG類などによるTRPV1の機能調節が考えられている．感覚神経終末の侵害受容器に存在するTRPV1は，カプサイシンだけでなくH^+や熱（>43℃）などによっても活性化する受容体であり，各種刺激により活性化するとNa^+やCa^{2+}などの陽イオンが細胞内に流入する．これにより神経細胞で脱分極が起こり，それに伴いさらに電位依存性Na^+チャネルが開口して活動電位が発生する（興奮の発生＝痛みシグナルの発生）．この電位変化は神経軸索の電位依存性Na^+チャネルの開口により，軸索を伝導する（興奮の伝導＝痛みシグナルの伝導）．

熱によるTRPV1活性化の温度閾値は約43℃である．しかし，侵害受容器に存在するそれぞれの受容体にBKやPGE_2などが結合すると，結果的にTRPV1はリン酸化される．リン酸化されたTRPV1では活性化温度閾値は約35℃に低下するため，体温でも痛みが生じることになる．

II 炎症の経過と炎症性病理変化

炎症における組織の病理的変化は，炎症のケミカルメディエーターによる血管系の反応から始まり，次の3つの過程に分かれる．

1）第1期：血管反応（微小循環系の変化）

ケミカルメディエーターの作用で，傷害部位の微小循環系（細動脈，毛細血管，細静脈）が血管拡張する．これにより血流が増加すると，炎症局所が発赤し，放熱が増えることによる熱感が生じる．同時期に細動脈の血管内皮細胞が収縮し，細胞間の接合部分が拡大することで血管透過性が亢進する．血管透過性の亢進は血漿成分の血管外漏出を促し，局所に腫脹が起こる．また，ケミカルメディエーターが局所の侵害受容器を刺激することにより，疼痛が発現する．

2）第2期：白血球の浸潤

傷害部位の血管内皮細胞が産生する細胞接着因子により，血液中の炎症性細胞（好中球や単球，リンパ球）が血管内皮細胞表面に接着し，その後，細胞間隙から血管外へと移動する．血

管外に出た炎症性細胞は傷害部位に遊走するが，この遊走に，局所で産生・遊離されたロイコトリエン（LT）B_4 などが関与する．

3）第3期：組織修復・慢性化

炎症の原因物質が除去され，傷害を受けた組織が修復される過程であり，マクロファージやリンパ球，線維芽細胞が関与する．最終的に，毛細血管の新生や肉芽組織の形成，瘢痕形成が起こり，傷害組織は修復される．なお，炎症の過程で原因物質が完全に不活性化・除去できず，侵害刺激が持続する場合は慢性炎症となる．

Ⅲ 炎症のケミカルメディエーター

炎症のケミカルメディエーター（chemical mediator）は，生体への侵害刺激に対して傷害局所で産生・遊離され，炎症反応を引き起こす生理活性物質の総称である．炎症のケミカルメディエーターとされる物質には，オータコイドに分類されるものが多い．

1．生体アミン類（14章Ⅱ-1参照）

炎症に関与する生体アミンとして，ヒスタミンとセロトニンが重要である．これら2つの生体アミンはあらかじめ生合成されて特定の細胞内に貯蔵されており，種々の刺激により遊離・放出される．

ヒスタミンは，そのほとんどが組織の肥満細胞および血液中の好塩基球に存在する．ヒスタミンには H_1 から H_4 まで4つの受容体サブタイプが報告されているが，H_1 受容体が刺激されると，炎症反応の血管拡張や血管透過性の亢進が引き起こされる．血管では内皮細胞に H_1 受容体が存在し，この受容体を介した作用で一酸化窒素（NO）やプロスタグランジン I_2（PGI_2）などが遊離するため血管は拡張する．また，H_2 受容体を介する作用によっても血管平滑筋は弛緩する．一方，内皮細胞を有しない気管支平滑筋や腸管は H_1 受容体作用で収縮する．ヒスタミンはまた，H_1 受容体を介して血管内皮細胞を収縮させるため，血管内皮細胞間隙が拡大し，基底膜が露出することにより血管透過性が亢進する．

セロトニン（5-hydroxytryptamine；5-HT）は，その大部分が腸管のエンテロクロマフィン細胞（クロム親和性細胞）に貯蔵されているが，一部，血小板や神経細胞にも存在する．セロトニンには大きく $5-HT_1$ から $5-HT_7$ まで7種の受容体があり，さらにそれらのサブタイプが報告されている．セロトニンは $5-HT_{2A}$ 受容体を介して気管支平滑筋や血管平滑筋を収縮させ，脳に局在する $5-HT_{1D}$ 受容体を介して脳の血管を収縮させる．また，$5-HT_{1B}$ および $5-HT_{1D}$ 受容体は神経終末からの伝達物質の遊離を抑制する（14章Ⅱ参照）．

2．エイコサノイド（14章Ⅱ-3.-1）参照）
1）シクロオキシゲナーゼ（COX）経路

アラキドン酸はエイコサノイド〔炭素数20個の不飽和脂肪酸から生成される生理活性物質：プロスタグランジン（PG），ロイコトリエン（LT），トロンボキサン（thromboxan；**TX**）などの総称〕に共通した前駆物質である．その主要な代謝経路は**アラキドン酸カスケード**（図1）と呼ばれ，COX経路はその1つである．

侵害刺激によりホスホリパーゼ A_2（phospholipase A_2；**PLA_2**）が活性化すると，リン脂質からアラキドン酸が切り出される．アラキドン酸はCOXのシクロオキシゲナーゼ活性により PGG_2 に，さらにペルオキシゲナーゼ活性により PGH_2 に代謝される．この PGH_2 がそれぞれ

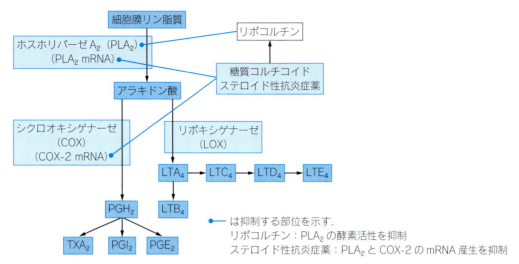

図1 アラキドン酸カスケードとステロイド性抗炎症薬の作用

の合成酵素により代謝されて PGD_2, PGE_2, $PGF_{2\alpha}$, PGI_2, TXA_2 などが生成される。PGE_2 は血管拡張，血管透過性亢進や全身性の発熱などに関与しており，PGI_2 は血管拡張や血小板凝集抑制，TXA_2 は血管収縮や血小板凝集促進などの作用を示す。また，PGE_2 と PGI_2 はブラジキニン（BK）による発痛を増強する。

なお，COX には，通常状態で発現し生理機能にも関わっている COX-1 と，炎症性サイトカインなどで発現誘導される COX-2 の 2 つのサブタイプがある。

2）リポキシゲナーゼ（LOX）経路

アラキドン酸が白血球などに存在する LOX により代謝されると，5-ヒドロペルオキシエイコサテトラエン酸（5-hydroperoxyeicosatetraenoic acid；5-HPETE）を経て，LTA_4 となる。この LTA_4 がさらに代謝されて，白血球の活性化と遊走を促進させる LTB_4 や，気管支平滑筋収縮作用，血管収縮作用を示す LTC_4, LTD_4, LTE_4 が生成される。アスピリン喘息（後述）の発症には，COX 抑制による LOX の活性化と，それに伴う LTC_4, LTD_4, LTE_4 産生増加が関与している。

3．血漿キニン類

BK と BK の N 末端にリジンがついたカリジンに代表される生理活性ペプチドであり，キニノーゲンにカリクレインが作用して生成される。BK は，それ自体強い発痛作用を示すだけでなく，PLA_2 を活性化することにより，自身の疼痛閾値を下げるプロスタグランジン類の生成を促進する。また，血管透過性亢進作用や，血管内皮細胞に作用して NO や PGI_2 を遊離することによる血管拡張作用を示す（**14章Ⅱ参照**）。

4．その他

活性化した好中球やマクロファージにより産生される活性酸素種（O_2^-, H_2O_2, $\cdot OH$）は生体細胞膜を過酸化し，細胞を傷害する。また，細胞内外成分の分解を担うリソソームに存在する加水分解酵素は細菌感染防御の機構として機能するが，生体高分子も分解するため細胞外に漏出した場合，周囲組織の傷害を引き起こす。さらに，細菌感染防御など免疫応答に関与する

補体成分（C5a, C3a）は，血管透過性亢進や好中球遊走を引き起こし，血小板活性化因子（platelet activating factor；PAF）は，血小板凝集を促進する他，血管透過性亢進作用，血管拡張作用，平滑筋（気管支，腸管）収縮作用を示す．

なお，免疫細胞や肥満細胞，血管内皮細胞，線維芽細胞などから産生されるサイトカイン類も炎症反応に関与する多様な生物活性を示す．サイトカインには炎症反応を促進する炎症性サイトカイン〔インターロイキン（IL）-1, IL-6, 腫瘍壊死因子（TNF）-αなど〕や，抑制する抗炎症性サイトカイン〔IL-10, トランスフォーミング成長因子（TGF）-βなど〕がある（14章，25章Ⅰ-2. 参照）．

Ⅳ ステロイド性抗炎症薬 (steroidal anti-inflammatory drugs；SAIDs)

副腎皮質におけるステロイドホルモンの合成部位は異なっており，3領域に分けられる副腎皮質のうち，最外側の球状帯では鉱質コルチコイドであるアルドステロンが，その内側の束状帯および網状帯ではそれぞれ，糖質コルチコイドであるコルチゾールや性ホルモンのアンドロゲンが合成される（15章Ⅱ-3. 参照）．天然糖質コルチコイドは鉱質コルチコイド作用も併せもつため，Na^+と水分貯留，およびそれらに基づく浮腫が発現する．このため，鉱質コルチコイド作用を減弱し，糖質コルチコイド作用を強めた合成糖質コルチコイドが合成・臨床応用されている．

1. 主なSAIDs

天然糖質コルチコイド（コルチゾン，ヒドロコルチゾン）と，合成糖質コルチコイド（デキサメタゾン，ベタメタゾン，プレドニゾロン，トリアムシノロン）に分けられる．

1) コルチゾン，ヒドロコルチゾン

他のステロイド性抗炎症薬と比較し，抗炎症作用は弱く，Na^+貯留作用は強い．このため，副腎機能不全や各種ショック時に用いられる．

2) デキサメタゾン，ベタメタゾン

ともにプレドニゾロンの構造修飾薬物であり，抗炎症作用は最も強力（ヒドロコルチゾン比：25〜30倍）で，生物学的半減期（〜72時間）も長い．

3) プレドニゾロン

中間作用型（抗炎症作用・生物学的半減期）の合成糖質コルチコイドである．抗炎症作用はコルチゾン，ヒドロコルチゾン比で3〜5倍とされる．

4) トリアムシノロン

プレドニゾロンの構造修飾薬物であり，プレドニゾロンと同等の抗炎症作用，および生物学的半減期を示す．

2. SAIDsの作用機序（図2）

糖質コルチコイドをはじめとするステロイドホルモンは，コレステロールから生合成されるため脂溶性が高く，細胞膜を容易に通過する．糖質コルチコイドの受容体（グルココルチコイド受容体）は細胞質内に存在しており，糖質コルチコイドが結合すると複合体として核に移行し，核内因子（NF）-κBやAP-1（activator protein-1）などの転写因子の働きを抑制すると考えられている．

NF-κBは，インターロイキン（IL）-1, IL-6, 腫瘍壊死因子（TNF）-αなどの炎症性サイ

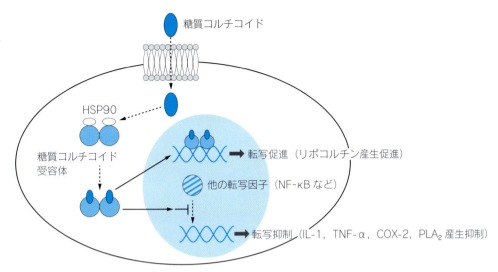
図2 ステロイド性抗炎症薬の作用機序

トカインや炎症誘導型シクロオキシゲナーゼ（COX)-2，ホスホリパーゼ A_2（PLA_2）などのアラキドン代謝にかかわる酵素の転写を促進しているため，NF-κBの活性化抑制はこれら炎症関連因子の産生抑制に繋がる．また，糖質コルチコイド受容体複合体は，核内で遺伝子のプロモーター領域にある特異的な応答配列に結合することにより，抗炎症作用を有するリポコルチン遺伝子の転写を促進する．

3. SAIDs の薬理作用と適応症
1) 抗炎症作用
　転写因子 NF-κB の活性化を抑制することにより，NF-κB によって転写される PLA_2 や COX-2 の mRNA 産生を抑制する．さらに，PLA_2 を抑制する**リポコルチン**産生を促進する．適応症は，急性・慢性炎症性疾患〔口腔扁平苔癬，慢性再発性アフタ，気管支喘息（病態：慢性炎症）など〕である．

2) 免疫抑制作用（25章 I -2., Ⅳ-3. 参照）
　NF-κB によって転写される炎症性サイトカイン（IL-1，IL-6，TNF-α など）の mRNA 産生を抑制する．適応症は，自己免疫疾患（関節リウマチ，Sjögren 症候群，類天疱瘡など），アレルギー性疾患〔気管支喘息（誘因：アレルギー）〕など，免疫抑制を必要とする患者〔臓器移植（移植片拒絶反応）〕などである．

3) 補充療法としての使用
　適応症は，慢性および急性副腎皮質機能不全，Addison 病（原発性慢性副腎皮質機能低下症）である．

4. SAIDs の副作用と非適用患者
1) 副作用
①易感染性：免疫細胞活性化や増殖の抑制
②高血圧/浮腫：PGE_2 産生が低下し，腎動脈が収縮して腎血流量が低下するとともに，鉱質コルチコイド作用により，Na^+，K^+，および水分の貯留が増加する．

③**満月様顔貌**（moon face）：脂質代謝が増加し，脂肪分布が変化する．
④**骨粗鬆症**
- 間接作用：活性型ビタミン D_3 による腸管での Ca^{2+} 吸収が減少することで二次性副甲状腺亢進症が惹起する．
- 直接作用：骨芽細胞においてタンパク質の分解を促進し，合成を抑制する．

⑤**糖尿病**：糖新生が増加するとともに，末梢での糖利用が低下する．
⑥**消化性潰瘍**：胃酸分泌が増加するとともに，胃粘膜保護作用が低下する．
⑦**血栓症，心筋梗塞，脳梗塞**：選択的に COX-2 を抑制する（**本章 V-4.-6)-(1) 参照**）．
⑧**離脱症候群**（強い倦怠感，関節痛，吐き気，頭痛，血圧低下）：コルチゾールの合成は，下垂体前葉から分泌される副腎皮質刺激ホルモン（ACTH）で制御されているが，ACTHの合成と分泌は，視床下部で合成・分泌される副腎皮質刺激ホルモン放出ホルモン（CRH）により制御される．長期の薬物投与により副腎皮質ホルモンが増加すると，負のフィードバック制御を受けて ACTH の合成・分泌は減少する．これにより ACTH で制御されている束状帯/網状帯は萎縮し，副腎機能が抑制される（**15 章 II-3. 参照**）．

2) 非適用患者

　炎症は，傷害された組織を修復するために必要な生体反応である．そのため，過度に炎症を抑制すると組織修復が障害される．また，免疫抑制作用により，感染症の症状増悪が懸念される．したがって，上記の副作用を惹起あるいは増悪する患者の他，以下の患者への適用も注意を要する．
①最近行った内臓の手術創のある患者
②有効な抗菌薬の存在しない感染症，および全身の真菌症患者

　非ステロイド性抗炎症薬 (non-steroidal anti-inflammatory drugs；NSAIDs)

　非ステロイド性抗炎症薬は，**酸性非ステロイド性抗炎症薬（酸性 NSAIDs）**と**塩基性非ステロイド性抗炎症薬（塩基性 NSAIDs）**に大別される．酸性 NSAIDs はシクロオキシゲナーゼ（COX）を阻害することにより薬理作用を発揮する．一方，塩基性 NSAIDs は COX 阻害以外の作用機序で抗炎症作用を発現すると考えられている．

1. 酸性 NSAIDs の作用機序と薬理作用

　酸性 NSAIDs は COX を不可逆的（アスピリンのみ），あるいは可逆的（アスピリン以外の薬物）に阻害してプロスタグランジン（PG）類の生合成を抑制する結果，抗炎症作用，鎮痛作用，解熱作用が発現する．アスピリンは COX のアラキドン酸代謝活性部位にあるセリン（^{530}Ser：COX-1 の場合）をアセチル化することにより，COX を不可逆的に阻害する．一方，アスピリン以外の酸性 NSAIDs は活性部位に可逆的に結合してアラキドン酸代謝を阻害するため，薬物が活性部位から離れると COX 活性は回復する．

　抗炎症作用の一部は血管拡張作用や血管透過性亢進作用をもつ PGE_2，PGI_2 などの産生が抑制されることによって示される．血管拡張が抑制されて局所の血流が減少することで発赤と熱感が，血管透過性が抑制されることで腫脹が緩和される．また，PGE_2，PGI_2 は，侵害受容器に存在するそれぞれの受容体に作用し，**TRPV1**（TRP チャネル温度受容体/カプサイシン受容体）をリン酸化することによりブラジキニン（BK）の応答を増強する．したがって，これらエイコサノイドの減少は痛みを和らげる．

さらに，炎症性サイトカインのインターロイキン（IL）-1，IL-6 や腫瘍壊死因子（TNF）-αは，脳の血管内皮細胞に作用してCOX-2を産生誘導する．この結果生成されるPGE$_2$が視床下部の体温調節中枢を介した体温上昇にかかわっているため，脳内でのCOX阻害は解熱に繋がる．

その他，アスピリンを定期的に使用することにより大腸癌や膵癌のリスクが低下し，さらにフルフェナム酸が膀胱癌の転移を抑えるなど，NSAIDsが癌細胞の増殖や転移を抑制することが明らかになってきている．癌の増殖抑制作用にCOX-2の関与が示唆されているが，機序の詳細は明確になっていない．

2. 酸性NSAIDsの副作用・有害作用

酸性NSAIDsによって，種々の生理作用を発揮しているPG類の作用が抑制されるため，多くの有害作用が発現する．

1）胃腸障害

酸性NSAIDsの有害作用の中で最も頻度が高いのが，胃炎，胃出血，消化性潰瘍などの胃腸障害である．これは，胃酸分泌を抑制し胃粘液分泌を促進することで胃粘膜を保護しているPGE$_2$の産生が抑制されるために発現する．酸性NSAIDsは胃内腔などの酸性条件下では非イオン型の割合が多くなるため，細胞膜を通過して胃粘膜細胞内に移行する薬物量が増加する．しかし，酸性NSAIDsは中性付近の細胞内酸性度ではイオン型の割合が増加するため，血管に移行せず細胞内に長く留まるものが多くなる（イオン捕捉）．このため，胃粘膜局所における酸性NSAIDsの作用が強く発揮され胃腸障害が発現しやすくなる．さらに，COX経路が阻害されることでリポキシゲナーゼ（LOX）経路によるロイコトリエン（LT）類産生が亢進し，炎症性細胞の遊走を促進することなどにより障害は助長される．この胃腸障害は，胃粘膜細胞に吸収された時点では活性型でないロキソプロフェンナトリウム水和物などのプロドラッグを用いることにより緩和される．

2）喘息誘発

アラキドン酸はCOX経路およびLOX経路により代謝されるが，酸性NSAIDsによりCOX経路が阻害されると，LOX経路によりアラキドン酸が代謝されて気管支平滑筋を収縮するLT類が産生される．このため，気管支喘息の素因をもつ患者では喘息発作が誘発される．なお，このような機序で発症する喘息を**アスピリン喘息**という．

3）腎障害

腎臓で産生されるPG類は腎臓の輸入細動脈を拡張させており，腎血流の増加に寄与している．酸性NSAIDsによりPG産生が抑制されると，輸入細動脈が収縮して腎血流量，糸球体濾過量が減少する．腎機能が正常な場合，この血流量変化は著しい影響を及ぼさないが，慢性腎不全患者やうっ血性心不全患者などでは急性腎不全などが引き起こされることがある．また，塩類および水分の貯留に繋がるため，浮腫や血圧上昇が誘発される．

4）出血傾向

COX経路で生成されるPGI$_2$は血小板凝集抑制作用を示し，トロンボキサンA$_2$（TXA$_2$）は血小板凝集促進作用を示す．酸性NSAIDsによりCOX経路が阻害されると，PGI$_2$とTXA$_2$の産生もともに抑制されるが，生体内ではTXA$_2$の影響がやや上回っているため，TXA$_2$が抑制されたのと同様の効果，すなわち血小板凝集抑制効果が発現すると考えられる．血小板凝集は一次止血に重要であり，血小板凝集が抑制されると出血傾向となる（**p.263 臨床コラム参照**）．

5）その他
（1）薬物アレルギー
　過敏症の既往がある患者では禁忌である．作用機序に関連しない有害作用であり，まれに**アナフィラキシーショック**を起こすことがある．
（2）インフルエンザ脳症とReye症候群
　インフルエンザに続発して発症する急性脳症を**インフルエンザ脳症**という．なお，インフルエンザ脳症は複数の症候群の集合体であり，**Reye症候群**（肝障害を伴う急性脳症）は，その主要症候群の1つとされる．インフルエンザ脳症/Reye症候群の発症に酸性NSAIDs使用との関連が指摘されており，アスピリンとサリチルアミド，ジクロフェナクナトリウムは小児のウイルス性疾患（インフルエンザや水痘など）患者への投与に注意が必要である．また，メフェナム酸はインフルエンザに伴う小児の発熱に対する使用にのみ，注意喚起がなされている．
（3）ボタロー管（動脈管）閉塞
　妊娠末期に酸性NSAIDsを使用するとPG生成を抑制するため胎児動脈管の閉鎖を生じる．胎児死亡や新生児肺高血圧症を引き起こすことがあるため，出産予定日から12週間以内の妊婦への投与は禁忌である．低用量アスピリン製剤を除き，妊娠中期の妊婦にも注意を要する．

3. 酸性NSAIDsの薬物相互作用（7章Ⅱ-1. および 2.-2）参照）
1）けいれん
　酸性NSAIDsと一部のニューキノロン系抗菌薬とを併用すると，けいれんを発症することがある．併用によりニューキノロン系抗菌薬のγ-アミノ酪酸（GABA）阻害作用が増強されるためであり，この機序として，酸性NSAIDsとニューキノロン系抗菌薬の複合体が$GABA_A$受容体を遮断することが考えられている．特に，エノキサシン（国内発売中止），ノルフロキサシン，シプロフロキサシンなど遊離のピペラジニル基を構造にもつ薬物群は，単独でも$GABA_A$受容体の遮断作用が強く，この遮断作用はNSAIDsの共存により増強される．このため，後述のフェニル酢酸系，あるいはプロピオン酸誘導体の酸性NSAIDsとノルフロキサシン，オフロキサシンとの併用は「併用禁忌」あるいは「併用注意」である．
2）出血傾向
　ワルファリンなどのクマリン系抗凝固薬と併用すると，薬力学的薬物相互作用および薬物動態学的薬物相互作用により出血傾向を招くことがある．薬物動態学的薬物相互作用には，クマリン系抗凝固薬と血漿タンパク質の結合に対する競合により，遊離型の併用薬物を増加させることが考えられている．
3）低血糖
　インスリンやスルホニル尿素系血糖降下薬と併用すると低血糖を招くことがある．機序として，これら糖尿病治療薬と血漿タンパク質への結合に対する競合により，遊離型の併用薬物を増加させることが考えられている．また，多量のアスピリンは血糖値を降下させる作用がある．

4. 酸性NSAIDsの分類
1）サリチル酸誘導体
　古くから用いられている酸性NSAIDsであり，**アスピリン**に代表される．原型のサリチル酸は胃腸障害が強く，消化管への副作用を軽減する目的でアセチル化されたものがアスピリン（アセチルサリチル酸）である．サリチル酸誘導体には，この他，サリチルアミド，エテンザ

ミドなどがある.

(1) 鎮痛作用

PG は局所で BK などの発痛物質による疼痛閾値を低下させ,痛みを増強する（末梢性感作）．サリチル酸誘導体は COX を阻害することで PG 合成を抑制する結果,鎮痛作用を示す．また,サリチル酸誘導体の鎮痛作用には中枢作用（中枢性感作の抑制）の関与も考えられている．なお,アスピリンの主要代謝物であるサリチル酸は COX-1 と COX-2 に対する抑制作用をほとんど示さないが,サリチル酸の代謝物（ゲンチジン酸）に解熱鎮痛作用が認められている．

(2) 解熱作用

炎症性サイトカインは視床下部での PGE_2 産生にかかわっており,全身性の発熱を引き起こす．PGE_2 は視床下部にある体温調節中枢に作用して体温のセットポイントを変えることにより,結果的に骨格筋を収縮させて熱を産生するとともに,末梢血管を収縮させて放熱を抑制し体温

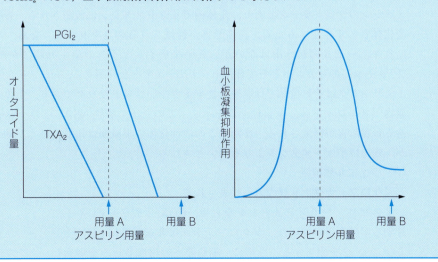

臨床コラム

アスピリンの抗血小板作用とアスピリンジレンマ

アスピリンは COX を不可逆的に阻害することで,強く血小板凝集を抑制する．核のない血小板では COX が抑制されると新規の COX 合成はされないため,模式図に示すように TXA_2 産生はアスピリン用量の増加に伴い減少する．一方,核を有する血管内皮細胞の COX は抑制されても新たな COX を合成できるため,COX 総量が減少しない,すなわち,PGI_2 産生が減少しない限度のアスピリン用量 A が想定される．模式図では理想的なアスピリン用量（用量 A：PGI_2 産生は抑制されず,TXA_2 産生は完全に抑制される）を設定するが,いずれにせよ,少量のアスピリンで血小板凝集抑制作用が最大となる用量 A が存在する．しかし,アスピリン用量をさらに増加させると,血管内皮細胞の COX 量を維持できず PGI_2 も抑制されるので血小板凝集抑制作用は減弱してしまう．これを,アスピリンジレンマという．

なお,PGI_2 および TXA_2 がともに抑制された場合（アスピリン用量 B）でも,生理的効果が $PGI_2 < TXA_2$ のため,血小板凝集抑制作用は残存すると考えられる．

を上昇させる．酸性 NSAIDs は視床下部での PGE_2 産生を抑制することで，解熱作用を示す．

(3) 抗血小板作用

アスピリンは不可逆的に COX を阻害するため，低用量のアスピリンを使用した場合，PGI_2 の産生量を低下させることなく，TXA_2 の産生を抑制することができる．この作用に基づき，鎮痛のための用量よりも少ない低用量アスピリンが，抗血小板薬として心筋梗塞の予防など血栓の形成を抑制する目的で使用されている（**p.263 臨床コラム参照**）．しかし近年，心血管疾患の一次予防を目的としたアスピリン使用の問題点に関する理解も深まっている．

(4) 転写因子に対する作用

IL-1，IL-6 などの炎症性サイトカイン産生にかかる転写因子である核内因子（NF）-κB は細胞内で IκB（inhibitor κB）と結合し，不活性化状態になっている．この IκB は IκB キナーゼによりリン酸化されると NF-κB から離れるため，NF-κB は核内への移行が可能となる．アスピリンおよびサリチル酸は，IκB キナーゼβ を抑制することにより NF-κB の活性化を抑制することが報告されており，これは炎症性サイトカインの産生抑制に繋がる．

(5) サリチル酸中毒

アスピリンを大量に投与することで，代謝産物であるサリチル酸の血中濃度が増加すると，サリチル酸中毒と呼ばれる一連の中枢神経症状，例えば頭痛，悪心・嘔吐，めまい，耳鳴り，幻覚，難聴などが発現することがある．これは，アスピリンの慢性中毒の1つである．

2) アリール酢酸誘導体

この分類には，インドール酢酸系およびフェニル酢酸系薬物などが含まれる．

(1) インドール酢酸系

インドメタシンに代表され，他にスリンダクなどがある．

インドメタシンはアスピリンよりも強い COX 阻害作用をもち，抗炎症，解熱，鎮痛作用を発現する．抗炎症作用はヒドロコルチゾンにも勝り，急性炎症だけでなく関節リウマチなどの慢性炎症にも使用される．経口投与や坐薬として全身作用も期待されるが，副作用が強いことからパップ剤や軟膏として局所作用を期待する使用が多い．

インドメタシン ファルネシルおよびアセメタシンはインドメタシンのプロドラッグであり，生体内でインドメタシンに代謝される．胃腸管粘膜内では非変化体として存在するため，胃腸障害が軽減される利点を有する．なお，インドメタシンに IκB キナーゼβ 抑制作用はないが，炎症性サイトカインの産生抑制にかかわる核内受容体（PPAR-γ）のリガンドとして作用し，TNF-α 産生を抑制する．

スリンダクはそれ自体では薬理活性を示さないプロドラッグであり，生体内で還元された代謝物（スルフィド体）が薬理活性を示す．このため，酸性 NSAIDs の一般的副作用の1つである胃腸障害が軽減される．また，この活性化体の半減期は比較的長く，効果は持続的であるが，効力はインドメタシンよりも弱いとされる．

(2) フェニル酢酸系

ジクロフェナクナトリウムに代表される．

アスピリンやインドメタシンなどは，COX-2 よりも COX-1 に対する阻害作用が強いが，ジクロフェナクは非選択性に COX-1 および COX-2 を阻害する．さらに，細胞膜への再取り込みを促進し，

インドメタシン

ジクロフェナクナトリウム

遊離アラキドン酸を減少させることで，COX 代謝物だけでなく LOX 代謝物の生成も減少させる．ジクロフェナクの抗炎症作用，解熱鎮痛作用はインドメタシンより強いが，副作用としてネフローゼ症候群を発現する頻度が比較的高い．けいれんを起こすおそれがあるため，アンフェナクナトリウム水和物とともにニューキノロン系抗菌薬との併用には注意が必要である．

同系薬物に**アンフェナク**，フェンブフェン（国内発売中止），フェルビナクがある．アンフェナクはジクロフェナクやインドメタシンに匹敵する抗炎症作用，鎮痛作用を示すが，これらの薬物よりも消化管障害は弱い．フェンブフェンはプロドラッグであり，フェルビナクはその活性本体である．フェルビナクは外用に使用されており，ニューキノロン系抗菌薬との併用に規制はない．

(3) その他のアリール酢酸誘導体

イソキサゾール酢酸系（モフェゾラク）やピラノ酢酸系（エトドラク）がある．**モフェゾラク**は COX 阻害作用の他，BK やヒスタミンの遊離を抑制することにより，抗炎症，鎮痛作用を示すと考えられている．歯科領域では，抜歯後の消炎・鎮痛に使用される．エトドラクは COX-2 を選択的に阻害する酸性 NSAIDs であり，他の酸性 NSAIDs と比較して，消化器障害や腎障害などの副作用が少ないとされる．

3) プロピオン酸誘導体

この系列の薬物には，**ロキソプロフェンナトリウム水和物**，**ザルトプロフェン**，**イブプロフェン**，**フルルビプロフェン**などがある．

ロキソプロフェンはプロドラッグであり，経口投与の際の消化管障害は軽減される．生体内で速やかに活性化体（trans-OH 体）となり，COX を阻害する．抗炎症作用，解熱・鎮痛作用はインドメタシンより強いとされる．代謝酵素であるカルボニル還元酵素は，肝臓だけでなく皮膚や筋肉中にも存在するため，経皮適用でも局所における消炎・鎮痛作用を期待できる．経口剤については最近，厚生労働省から添付文書の「重大な副作用」の項に「小腸・大腸の狭窄・閉塞」を追記するよう，使用上の注意の改訂指示通知が出された．

ザルトプロフェンは歯科適用（抜歯後の消炎・鎮痛）される．COX-2 を比較的選択的に阻害するため，他の酸性 NSAIDs と比べて消化管障害は少ない．また，イブプロフェンの抗炎症作用，解熱鎮痛作用はアスピリンより強いが，インドメタシンよりも若干弱いとされる．

なお，けいれんが誘発されることがあるため，この系列の薬物はニューキノロン系抗菌薬との併用には注意が必要であるが，特に，フルルビプロフェンはノルフロキサシンなど一部のニューキノロン系抗菌薬との併用は禁忌となっている．

4) フェナム酸誘導体

メフェナム酸と**フルフェナム酸アルミニウム**はともに歯科適応がある．メフェナム酸の鎮痛作用はアミノピリンより強いとされ，歯科領域では歯痛に使用される．フルフェナム酸アルミニウムの適応症は多く，選択範囲の広い酸性 NSAIDs である．歯科領域では抜歯後や歯髄炎，歯根膜炎の消炎・鎮痛に用いられる．近年，膀胱癌に対する抑制効果も報告されている．

5) オキシカム誘導体

ピロキシカムは血中半減期が長いため，1 日 1 回の投与で有効である．抗炎症，鎮痛作用はインドメタシンと同等であり，慢性疾患に適する．アンピロキシカムはピロキシカムのプロド

ラッグである．

メロキシカムはCOX-1よりもCOX-2に対する阻害作用が強い，血中半減期が長く1日1回の投与で有効であるなどの特徴を有する．また，従来の酸性NSAIDsに比べて，重症消化管障害が少ないとされる．

ロルノキシカムは歯科適用（抜歯後の消炎，鎮痛）がある酸性NSAIDsの1つであり，抗炎症作用，鎮痛作用はインドメタシンなどよりも強いとされる．

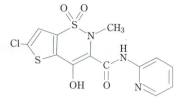

ロルノキシカム

6）酸性 NSAIDs のプロドラッグ

薬物をプロドラッグとして使用する目的には，副作用の軽減，吸収率の向上（生物学的利用能の向上）や作用持続時間の延長などがある．酸性NSAIDsのプロドラッグは，主に消化管障害の軽減を目的としており，代表的な薬物にインドメタシンファルネシル，アセメタシン，ロキソプロフェンなどがある．

5. 塩基性 NSAIDs

緩徐な消炎，鎮痛作用を示す非ステロイド系の抗炎症薬であり，解熱作用は弱い．代表的薬物に**チアラミド塩酸塩**がある．チアラミドは，末梢の受容体で炎症のケミカルメディエーターであるヒスタミン，およびセロトニンに拮抗することにより抗炎症・鎮痛作用を示す．COX阻害作用をほとんど示さないため，酸性NSAIDsに見られる胃腸障害などの副作用は弱いが，妊娠後期の女性に禁忌となっていないことを除き，多くの禁忌が酸性NSAIDsと一致することに注意が必要である．歯科適用があり，智歯周囲炎および抜歯後の鎮痛・消炎に使用される．なお，近年，同系のエピリゾールとエモルファゾンは販売中止となった．

チアラミド塩酸塩

6. COX-2 選択的 NSAIDs

酸性NSAIDsは正常組織に恒常的に発現するCOX-1を阻害するため，共通の副作用として胃腸障害が発現する．しかし，炎症時の生体変化には誘導型であるCOX-2の関与が大きいため，炎症時の抗炎症作用，解熱・鎮痛作用を期待する場合，副作用軽減の観点からCOX-2を特異的に阻害する薬物が望まれる．

（1）セレコキシブ

COX-1とCOX-2の立体構造上の違いを利用して創薬されたCOX-2選択的阻害薬である．歯科領域では抜歯後の消炎・鎮痛に適用されるが，アスピリン喘息など酸性NSAIDsとほぼ同様の禁忌が設定されていることに注意が必要である．特徴的な副作用として血栓塞栓症の危険性が増大する可能性が指摘されている．機序として，選択的COX-2阻害薬は，COX-1を阻害しないため血小板のTXA_2産生が抑制されず血小板凝集作用は残存する一方，血管内皮細胞のCOX-2は抑制するためPGI_2による血小板凝集阻害作用が減弱することが考えられているが，不明な部分も多い．

セレコキシブ

── 抗炎症薬と歯科臨床

　歯科臨床において「痛み」を主訴とする患者は多く，鎮痛薬は対症療法薬として重要な薬物である．歯髄炎と歯周炎は歯科における代表的な炎症性疾患であり，これら炎症性疾患を直接的，間接的な原因とする「歯痛」あるいは「抜歯」を含む術後の鎮痛および消炎に，非ステロイド性抗炎症薬が繁用される．一般に，抗炎症薬と鎮痛薬は別の概念による薬物だが，炎症のケミカルメディエーターは疼痛や全身性の発熱にも関与しているため，ケミカルメディエーターの産生や遊離を抑制する薬物には，抗炎症作用だけでなく鎮痛作用や解熱作用も認められることが多い（29章参照）．

1．NSAIDs 投与時の特別な注意事項（投与禁忌）

　酸性 NSAIDs，塩基性 NSAIDs ともに，消化性潰瘍のある患者，アスピリン喘息の患者には投与禁忌である．この他，酸性 NSAIDs は，重篤な血液の異常のある患者，重篤な腎障害のある患者や妊娠末期の女性には禁忌とされており，さらに，インドメタシン，ジクロフェナク，メフェナム酸など一部の酸性 NSAIDs では，重篤な高血圧症，および重篤な心不全のある患者に対する禁忌にも注意が必要となる．なお，全身作用が期待される医療用 NSAIDs の重大な副作用の項に，「心筋梗塞，脳血管障害」が追加された．副作用や相互作用の詳細は個別薬物の項および「酸性非ステロイド性抗炎症薬の副作用・有害作用」に既述した．

2．アスピリン喘息と治療薬

　COX-1 阻害の結果，PGE_2 が減少する．PGE_2 は好酸球のロイコトリエン類の産生や遊離を制御しており，NSAIDs によりこの制御機構が抑制されることがアスピリン喘息の原因であると考えられている．また，COX が抑制される結果，アラキドン酸が LOX 経路により多く流れるため，産生が増加するとの考えもある．どちらの考え方にせよ，結果的に気管支におけるロイコトリエン類の量が増加する．発作誘発時の急性期治療では，十分な酸素吸入を行うとともにアドレナリンを早期に繰り返し投与する．以後，アミノフィリン，ステロイド性抗炎症薬，抗ヒスタミン薬，LT 受容体拮抗薬などが使用される．

28章　抗炎症薬

　歯科医師国家試験出題基準（令和5年版）では，歯科医学総論の「薬物療法，疾患に応じた薬物療法」に「抗炎症薬」を挙げている．実際の歯科医師国家試験では，歯痛に使用される抗炎症薬，酸性非ステロイド性抗炎症薬（特にアスピリン）の作用と特徴，消化性潰瘍および喘息との関連，アラキドン酸カスケードに対する作用などに関して出題されている．

29章 薬理学 各論

鎮痛薬

学修目標とポイント

- 解熱鎮痛薬の分類と，主な薬物，薬理作用，作用機構，副作用および臨床応用について説明できる．
- 麻薬性鎮痛薬の分類と，主な薬物，薬理作用，作用機構，副作用および臨床応用について説明できる．
- オピオイドスイッチングについて説明できる．
- 片頭痛治療薬の分類と，主な薬物，薬理作用，作用機構，副作用および臨床応用について説明できる．
- 片頭痛予防薬の分類と，主な薬物，薬理作用，作用機構について説明できる．
- 神経障害性疼痛治療薬の分類と，主な薬物，薬理作用，作用機構，副作用および臨床応用について説明できる．

本章のキーワード

解熱鎮痛薬，アセトアミノフェン，麻薬性鎮痛薬，オピオイドスイッチング，片頭痛治療薬，片頭痛予防薬，トリプタン系薬剤，エルゴタミン製剤，抗CGRP抗体，抗CGRP受容体抗体，神経障害性疼痛治療薬，イオンチャネル遮断薬，抗うつ薬

I ― 非ステロイド性抗炎症薬（NSAIDs）

酸性NSAIDsの鎮痛作用機序は，局所のシクロオキシゲナーゼ（COX）阻害の結果，プロスタグランジン（PG）E_2の合成が抑制され，PGE_2によるブラジキニン，その他の発痛物質の作用の増強効果が消失するためであると考えられている．すなわち，一次感覚神経終末において，PGE_2はブラジキニンの痛覚閾値を低下させ，結果として痛み刺激を増大させるが，このPGE_2による作用を抑制することが，鎮痛機序において重要な役割を担うとされる．また，炎症反応の抑制やブラジキニンの遊離抑制も鎮痛作用機序の一部と考えられている．さらに，中枢神経系にも作用し，頭痛，片頭痛，神経痛などに対しても鎮痛効果を示す．代表的な薬物については**28章Ⅴ-4.参照**．

II ― 解熱鎮痛薬

解熱鎮痛薬は，解熱作用や鎮痛作用を示すが，抗炎症作用は非常に弱い薬物群である．COX阻害によるPG合成抑制作用はほとんどないとされているが，作用機序の詳細は不明である．解熱鎮痛薬はピラゾロン系（**ピリン系**）と**非ピリン系**に分けられる．

1. ピリン系

1）スルピリン水和物（sulpyrine hydrate）

他の解熱薬では効果が期待できないか，投与が不可能な場合の緊急解熱として用いられる．ショックなどの重篤な副作用が発現することがある．**イソプロピルアンチピリン**（isopropylantipyrine）とアセトアミノフェンの配合剤（SG 配合顆粒®）は，感冒の解熱や頭痛，咽頭痛などに加え，歯痛に対する適応がある．

2．非ピリン系
1）アセトアミノフェン（acetaminophen）

アセトアミノフェン（別名：パラセタモール）は安全性に最も優れ，多くの疼痛に対して第 1 選択となるが，高用量では肝障害に注意が必要である．NSAIDs よりも副作用が少なく，小児，血液内科領域の解熱，鎮痛に適している．小児の解熱での第 1 選択薬である．歯痛，歯科治療後の疼痛に対しても使用される．アセトアミノフェンは視床下部における体温調節中枢に作用し，熱放散（血管や汗腺を広げることで体外へ熱を逃がすこと）を増大させることで解熱作用を現す．鎮痛作用は，視床および大脳に作用し痛覚閾値を上昇させることによると推定されている．

III 麻薬性鎮痛薬（19 章 III［各論］1．参照）

オピオイド鎮痛薬と総称される麻薬性鎮痛薬は，神経細胞のオピオイド受容体に作用して，Ca^{2+} チャネルの開口を抑制して神経伝達物質の遊離を抑制し，また K^+ チャネルの開口を促進して過分極を生じ，脱分極や細胞興奮を抑制するなどの機序によって，強力な鎮痛効果を発揮する．オピオイドはがん疼痛などの慢性痛の治療に用いられるとともに，開胸術や開腹術の術後痛といった中等度以上の急性痛にも使用される．術後痛など急性痛でのオピオイド鎮痛薬投与で最も注意すべき副作用は，過鎮静と呼吸抑制である．

がん疼痛は，がん患者に生じる痛みのすべてであり，疼痛治療はがん治療の一部として考える．痛みの性質やパターン，原因の診断を的確に行い，速やかに適切な疼痛治療を行うことが重要である．がん疼痛の治療では，WHO の「がん疼痛治療ガイドライン」に基づき，患者の許容できる生活の質を維持できるレベルまで痛みを軽減することを目標とする．

1．モルフィナン系オピオイド
1）モルヒネ塩酸塩水和物（morphine hydrochloride hydrate）・
モルヒネ硫酸塩水和物（morphine sulfate hydrate）

オピオイド製剤の基本薬である．主に中等度から高度の強さの痛みに対し使用される．剤形が豊富であり，患者の状態に合わせた剤形を選択することができる．一方，モルヒネは鎮痛量より低用量で便秘や悪心・嘔吐が発現するとされている．鎮痛量より高用量では眠気を起こすことがある．癌疼痛の治療では，より低い副作用やより高い鎮痛効果を期待して他のオピオイドに切り替えることを「オピオイドスイッチング」という．例えば，モルヒネ不耐症の患者では，副作用の軽減を目的にオキシコドン，ヒドロモルフォンやフェンタニルに切り替える．

2）オキシコドン塩酸塩水和物（oxycodone hydrochloride hydrate）

モルヒネと同様の性質をもった強オピオイドである．モルヒネは主に肝臓での初回通過効果により経口でのバイオアベイラビリティ（生体利用率）が約 20% と低いが，オキシコドンはモルヒネの第 3 位の -OH 基が -O-CH$_3$ 基に換わることで肝臓でのグルクロン酸抱合を回避するため，経口でのバイオアベイラビリティが 60〜80% と高い．オキシコドンは速放製剤，徐放製剤と注射剤が利用できる．

3) ヒドロモルフォン塩酸塩（hydromorphone hydrochloride）

モルヒネの5倍以上力価が高い半合成のモルヒネ誘導体で，速放製剤，徐放製剤と注射剤が利用できる．

2. フェニルピペリジン系オピオイド

1) フェンタニル（fentanyl）・フェンタニルクエン酸塩（fentanyl citrate）

モルヒネと同様，強力なオピオイドμ受容体作動薬である．比較的低分子量で脂溶性であるため，経皮および粘膜投与が可能である．2021年8月にフェンタニルの貼付剤（フェントス®テープ）の適応が拡大され，小児がん疼痛患者への使用が可能となった．

2) ペチジン塩酸塩（pethidine hydrochloride）

激しい疼痛時における鎮痛・鎮静・鎮痙に有効である．術後鎮痛に使用される．

3. その他

1) タペンタドール塩酸塩（tapentadol hydrochloride）

μ受容体を介した鎮痛作用に加え，ノルアドレナリン再取り込み阻害作用による神経障害性疼痛の緩和作用を併せもち，強オピオイドと同等の鎮痛効果を示す．中等度から高度の疼痛を伴う各種がんにおける鎮痛（非オピオイド鎮痛薬で治療困難な場合のみ）に用いる．徐放剤として開発されており，1日2回投与の持続性麻薬である．硬くて粉砕不可であること，水に溶かすと粘性のゲル状になり注射器で扱うことが不可であることにより，乱用防止剤として承認されている．

2) メサドン塩酸塩（methadone hydrochloride）

モルヒネなどと同様に，強オピオイドに分類される．強力なμ受容体作動薬で，グルタミン酸NMDA受容体に対する阻害作用も有する．一般的なオピオイドの副作用に加えて，QT延長や心室頻拍，呼吸抑制などの致死的な副作用の危険性があるため，他のオピオイド鎮痛薬を十分な量（高用量）使用しても鎮痛効果が不十分な症例における切り替え（オピオイドスイッチング）用のオピオイド鎮痛薬である．

IV 片頭痛治療薬

片頭痛は緊張型頭痛，群発頭痛とともに，一次性頭痛に分類されている．片頭痛は頭痛発作を繰り返す疾患で，1回の発作は4～72時間持続する．わが国での有病率は8.4%と非常に高く，特に20～40歳の女性に多いことが知られている．

急性期治療薬であるトリプタンが登場してから片頭痛治療には大きな変革がもたらされたが，トリプタン不応例や使用禁忌症例が多いことが課題となっている．このような中で近年，片頭痛の病態においてカルシトニン遺伝子関連ペプチド（calcitonin gene-related peptide；CGRP）が重要な役割を果たすことが明らかとなり，わが国においては2021年に片頭痛の予防療法として抗CGRP抗体（ガルカネズマブ，フレマネズマブ）と抗CGRP受容体抗体（エレヌマブ）が上市された．

1. 急性期治療薬

急性期の片頭痛治療薬は，片頭痛に特異的な治療薬であるトリプタン系薬剤，エルゴタミン製剤と，非特異的治療薬であるアセトアミノフェン，NSAIDsや制吐薬に分けられる．

1) トリプタン系薬剤

セロトニン 5-$HT_{1B/1D}$ 受容体に選択的に作用し，拡張した脳血管を収縮させるのみならず，神経ペプチドや血漿タンパク質の漏出を抑制し，神経原性の炎症を抑制すると考えられている．中等度以上の片頭痛発作では，禁忌となる状況がなければトリプタン系薬剤を使用する．トリプタン系薬剤は，早期服用（発作開始 30 分以内）の方が高い治療効果が見られる．心筋梗塞，虚血性心疾患，脳血管障害，末梢血管障害，コントロールされていない高血圧症の患者には禁忌である．

(1) スマトリプタンコハク酸塩（sumatriptan succinate）

即効性かつ強力だが吸収率が低く，無反応例が 30％ある．

(2) ゾルミトリプタン（zolmitriptan）

少量でも効果がある．脂溶性で中枢移行性がよいため，眠気，めまい，全身倦怠感が出現することがある．

(3) ナラトリプタン塩酸塩（naratriptan hydrochloride）

わが国で使用可能なトリプタンの中で最も半減期が長い．効果の持続と再発抑制が認められ，忍容性も良好である．

2) エルゴタミン製剤

エルゴタミンは，セロトニン受容体に結合することで強い血管収縮作用を発現する．エルゴタミン酒石酸塩（ergotamine tartrate）・無水カフェイン（anhydrous caffeine）・イソプロピルアンチピリン（isopropyl antipyrine）の配合製剤として使用されており，発作時には可能な限り早期に服用するのがよい．エルゴタミンは子宮収縮を誘発するため，妊娠の可能性のある女性，妊娠中，授乳中の使用は禁忌である．また，虚血性心疾患，脳血管障害の既往や末梢血管障害を有する患者にも禁忌である．

3) セロトニン 5-HT_{1F} 受容体作動薬

ラスミジタンコハク酸塩（lasmiditan succinate）は，わが国で 2022 年 1 月に製造販売が承認された新しい片頭痛治療薬である．これまでのトリプタン系薬剤やエルゴタミン製剤とは異なる作用機序を有し，血管収縮作用を有さないことが特徴である．ラスミジタンは血液脳関門通過性を有し，5-HT_{1F} 受容体に選択的に結合することにより中枢での疼痛情報の伝達を抑制し，末梢では三叉神経からの神経原性炎症や疼痛伝達にかかわる CGRP やグルタミン酸などの放出を抑制することで，片頭痛発作を急速に消失させる効果が見られる．

4) アセトアミノフェン・NSAIDs

アセトアミノフェンおよび NSAIDs は，軽度の頭痛や，トリプタン系薬剤やエルゴタミン製剤が使用できない患者に用いる．

5) 制吐薬

メトクロプラミド（metoclopramide），ドンペリドン（domperidone）などの制吐薬は，悪心の改善作用の他に消化管運動を高めること，トリプタン系薬剤などの薬剤吸収速度を上げるため，併用が有用であると考えられている．

2. 予防薬

2021 年に片頭痛の新規予防療法として，抗 CGRP 抗体ガルカネズマブ（galcanezumab）とフレマネズマブ（fremanezumab），抗 CGRP 受容体抗体エレヌマブ（erenumab）が上市された．CGRP は一次感覚神経に存在し，末梢での侵害受容と神経原性炎症の発現に関与すること

が知られている．また CGRP は末梢だけでなく，脳幹から大脳に至る広範な脳領域に分布しており，片頭痛の病態に深く関与していると考えられている．

その他の予防薬として，Ca 拮抗薬であるロメリジン塩酸塩（lomerizine hydrochloride）やベラパミル（保険適用外），抗てんかん薬であるバルプロ酸ナトリウム（sodium valproate），β遮断薬プロプラノロール塩酸塩（propranolol hydrochloride），抗うつ薬のアミトリプチリン（保険適用外）などが使用されている．

V ― 神経障害性疼痛治療薬

神経障害性疼痛は「体性感覚神経系の病変や疾患によって引き起こされる疼痛」と定義され，末梢神経から大脳に至るまでの侵害情報伝達経路のいずれかに病変や疾患が存在する際に生じる．体性感覚神経系の過敏性と下行性疼痛抑制系の機能減弱が発症機序となる．神経障害性疼痛の主な疾患には，帯状疱疹後神経痛，三叉神経痛，有痛性糖尿病性神経障害，腫瘍による神経圧迫または浸潤による神経障害などが含まれる．

神経障害性疼痛は，侵害受容性疼痛と異なった特徴的な痛みを呈し，障害された神経支配領域に一致した部位に自発的な痛み（持続的もしくは間欠的）や刺激によって誘発される痛み（アロディニア，痛覚過敏）があり，神経が障害されることにより様々な感覚の異常が生じる．

1．イオンチャネル遮断薬
1）電位依存性 Ca^{2+} チャネル遮断薬

プレガバリン（pregabalin）は神経障害性疼痛全般および線維筋痛症に，またミロガバリンベシル酸塩（mirogabalin besilate）は末梢性神経障害性疼痛に対して承認されている．抗炎症作用はなく，中枢神経系において電位依存性 Ca^{2+} チャネルを構成する $\alpha_2\delta$ サブユニットと結合することにより Ca^{2+} のシナプス前終末への取り込みを抑制し，興奮性神経伝達物質の遊離を抑制する．プレガバリンは帯状疱疹後神経痛，糖尿病性神経障害に伴う痛みやしびれ，脊髄損傷後疼痛に対して有意な鎮痛効果がある．睡眠の質や痛みに伴う抑うつ，不安も改善することが示されており，痛みだけでなく QOL の改善効果も認められている．

2）電位依存性 Na^+ チャネル遮断薬

カルバマゼピン（carbamazepine）は Na^+ チャネルを遮断し，Na^+ チャネル不活化からの回復を遅らせる．三叉神経痛に対して有効性が確立されている（p.164 臨床コラム参照）．

2．抗うつ薬（19 章Ⅵ-3.-1），4）参照）
1）アミトリプチリン塩酸塩（amitriptyline hydrochloride）

代表的な三環系抗うつ薬であり，末梢性神経障害性疼痛に適用される．有痛性糖尿病性神経障害，帯状疱疹後神経痛，外傷性神経損傷後疼痛，中枢性脳卒中後疼痛，脊髄損傷後疼痛のような多岐にわたる末梢性・中枢性神経障害性疼痛に対し，有意な鎮痛効果があることが臨床試験で示されている．イミプラミン塩酸塩（imipramine hydrochloride）も，末梢性神経障害性疼痛の治療に使用される場合がある（保険適用外）．三環系抗うつ薬の鎮痛効果は抗うつ作用を示すよりも低用量，短期間で鎮痛効果を示すことが明らかにされている．主な鎮痛作用機序は，下行性疼痛抑制系の活性化であり，NMDA 受容体拮抗作用や Na^+ チャネル遮断作用も関与していると考えられている．

2) デュロキセチン塩酸塩（duloxetine hydrochloride）

セロトニン・ノルアドレナリン再取り込み阻害薬（serotonin noradrenaline reuptake inhibitor；SNRI）であり，下行性疼痛抑制系に関与するセロトニン神経系，ノルアドレナリン神経系の神経伝達が増強されることによって鎮痛効果が発揮されると考えられている．三環系抗うつ薬と比較して，口渇や起立性低血圧など抗コリン作用による副作用は少ないが，悪心に注意が必要である．

3. トラマドール塩酸塩（tramadol hydrochloride，19章Ⅲ［各論］3-3）参照）

オピオイド受容体作動薬としての作用とSNRIとしての作用を併せもつ．また，トラマドールの活性代謝物がμ受容体に高い親和性を有する．非オピオイドで治療困難な疼痛を伴う各種がん・慢性疼痛における疼痛の抑制を目的に使用されるが，帯状疱疹後神経痛と有痛性糖尿病性神経障害に対する有効性が示されており，QOLの改善効果も明らかにされている．

4. ワクシニアウイルス接種家兎炎症皮膚抽出液〔ノイロトロピン®（neurotropin）〕

ワクシニアウイルスを接種した家兎の炎症皮膚組織から抽出した非タンパク質性生理活性物質を含有する製剤であり，単一で鎮痛作用を示す有効成分は同定されていないため，成分の一般名が表記されていない．主な薬理作用は下行性疼痛抑制系の活性化であり，また末梢侵害刺激局所において起炎物質であるブラジキニンの遊離抑制作用を示す．

Ⅵ 鎮痛薬と歯科臨床

歯科を受診する動機のうち，最も多いものは「痛み」である．これらの痛みの多くは歯が原因となる歯痛であり，「歯原性歯痛」と呼ばれる．歯原性歯痛は，歯の中の神経（歯髄）や歯の周りの歯を支える組織（歯周組織）が原因となる痛みであり，歯科医師による歯科治療によって改善される．歯痛の多くは齲蝕やその合併症（歯髄炎，膿瘍など）によるものであるが，歯痛や歯科治療後の疼痛に関してNSAIDsやアセトアミノフェンが使用される．また，神経障害性疼痛が疑われる場合には，アミトリプチリンなども用いられる．歯科治療時に，歯髄鎮静・鎮痛作用を目的とする場合は，フェノールやパラクロロフェノール，グアヤコールなどのフェノール製剤，ユージノールなどが用いられる（35章Ⅱ参照）．

一方，歯や歯周組織に原因がないにもかかわらず，歯に痛みを感じる「非歯原性歯痛」がしばしば見られたり，口腔顔面領域に疼痛を発現することもある．例えば，筋・筋膜痛による歯痛，神経障害性疼痛による歯痛（三叉神経痛，帯状疱疹後神経痛など），神経血管性頭痛による歯痛（片頭痛，群発頭痛）などである．こうした神経障害性疼痛に起因する場合はカルバマゼピンやプレガバリン，アミトリプチリンなどの使用が選択肢となる．

 国試コラム　　　　　29章　鎮痛薬

歯科医師国家試験出題基準（令和5年版）では，歯科医学総論の「薬物療法，疾患に応じた薬物療法」に「鎮痛薬」を挙げている．実際の歯科医師国家試験では，さまざまな鎮痛薬の分類と作用機序に関して出題されている．

30章 薬理学 各論

救急用薬物

学修目標とポイント
- 救急時に使用される代表的な薬物を目的別に整理し，その作用機序を説明できる．
- 歯科治療中に起こる頻度の高い全身的偶発症への対応を説明できる．

本章のキーワード
酸素，気管支拡張薬，循環作動薬，血管迷走神経反射，過換気症候群，局所麻酔薬中毒，アナフィラキシーショック，メトヘモグロビン血症

I ― 救急時に使用される薬物[1)]

1. 呼吸器系に作用する薬物

1) 酸素（oxygen）

　救急時において，**酸素**は最も重要な薬物である．酸素投与は，低酸素症が疑われる場合に行われ，動脈血酸素分圧を上昇させることで，組織への酸素供給を改善することを目的とする．低酸素症の放置は不可逆的な脳神経障害をきたすので，特に呼吸不全や心停止により低酸素症に陥っている場合には，酸素投与の適応となる．酸素投与においては気道確保を確実に行い，十分な換気量を維持することが重要である．低酸素状態の評価は，パルスオキシメータによる動脈血酸素飽和度（SpO_2）の測定が簡便で有用である．健康成人の空気吸入時の SpO_2 は，97～98％である．反対に90％以下は低酸素状態である．吸入酸素濃度は SpO_2 により決定される．

2) サルブタモール硫酸塩（salbutamol sulfate, 17章Ⅲ-1.-1) 参照）

　アドレナリン β_2 受容体を選択的に刺激する**直接型アドレナリン作動薬**である．気管支平滑筋を弛緩させる作用があり，**気管支拡張薬**として使用される．サルブタモールは，用時作動により一定量の薬液が噴霧される吸入エアゾール剤としての剤形があり，喘息発作が生じた時に，速やかな気管支拡張を目的に吸入させる．β_2 受容体選択性は高いが，薬物濃度の上昇により，β_1 作用による心機能亢進を招く．そのため用量には注意が必要である．

2. 循環器系に作用する薬物

　循環は，心臓のポンプ機能と血圧によって維持されており，これらが正常に機能することで，十分量の酸素を末梢組織へと供給できる．心停止や頻脈，あるいは徐脈性の重篤な不整脈の場合，有効な心拍出量は得られず，重要臓器への血液供給は滞る．循環作動薬は，適切な心拍出量と血圧の維持あるいは回復のために投与される．

1) アドレナリン作動薬（17章Ⅲ-1., 20章Ⅱ-2.-1)-(2) 参照）

(1) アドレナリン（adrenaline）

　アドレナリンは，α 受容体と β 受容体の両方を刺激する強力な直接型アドレナリン作動薬で

ある．救急時における適応は，心停止，急性低血圧，ショック時の昇圧などであり，心拍出量と血圧の回復を目的として投与される．血管に対しては**α₁作用**により，皮膚，粘膜，腹部内臓などの末梢血管を収縮させ，末梢血管抵抗の増大を図ることにより血圧を上昇させる．その結果，静脈からの心肺への還流が期待できる．また，アドレナリンは**β₁作用**により，心臓に対して**陽性変力作用**（positive inotropic action）と**陽性変時作用**（positive chronotropic action）をもつ．これらの効果により，心収縮力および心拍数を増加させるので，心拍出量の回復が期待できる．

成人の心肺蘇生中は，アドレナリン 1 mg を 3～5 分ごとに静脈内投与する．静脈路の確保が難しく，アドレナリンの投与が遅れる可能性のある場合は，骨髄路を確保するか，2～2.5 mg のアドレナリンを気管内投与する．重度の徐脈，低血圧に対しては，2～10 μg/min を投与する．

(2) ノルアドレナリン（noradrenaline）

ノルアドレナリンは，**α受容体**への作用が強く，α₁作用による強い血管収縮作用を有する．一方，**β受容体**への作用は弱い．血管の拡張により生じた血圧低下に対して，末梢血管を収縮させ血圧の上昇を図る．救急時における適応は，急性低血圧，ショック時の昇圧である．

(3) イソプレナリン塩酸塩（isoprenaline hydrochloride）

ℓ-イソプレナリンは，**β受容体**を主に刺激する直接型アドレナリン作動薬である．β₁とβ₂の両方を非選択的に刺激する．β₁作用による強い陽性変力作用と陽性変時作用の働きで，心拍出量の増加，心拍数の増加，心仕事量の増加をきたす．救急時における適応は，Adams-Stokes 症候群（徐脈型）の発作時（高度の徐脈，心停止を含む）や，心筋梗塞や細菌内毒素などによる急性心不全，手術後の低心拍出量症候群である．

(4) ドパミン塩酸塩（dopamine hydrochloride）

ドパミンは，中枢神経系の神経伝達物質であり，ノルアドレナリンの前駆物質でもある．外因性に投与した場合は，血液脳関門を通過しないため，中枢神経系への作用はなく，末梢組織のドパミン **D₁受容体**，α受容体，β受容体を刺激する．また，ノルアドレナリン分泌促進作用を併せもつ．ドパミン投与量によって作用が異なる．1～2 μg/kg/min の持続投与では，腎動脈，腸間膜動脈の拡張を起こし，尿量の維持が期待できる．この場合，心拍出量の増加や血圧の上昇は見られない．2～10 μg/kg/min では，β作用が加わり，心拍出量が増加する．10 μg/kg/min では，α受容体が刺激される結果，末梢血管の収縮が生じて血圧が上昇する．このようにドパミンは，心拍出量，血圧，尿量の維持が期待できるので，急性循環不全（心原性ショック，出血性ショック）患者への適応となる．また，手術中の尿量の減少に対して利尿を得るために，低用量の投与が用いられる場合も多い．

2) その他のアドレナリン作動性薬物

(1) エフェドリン塩酸塩（ephedrine hydrochloride）

エフェドリンは，β受容体を直接刺激する作用とノルアドレナリンの分泌促進作用をもつ**混合型アドレナリン作動薬**である．血液脳関門を通過するため，弱い興奮作用や中枢性鎮咳作用など，中枢神経系への作用もある．エフェドリンはβ作用が強く，末梢血管抵抗の減少と心筋収縮力の増加，心拍数の増加をきたし，心拍出量は増大する．

(2) フェニレフリン塩酸塩（phenylephrine hydrochloride）

フェニレフリンは，α₁受容体を選択的に刺激する直接型アドレナリン作動薬である．α作用の強いフェニレフリンは，末梢血管抵抗の増加による昇圧効果は著しいが，反応性に心拍数は減少し心拍出量は低下する．適応は，急性低血圧，ショックなどである．

3）副交感神経遮断薬（17章Ⅳ-2.参照）
（1）アトロピン硫酸塩水和物（atropine sulfate hydrate）
　アトロピンは，**ムスカリン性アセチルコリン受容体**を遮断する代表的な**抗コリン薬**である．ムスカリン性受容体のサブタイプ選択性はない．症候性洞性徐脈では第1選択薬である．歯科治療でよく認められる，血管迷走神経反射による一過性の徐脈にも有効である．また，房室ブロックに有効となることがある．**サリン**などの有機リン中毒も適応となる．

4）降圧薬
（1）ニカルジピン塩酸塩（nicardipine hydrochloride）
　ニカルジピンは**カルシウム拮抗薬**で，血管平滑筋細胞へのCa^{2+}の取り込みを阻害することにより，末梢血管を拡張させて血圧を低下させる．全身麻酔中や歯科治療中の異常な血圧上昇に対して用いられることが多い．

（2）ニトログリセリン（nitroglycerin）
　ニトログリセリンは，体内で一酸化窒素（NO）を遊離し，血管拡張作用を示す薬物である．狭心症，心筋梗塞，急性心不全などに対して使用される．ニトログリセリンの作用は，容量血管である静脈を拡張させ，静脈還流量の減少により前負荷を軽減する．また，細動脈を拡張させ，末梢血管抵抗を減らすことで後負荷が軽減する．以上から，心筋組織における酸素需要を減少させるので心不全に使用できる．また，ニトログリセリンは冠動脈を拡張させ，冠血流量を増加させることで，心筋への酸素供給量を増やすので，狭心症の症状の改善に有効である．狭心症発作時には，**ニトログリセリン錠剤**の舌下投与か舌下部に**スプレー**による噴霧が行われる．投与後1～2分ほどで狭心症症状は軽減し，作用持続時間は30分ほどである．ニトログリセリンの副作用は，過度の血圧低下，頭痛，頻脈などである．

5）抗不整脈薬（20章Ⅲ参照）
（1）リドカイン塩酸塩（lidocaine hydrochloride）
　リドカインは，**電位依存性Na^+チャネル遮断薬**である．心筋細胞内へのNa^+流入を阻害して，活動電位の立ち上がりを遅らせ，抗不整脈作用を示す．リドカインは心室性期外収縮の第1選択薬である．また，心停止（心室細動）の治療にも用いられる．

（2）アミオダロン塩酸塩（amiodarone hydrochloride）
　アミオダロンは，Na^+チャネル，K^+チャネルおよびCa^{2+}チャネルの遮断と，β受容体遮断作用をもつ抗不整脈薬である．心停止の患者において，除細動，心肺蘇生，血管収縮薬投与に反応しない心室細動や無脈性心室頻拍の治療に用いる．

（3）硫酸マグネシウム水和物（magnesium sulfate hydrate）
　マグネシウムは，低マグネシウム血症やtorsades de pointesが原因の心停止に用いられる．

（4）カルシウム拮抗薬
　ベラパミル塩酸塩（verapamil hydrochloride）は，**フェニルアルキルアミン系カルシウム拮抗薬**で，抗不整脈作用が強い．主な適応は頻脈性不整脈である．また**ジルチアゼム塩酸塩**（diltiazem hydrochloride）は，**ベンゾチアゼピン系カルシウム拮抗薬**で，抗不整脈作用が強いが，高血圧，狭心症，頻脈性不整脈と幅広く使用される．両薬物は，房室結節における伝導を遅くし，リエントリー性不整脈を停止させることができるため，様々な心室頻拍の患者において，心室応答速度を調節できる．

（5）β遮断薬
　プロプラノロール塩酸塩（propranolol hydrochloride）は，非選択的β遮断薬で，心拍数と

血圧を低下させる作用を有するため，異常血圧上昇や頻拍性の不整脈，狭心症の治療に用いる．非選択的β遮断薬は，β_2受容体遮断による気管支平滑筋の収縮をもたらすため，気管支喘息には禁忌となる．

歯科治療中に起こる全身的偶発症の治療（18章V参照）

1) 血管迷走神経反射

血管迷走神経反射は，不安，恐怖，緊張，痛みなどのストレスで発症する．末梢血管の拡張による静脈還流の減少が起き，顔面蒼白，冷や汗，無関心，吐き気，徐脈，血圧低下，意識消失などの症状が起こる．多くの場合，症状が一過性であるために，患者を水平位にして経過を観察するだけで症状が回復する．また，酸素投与も有効である．徐脈が継続する場合には，過度な副交感神経緊張を遮断するためにアトロピンを投与する．また，血圧低下が持続する場合には，エフェドリンを静脈内投与し昇圧を図る[2]．

2) 過換気症候群

不安や緊張，身体的ストレスが原因で過呼吸を起こした結果，血液中の二酸化炭素分圧（$PaCO_2$）が低下することで，**呼吸性アルカローシス**となる病態である．患者は，呼吸困難を訴え，不穏・興奮状態におかれる．他の症状に胸痛，動悸，悪心・嘔吐，けいれん，筋硬直，意識障害などがある．過換気症候群は自然寛解することが多いが，症状に改善が見られない場合には，抗不安・抗けいれん・筋弛緩作用をもつ**ベンゾジアゼピン系薬物のミダゾラムやジアゼパム**の静脈内投与を行う．

3) 局所麻酔薬中毒

局所麻酔薬の過量投与や，血管内への想定外の誤注入および移行などで起こる．局所麻酔薬の血中濃度の増加に伴い，初期には中枢神経症状の亢進，末期には中枢神経の抑制症状が出現し，重症化すると心停止へと至る．対応としては，**一次救命処置**（basic life support；**BLS**）に沿った処置を行い，興奮やけいれんに対してはミダゾラムやジアゼパムの投与を行い，徐脈や血圧低下に対してはアトロピンや昇圧剤を用いて迅速に対応する．

臨床コラム

症状の重篤化に伴う心停止への対応

歯科で起こる全身的偶発症は，多くの場合は一過性である場合が多いが，基礎疾患の合併，複合要因，さらには症状の発見の遅れなどにより，重症化し心停止にまで至ることがある．歯科治療中の全身的偶発症の発生を未然に防ぐためにも，日頃から患者の全身疾患やその状態を把握するとともに，治療中もバイタルサイン（血圧，動脈血酸素飽和度，脈拍数，心電図）を観察して全身状態を正しく評価することが大切である．また，緊急時に対応できるよう，緊急通報，救急車の到着までの間のBLSなどが円滑に行えるよう，日頃からトレーニングをしておくことが，医療安全上，大変重要なことである．

心停止により，脳，心臓などの重要臓器は低酸素状態に陥り，不可逆的な障害を受ける危険性がある．意識がなく，呼吸もなく，脈も触れない場合は，心停止と判断し，ただちにBLSのアルゴリズムに沿って行動する．十分なスタッフと器材・薬物がある場合，ACLSへと移行する．

4）アナフィラキシーショック

アナフィラキシーショックは抗原抗体反応で発症する病態で，薬物などの投与により引き起こされる．短時間で激しく進行するため，速やかな対応が求められる．喘鳴を伴う呼吸困難と蕁麻疹を認めた場合は，アナフィラキシーショックを疑い，**二次救命処置**（advanced cardiovascular life support；**ACLS**）に移行する[3]．同時に迅速な救急要請が必要である．高流量の酸素投与下で，アドレナリンの筋肉内投与が最も迅速に対応でき，かつ有効な治療法である．特に低血圧，気道浮腫，明らかな呼吸困難が見られる患者には，アドレナリンを早期に筋肉内投与する．臨床的改善が見られない場合は，筋肉内投与量0.3～0.5 mgを15～20分ごとに繰り返し投与する．

5）異常高血圧（高血圧緊急症）

異常高血圧である高血圧緊急症は，主に脳，心血管系，腎臓などの臓器障害の徴候を示す重症高血圧である．その臓器障害は急速に進行し，しばしば致死的となる．高血圧緊急症はICUで治療を行う．経口投与による治療は作用発現が一定せず，用量調節も困難なため，静脈内投与での治療となる．治療薬には，カルシウム拮抗薬〔ニカルジピン塩酸塩（nicardipine hydrochloride）〕，硝酸薬〔ニトログリセリン，ニトロプルシド（nitroprusside）〕，β遮断薬〔エスモロール（esmolol），ラベタロール（labetalol）〕などがある．

6）メトヘモグロビン血症

メトヘモグロビンは，ヘモグロビンに配位されている2価の鉄イオンが3価になったもので，酸素および二酸化炭素の運搬能をもたない．通常，メトヘモグロビンは1%以下で存在しているが，15～20%以上になるとチアノーゼが生じる．アミド型局所麻酔薬であるプロピトカインの代謝産物オルト-トルイジンが，ヘモグロビンをメトヘモグロビンへ変換する．治療はメチレンブルーを静脈内投与することで改善される[2]．

7）誤飲と誤嚥（酸素療法）

誤飲とは異物を飲み込み，その異物が消化管内にある状態をいい，誤嚥とは異物が気道（気管，気管支）にある状態をいう．歯科治療の注意を要する特徴として，術野と気道が一致していることがあげられる．歯科に関する器具，材料，薬物は常に誤飲・誤嚥の原因となりうる．誤飲は消化管穿孔の危険性が伴う．誤嚥は，生命維持に必要かつ重要な呼吸を阻害するため，速やかに異物を除去しなくてはならない．また，低酸素症に移行する可能性があるので，酸素投与の適応となる．

8）皮下気腫

皮下組織内に空気が侵入し，貯留している状態をいう．空気が侵入する経路としては，皮膚損傷を介しての外部からの侵入，損傷した壁側胸膜を介しての胸腔内空気（気胸）の侵入，気管・気管支損傷や食道損傷などに伴う縦隔からの侵入がある．歯科では，エアタービンやスリーウェイシリンジ，エアスケーラーなどの歯科用デバイスの圧縮空気により皮下気腫を起こすことがある．下顎埋伏智歯抜去に起因することが多いとされ，皮下気腫の範囲は頭頸部にとどまらず，腋窩や縦隔に及ぶこともある．

症状は呼吸困難や嚥下痛などが認められる．状況によっては入院下での経過観察を行う．薬物療法としては，ペニシリン，セフェム系などの抗菌薬投与を行う．深頸部や縦隔に進展する経路が歯性感染症の波及経路と同様であること，口腔内常在菌が圧縮空気とともに口腔内の侵入経路から組織間隙に波及する可能性があるからである．必要に応じて鎮咳薬，鎮痛薬を投与し，対症療法を行う．

31章 薬理学 各論

抗感染症薬

学修目標とポイント

- 病原微生物の種類による抗感染症薬の分類と特徴を概説できる.
- 選択毒性,殺菌作用と静菌作用,抗菌スペクトルについて説明できる.
- 細胞壁合成阻害抗菌薬の分類と,主な薬物,作用機構,副作用および臨床応用について説明できる.
- タンパク質合成阻害抗菌薬の分類と,主な薬物,作用機構,副作用および臨床応用について説明できる.
- 核酸合成阻害抗菌薬の分類と,主な薬物,作用機構,副作用および臨床応用について説明できる.
- 葉酸合成阻害抗菌薬の分類と,主な薬物,作用機構,副作用および臨床応用について説明できる.
- 抗真菌薬の分類と,主な薬物,作用機構,副作用および臨床応用について説明できる.
- 抗ウイルス薬の分類と,主な薬物,作用機構,副作用および臨床応用について説明できる.

本章のキーワード

選択毒性,殺菌作用,静菌作用,抗菌スペクトル,細胞壁合成阻害,細胞膜障害,核酸合成阻害,タンパク質合成阻害,葉酸合成阻害,抗菌薬,耐性菌,抗ウイルス薬

抗感染症薬の基礎的事項,作用機序,耐性獲得機序,副作用

1. 抗感染症薬の基礎的事項

1) 定義

化学療法薬(chemotherapeutic agents)とは,宿主細胞には存在しないが,病原体や癌細胞にのみ存在する特異的な標的物質を攻撃する治療薬を指す.化学療法薬には,微生物が産生する物質と天然物質を化学修飾した半合成物質,および化学合成によるものが含まれる[*1].化学療法薬は,病原微生物に対して作用する抗感染症薬(抗菌薬,antimicrobial agents)と,癌や肉腫などの抗腫瘍薬(antitumor agents)などに分類できる.

2) 選択毒性

理想的な抗感染症薬の作用は,病原微生物に特異的な標的物質を攻撃するものの,宿主細胞には標的物質が存在せず有害作用を示さないことである.この特徴は,**選択毒性**と呼ばれ,なるべく生体に対して毒性が低く,病原微生物に対しては高い毒性を示す性質のことを指す.したがって,選択毒性は抗感染症薬の最も基本的な特徴であり,薬物を選択する上で重要な基準となっている.

3) 殺菌作用と静菌作用

殺菌作用とは,細菌を死滅させることができる作用である.細菌を殺菌するために必要な最

[*1] 従来から微生物によって作られ,他の微生物の発育を阻止する物質を抗生物質(antibiotics)と呼び,純粋に化学合成されたものを合成抗菌薬としていた.しかし,これらの薬物は微生物に対して抗菌的に作用することから,両者を一括して抗菌薬と呼ぶようになった.

表1 抗感染症薬の作用機序

作用機序	抗感染症薬
細胞壁合成阻害	β-ラクタム系抗菌薬，グリコペプチド系抗菌薬，サイクロセリン，ホスホマイシン
細胞膜障害	ポリエン系抗真菌薬，ペプチド系抗菌薬
核酸合成阻害	ピリドンカルボン酸系抗菌薬，リファンピシン
タンパク質合成阻害	テトラサイクリン系抗菌薬，クロラムフェニコール，アミノグリコシド系抗菌薬，マクロライド系抗菌薬
葉酸合成阻害	サルファ薬，トリメトプリム，パラアミノサリチル酸

小抗菌濃度を最小殺菌濃度（minimum bactericidal concentration；MBC）と呼ぶ．MBCは細菌を24時間培養後に，コロニー形成数を99.9%低下させるのに必要な最小抗菌濃度と決められている．一方，**静菌作用**とは，薬物存在下で細菌が増加しないものの，生存は持続している作用である．細菌の増殖を抑制するために必要な最小抗菌濃度を**最小発育阻止濃度**（minimum inhibitory concentration；**MIC**）と呼ぶ．

4）抗菌スペクトル

抗感染症薬は，効果を発揮できる細菌やウイルスが限定されている．この作用範囲を**抗菌スペクトル**といい，抗感染症薬の重要な基準となっている．抗菌スペクトルによって抗感染症薬を分類した場合，グラム陽性菌と一部のグラム陰性菌に作用する薬物を**狭域性抗菌薬**といい，天然ペニシリンなどがこれに該当する．作用がグラム陽性菌からグラム陰性桿菌にまで作用する薬物を**広域性抗菌薬**といい，合成ペニシリン，セフェム系，オキサセフェム系，カルバペネム系，アミノグリコシド系，マクロライド系などがこれに該当する．さらに作用がリケッチア，ウイルス，原虫にも及ぶものを**広範囲抗菌薬**といい，テトラサイクリン系，クロラムフェニコールなどがこれに該当する．

2．抗感染症薬の作用機序

抗感染症薬は，その作用機序により分類できる（表1）．

1）細胞壁合成阻害

細胞壁は動物細胞には存在せず，細菌にのみ存在し，最内層 N-アセチルムラミン酸（N-acetylmuramic acid；MurNAc）と N-アセチルグルコサミン（N-acetylglucosamine；GlcNAc）の複合体がペプチド鎖で架橋された構造からなる．構成するアミノ酸は菌種であまり差異はなく，L-Ala-D-Glu-L-diamino acid-D-Ala の順で並んでいる．細胞壁中の直鎖状ペプチドグリカンは，最終段階でペプチド転移酵素とカルボキシペプチダーゼの2つの酵素の作用により架橋される．このペプチドグリカンへの架橋の段階を阻害する薬物としてペニシリン系抗菌薬，セフェム系抗菌薬がある．したがって，β-ラクタム系抗菌薬の作用機序は，細菌の細胞壁を構成するペプチドグリカン層の架橋酵素の阻害により細菌を破壊する殺菌作用である．

2）細胞膜障害

細菌細胞は動物細胞と異なり，核膜，小胞体，ミトコンドリアなどの細胞内小器官をもたないが，細菌の細胞膜にタンパク質，脂質および細胞壁などの合成や呼吸鎖およびエネルギー転移系に関与する酵素群が存在する．したがって，細胞膜を障害する薬物は一般的に殺菌的に働き，強力な殺菌作用を示す．しかし，膜障害は宿主である動物細胞にも多少は起こりうるので，選択毒性の低いものが多い．細胞膜障害薬は，ペプチド系抗菌薬とポリエン系抗真菌薬に分類される．

3）核酸合成阻害

細菌の核酸合成を選択的に阻害する薬物があり，抗感染症薬として使用されている．

（1）DNAに作用する薬物

2本鎖DNAの正しいねじれ構造を付与する**DNAジャイレース**（gyrase）や**トポイソメラーゼⅣ**を阻害する薬物がある．この代表的薬物は，ピリドンカルボン酸系合成抗菌薬であり，ナリジクス酸（nalidixic acid），ピペミド酸（pipemidic acid）などが第1世代に該当する．さらに，その化学構造にフッ素を導入したフルオロキノロン系薬物（ニューキノロン系薬物）が第2世代薬として開発され，グラム陽性・陰性菌だけではなく，マイコプラズマ，リケッチアなどにも抗菌作用を示す．

（2）RNAに作用する薬物

リファンピシンは細菌のRNAポリメラーゼに特異的に作用し，RNAポリメラーゼがDNA上のプロモーターに結合するのを妨げ，DNAからmRNAへの転写を阻害する．

（3）ヌクレオシドに作用する薬物

本章Ⅳ参照．

4）タンパク質合成阻害

タンパク質は，動物細胞も細菌も基本的には同じ構造をしているが，合成装置であるリボソームの構造は両者で異なっている．動物細胞のリボソームは80Sであり，40Sと60Sのサブユニットから構成される．一方，細菌のリボソームは70Sであり，30Sと50Sのサブユニットから構成される．このような構造の違いは，構成タンパク質やRNAなどが異なることに由来する．したがって，80Sリボソームには相互作用せず，70Sリボソームに特異的に相互作用できる薬物は優れた選択毒性を示す．具体的には，①30Sサブユニットに作用する薬物には，ストレプトマイシン硫酸塩（streptomycin sulfate）やテトラサイクリン系抗菌薬がある．②50Sサブユニットに作用する薬物には，クロラムフェニコール（chloramphenicol）やマクロライド系抗菌薬，リンコマイシン系抗菌薬がある．③30Sと50Sサブユニット複合体（70Sリボソーム）に作用する薬物には，アミノグリコシド系抗菌薬がある．

5）葉酸合成阻害

細菌の多くは葉酸を合成する能力をもっているが，葉酸輸送系を欠くため，外界から葉酸を取り込んで利用できない．しかし，動物細胞では葉酸合成系はもたないが，輸送系をもつために外界から葉酸を取り込んで利用する．したがって，**葉酸合成阻害薬**は細菌に対して優れた選択毒性を示す．

図1に示すように，細菌はグアノシンの中間代謝物にパラアミノ安息香酸（p-aminobenzoic acid；PABA）を付加して，ジヒドロプテロイン酸（dihydropteroic acid；DHP）を合成する．DHPにグルタミン酸が付加されて，ジヒドロ葉酸（7,8-dihydrofolic acid；DHF）となり，さらにテトラヒドロ葉酸（tetrahydrofolic acid；THF）に代謝されてプリンやチミンなどの塩基やメチオニン，セリン，グリシンなどのアミノ酸の生合成に必須の補酵素として利用される．サル

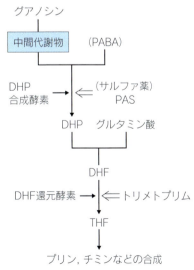

図1　細菌における葉酸合成と代謝

ファ薬はDHP合成酵素を阻害し，THFの合成を阻害する．抗結核薬であるパラアミノサリチル酸（p-aminosalicylic acid；PAS）やHansen病治療薬であるジアフェニルスルホン（diaphenylsulfone）もサルファ薬と同様の機序で抗菌作用を発揮する．

一方，**トリメトプリム**（trimethoprim）はDHFの競合代謝拮抗薬としてDHF還元酵素を阻害し，THFの合成を阻害する．トリメトプリムはサルファ薬と異なるステップを阻害することから，ST合剤として両者を併用することによって相乗効果が発揮される．トリメトプリムは高等動物のDHF還元酵素にも作用するが，細菌の酵素に比べて反応性は低い．

3．耐性獲得の機序

抗感染症薬は，使用当初に画期的な効果を発揮しても，長期間使用するうちに効果が減弱し，最終的には全く効果がなくなることがある．これを**耐性**（resistance）化という．1つの薬物に対して耐性を示す菌が，化学構造の類似した他の薬物に対しても耐性を示すことを**交叉耐性**（cross resistance）という．また，ある種の薬物に対して耐性を獲得した菌に別の薬物を使用して対処しているうち，菌がこれに対しても耐性を獲得するようになることがある．このように多くの薬物に対して耐性を示す菌を**多剤耐性菌**といい，今日の感染症治療において大きな問題となっている．薬物耐性が発現する機序は以下の4つに分類できる．

1）薬物を不活性化する酵素の獲得

菌が薬物を分解あるいは不活性化する酵素を獲得して耐性化する場合であり，最も頻度が高い．例えば，β-ラクタム系抗菌薬に対して耐性を示す菌は，**β-ラクタマーゼ**を産生し，β-ラクタム環を分解する．β-ラクタマーゼには，ペニシリン類に作用するペニシリナーゼとセファロスポリンに作用するセファロスポリナーゼの2種類がある．

2）薬物の標的作用点の変化

抗感染症薬が作用していた部位が変化して作用を受けなくなり，耐性化する場合がある．マクロライド系抗菌薬の作用点は細菌の50Sサブユニットであるが，耐性菌では50Sサブユニットを構成する23 SrRNAのアデニン残基がメチル化され，薬物に対し親和性を低下させている．メチシリン耐性黄色ブドウ球菌（methicillin-resistant *Staphylococcus aureus*；MRSA）の場合，メチシリンなどのβ-ラクタム系抗菌薬に耐性を示す．

3）膜変化による薬物取り込みの低下

抗感染症薬の菌体細胞内への透過性が低下することで耐性を示す場合である．テトラサイクリンに対して耐性を示す菌では，プラスミド耐性遺伝子 *tet* の作るタンパク質が細胞膜に組み込まれ，細胞内へ入ってきた薬物を細胞外へ汲み出すポンプの働きをする．

4）代替酵素の産生

菌が薬物によって阻害される酵素の代替酵素を産生し，耐性化する場合がある．サルファ薬やトリメトプリムの耐性菌では阻害される酵素に代わって薬物に親和性の低い酵素を産生して耐性化する．

4．抗感染症薬の生体内分布

抗感染症薬の効果を発揮するためには，病巣においてMIC以上の濃度になる必要がある．そのためには，以下に述べる抗感染症薬の薬物動態を知らねばならない．β-ラクタム系抗菌薬，テトラサイクリン系，クロラムフェニコールは経口投与でも高い血中濃度を維持でき，組織移行性もよい．マクロライド系のように，血中濃度が低くても組織へよく移行する薬物もあ

る．しかし，アミノグリコシド系，ペプチド系抗菌薬は水溶性が高く，腸管からほとんど吸収されないため，主として注射投与や局所投与される．一般的に抗感染症薬は極性が高いものが多いため，肝臓で代謝されるより，腎臓で排泄される方が多い．そのため，腎疾患の患者やその機能が未熟な幼児には，特に注意を必要とする．

歯科においては，抗感染症薬を歯周ポケット内に直接投与して，薬物を高濃度に保つことも行われる．このような投与方法は LDDS（local drug delivery system）と呼ばれている．

5. 抗感染症薬の副作用
1）アレルギー（過敏症）反応
アレルギー反応は，抗感染症薬の副作用の中で最も頻度が高い．特に，β-ラクタム系抗菌薬によるものが最も多く，その他の抗感染症薬でも報告されている．
2）造血器障害
クロラムフェニコールによる骨髄障害は**再生不良性貧血**や顆粒球減少症を引き起こすため，現在では使用を制限されている．
3）消化器障害
β-ラクタム系抗菌薬，マクロライド系抗菌薬，テトラサイクリン系抗菌薬，およびサルファ薬など多くの抗感染症薬による副作用は消化器障害である．
4）神経障害
耳毒性はアミノグリコシド系抗菌薬の共通した副作用で，**第Ⅷ脳神経障害**による副作用である．障害の部位によって，耳鳴り，難聴などの聴力障害（カナマイシン硫酸塩，トブラマイシンなど）と，めまい，平衡障害などをきたす前庭神経障害（ストレプトマイシン，ゲンタマイシン硫酸塩など）に分けられる．
5）その他の副作用
テトラサイクリン系抗菌薬の胎児・幼児に対する**エナメル質形成不全**やクロラムフェニコールの新生児に対する**グレイ症候群**（gray syndrome）がある．また多くの薬物で肝障害や腎障害を有している．

6. 抗感染症薬による副現象
抗感染症薬を投与すると，副作用とはいえない以下のような副現象が起こることがある．
1）菌交代現象・菌交代症
抗感染症薬を投与すると，生体の正常細菌叢が抑制され，代わりに常在細菌の中で薬物非感受性細菌が増殖するようになる．この現象が**菌交代現象**である．抗菌スペクトルが広い薬物ほど，この現象を起こしやすい．菌交代現象が病的症状を呈するようになった場合を菌交代症と呼ぶ．代表的**菌交代症**としては，*Clostridium difficile* の過剰増殖による**偽膜性腸炎**，*Candida albicans* による口内炎，黒毛舌，腸炎，膣炎などがある．
2）ヘルクスハイマー現象
抗感染症薬を投与すると，死滅した細菌から菌体毒素が遊離し，一過性に発熱，悪寒，全身倦怠感や頭痛などの症状を呈することがある．
3）ビタミン欠乏症
抗感染症薬を投与すると，ビタミン産生能をもつ腸内常在菌が死滅し，**ビタミン欠乏症**を引き起こすことがある．

薬物名（商品名）	分類	構造	特徴
ベンジルペニシリンカリウム（ペニシリンG）	天然ペニシリン	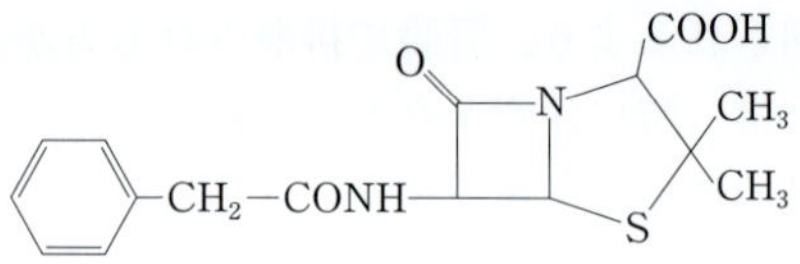 (構造式)	胃酸により分解されるため経口投与は不適．静脈内投与．一部のグラム陽性菌，グラム陰性菌，グラム陽性桿菌に効果がある．ペニシリナーゼで不活化．
アンピシリン水和物（ビクシリン）	広域性ペニシリン	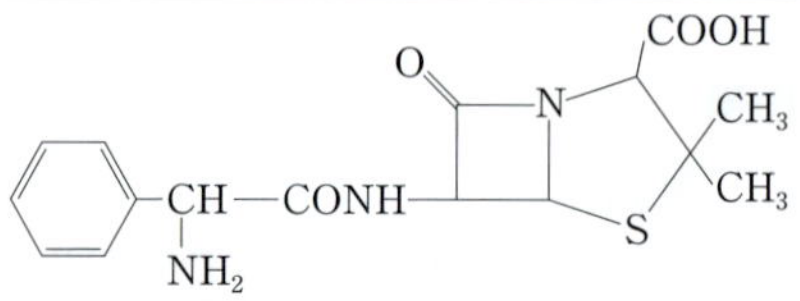 (構造式)	ペニシリナーゼに感受性．広域スペクトルを有する．β-ラクタマーゼ阻害薬クラブラン酸との合剤（ユナシン）として使用される．
アモキシシリン水和物（サワシリン）	広域性ペニシリン	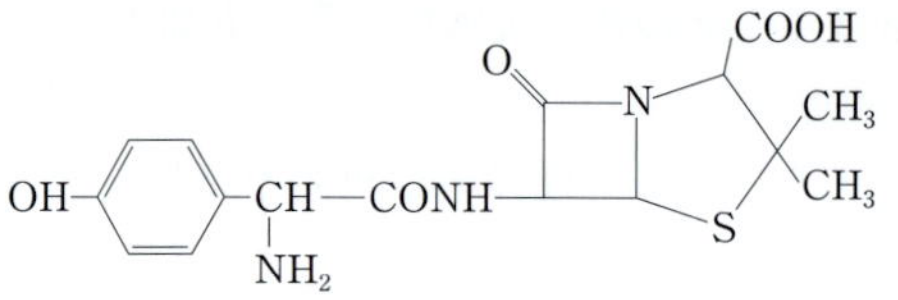 (構造式)	アンピシリンにヒドロキシ基を付加し腸管吸収率を高めている．スルバクタムとの合剤（オーグメンチン）として使用される．
バカンピシリン塩酸塩（ペングッド）	エステル型ペニシリン	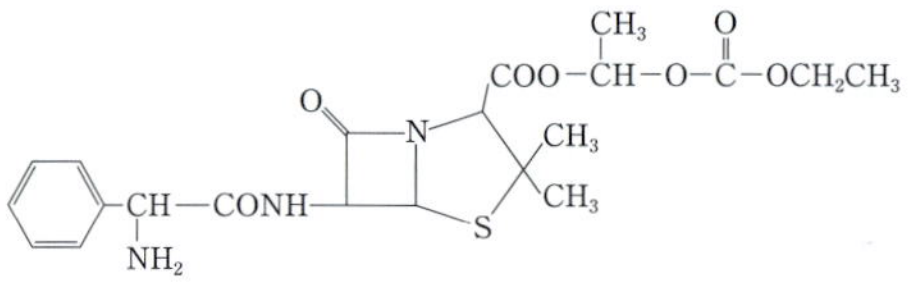 (構造式)	アンピシリンのプロドラッグであり吸収性に優れる．吸収後エステラーゼに分解され，アンピシリンが生成される．

図2 代表的なペナム系抗菌薬の構造と特徴

II 主な抗菌薬

1. サルファ薬

スルファニルアミドを基本骨格にもつ合成抗菌薬の総称であり，細菌の増殖に必要な葉酸合成を抑制する．ヒトは葉酸の生合成系をもたないため，サルファ薬は細菌特異的に作用する．現在は尿路感染症や慢性気管支炎に使用される程度だが，かつては広く用いられていた抗菌薬である．

2. β-ラクタム系抗菌薬

基本骨格としてβ-ラクタム環をもつ薬物の総称であり，細菌の細胞壁合成を阻害する．歯科領域に関連するガイドラインにおいては，選択毒性が高く，副作用発現の可能性が低いことなどから，抗菌薬としてβ-ラクタム系を推奨するものが多い．歴史的に重要なペニシリン（初めて臨床応用された抗生物質）やメチシリン，歯科で第1もしくは第2選択肢として推奨される**アモキシシリン水和物**（amoxicillin hydrate，サワシリン®）や**セファレキシン**（cephalexin，ケフレックス®）がある．殺菌的に作用するものが多く，各組織に速やかに移行するが，脳髄液へは移行しにくいものが多い．**時間依存的**に作用する薬物がほとんどであり，腎臓から尿中に排出される．

1) ペニシリン系抗菌薬①ペナム系

ペナム系薬物（いわゆるペニシリン）は，①天然ペニシリン，②広域性ペニシリン，③エステル型ペニシリンに分類される．代表的なペナム系抗菌薬の構造と特徴を図2に示す．

（1）特徴

a）天然ペニシリン・半合成ペニシリン

ペニシリンは，フレミングによりブドウ球菌の生育を妨げる青カビ（Penicillium）の産生物

として発見された．ベンジルペニシリンカリウム（ペニシリンG®）は多くのグラム陽性菌に有効だが，胃酸により分解されるため経口投与は不適である．ペニシリンはペニシリナーゼにより不活性化されること，薬剤耐性菌が出現したため，それらに対抗するため抵抗性の**メチシリン**が半合成された．しかしながら，メチシリン耐性黄色ブドウ球菌（MRSA）などの耐性菌が出現したこともあり，現在メチシリンは日本でほとんど使用されていない．MRSA は，メチシリンを使用していない医療現場においては無関係という誤解が一部あったが，メチシリンに限らず幅広い抗菌薬に耐性である多剤耐性菌であるため，MRSA が検出された際には，ガイドラインに従い適切な処置が必要である．

b）広域性ペニシリン

抗菌スペクトルが上記のものより広く，腸球菌や大腸菌にも効果がある薬物として**アンピシリン水和物**（ampicillin hydrate，ビクシリン®）や**アモキシシリン**が開発された．アモキシシリンは，WHO の 2021 年版抗菌薬分類において第 1 または第 2 選択薬としてあげられており，ヘリコバクターピロリの除菌のみならず歯科領域でもよく使用される抗菌薬である．また，緑膿菌にも有効なピペラシリンナトリウムも開発されており，これは後述のアミノグリコシド系抗菌薬と併用される．

c）エステル型ペニシリン

腸管からの吸収を高めるため，アンピシリンをエステル化した薬物である．吸収後，エステラーゼにより分解されアンピシリンになる．**バカンピシリン塩酸塩**（bacampicillin hydrochloride，ペングッド®），レナンピシリン塩酸塩（バラシリン®）等がある．緑膿菌には効果がない．扁桃炎，歯周組織炎，歯冠周囲炎などの比較的軽い感染症に用いられることが多い．

（2）副作用

ペニシリン系に共通して見られる副作用で最も発生頻度が高いのは，**薬物アレルギー**である．ペニシリンアレルギーは，ペニシリンの代謝物であるペニシロ酸が生体内タンパク質と結合して免疫原性の β-ラクタムハプテンを形成し，宿主の免疫系の抗体によって異物として認識され，過剰反応を引き起こすために起こるといわれている．重篤なショック症状で死に至ることもある．また，血液障害，肝障害，腎障害を認めることもある．さらに，内服した際，腸内細菌減少によりビタミン B や K の欠乏症が起こることがある．

2）ペニシリン系抗菌薬②ペネム系

（1）特徴

コンピュータデザインで創薬された新しい合成抗菌薬であり，ペニシリン骨格の 2 位と 3 位が二重結合となっている．代表的な薬物として**ファロペネムナトリウム水和物**（faropenem sodium hydrate，ファロム錠®）がある．ファロペネムは日本において開発された世界初の経口ペネム系抗生物質であり，緑膿菌には効果がないもののグラム陰性菌，グラム陽性菌に対して優れた抗菌力，良好な安全性が確認され，歯科適用されている．

（2）副作用

他の β-ラクタム系抗菌薬と共通の副作用があるが，最も多いのは下痢や軟便などの**消化器系障害**である．

3）ペニシリン系抗菌薬③カルバペネム系

（1）特徴

ペニシリン骨格の S が C に置換した構造を有しており，外膜透過性に優れ，グラム陽性から陰性菌まで幅広い抗菌力がある．特に緑膿菌，嫌気性菌に対する抗菌力が強い．また，他の

β-ラクタム系抗菌薬やアミノグリコシド系抗菌薬との間に交叉耐性が認められない．**イミペネム**（imipenem），**パニペネム**（panipenem），**メロペネム**（meropenem），**ドリペネム**（doripenem）等が点滴静注によって臨床適用され，経口用としてテビペネムが開発されている．

欠点として，腎臓の近位尿細管腔の刷子縁に局在するデヒドロペプチダーゼⅠ（DHP-1）によって容易に分解されるものが多く，尿中回収率が低下すること，また分解産物が腎毒性を示すことがあげられる．そのため，DHP-1 阻害薬との合剤が開発され，例えば**イミペネム・シラスタチン配合薬**（imipenem, cilastatin combination, チエナム®）やパニペネム・ベタミプロン（panipenem, betamipron, カルベニン®）などが商品化されている．メロペネムは DHP-1 に安定であることが知られている．

(2) 副作用

他の β-ラクタム系抗菌薬と同様に，アレルギー症状や消化器症状が副作用として見られる．腎機能障害を有する患者では，副作用の頻度が増大することが報告されている．抗てんかん薬のバルプロ酸ナトリウムとの併用によりてんかん発作を起こす危険性があるため，**バルプロ酸との併用**は禁忌である．

4）セフェム系抗菌薬

(1) 特徴

β-ラクタム環に 6 員環が繋がった構造をもつ抗菌薬の総称である．抗菌力・抗菌スペクトルの改善が重ねられ，副作用や飲み合わせなどの問題が少なく安全性も高いので，現在では多種多様なセフェム系抗菌薬が販売，使用されている．開発時期により大きく第 1 世代から第 4 世代に分類される（図3）．

第 1 世代は β-ラクタマーゼに対する安定性が低く，第 2 世代以降は比較的安定である．第 1 世代から第 3 世代と時代を下るにつれ，グラム陽性菌に対する抗菌力は弱まり，グラム陰性菌に対する抗菌力が強くなる傾向がある．第 3 世代は緑膿菌への有効性をもつ抗菌薬ともたない抗菌薬が混在する．第 4 世代は，第 1 世代と第 3 世代の特徴をあわせもち，緑膿菌に有効である．MRSA にも抗菌性をもつセフタロリンなどを第 5 世代と呼ぶこともある．

セフェム系抗菌薬は，セファロスポリン系，セファマイシン系，オキサセフェム系とさらに分類することがあるが，本項ではまとめてセフェム系として記載する．また，注射剤と経口剤があり，薬物により投与法が明確に分けられている．具体的な抗菌薬として以下のものがある．

第 1 世代の注射剤としては天然物であるセファロスポリン C があるが，酸やペニシリナーゼに対して不安定であった．そこで側鎖構造を改良し，セファロスポリナーゼに安定なセファロチンナトリウムやセファゾリンナトリウム無水和物が開発された．経口剤としては**セファレキシン**（ケフレックス®）が開発され，これは歯科適用があるセフェム系抗菌薬の中で第 1 選択薬に推奨されている．

第 2 世代では注射剤として第 1 世代よりも安定性が増し，抗菌スペクトルもやや拡大したセフォチアム塩酸塩が開発された．セファマイシン系のセフミノクスナトリウム水和物は第 2 世代セフェム系注射剤に分類される．経口剤としては**セファクロル**（cefaclor，ケフラール®）があり，歯科適用されている．

第 3 世代では第 2 世代よりも β-ラクタマーゼに対して安定性が増し，注射剤としてはセラチアや緑膿菌に対しても抗菌力を示すセフォタキシムナトリウム（cefotaxime sodium）やセフスロジンナトリウム（cefsulodin sodium）がある．オキサセフェム系のラタモキセフナトリウムも第 3 世代セフェム系注射剤に分類される．経口剤としては，エステル型プロドラッグ

薬物名 (商品名)	世代	抗菌力			構造	特徴
		グラム 陽性菌	グラム 陰性菌	緑膿菌		
セファレキシン (ケフレックス)	1	+++	+	×	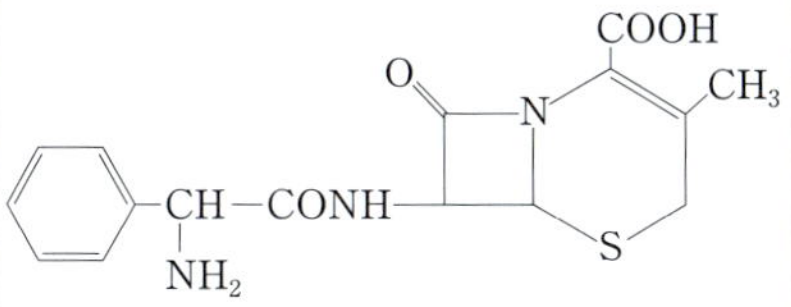	ペニシリナーゼに安定．セファロスポリナーゼにより不活性化．
セファクロル (ケフラール)	2	++	++	×	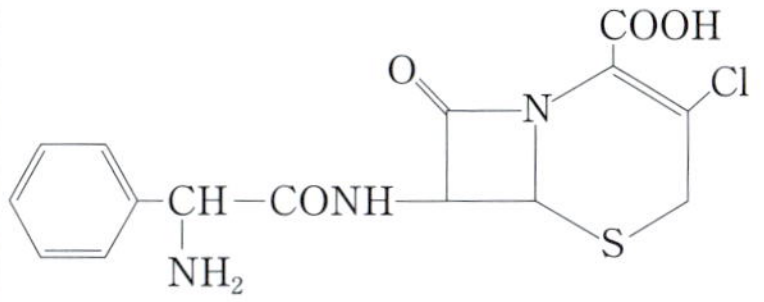	より広い抗菌スペクトル．セファロスポリナーゼに安定．細胞外膜透過性が高い．
セフジトレンピボキシル (メイアクト)	3	+	+++	×	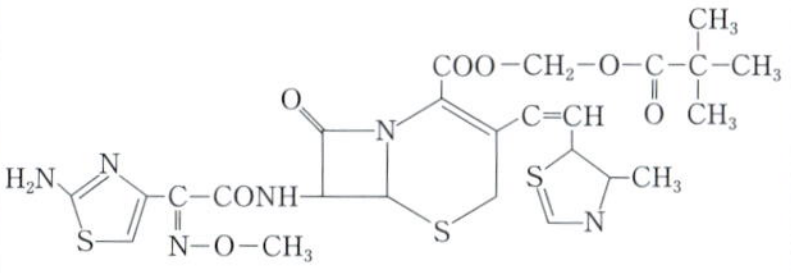	グラム陰性菌に対する抗菌活性がさらに強化．セファロスポリナーゼに対する安定性がさらに向上．エステル型のプロドラッグ．
セフェピム塩酸塩水和物 (サンド)	4	+++	+++	○	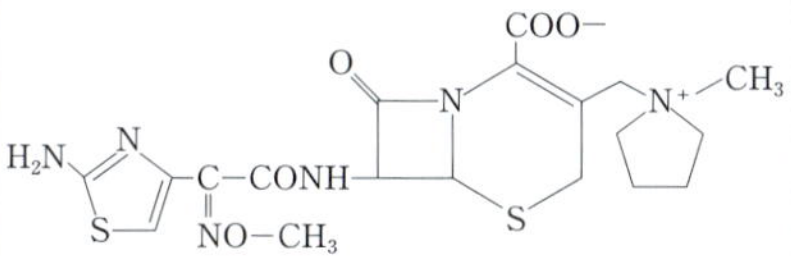	グラム陽性，グラム陰性，緑膿菌，いずれにも適応．疎水性のため，中枢神経系感染症の治療に使用．

図3 代表的なセフェム系抗菌薬の構造と特徴

としてセフカペンピボキシル塩酸塩水和物（cefcapene pivoxil hydrochloride hydrate，フロモックス®）やセフジトレンピボキシル（cefditoren pivoxil，メイアクト®）がある．

第4世代はグラム陽性菌とグラム陰性菌に対して広範な活性スペクトルをもち，さらに緑膿菌に対しても抗菌力を示す．注射剤としてセフェピム塩酸塩水和物（cefepime hydrochloride hydrate，サンド®）やセフォゾプラン塩酸塩（cefozopran hydrochloride，ファーストシン®）がある．

口腔内の感染症ではグラム陽性菌が原因となることが多いため，第1世代セフェム系抗菌薬であるセファレキシンや第2世代のセファクロルといった抗菌薬が処方されることが多い．

(2) 副作用

最も頻度が高いのは，薬物アレルギーである．内服よりも注射によるアレルギー反応が多いが，ペニシリン系抗菌薬で起こるショック症状を引き起こすことは稀である．また，生体において正常菌叢の減少などにより，通常では存在しない，あるいは少数しか存在しない菌が異常に増殖を起こす菌交代症にも注意が必要である．3位側鎖にメチルテトラゾールチオール基を有するセフメタゾール（cefmetazole），セフォペラゾンナトリウム（cefoperazone sodium），ラタモキセフ（latamoxef）は，この部分が細菌による代謝を受け，アルデヒドデヒドロゲナーゼを阻害するため，ジスルフィラム（嫌酒薬）様作用が見られる．ラタモキセフは，血小板の凝集阻害を起こして出血傾向を示すことがある．他の抗菌薬同様，腸内細菌に対する抑制作用により特にビタミンK不足が起きやすく，ワルファリンとの併用に注意が必要である．

5）モノバクタム系抗菌薬
（1）特徴
　通常の二環構造を有するβ-ラクタム系抗菌薬と異なり，β-ラクタム単環構造を基本構造としている．β-ラクタマーゼに対して安定であり，構造的にもシンプルでアレルギー反応が少ないため，重症難治性感染症に対して注射薬として投与される．ただし，グラム陽性菌や嫌気性菌に対しての抗菌作用をもたず，好気性のグラム陰性菌に選択的に有効性を示すため，単独使用は少ない．**アズトレオナム**（aztreonam，アザクタム®），カルモナムナトリウム（carumonam sodium）等がある．

（2）副作用
　他のβ-ラクタム系抗菌薬と同様に下痢・軟便などの消化器系症状や，発疹・発熱などのアレルギー症状が見られる．

6）β-ラクタマーゼ阻害薬
　それ自身に抗菌力はないものの，β-ラクタマーゼに不活性化される抗菌薬と併用すると，抗菌薬本来の抗菌作用が発揮できる薬物である．ペニシリナーゼや一部のセファロスポリナーゼと不可逆的に結合して，その活性を完全に阻害する．クラブラン酸，スルバクタム，タゾバクタム等があり，すべて配合製剤として用いられる．

　経口薬としてアモキシシリン・クラブラン酸カリウム（amoxicillin hydrate, potassium clavulanate，オーグメンチン®），注射薬としてスルバクタムナトリウム・アンピシリンナトリウム（sulbactam sodium, ampicillin sodium，ユナシン®），**タゾバクタムナトリウム・ピペラシリンナトリウム**（tazobactam sodium, piperacillin sodium，ゾシン®）がある．2021年7月には，チエナム®に新規β-ラクタマーゼ阻害薬であるレレバクタム水和物（relebactam hydrate）が配合された，レレバクタム水和物/イミペネム水和物/シラスタチンナトリウム（レカルブリオ®）の製造販売が承認され，2021年11月に発売された．

3. アミノグリコシド系抗菌薬
　各種アミノ糖を構成成分とする配糖体抗生物質の総称であり，細菌のタンパク質合成を阻害する．歯科領域では，**フラジオマイシン硫酸塩**（fradiomycin sulfate，デンターグル®）が含嗽剤として使用されている．

（1）特徴
　β-ラクタム系抗菌薬と同様に殺菌的に働き，腎臓から尿中に排泄される．腸管からはほとんど吸収されないため，腸管感染症以外には非経口的に投与される．肝・胆道系の移行はほとんどなく，髄液への移行も不良である．β-ラクタム系抗菌薬と異なり，**濃度依存的**に作用する．またPAE（post-antibiotic effect）と呼ばれる，抗菌薬除去後も持続する細菌増殖抑制効果が特徴で，この効果を期待して薬物が投与される．抗菌スペクトルは比較的広く，グラム陰性菌のみならず緑膿菌や結核菌などのグラム陰性桿菌にも有効である．ペニシリン系抗菌薬との併用で相乗効果を発揮する．

　主に結核治療に用いられる**ストレプトマイシン**（streptomycin），緑膿菌の治療に用いられる**カナマイシン**（kanamycin），アミカシン硫酸塩（amikacin sulfate），トブラマイシン（tobramycin），ゲンタマイシン（gentamicin），MRSA感染症治療薬に用いられるアルベカシン硫酸塩（arbekacin sulfate），抜歯創・口腔手術創の二次感染予防に使用されるフラジオマイシンなどがある．

表2 マクロライド系抗菌薬

種別（員環型）	薬物名	国内承認（年）
14員環	エリスロマイシン（エリスロシン®）	1985
	ロキシスロマイシン（ルリッド®）	1991
	クラリスロマイシン（クラリス®）	1991
15員環	**アジスロマイシン（ジスロマック®）**	2000
16員環	ジョサマイシン（ジョサマイ®）	1970
	スピラマイシン（アセチルスピラマイシン®）	1967
	キタサマイシン（ロイコマイシン®）	1956
	ミデカマイシン（メデマイシン®）	1974
	ロキタマイシン（リカマイシン®）	1986

＊太字はニューマクロライド

(2) 副作用

β-ラクタム系抗菌薬に比べ副作用が強い．特に**腎障害，急性筋麻痺，難聴**など（聴覚・平衡感覚障害）は重大な副作用である．ループ利尿薬や白金製剤などとの併用で急性腎不全が，麻酔薬，筋弛緩薬との併用で急性筋麻痺や無呼吸が引き起こされる．さらに，聴覚・平衡感覚障害として第Ⅷ脳神経障害による難聴，前庭機能障害による平衡感覚障害が引き起こされる．この難聴は不可逆的であり，ミトコンドリアDNAのA1555G変異で高感受性となる（通常は数％〜10数％，A1555G変異ではほぼ100％発症）．高感受性の理由は，この変異でミトコンドリアリボソームが細菌と類似した立体構造となり，アミノグリコシド系抗菌薬との結合性が高くなるためである．

4. マクロライド系抗菌薬

化学構造中に大分子量の環状ラクトンをもつのでマクロライドと呼ばれる．ラクトン環にアミノ糖が結合している塩基性のものが感染治療に用いられ，ラクトン環の炭素数により14員環，15員環，16員環に分類＊される（表2）．特にニューマクロライドと呼ばれる，**ロキシスロマイシン**（roxithromycin，ルリッド®），**クラリスロマイシン**（clarithromycin，クラリス®），**アジスロマイシン水和物**（azithromycin hydrate，ジスロマック®）は，初期に開発されたマクロライドに比べ胃酸に対する安定性，組織移行性が改善され，さらに抗菌作用の増強や副作用の軽減がなされている．本系は，β-ラクタム系の抗菌薬に対してアレルギーをもつ，あるいはβ-ラクタム系使用に注意が必要な腎機能低下をもつ患者，さらに高齢者や小児によく用いられる（表2）．

(1) 抗菌作用と特徴

リボソーム50Sサブユニットに不可逆的に結合し，**アミノアシルtRNA**の転移を妨げ，タンパク質合成を阻害することにより静菌的に作用する．主としてグラム陽性菌に有効性（ブドウ球菌，肺炎球菌など）を示す．このため，ペニシリンと似た抗菌スペクトルをもつ．ペニシリンとアレルギーの交叉性をもたないため，ペニシリン，セフェムに過敏症のある患者に使用さ

＊ マクロライドには抗菌薬作用機序では説明のつかないものがあり，本来なら抗菌作用をもたない量で難治性呼吸器疾患治療に有効であることが報告されている．これは，好中球遊走因子のIL-8産生抑制作用による炎症抑制作用やLTB$_4$産生抑制，単球からマクロファージへの分化促進，エラスターゼや活性酸素産生による好中球機能亢進を抑制する作用が関係するとされる．また，菌体毒素産生抑制作用，**バイオフィルム破壊作用**，菌の細胞付着抑制作用などが報告されており，マクロライドの新しい作用として注目されている．

れる．さらに，マイコプラズマ，クラミジア肺炎の第1選択薬である．
(2) 体内動態
　主流のニューマクロライドは食後の投与が可能となっているが，消化管からの吸収はあまりよくなく，**バイオアベイラビリティ**は50％程度である．主な排泄経路は肝臓であり，腸管循環される．
(3) 副作用
　副作用は少なく小児や妊婦にも使用されるが，長期連用では肝障害，稀に過敏症によるショック，間質性肺炎，血小板減少症，好酸球増加を生じることがある．14員環の**エリスロマイシン**でCYP3A4の阻害作用が多く報告されている．CYP3A4により代謝される抗精神病薬のピモジドとの併用時のQT延長や心室性不整脈，またエルゴタミン製剤，ワルファリンカリウム，シクロスポリン，カルバマゼピンなどとの併用には注意が必要である．
(4) 主な薬物[*]
a) 14員環マクロライド系
　エリスロマイシン（erythromycin）は，ニューマクロライドの登場で使用頻度は低くなっている．クラリスロマイシン，ロキシスロマイシンのスペクトルはエリスロマイシンとほぼ変わらないが，グラム陰性菌のインフルエンザ菌，モラクセラ・カタラーリス，クラミジア属，マイコプラズマ属の抗菌力が増している．ロキシスロマイシンはクラリスロマイシンよりも半減期が延長されている．これらの副作用はエリスロマイシンより改善され，下痢や上腹部不快感の頻度も低下している．多用により耐性菌の出現が問題になっている．
b) 15員環マクロライド系
　アジスロマイシンの抗菌スペクトルについては14員環と変わらないが，組織への移行性に優れ，組織中に長く留まるので1回投与で効果が7日間持続する徐放製剤（ジスロマック®SR）がある．
c) 16員環マクロライド系
　他員環と比べマクロライド耐性誘導が少なく，**ジョサマイシン**（josamycin，ジョサマイ®）は経口投薬時に苦みが少なく使用しやすいとの考えもあるが，明確な優位性がなく使用の場面は少ない．**スピラマイシン酢酸エステル**（spiramycin acetate，アセチルスピラマイシン®）はトキソプラズマ症の発生抑制薬として保険承認されている．

5. リンコマイシン系抗菌薬

　リンコマイシン（lincomycin）は *Streptomyces lincolnensis* から発見された抗生物質である．**クリンダマイシン塩酸塩**（clindamycin hydrochloride，ダラシン®）は，リンコマイシンの改良型でリンコマイシンの7位のOH基をClで置換したもので，わが国ではより抗菌力の優れたクリンダマイシンの使用が主である．

1) 抗菌作用と特徴

　化学的には広義のアミノ配糖体で，抗菌スペクトル，作用機序はマクロライド系に類似する．好気性グラム陽性菌（ブドウ球菌，レンサ球菌属，肺炎球菌など），嫌気性菌（バクテロイデス属，ペプトストレプトコッカス属）に有効である．グラム陰性菌や緑膿菌に対し無効である．マクロラ

---

[*] その他のマクロライド系薬物
　18員環に分類されるものにフィダキソマイシン（fidaxomicin，ダフクリア®）がある．2018年にわが国で製造販売承認を取得した薬物である．クロストリジウム・ディフィシルによる感染症に強い抗菌力をもつが，腸内細菌への影響は弱く，芽胞形成を阻害する作用をもつとされている薬物である．

イド系抗菌薬と**交叉耐性**がある．ペニシリンアレルギーの患者への使用が検討される．リンコマイシン系に対し過敏症既往歴のある患者には禁忌であり，エリスロマイシンとの併用は禁忌である．

2) 体内動態
組織移行性は良好であるが，髄液への移行は不良である．また，骨への移行がよく，骨髄炎の治療には適している．経口薬は消化管からの吸収もよい．

3) 副作用
軟便，下痢の頻度が高い．*Clostridium difficile* による偽膜性腸炎が高頻度に生じるとの報告がある．

6. テトラサイクリン系抗菌薬
半減期の短い第1世代[**テトラサイクリン**（tetracycline）]，半減期と組織移行性が改善された第2世代[**ドキシサイクリン**（doxycycline），**ミノサイクリン**（minocycline）]に大きく分かれる．

1) 抗菌作用と特徴
リボソームの30Sサブユニットと mRNA の双方に非可逆的に結合し，tRNA と mRNA-リボソーム複合体形成により，タンパク質合成阻害を生じる．抗菌スペクトルは広く，グラム陽性菌のブドウ球菌，レンサ球菌に有効で，グラム陰性菌では，緑膿菌には無効であるが，髄膜炎菌，大腸菌などに有効である．

歯科領域では，抜歯創や口内炎の治療のための口腔用薬や歯周ポケットに局所投与される．ミノサイクリンおよびドキシサイクリンは骨への移行性がよく骨髄炎の治療に用いられる．

耐性は薬物排出ポンプによる薬の排出（第1世代薬），リボソームの突然変異，リボソーム保護タンパク質（ribosomal protection proteins；RPPs）による薬物のリボソーム結合阻害や遊離（第2世代薬）がある．

2) 体内動態
組織移行性はよく，臓器・体液に広く分布する．排泄経路は，肝・胆道経路と腎が多い（乳腺，胎盤にも移行する）．消化管からの吸収に優れるが，Al, Mg, Ca, Fe などの金属とキレート結合し吸収低下するので，金属を含む食物（牛乳など）や薬物（制酸剤，貧血治療薬など）との併用は避ける．

3) 副作用
胎児の骨形成不全，**エナメル質形成不全**や歯の色調変化（**テトラサイクリン歯**，図4）を生じる．胎児毒性報告があり，8歳以下の小児，妊産婦には使用できない．**光線過敏症**の症状，高齢者では，前庭神経障害（めまい）が報告されている．

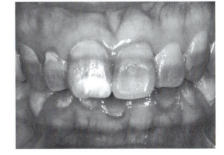

図4 テトラサイクリン歯

4) 主な薬物
(1) テトラサイクリン
消化器症状，光線過敏症の副作用頻度が本系の中で最も高く，臨床使用はほとんどなくなった．

(2) ドキシサイクリン（ビブラマイシン®）
半減期が改善（15〜20時間）され，脂溶性がテトラサイクリンより高く組織移行性はよい．耐性は，リボソーム結合部位から薬を遊離させることによって生じる．ミノサイクリンよりも

前庭神経障害が少ない．

(3) ミノサイクリン（ミノマイシン®）

わが国のテトラサイクリン系の中で最も使用されている．半減期が改善（13～18時間）された．耐性機序はドキシサイクリンと同様だが，脂溶性が高く組織移行性がよい．腎で約15%，肝で約85%が排泄される．

7. クロラムフェニコール系抗菌薬

Streptomyces venezuelae の培養液から分離された抗菌薬（現在は合成製造）．**クロラムフェニコール**（クロロマイセチン®）が主である．

1）抗菌作用と特徴

広域抗菌スペクトルをもち，グラム陽性，陰性菌，リケッチア，クラミジアに有効であるが重篤な有害作用により，使用頻度は減っている．歯科領域では根管治療，歯周組織炎時にペーパーポイントに浸したり，ドレナージガーゼに含ませたりすることにより，局所投与されることがある．リボソーム50Sサブユニット内に結合することにより，tRNAによるアミノ酸の伸長を妨げ，タンパク質合成を阻害する．

2）体内動態

組織移行性に優れリンパ組織，脳脊髄液，胎児へ移行する．肝のグルクロン酸抱合により不活化され腎から排泄される．

3）副作用

骨髄の**造血機能抑制**により，**血小板減少症**，**顆粒白血球減少症**，**再生不良性貧血**を生じる．肝代謝機能が未熟な新生児では，嘔吐，脱力など，全身の灰白色変色を生じる**グレイ症候群**（gray syndrome）により死に至ることがある．その他，胃腸障害，悪心，口内炎がある．

> **コラム**
>
> ### チゲサイクリン
>
> 耐性菌メカニズムを克服したチゲサイクリン（tigecycline）を第3世代に分ける考えがあるが，厳密にはグリシルサイクリン系である．MRSAやバンコマイシン耐性腸球菌（VRE）などの多剤耐性菌，基質特異性拡張型β-ラクタマーゼ（ESBL）産生のグラム陰性菌に対して効果を発揮する．重症感染症患者に使用する場合があるが，一般的な歯科治療には使用しない．
>
> ミノサイクリンの9位にグリシルアミド基が結合しているため，リボソーム30Sサブユニットへの結合が通常のテトラサイクリン系とは異なる．
>
> ミノサイクリン　　　　　チゲサイクリン

表3 ニューキノロン系の分類　　　　　　　　　　　　　　　　　　　　　　　　　　　* 歯科適用あり

世代	抗菌スペクトル	代表的薬物名
1	グラム陰性桿菌（緑膿菌以外）	ナリジクス酸（ウイントマイロン®）
2	第1世代の抗菌スペクトル＋緑膿菌	ノルフロキサシン（バクシダール®）*，塩酸ロメフロキサシン（バレオン®），シプロフロキサシン塩酸塩（シプロキサン®）*
3	第2世代の抗菌スペクトル＋グラム陽性球菌	レボフロキサシン水和物（クラビット®）*，オフロキサシン（タリビッド®）*，スパルフロキサシン（スパラ®），トスフロキサシントシル酸塩水和物（オゼックス®）*
4	第3世代の抗菌スペクトル＋嫌気性菌	メシル酸ガレノキサシン水和物（ジェニナック®），モキシフロキサシン塩酸塩（アベロックス®），シタフロキサシン水和物（グレースビット®）*

8. ペプチド系抗菌薬

歯科治療において，バンコマイシンはβ-ラクタム系にアレルギーがある場合に使用が考えられるが，主に MRSA などβ-ラクタム系使用が無効な投薬場面など特殊な場合に限られる．

(1) 主な薬物

a) ポリミキシンB（polymyxin B）

Bacillus polymyxa から得られた抗生物質で抗緑膿菌作用をもつ環状ペプチド構造をもつ抗菌薬であり，主に細菌の細胞質膜の透過性を変化させることにより抗菌作用を示す．過敏症，難聴，神経障害による呼吸抑制，消化器障害の副作用と低毒性の抗菌薬の出現により使用は減少した．

b) バシトラシン（bacitracin）

ペプチドグリカンを重合形成する場に移送する担体の脱リン酸化を抑制することにより，ペプチドグリカンの重合形成を阻害する．

c) バンコマイシン（vancomycin）*

Streptomyces orientalis から分離された抗生物質で，分子量が大きくグラム陰性菌には無効である．ペプチドグリカン前駆体の D-alanyl-D-alanine に結合することにより，ペプチドグリカン重合形成を阻害する．組織移行性は良好で，髄液への移行性は低い．MRSA や **PRSP**（penicillin-resistant *Streptococcus pneumoniae*）に用いる．**バンコマイシン耐性腸球菌**の出現は問題となっている．副作用には，顔面から胸部などが赤く紅潮する**レッド・パーソン症候群**（red person syndrome）がある．

9. ピリドンカルボン酸系抗菌薬

1962年に登場した**ナリジクス酸**（オールドキノロン）は，緑膿菌を除く各種のグラム陰性菌に対して抗菌力を示した．化学構造特性からピリドンカルボン酸系抗菌薬（別名，**キノロン系抗菌薬**）と呼ばれており，抗菌スペクトルを基に便宜的に4つの群に大別すると理解しやすい（表3）．作用は殺菌的であり，DNA の複製，転写，組換えなどに必要な酵素である **DNAジャイレース**を不活化して DNA 合成を阻害する．

1) ニューキノロン系抗菌薬

(1) 抗菌作用と特徴

フッ素原子を導入してグラム陽性菌に対する抗菌力を強めている．また DNA ジャイレース

---

* 同様の作用機序をもつものにテイコプラニン（teicoplanin）があるが，バンコマイシンより血中半減期が長く，副作用も少ないとされる．

への結合性を高めるため，キノロンの基本骨格にカルボキシ基を導入し，グラム陰性菌に対する高い抗菌力とグラム陽性菌に対する効果，クラミジアやマイコプラズマなど非定型菌，嫌気性菌などに広い抗菌スペクトルを示すものがある．歯科領域では，歯周組織炎，歯冠周囲炎，顎炎に対して用いられる．

(2) 体内動態

腸管からの吸収は良好で，バイオアベイラビリティが非常に高い（90～95%）．髄液以外の組織移行性に優れている．薬物によって排泄経路は異なるが，主に腎および肝・胆道系から排泄される．

(3) 副作用と相互作用

ショック，発疹や光線過敏症のアレルギー症状，めまい，頭痛などの中枢神経症状，心電図上のQT延長がある．妊婦，乳児，小児への投与は禁忌とされている（**ノルフロキサシン，トスフロキサシン**は小児への適応あり）．また，ニューキノロン系抗菌薬は他薬との併用において以下の注意すべき相互作用がある．

a）けいれん誘発作用

酸性非ステロイド性抗炎症薬（NSAIDs）との併用により，本系抗菌薬が中枢におけるGABAの受容体結合を阻害し，けいれんを誘発する．したがって，本系薬物と酸性NSAIDsとの併用は避けるべきである．例えば，**エノキサシン，ノルフロキサシン，ロメフロキサシン**は**フルルビプロフェン**と併用禁忌になっている（**28章V-3.-1），4.-3）参照**）．

b）吸収率低下

食物や制酸薬中のAl^{3+}，Ca^{2+}，Zn^{2+}，Mg^{2+}などの金属イオンと難吸収性の複合体を形成し，吸収率が低下する．

c）シトクロムP-450阻害作用

オフロキサシンなどはCYP1A2阻害作用を有するため，**テオフィリン**と併用した場合，その血中レベルを増加させる．

(4) 主な薬物

歯科領域で使用される主な薬物を挙げる．

a）シプロフロキサシン塩酸塩（ciprofloxacin hydrochloride）

強い抗緑膿菌作用を有するのが特徴である．肺炎球菌に対する作用はレボフロキサシンより劣る．経口薬は腸管からの吸収が優れているといえず，注射薬が開発された．

b）レボフロキサシン水和物（levofloxacin hydrate）

抗緑膿菌作用を有するが，その抗菌力はシプロフロキサシンより劣るとされる．肺炎球菌に対する作用が優れているが，嫌気性菌に対する作用は不十分であり，誤嚥性肺炎治療には不適であるとされる．

c）シタフロキサシン水和物（sitafloxacin hydrate）*

2008年に承認された抗菌薬で，呼吸器，耳鼻咽喉科領域，尿路，性感染，歯科・口腔外科領域感染症に用いる．DNAジャイレースに対する阻害効果がより強いため，キノロン耐性肺炎球菌や大腸菌にも有効である．

---

* 2020年に販売されたラスクフロキサシンは他のニューキノロンと比べDNAジャイレース，トポイソメラーゼIVの阻害を同程度に強力に行うので，耐性菌ができにくいとされている．

10. ホスホマイシン系抗菌薬

ホスホマイシン（ホスミシン®）は *Streptomyces fradiae* の培養液から分離された抗菌薬であり，低分子の単純で独特な構造である．

1）抗菌作用と特徴

ペプチドグリカン単量体合成過程を触媒する酵素を抑制し，細胞壁合成阻害により殺菌的に作用する．他の抗菌薬と交叉耐性を示さず，β-ラクタマーゼに対して安定なため，セフェム系，ニューキノロン系，アミノグリコシド系との併用で相乗効果を示す．

広い抗菌スペクトルであり，グラム陽性菌および陰性菌に抗菌力を有し，緑膿菌，セラチア，大腸菌，赤痢菌，サルモネラ菌，多剤耐性黄色ブドウ球菌にも有効である．

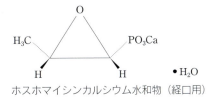

ホスホマイシンカルシウム水和物（経口用）

ホスホマイシンナトリウム（注射用）

2）体内動態

髄液と組織移行性は良好であるが，経口薬は腸管からの吸収が悪い．生体内でほとんど代謝されず，経口薬は30%程度，注射薬は90%以上が腎から排泄される．

11. 抗結核薬

日本の結核罹患率は減少傾向にあるが，新型コロナウイルス感染症による影響といわれ，欧米先進国と同水準ではない〔日本：9.2人，米国2.2人（人口10万対，2021年）〕．結核標準治療は，ピラジナミド（ピラマイド®）を含めた4剤併用療法が唯一で，それを含まない3剤併用療法は安易に選択されるべきではない[10]．日本で使用可能な抗結核薬を**表4**に示す．multi-drugs resistant tuberculosis drugs は，**イソニアジド**，**リファンピシン**に耐性を有する場合に使用する．以下，代表的なものを概説する．

1）リファンピシン（rifampicin）

（1）抗菌作用と特徴

細菌の **DNA 依存性 RNA ポリメラーゼ**のβサブユニットに結合してRNA合成を初期段階

表4 抗結核薬のグループ化と特性（根本，2020.を改変）

	特性	薬物名
First line drugs (a)	最も強力な抗菌作用を示し，菌の撲滅に必須の薬物	リファンピシン リファブチン イソニアジド ピラジナミド
First line drugs (b)	First line drugs (a) との併用で効果が期待される薬物	ストレプトマイシン エタンブトール
Second line drugs	First line drugs に比して抗菌力は劣るが，多剤併用で効果が期待される薬物	レボフロキサシン カナマイシン エンビオマイシン パラアミノサリチル酸 サイクロセリン
Multi drugs resistant tuberculosis drugs	使用対象は多剤耐性肺結核のみ	デラマニド ベダキリン

で阻害する．ゆえに，結核菌などの抗酸菌だけでなくブドウ球菌，インフルエンザ桿菌，髄膜炎菌などの一般細菌に対しても抗菌活性を示す．単独使用では耐性菌が出現しやすく，他剤と併用する．リファブチン（ミコブティン®）との併用はできない．

(2) 副作用，相互作用

肝障害，胃腸障害，搔痒感，血小板減少性紫斑病がある．イソニアジドやピラジナミドとの併用時に高頻度に肝障害が発症する．全身に移行しやすく，薬物とその代謝物により，汗，尿などの体液が赤橙色に着色することが多い．CYP3A4の強力な誘導作用があり，他薬（**ワルファリン，シクロスポリン，イトラコナゾール**など）との併用で，併用薬の効果を減弱する場合がある．

2) イソニアジド（isoniazid）

(1) 抗菌作用と特徴

抗酸菌以外はほとんど抗菌活性がない．結核菌の外膜内層を構成する**ミコール酸**の産生経路（脂肪酸からミコール酸産生）を触媒する2型脂肪酸合成経路系の酵素を阻害し，抗結核作用を現すといわれている．

(2) 副作用

肝障害が多い．ワルファリンの代謝酵素阻害により，作用の増強（プロトロンビン時間の延長）が見られる．また，ビタミン B_6 の代謝阻害による末梢の神経障害（感覚消失）があり，投与時にはビタミン B_6 が併用されることが多い．

3) その他

結核菌外膜構成に関与するアラビノシルトランスフェラーゼを阻害する**エタンブトール**（ethambutol），ミコール酸産生を阻害する**デラマニド**（delamanid）[*1]，**葉酸**合成過程を阻害する**パラアミノサリチル酸**（**PAS**），抗酸菌細胞壁合成阻害薬の**サイクロセリン**（cycloserine），リファンピシンを改良した**リファブチン**[*2]（rifabutin），アミノグリコシド系抗菌薬の**カナマイシン**，ペプチド系抗菌薬の**エンビオマイシン**，ピリドンカルボン酸系のレボフロキサシン，ピラジナミダーゼの働きにより抗菌作用を示す**ピラジナミド**がある．

III 抗真菌薬

真菌は細菌とは異なり，核膜を有する真核生物であるため抗菌薬とは全く異なる治療薬が使用される．真菌は細胞の構造がヒト細胞と似ているため，抗真菌薬はヒト細胞にも有害作用を及ぼす可能性が高い．真菌症には糸状菌，酵母様真菌およびその両方の性質をもつ二相性真菌があり，病原真菌として糸状菌と酵母状真菌が大部分を占めている．代表的な糸状菌には，アスペルギルス属と接合真菌，代表的な酵母様真菌にはカンジダ属とクリプトコッカス属がある．

真菌感染症の多くは日和見感染によるが，いったん発症すると治療に難渋することが多く，問題となる．真菌感染症は全身性と局所性があり，局所では皮膚，口腔，膣に好発する．口腔領域ではカンジダ感染，アスペルギルス感染，ムコール感染などが知られている．真菌感染症の治療には抗真菌薬が用いられ，代表的な抗真菌薬としてポリエン系，アゾール系，キャンディン系，フルオロピリジン系があり，作用機序が異なっている（図5，表5）．

1．ポリエン系抗真菌薬

真菌の細胞膜を構成する**エルゴステロール**と直接結合し，細胞膜に小孔を形成して細胞膜透

[*1] 日本結核病学会治療委員会．デラマニドの使用について．*Kekkaku*．2014；89(7)：679-682．
[*2] リファブチンは，リファンピシンが副作用や薬物相互作用の関係から使用できない場合に選択される．

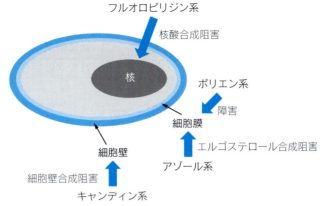

図5　抗真菌薬の作用機序

表5　抗真菌薬

ポリエン系抗真菌薬		アムホテリシンB ナイスタチン	amphotericin B nystatin
アゾール系抗真菌薬	イミダゾール系	ミコナゾール クロトリマゾール	miconazole clotrimazole
	トリアゾール系	フルコナゾール イトラコナゾール イサブコナゾール ボリコナゾール ポサコナゾール	fluconazole itraconazole isavuconazole voriconazole posaconazole
キャンディン系抗真菌薬		ミカファンギン	micafungin
フルオロピリジン系抗真菌薬		フルシトシン	flucytosine
その他		グリセオフルビン テルビナフィン	griseofulvin terbinafine

過性を亢進させ，細胞質を露出させることで死滅させると考えられている．

a）アムホテリシンB（amphotericin B）

　Streptomyces nodosus が産生する抗生物質で，強い抗真菌作用を有する．有害作用の頻度が高く，注意が必要である．侵襲性真菌症や重篤な真菌症に対して使用されていたが，現在では強力で毒性の低い新規のトリアゾール系や**キャンディン系**薬剤が侵襲性真菌感染症の第1選択薬として使用される．主な有害作用として腎毒性，低カリウム血症，低マグネシウム血症，骨髄抑制があり，腎毒性の頻度が最も高い．

b）ナイスタチン（nystatin）

　Streptomyces voursin が産生する抗生物質で，カンジダ属に有効である．腎毒性が強いため，局所で用いられる．有害作用は比較的少ないが，悪心，嘔吐，下痢などがある．

2. アゾール系抗真菌薬

　アゾール系抗真菌薬は，エルゴステロールの合成を阻害する．**イミダゾール系**およびトリアゾール系に分類され，現在の主流はトリアゾール系である．アゾール系抗真菌薬では薬物相互作用が見られるため，処方する前に併用薬を確認する必要がある．

(1) イミダゾール系

a）ミコナゾール（miconazole）

皮膚・粘膜などの深在性真菌症の治療薬として，主に硝酸塩の形で使用される．真菌によるフケ・湿疹の防止用に，シャンプー・リンス・液体石ケンに配合した製品もある．アムホテリシンBに比べて有害作用は少ないが，悪心，嘔吐，下痢，食欲不振や過敏症がある．薬物相互作用として，抗アレルギー薬であるテルフェナジンや消化管運動促進薬であるシサプリドとの併用は，QT延長や致死性不整脈を誘発するため禁忌である．また，CYP3A4と関連するため，クマリン系抗凝固薬，経口糖尿病薬，トリアゾラム（睡眠導入剤）との併用により，これらの薬物の作用が増強される．

b）クロトリマゾール（clotrimazole）

外用液・クリームとして，白癬，カンジダ症，癜風（無症状の鱗屑を伴う斑が多発する*Malassezia furfur*による皮膚感染症）に使用される．

(2) トリアゾール系

a）フルコナゾール（fluconazole）

深在性真菌症に用いられる他，**カンジダ属**およびクリプトコッカス属による真菌血症，呼吸器真菌症，消化管真菌症，尿路真菌症，真菌髄膜炎や造血幹細胞移植患者における深在性真菌症の予防，カンジダに起因する腟炎および外陰腟炎に使用される．最も多く見られる有害作用は，消化管の不快感と発疹である．フルコナゾールは，薬物相互作用の頻度が他のアゾール系薬剤よりも低い．

b）イトラコナゾール（itraconazole）

フルコナゾールよりも適応が広く，爪白癬，アスペルギルス症などの真菌感染症に対して，経口投与または静脈注射で用いられる．食物との相互作用により影響を受ける．酸性飲料や食物（特に高脂肪食）は消化管からの吸収を向上させるが，胃液酸度を低下させる薬剤とともに服用した場合は吸収が低下する．リファンピシン，リファブチン，ジダノシン，フェニトイン，カルバマゼピンなどの薬剤は血清イトラコナゾール濃度を低下させる可能性がある．有害作用として吐き気，下痢，腹痛，発疹，頭痛などがあげられる．

c）イサブコナゾール（isavuconazole）

アスペルギルス症およびムコール症の治療に用いられる広域スペクトルの薬物である．有害作用としては消化管障害や肝炎などがあり，QT間隔が短縮することもある．多数の薬物と薬物相互作用を起こすため，注意が必要である．

d）ボリコナゾール（voriconazole）

注射剤，経口剤として重症または難治性の真菌感染症に用いられる．抗菌スペクトルはフルコナゾール耐性も含めたカンジダ属，クリプトコッカス属，アスペルギルス属など幅広い抗菌スペクトルを有する．有害作用として肝毒性，視覚障害，幻覚，皮膚反応などがある．

e）ポサコナゾール（posaconazole）

経口懸濁液，錠剤，および注射薬として使用可能で，酵母様真菌および糸状菌に対して高い活性を示し，黒色真菌による感染など様々な日和見糸状菌感染の治療に効果的である．

3. キャンディン系抗真菌薬

キャンディン系薬物はグルカン合成を阻害する水溶性リポペプチドで，注射薬としてのみ使用可能である．キャンディン系薬物の作用は真菌細胞壁を標的としており，他の抗真菌薬との

交叉耐性がない．

a）ミカファンギンナトリウム（micafungin sodium）

真菌の細胞壁の主要成分であるβ1,3-グルカンの生成を阻害して作用を示す．アスペルギルス属およびカンジダ属による真菌血症，呼吸器真菌症，消化管真菌症に対して点滴静注で使用される．有害作用として造血機能障害，ショック，急性腎不全，肝機能障害がある．

4．フルオロピリジン系抗真菌薬

フルオロピリジン系抗真菌薬であるフルシトシンは，真菌細胞内でフルオロウラシルとなり，真菌のタンパク質合成を阻害することにより効果を発揮する．

a）フルシトシン（flucytosine）

水溶性の核酸アナログであり，経口投与後は良好に吸収される．既存または新興の耐性菌の頻度が高いことから，フルシトシンは必ず他の抗真菌薬（通常はアムホテリシンB）との併用で使用される．主な有害作用は，骨髄抑制（血小板減少および白血球減少），肝毒性および腸炎であり，骨髄抑制の重症度は血清中濃度に比例する．

5．その他の抗真菌薬

a）グリセオフルビン（griseofulvin）

グリサン系抗真菌薬で，*Penicillin griseofuluvum* Dieerckxの培養液より分離された抗生物質である．皮膚，爪，毛髪の表在性および深在性の皮膚真菌症に有効である．

b）テルビナフィン塩酸塩（terbinafine hydrochloride）

抗真菌薬として用いられる有機化合物の一種である．皮膚糸状菌，カンジダ属，スポロトリックス属，ホンセカエア属による皮膚真菌症に用いられる．

Ⅳ　抗ウイルス薬

ウイルスは最も小さな寄生体で，大きさは0.02～0.3μmである．ウイルスの基本構造は，核酸とそれを取り囲むカプシドと呼ばれるタンパク質の殻からなる．ウイルスの種類によっては，エンベロープと呼ばれる脂質二重膜をカプシドの外側に有するものもある．ウイルスは核酸の性状から，DNAウイルス（**単純ヘルペスウイルス，水痘・帯状疱疹ウイルス，B型肝炎ウイルス，サイトメガロウイルス**など）およびRNAウイルス（**C型肝炎ウイルス，ヒト免疫不全ウイルス**など）に分けられる．

ウイルスは感染した宿主細胞の増殖システムを利用して増えるため，宿主細胞への吸着，侵入，脱殻，核酸およびタンパク質の合成，ウイルス粒子の形成および放出といった一連の過程が抗ウイルス薬の標的となる．本項では，各種代表的なウイルスとその治療薬について記載する（表6）．

1．単純ヘルペスウイルスおよび水痘・帯状疱疹ウイルス治療薬

単純ヘルペスウイルス（herpes simplex virus；**HSV**）および**水痘・帯状疱疹ウイルス**（varicella-zoster virus；**VZV**）は，局所における初感染後，三叉神経節などの神経細胞に潜伏して宿主の免疫力低下時に回帰感染により再活性化し，症状が再発する．主な感染経路は，HSVが接触感染であるのに対し，VZVは飛沫感染である．HSVは口唇ヘルペス，性器ヘルペスや脳炎などを呈し，VZVは水痘および帯状疱疹を呈する．

表6 抗ウイルス薬

分類			薬剤
単純ヘルペスウイルスおよび水痘・帯状疱疹ウイルス治療薬			アシクロビル（aciclovir），バラシクロビル塩酸塩（valaciclovir，アシクロビルのプロドラッグ），ペンシクロビル（penciclovir），ファムシクロビル（famciclovir，ペンシクロビルのプロドラッグ），ビダラビン（vidarabine），イドクスウリジン（idoxuridine）
サイトメガロウイルス治療薬			ガンシクロビル（ganciclovir），バルガンシクロビル塩酸塩（valganciclovir，ガンシクロビルのプロドラッグ），ホスカルネットナトリウム水和物（foscarnet）
インフルエンザウイルス治療薬			アマンタジン塩酸塩（amantadine），オセルタミビルリン酸塩（oseltamivir），ザナミビル水和物（zanamivir），ペラミビル水和物（peramivir）
B型肝炎ウイルスおよびC型肝炎ウイルス治療薬	インターフェロン（IFN）		
	核酸アナログ製剤		ラミブジン（lamivudine），アデホビルピボキシル（adefovir），エンテカビル水和物（entecavir），テノホビル（tenofovir），リバビリン（ribavirin）
	直接作用型抗ウイルス薬（DAA；direct acting antivirals）		
HIV感染治療薬	ヌクレオシド系逆転写酵素阻害薬（nucleic acid reverse transcriptase inhibitor；NRTI）		ジドブジン（zidovudine），アバカビル硫酸塩（abacavir），テノホビル
	非ヌクレオシド系逆転写酵素阻害薬（non-nucleic acid reverse transcriptase inhibitor；NNRTI）		ネビラピン（nevirapine），エファビレンツ（efavirenz），エトラビリン（etravirine），リルピビリン塩酸塩（rilpivirine）
	プロテアーゼ阻害薬（protease inhibitor；PI）		サキナビルメシル酸塩（saquinavir），リトナビル（ritonavir），アタザナビル硫酸塩（atazanavir），ダルナビルエタノール付加物（darunavir）
	インテグラーゼ阻害薬（integrase strand transfer inhibitor；INSTI）		ラルテグラビルカリウム（raltegravir），エルビテグラビル（elvitegravir），ドルテグラビルナトリウム（dolutegravir）
	侵入阻止薬		マラビロク（maraviroc），エンフビルチド（enfuvirtide）

a）アシクロビル

単純疱疹の治療や骨髄移植時における発症抑制，水痘，帯状疱疹の治療に使用される．注射薬は，これらのウイルスによる脳炎・髄膜炎にも用いられる．HSVあるいはVZV感染細胞内では，ウイルス性のチミジンキナーゼが発現しており，アシクロビルはウイルス由来のチミジンキナーゼにより一リン酸化された後，宿主由来のキナーゼによりリン酸化され，アシクロビル三リン酸となる．三リン酸化体は，ウイルスDNAポリメラーゼによりウイルスDNAに取り込まれ，DNA鎖の伸長を阻害してウイルスの増殖を防ぐ．

b）バラシクロビル

アシクロビルのプロドラッグで，プロドラッグ化により経口吸収性が改善され，アシクロビル経口製剤より投与回数を少なくできる．

c）ペンシクロビルおよびファムシクロビル

ペンシクロビルはグアノシン類縁物質で，毒性が低く選択性の高いヌクレオシドアナログである．経口投与では吸収性が低く，海外では局所投与薬（軟膏など）として使用される．**ファムシクロビル**はペンシクロビルの生物学的利用能を向上させたプロドラッグである．ペンシク

ロビルは，ウイルス性チミジンキナーゼによりリン酸化され，ペンシクロビルリン酸エステルとなる．さらにヒト細胞性キナーゼによりリン酸化され，ペンシクロビル三リン酸になりウイルスの遺伝子複製過程に混入し，DNAポリメラーゼを阻害してウイルスの複製を阻害する．

d) ビダラビン

ビダラビン（9-β-D-アラビノフラノシルアデニン；Ara-A）も他の薬物同様，三リン酸化体に変換されDNAポリメラーゼを阻害してウイルスの複製を阻害する．ビダラビンは他の抗ウイルス薬よりも薬剤耐性株が出現しにくい．

e) イドクスウリジン

ヌクレオシドアナログでウラシルの塩基対にヨウ素がつけられており，ウイルスDNA複製に取り込まれ非可逆的にチミジンに置き換わり，ウイルスDNAの立体構造を非機能性にする．全身毒性が強いため，局所治療に限られて使用される．ヘルペス性角膜炎の治療に用いられる．

2. サイトメガロウイルス治療薬

サイトメガロウイルス（cytomegalovirus：**CMV**）は，ヘルペスウイルス科のサイトメガロウイルス属を代表する2本鎖DNAウイルスである．感染経路は母乳感染，尿や唾液による水平感染が主経路であり，産道感染，輸血による感染，性行為による感染なども認められている．感染症はCMVの初感染，再感染あるいは再活性化によって起こる．通常，幼小児期に不顕性感染の形で感染し，生涯その宿主に潜伏感染して免疫抑制状態下で再活性化し，種々の病態を引き起こす．感染症の発症は主に胎児，未熟児，移植後，AIDS患者，先天性免疫不全患者などで見られる．

a) ガンシクロビル

アシクロビルなどと同様の核酸アナログ型の抗ウイルス薬で，CMV感染細胞内においてウイルス由来および感染細胞由来のプロテインキナーゼによりリン酸化されて活性型のガンシクロビル三リン酸になる．三リン酸化体はウイルスDNAポリメラーゼの基質であるdGTPの取り込みを競合的に阻害し，ウイルスDNAの伸長を阻害する．有害作用として骨髄抑制や腎機能低下，膵炎，血栓性静脈炎，けいれんなどがあるが，骨髄抑制の発現頻度が最も高い．

b) バルガンシクロビル

ガンシクロビルのプロドラッグで，経口投与により小腸壁や肝臓で速やかに加水分解されてガンシクロビルへと変換される．プロドラッグ化により経口吸収が改善され，高いバイオアベイラビリティを得ることができる．AIDS，臓器移植，悪性腫瘍に伴うCMV感染症や臓器移植におけるCMV感染症の予防に用いられる．

c) ホスカルネット

ギ酸にリン酸が置換した構造をもち，DNAポリメラーゼのピロリン酸結合部位に直接作用してDNAポリメラーゼ活性を抑制し，ウイルスのDNA合成を阻害する．腎機能への影響に注意が必要で，重大な有害作用として急性腎不全がある．

3. インフルエンザウイルス治療薬

インフルエンザウイルス（influenza virus）は，RNAウイルスに分類される．構造タンパク質（M1）と核タンパク質（NP）の抗原性の違いにより，A型，B型，C型の3型に分けられ，このうち流行的な広がりを見せるのはA型とB型である．エンベロープ表面上の分子であるヘマグルチニン（赤血球凝集素，HA）とノイラミニダーゼ（NA）という糖タンパク質の違いから，A型ではHAに16の亜型が，NAに9つの亜型が見出され，その組み合わせにより

H1N1～H16N9 までの亜型に分類される．B 型は A 型ほどの多様性はなく，亜型による分類は行われない．抗インフルエンザウイルス薬として，**アマンタジン**が A 型に，**オセルタミビル**，**ザナミビル**，**ペラミビル**，**ラニナミビル**が A 型および B 型に対して承認されている．

a) アマンタジン

M2 タンパク質を阻害することでウイルスの脱殻過程を抑制し，抗ウイルス効果を発揮する．B 型には M2 イオンチャネルが存在しないため，A 型にのみ効力を示す．しかしながら，耐性をもつウイルスの検出率が高く，現在ではほとんど用いられない．

b) オセルタミビル

オセルタミビル（タミフル®）として A 型および B 型インフルエンザに使用される．NA を阻害することにより，宿主細胞からのウイルス粒子遊離を抑制し，抗ウイルス活性を示す．NA をもたない C 型インフルエンザウイルスには効果がない．発症後 48 時間以内に投与すれば，有意に罹患期間を短縮できる．頻度の高い有害作用として下痢，腹痛，嘔気が報告されている．投与により，異常行動が報告されている．

c) ザナミビル

ザナミビル（リレンザ®）は世界で最初に開発されたインフルエンザ治療薬で，A 型および B 型インフルエンザに使用される．オセルタミビルと同様の作用機序（NA 阻害薬）で，感染初期（発症後 48 時間以内）での治療開始が有効である．

d) ペラミビル

オセルタミビルやザナミビルと同じ NA 阻害薬で作用機序も同じであるが，酵素の阻害箇所が 3 か所と多いため，より強力なインフルエンザウイルスの増殖抑制効果がある．点滴剤であるため，経口投与が困難な患者にも使用可能である．主な有害作用としては下痢がある．

4．B 型肝炎ウイルスおよび C 型肝炎ウイルス治療薬

B 型肝炎ウイルス（hepatitis B virus；HBV）は DNA ウイルスで，環状の 2 本鎖 DNA とそれを包むエンベロープからなる．血液を介して感染し，感染時期や宿主の免疫能によって一過性感染で終息あるいは持続感染する．感染経路には垂直感染と水平感染とがある．

慢性 B 型肝炎の治療は慢性肝炎の沈静化と，その後の肝硬変への移行や肝細胞癌発症の阻止を目的とする．急性 B 型肝炎は基本的に保存的加療がなされる．主な治療法として，インターフェロンや核酸アナログ製剤を用いた抗ウイルス療法がある．

C 型肝炎ウイルス（hepatitis C virus；HCV）は RNA ウイルスで，C 型肝炎の原因となる．ウイルス粒子はエンベロープとコアタンパク質の二重構造をもつ球状粒子であり，ゲノムとしてプラス 1 本鎖 RNA をもつ．HCV の感染経路は，輸血や血液製剤の使用，医療関係者の針刺し事故などの血液を介したものがあげられる．それ以外の感染経路として，薬物乱用による注射器の使い回し，刺青，性行為などがあげられる．

HCV は成人で初感染すると 20～30％は一過性感染で終息して自然治癒するが，70～80％はキャリアとなり急性肝炎から慢性肝炎へと移行する．治療には従来，インターフェロンが用いられたが，最近では直接作用型抗ウイルス薬の登場により高い著効率が得られ，近年中の撲滅が期待されている．

1）インターフェロン（IFN）

IFN α および β ともに，標的細胞膜上の I 型 IFN 受容体に結合することにより薬理作用を発揮する．受容体への結合により JAK1 や STAT1 などのシグナル伝達因子を介して，IFN 誘

導遺伝子の発現が誘導される．これらの遺伝子には多様な抗ウイルス遺伝子，免疫調節遺伝子が含まれ，その遺伝子産物により抗ウイルス効果が発揮されると考えられている．有害作用として全身倦怠感，発熱，頭痛関節痛などのインフルエンザ様症状の発症頻度が高く，また投与部位の紅斑，痛み，痒みが多い．

2）核酸アナログ製剤

核酸アナログ製剤はHBV複製過程に直接作用する薬物であり，HIVに類似した逆転写酵素活性を抑制することで抗ウイルス活性を示す．わが国では**ラミブジン**，**アデホビルピボキシル**，**エンテカビル**，テノホビルが承認されている．ラミブジンはdCTP，アデホビルおよびテノホビルはdATP，エンテカビルはdGTPとそれぞれ類似の構造をしており，DNAへの取り込みにおいて競合することでDNA鎖の伸長を抑制する．投与を中止するとウイルス再増殖による肝炎の再燃が高頻度に起こるため，長期にわたり服用しなければならない．核酸アナログ製剤は比較的安全性の高い薬物であるが，アデホビルおよびテノホビルでは腎機能障害と低リン血症に注意を要する．

3）リバビリン

グアノシンと構造が類似した核酸アナログであり，主にC型肝炎やウイルス性出血熱などの治療に用いられる．作用機序として，プリンRNAヌクレオチドに変換されウイルスのRNA合成を中断させる．主な有害作用として溶血性貧血があり，貧血や心疾患を有する症例への適用は慎重な検討を要する．

4）直接作用型抗ウイルス薬（DAA）

HCV感染者は，世界で1億7,000万人，わが国では150〜200万人と推定され，このうち70％がジェノタイプ1とされている．ジェノタイプ1の治療としてはIFN製剤，リバビリンの併用療法が推奨されてきたが，IFNを必要としない治療法として持続的ウイルス陰性化率を向上させたダクラタスビル（daclatasvir）とアスナプレビル（asunaprevir）の併用やレジパスビル（ledipasvir）・ソホスブビル（sofosbuvir）配合製剤などいくつかのDAAの使用が近年主流となり，DAAの登場よって治療方法や著効率が劇的に進化した．一方で，腎障害患者への投与制限や，薬剤耐性ウイルスの出現などの問題も生じている．

HCVのタンパク質にはウイルス粒子を形成する構造タンパク質とウイルスの複製にかかわる非構造タンパク質が存在し，DAAはHCVの非構造タンパク質領域に存在するNS3/A4プロテアーゼ，NS5A，NS5Bポリメラーゼに作用し，ウイルスの複製を抑える．

5. HIV感染治療薬

ヒト免疫不全ウイルス（human immunodeficiency virus；HIV）は，エンベロープをもつプラス鎖の1本鎖RNAウイルスで，ヒトの免疫細胞に感染して破壊し，最終的に後天性免疫不全症候群（AIDS）を発症させる．HIVは，受容体を介して宿主のCD4陽性ヘルパーT細胞に侵入してT細胞のDNAに組み込み，潜伏する．ヘルパーT細胞が活性化すると，ヘルパーT細胞は細胞膜が破壊されて死んでしまうため，免疫力の極端な低下が引き起こされる．

抗HIV薬は，HIVの複製過程における細胞表面受容体との結合，逆転写，宿主DNAへの組み込み，プロテアーゼによる切断といった過程を標的とし，正常な宿主細胞の増殖に影響を与えずに増殖を抑制する．抗HIV薬では，基本的に多剤併用療法（highly active anti-retroviral therapy；**HAART**）が行われる．ただし，完治・治癒に至ることは困難であるため，抗ウイルス薬治療は開始すれば一生継続する必要がある．

1）ヌクレオシド系逆転写酵素阻害薬

五炭糖の3部分の水酸基を欠いた修飾ヌクレオシドの構造をしており，細胞内でリン酸化されて活性型ヌクレオチドへと変換される．この活性型ヌクレオチドが正常ヌクレオチドと競合して逆転写過程のHIV DNAに取り込まれ，DNA鎖の伸長を阻害する．ジドブジン，アバカビル，テノホビルなどが国内で承認されている．

2）非ヌクレオシド系逆転写酵素阻害薬

ヌクレオシドの骨格をもたず，逆転写酵素の活性中心近傍に結合してアロステリック効果により酵素活性を阻害する．ネビラピン，エファビレンツ，エトラビリン，リルピビリンが承認されている．

3）プロテアーゼ阻害薬（PI）

HIV由来プロテアーゼの酵素活性部位に結合して失活させることにより，機能的タンパク質の生成を阻害してウイルス粒子の成熟を抑制する．サキナビル，リトナビル，アタザナビル，ダルナビルなどが承認されている．PIの多くはシトクロムP-450（CYP）3A4などの代謝酵素を阻害するため，併用薬物との薬物相互作用に注意を要する．

4）インテグラーゼ阻害薬（INSTI）

インテグラーゼは宿主細胞DNAへとHIV遺伝子断片を組み込むための基質として処理する3'プロセシング活性と組み込み酵素活性の少なくとも2つの活性をもつとされ，INSTIはこれらの酵素活性を阻害する．ラルテグラビル，エルビテグラビル，ドルテグラビルが承認されている．

5）侵入阻止薬

マラビロク，エンフビルチドが承認されている．マラビロクはHIVの細胞内への侵入を阻害し，エンフビルチドはgp41に結合し，エンベロープと細胞膜の融合を阻害する．

6．新型コロナウイルス治療薬

COVID-19（新型コロナウイルス感染症）は，コロナウイルスであるSARS-CoV-2の感染によって引き起こされ，2020年より世界的に流行し，スパイクタンパク質の構造変化などを伴う新たな変異株が次々に出現している．飛沫感染が主であり，一部接触感染でも感染する．潜伏期間は平均約5日で，発症早期は発熱・鼻汁・咽頭痛・咳嗽といった非特異的な上気道炎の症状を呈し，一部の患者では肺炎が悪化し人工呼吸管理を要する重症となる．新型コロナウイルス治療薬には，抗炎症薬，抗ウイルス薬，中和抗体薬が承認されており，このうち軽症患者や重症化リスクの高い患者に対して重症化を防ぐ目的で，抗ウイルス薬と中和抗体薬が使用される．

1）抗炎症薬

ステロイド性抗炎症薬であるデキサメタゾン，JAK阻害薬であるバリシチニブ，ヒト化抗ヒトIL-6受容体モノクローナル抗体であるトシリズマブが用いられる．

2）経口抗ウイルス薬

RNAウイルスに対し広く活性を示すRNA依存性RNAポリメラーゼ阻害薬であるレムデシビル，RNAポリメラーゼに作用してウイルスRNAの配列に変異を導入し，増殖を阻害するモルヌピラビル，SARS-CoV-2のメインプロテアーゼ阻害薬であるニルマトレルビル／リトナビルがある．

3）中和抗体薬

SARS-CoV-2 スパイクタンパク質の受容体結合ドメインに対する抗体であるカシリビマブ／イムデビマブ，ソトロビマブ，チキサゲビマブ／シルガビマブが用いられる．

臨床コラム

口腔カンジダ症

口腔カンジダ症は，口腔常在のカンジダ属による日和見感染症である．超高齢社会であるわが国では，高齢者や義歯装着者などで多く見られるようになってきた（図6）．*Candida albicans* が原因であることが多いが，*C. glabrata* による口腔カンジダ症も増加傾向にある．口腔では，口腔粘膜上の偽膜性プラーク，口腔粘膜の紅斑や肥厚および口角口唇炎など多くの症状を示す．

口腔カンジダ症の治療は薬物療法が主体で，ミコナゾール（フロリード® ゲル経口用 2%，オラビ® 錠口腔用 50 mg），イトラコナゾール（イトリゾール® カプセル 50，イトリゾール® 内用液 1%），アムホテリシン B（ファンギゾン® シロップ 100 mg/mL，ハリゾン® シロップ 100 mg/mL）が保険適用されている．

図6 口腔カンジダ症患者の粘膜上皮の組織像（PAS 染色）
口腔粘膜上皮は肥厚し，角化層に多数の菌糸と胞子が認められる．

 **国試コラム**

31 章　抗感染症薬

歯学教育モデル・コア・カリキュラム（令和4年度改訂版）では，薬物（和漢薬を含む）の副作用・有害事象の種類および連用と併用の影響を考慮した薬物治療の基本的事項を理解することを目的として，薬剤耐性（AMR）に配慮した適切な抗菌薬使用の理解を学修目標としている．歯科医師国家試験出題基準（令和5年版）では，歯科医学総論の「薬物療法，疾患に応じた薬物療法」に「抗微生物薬」を挙げている．実際の歯科医師国家試験では，歯性感染症の選択薬，抗菌薬の作用機序と副作用，特にβ-ラクタム系抗菌薬とアレルギー，最小発育阻止濃度（MIC），腎臓排泄型と肝臓排泄型，時間依存性と濃度依存性抗菌薬，口唇ヘルペスと口腔カンジダ症治療薬などに関して出題されている．

32章 薬理学 各論

消毒に用いる薬物

学修目標とポイント
- 消毒薬の用途および特徴と分類を概説できる．
- Spaulding（スポルディング）の提唱した分類体系から見た器具類，消毒水準分類（消毒の程度）を概説できる．
- 酸化剤，ハロゲン系，アルコール，アルデヒド類，フェノール類，界面活性剤に属する代表的な消毒薬を挙げ，それらの特徴と有効な微生物および使用法を説明できる．
- 市販の絆創膏やガーゼに含まれる有機色素類の消毒薬および消毒薬としての金属について説明できる．

本章のキーワード
消毒，滅菌，消毒水準分類，低水準消毒薬，中水準消毒薬，高水準消毒薬

［総論］

I 消毒に用いられる薬物

　消毒は，生体に対して有害な微生物の殺滅・完全な除去か少なくとも感染が起こらない程度まで数を減少させることを目的としている．消毒には沸騰水や過熱した水蒸気などによる熱や紫外線などを用いた物理的な方法がある．しかし生体および環境の他，非耐熱性の医療用具などは消毒薬による化学的消毒法を採用せざるを得ない．消毒薬の一部は滅菌に用いられることもある．

II 院内感染の防止と消毒

　感染症が発症するには，①原因微生物の存在，②生体の感染しやすい部位の存在，③感染症を発症させるのに十分な微生物の数，④感染経路の成立，の全ての条件が満たされることが必要である．したがって感染症を制するには，これらの諸条件の少なくとも1つを満たさないようにして感染症をさらに広げないようにするとともに，感染症の発生を未然に防止する．

　消毒は，標準予防策において重要な役割を果たす．例えば患者と接触する前，患者の皮膚や周辺の物品・環境に接触した時，血液，体液，分泌物，排泄物などと接触した後，手袋を外した後，患者ケアにおいて汚染部位から清潔部位に移る時に手指衛生を行う．手指衛生は，手洗い用石ケンによる手洗い後，速乾性擦式消毒剤（p.319 臨床コラム参照）などを使用するので，微生物の伝播の減少に繋がる．

III 消毒薬の用途と特徴
1．用途・使用法

　消毒薬は消毒のため，人体と人体以外に用いる．医療の場において，人体に適用する消毒薬は，患者と医療従事者を対象としており，人体以外に適用する消毒薬は，人体に侵襲的に用い

る器具（例えば手術用具）とそれ以外の非侵襲的に用いる器具の他，環境（部屋など）を対象としている．消毒薬は何を消毒するかを念頭に置いて選択する．目的に見合った清浄度に応じた消毒の程度（水準）を理解した上で対象とする微生物に対して有効な消毒薬を用いる（表1）．必要とされる以上の水準で滅菌・消毒を行うことは労力や経費が無駄なばかりか有害な場合もあるので注意する．例えば病室の環境清掃に後述の高水準消毒薬は使用しない（表1）．

2. 特徴：消毒薬の作用に影響を与える因子

　一般に消毒薬は低濃度よりも高濃度で微生物への作用が高まる．しかし濃度が低い時のみならず，高すぎると作用が低下する消毒薬もある（例：アルコール類）．消毒薬にはタンパク質を凝固変性させる作用があるが，この作用は病原微生物のタンパク質に特異的であるとはいい難く，生体を構成するタンパク質にも影響が及ぶので，消毒薬は濃度が高すぎれば生体組織に対する刺激作用と腐蝕作用が高まってしまう．金属，樹脂などを腐蝕，変質，変色させる消毒薬もあるので（例：次亜塩素酸系），消毒にあたっては器具の材質にも注意しなければならない．また対象とする器具の中に気泡がはいって消毒薬が接触しにくい構造がある場合は，消毒薬への浸漬を工夫しなければならない．つまり消毒薬による消毒にあたっては，用途に見合った薬物を選び，適切な濃度（至適濃度）を用いる．

　また消毒薬が作用するため十分な時間（至適時間）を確保する．一般に消毒薬は温度が高い方が効果が増す．調製に用いる希釈水の温度や室温が20℃を下回る場合には作用温度が低すぎる場合があるので注意する．消毒薬によっては，pHによる影響を受ける効果もある（例：次亜塩素酸系）のでpHの極端な変動がないことに留意する場合もある．血液，組織液，膿汁，滲出液などの有機物の存在は，消毒薬の効果を低下させる原因である．器具，環境などを消毒薬で消毒する際には，有機物による汚染をあらかじめ洗浄しておくことが必要である．

Ⅳ　滅菌・消毒の対象となる器具の分類

　医療の場で用いる器具には，再度使用する際に用途によっては滅菌または消毒をしなければならないものがある．これらの器具の分類には，医療の場で感染予防のガイドラインにしばしば採用されているSpaulding EHの提唱した器具の分類体系（**Spauldingによる器具分類**）がある．この分類では，感染リスクの程度によって患者に用いる器具などを**クリティカル器具**（critical items），**セミクリティカル器具**（semi-critical items），**ノンクリティカル器具**（non-critical items）の3つに分類している．

　クリティカル器具は無菌の組織や血管に挿入するもので，手術器具やカテーテルなどの他，歯科ではリーマー類，根管充填用器具，バー類，探針などが該当する．セミクリティカル器具は粘膜または健常でない皮膚に接触するもので，全身麻酔の器具，喉頭鏡，気管内挿管チューブ，体温計などの他，歯科では印象用トレー，ミラー，ピンセット，バキュームチップなどがある．ノンクリティカル器具は健常な皮膚とは接触するが，粘膜とは接触しないもので，血圧計のマンシェット（カフ），松葉杖，聴診器などの他，歯科ではラバーダムパンチ，技工用プライヤー・バー類などである．また，テーブルなど環境表面を含めノンクリティカル表面と呼ぶこともある．

　以下のSpauldingによる**消毒水準分類**が，医療の場では受け入れられている．

表1 消毒薬と抗微生物スペクトル・適用部位 (小林寛伊, 大久保憲, 吉田製薬文献調査チーム. 消毒薬テキスト エビデンスに基づいた感染対策の立場から 第5版. 2016. を基に作成)

水準	消毒薬 (擦式製剤なども含む)	抗微生物スペクトル									消毒適用部位									
		グラム陽性菌 黄色ブドウ球菌など[1]	グラム陽性菌 腸球菌・レンサ球菌など	グラム陰性菌 NF-GNR[2]	グラム陰性菌 腸内細菌群その他グラム陰性菌など[3]	真菌	結核菌など抗酸菌	ウイルス エンベロープ無	ウイルス エンベロープ有	ウイルス HBV エンベロープ有	ウイルス HIV エンベロープ有	芽胞	人体 手指・皮膚	人体 手術部位(手術野)の皮膚	人体 手術部位(手術野)の粘膜	人体 皮膚の創傷部位	人体 粘膜の創傷部位	人体 感染皮膚面	人体 耳鼻咽喉(口腔粘膜)	人体 歯根管領域	医療機器 金属	医療機器 非金属	環境 室内・手術室	環境 家具・器具・物品など	排泄物
高	過酢酸	○	○	○	○	○	○	○	○	○	○	○	×	×	×	×	×	×	×	×	○	○	×	×	×
	グルタラール	○	○[4]	○	○	○	○[4]	○	○	○	○	○[5]	×	×	×	×	×	×	×	×	○	○	×	×	×
	フタラール	○	○	○	○	○	○[6]	○	○	○	○	○[5]	×	×	×	×	×	×	×	×	○	○	×	×	×
	次亜塩素酸ナトリウム	○	○	○	○	○	○	○	○	○	○	○[7]	×	×	×	×	×	×	×	×	○	○	×	○	○
	ポビドンヨード	○	○	○	○	○	○	○	○	○	○	×	○	○	▲	○	○	○	○[14]	○[13]	×	×	×	×	×
	エタノール	○	○	○	○	○	○	△[5]	○	−	○	×	○	○	▲	×	×	×	△[14]	×	○	○	○	○	×
	イソプロパノール	○	○	○	○	○	○	△[5]	○	−	○	×	○	○	▲	×	×	×	×	×	○	○	○	○	×
	1w/v%クロルヘキシジングルコン酸塩エタノール液	○	○	○	○	○	○	△[5]	○	−	○	×	○	○	◆	×	×	×	×	×	△	△	△	△	×
中	0.5w/v%-05w/v%クロルヘキシジングルコン酸塩エタノール液	○	○	○	○	○	○	△[5]	○	−	○	×	○[15]	○	×	×	×	×	×	×	△	△	△	△	×
	1w/v% w/v%クロルヘキシジングルコン酸塩エタノール擦式製剤	○	○	○	○	○	○	△[5]	○	−	○	×	○[16]	○	×	×	×	×	×	×	×	×	×	×	×
	0.2w/v%ベンザルコニウム塩化物エタノール擦式製剤	○	○	○	○	○	○	△[5]	○	−	○	×	○[16]	○	×	×	×	×	×	×	×	×	×	×	×
	76.9〜81.4vol%エタノール擦式製剤	○	○	○	○	○	○	△[5]	○	−	○	×	○	○	×	×	×	×	×	×	○	○	○	○	×
	フェノール	○	○	○	○	○	○[10]	×	×	−	−	×	×	×	×	×	×	×	×	×	△	△	○	○	○
	クレゾール	○	○	○	○	○	○	×	×	−	−	×	×	×	×	×	×	×	×	×	△	△	○	○	○
低	クロルヘキシジングルコン酸塩	○[5]	○[8]	○[9]	○[9]	△	×	×	△[12]	−	○	×	○	○	×	○	×	○	×	×	△	△	△	△	×
	ベンザルコニウム塩化物	○[5]	○[8]	○[9]	○[9]	○	×	×	△	−	−	×	○	○	×	○	○[18]	○[18]	○[18]	×	△	△	△	△	×
	ベンゼトニウム塩化物	○[5]	○[8]	○[9]	○[9]	○	×	×	△	−	−	×	○	○	×	○	○[18]	○[18]	○[18]	×	△	△	△	△	×
	アルキルジアミノエチルグリシン塩酸塩	○[5]	○[8]	○[9]	○[9]	○	○[10]	×	△	−	−	×	×	×	×	×	×	×	×	×	△	△	○	○[17]	○[17]
	アクリノール水和物	○[5]	○[8]	○[9]	○[9]	×	×	×	×	−	−	×	×	×	×	○	×	×	×	×	×	×	×	×	×
	オキシドール[11]	○	○	○	○	○	△[12]	×	○	−	○	△[5]	×	×	×	○	×	×	×	×	×	×	×	×	×

○:有効. △:十分な効果が得られない場合がある. ×:無効. −:効果を確認した報告がない. ▲:承認された適用は、○、△、または▲. ○、△使用. ×:適用外. ◆:承認されていないが、場合により使用.

1) MRSAを含む
2) ブドウ糖非発酵グラム陰性桿菌 (緑膿菌、バークホルデリア・セパシアなど)
3) 大腸菌 O-157 を含む
4) グルタラールに抵抗性を示す非定型抗酸菌の報告あり
5) 長時間の接触が必要な程度で有効
6) 1,000 ppm 以上の高濃度で有効
7) 1,000 ppm で1時間以上の接触が維持できれば有効
8) バークホルデリア・セパシア、シュードモナス属、フラボバクテリウム属、アルカリゲネス属などが抵抗性を示す場合がある
9) セラチア・マルセッセンスが抵抗性を示す場合がある
10) 0.2〜0.5% の濃度で有効、抵抗性を示す非定型抗酸菌の報告あり
11) 低濃度の過酸化水素水であるオキシドールと異なり、高濃度の過酸化水素水は高水準の消毒薬に分類される
12) オキシドールではなく高濃度の過酸化水素水で有効
13) 歯科用製剤のみ
14) 口腔粘膜のみ
15) 0.5% のみ手指の消毒
16) 手指の消毒のみ
17) 結核菌対策には、0.2〜0.5% 溶液を用いる
18) 化膿局所のみ

1）滅菌（sterilization）
いかなる形態の微生物生命をも完全に排除または死滅させる．
2）高水準消毒（high-level disinfection）
芽胞が多数存在する場合を除き，全ての微生物を死滅させる．
3）中水準消毒（intermediate-level disinfection）
結核菌，栄養型細菌，ほとんどのウイルス，ほとんどの真菌を殺滅するが，必ずしも芽胞を殺滅しない．
4）低水準消毒（low-level disinfection）
ほとんどの栄養型細菌，ある種のウイルス，ある種の真菌を殺滅する．

前述のクリティカル器具は滅菌が必要である．セミクリティカル器具では高水準消毒が必要だが（歯科用セミクリティカル器具は，耐熱性であれば加熱滅菌する），一部のセミクリティカル器具（粘膜に接触する体温計）は中水準消毒でよい．ノンクリティカル器具は，低水準から中水準消毒または洗浄・清拭を行う．

Ⅴ ― 消毒水準分類からみた消毒薬
1）高水準消毒薬
高水準消毒を達成できる消毒薬には過酢酸，グルタラール，フタラールがある．グルタラールと過酢酸は芽胞に対する殺滅力があり，化学的滅菌剤（chemical sterilants）と呼ばれることもある．ただし，グルタラールは多数の芽胞を殺滅するのに3〜10時間と長時間が必要なので，実際は滅菌ではなく高水準消毒を達成するに過ぎない．フタラールも芽胞を殺滅するがその効果は弱く，化学的滅菌剤には分類されない．
2）中水準消毒薬
中水準消毒を達成できる消毒薬には，次亜塩素酸ナトリウム，ポビドンヨード，消毒用エタノール，クレゾール石ケンなどがある．これらの消毒薬はいずれも結核菌に有効だが，ウイルス，真菌，芽胞に対する抗微生物スペクトルはそれぞれ異なる．
3）低水準消毒薬
低水準消毒を達成する消毒薬としては，ベンザルコニウム塩化物，クロルヘキシジングルコン酸塩などがある．これらの消毒薬が効果を示す真菌やウイルスもある．一方で，これらの消毒薬に対して一部のグラム陰性菌は強い抵抗性を示す場合がある．

Ⅵ ― 消毒薬の作用機序
消毒薬は，微生物の細胞壁，細胞膜，細胞質やその構成成分（タンパク質，脂質，核酸など）に対する化学的な反応（酸化，凝固，重合，吸着，溶解など）を介して作用を発揮すると考えられている．

Ⅶ ― 消毒薬の効力の比較
フェノール（石炭酸）は，消毒薬の効力を殺菌の面から比較する時の基準となっている．**フェノール係数**（phenol coefficient；PC）は，消毒薬が試験管内でフェノールの何倍の殺菌力を示すかを表す数値である．黄色ブドウ球菌や腸チフス菌などの細菌を，濃度の異なるフェノールまたは対象消毒薬に加え，10分後に死滅する最大希釈倍数（最小濃度）の比を求める（本章［各論］Ⅴ参照）．

[各論]

I ― 酸化剤

1) 過酸化水素 (hydrogen peroxide)

低濃度（オキシドール，オキシフル®）と高濃度で使用される場合がある．

わが国では低濃度（特に 2.5〜3.5 w/v%）の過酸化水素水を**オキシドール**と呼び，創傷の消毒に使用している．オキシドールは，血液や体組織と接触するとこれらに含まれるカタラーゼの作用により分解して大量の酸素を発生させ，その酸化作用により殺菌作用を発揮する．

$$H_2O_2 \rightarrow H_2O + [O] \uparrow$$

酸素の泡は洗浄効果も示す．このオキシドールの生体適用では発泡による異物除去効果は期待できるものの，消毒の効果は瞬間的で小さい．カタラーゼの含まれない器具などの消毒に用いた場合，オキシドールは分解しなければ一般細菌やウイルス（5〜20分間），芽胞（3時間）の殺滅が期待できる．広範囲の抗微生物スペクトルがあり，アデノウイルス，単純ヘルペスウイルスおよびエイズウイルスなどの殺滅に用いる．オキシドールは，創傷，潰瘍の消毒の他，口腔粘膜の消毒，齲窩および根管の清掃・消毒，歯の洗浄などにも用いる（いずれも原液または 2〜3 倍希釈）．

一方，過酸化水素は高水準消毒薬に分類されることがある．実際に高濃度の過酸化水素水はグルタラールに匹敵する殺菌作用と抗微生物スペクトルがあり，欧米の場合，6% 以上の安定化過酸化水素が医療機器（眼圧計，ベンチレーター，軟性内視鏡など）の高水準消毒に利用される．

2) 過酢酸 (peracetic acid)

芽胞を含む全ての微生物に有効な消毒薬である．高水準消毒薬に分類される．0.2% 液はグルタラールより短時間で芽胞を減少させ，50〜56℃ であれば短時間（10 分程度）で殺滅する．過酢酸は酢酸，過酸化水素との平衡混合物であり，酢酸，過酸化水素，水，酸素に分解するため環境に対する害が少ない．内視鏡や透析機器の消毒などに使用されている．有機物の存在下においても不活性化は少なく，低温でも芽胞へ効果がある．一方で，銅，真鍮，青銅，純鉄，亜鉛メッキ鉄板などは腐食させやすい．また刺激臭があり，蒸気は眼・呼吸器などの粘膜を，原液は皮膚を刺激するので，化学損傷を防ぐため換気をしてマスク，ゴーグル，手袋，ガウンなどを着用して取り扱う．

II ― ハロゲン系

ハロゲン（halogen）のうち，塩素またはヨウ素の化合物が消毒薬に用いられる．

消毒に関係する塩素の作用メカニズムは，それ自体が細胞へ直接的に働くのではなく，主として塩素が水に溶解した時に生成する次亜塩素酸（hypochlorous acid；HClO）の作用に基づくと考えられている．

$$Cl_2 + H \cdot OH \rightarrow H \cdot ClO + H^+ + Cl^-$$

この次亜塩素酸の解離は pH によって大きく左右される．すなわち

$$HClO \underset{酸性}{\overset{アルカリ性}{\rightleftarrows}} H^+ + ClO^-$$

の関係にあり，殺菌作用も非解離型の次亜塩素酸の存在が多いほど強くなる．いい換えれば，次亜塩素酸の消毒力はpHの低下とともに増大する（ただし，塩素ガスの発生も考慮する：**次頁臨床コラム参照**）．

次亜塩素酸は，有機物の二重結合部分に作用して塩化物を形成する．このため，微生物の細胞膜の構成タンパク質や細胞の原形質のタンパク質との結合による変性の他，強力な酸化作用による酵素タンパク質の酸化などが，消毒薬としての次亜塩素酸の作用に関係すると考えられる．次亜塩素酸には強力な漂白作用と脱臭作用もある．

ヨウ素の殺菌作用の本体はI_2（diatomic iodine）である．ヨウ素と溶解剤（界面活性剤など）との化合物あるいは複合体で，溶液中において遊離ヨウ素を放出する性質のあるものをヨードホール（iodophor；iodoはiodineのことで，phorはcarrierを意味する）と呼ぶ．ヨードホールのキャリア（carrier）としてはイオン化しない界面活性剤がよく用いられるが，代表的なものがポリビニルピロリドン（polyvinylpyrrolidone；PVP）で，これを用いたヨードホールが**ポビドンヨード**（povidone-iodine）である．

1．次亜塩素酸系
1）次亜塩素酸ナトリウム（sodium hypochlorite）

中水準消毒薬に分類される．低濃度でも殺菌力を速やかに発揮する．比較的短時間で成分が揮発し，残留性がほとんどない．金属に対する腐蝕性が高いため医療器具への適用はプラスチック製品などに用いる．手指，皮膚への適用は肌荒れを招く上，持続効果が期待できないので生体への適用が望ましい場合はほとんどない．

グラム陽性菌，グラム陰性菌，真菌，ウイルス，芽胞に有効であるが，大量の芽胞は殺滅できない．高濃度（0.1％，1,000 ppm以上）であれば結核菌を殺菌することもできる．HIV，HBVなどウイルスに対しても有効である．有機物が存在しない条件下では，マイコプラズマに0.0025％（25 ppm）で，栄養型細菌には0.0001％（1 ppm）以下で殺菌効果がある（**表2**）．水溶液中の次亜塩素酸はpH 5～6付近で濃度が最も高く，これよりpHが高くなると次亜塩素酸イオン（ClO^-）が増加し，またこれよりpHが低くなると塩素（Cl_2）が増加する（**上記参照**）．したがって殺菌効果はpH依存性であり，あまりpHが高ければ殺菌効果が減弱し，pHが低ければ有害な塩素ガスが発生しやすい．このため，アルカリ側に調製された次亜塩素酸製剤が市販されている．

遊離塩素類の細胞質の破壊のメカニズムの詳細は不明だが，細胞内の酵素反応の阻害，細胞内タンパク質の変性，核酸の不活性化がかかわると考えられている．

歯内療法で根管の消毒と有機質の溶解に用いる根管清掃消毒剤の歯科用アンチホルミンは，次亜塩素酸ナトリウムを含んでいる．次亜塩素酸ナトリウムは水と反応すると，水酸化ナトリウム（sodium hydroxide）と次亜塩素酸を生成する．

$$NaClO + H_2O \rightarrow NaOH + HClO$$

生成された次亜塩素酸に由来する殺菌作用の他，酸化による漂白作用が見られる．次亜塩素酸はNaOHとともに有機質溶解作用を示す（**35章Ⅵ-1）参照**）．

表2 次亜塩素酸ナトリウムの濃度と用途の例

濃度ほか	用途
有効塩素濃度 200〜500 ppm（0.02〜0.05％）次亜塩素酸ナトリウム液	医療機器（非金属），手術室，病室，家具，器具，物品
有効塩素濃度 1,000〜5,000 ppm（0.1〜0.5％）次亜塩素酸ナトリウム液	B型肝炎ウイルスの消毒（汚染がはっきりしないものの場合）
有効塩素濃度 10,000 ppm（1％）次亜塩素酸ナトリウム液	B型肝炎ウイルスの消毒（血液などに汚染された器具）

有効塩素とは，遊離有効塩素と結合有効塩素を合わせた残留塩素のこと．

（小林寛伊，大久保憲，吉田製薬文献調査チーム．消毒薬テキスト　エビデンスに基づいた感染対策の立場から 第5版．2016）

2. ヨードホール・ヨード系
1）ポビドンヨード

中水準消毒薬に分類される（イソジン®，イソジン® ガーグル）．抗微生物スペクトルが広い上，生体への刺激が弱く，副作用も比較的少ない．生体の消毒に用いられる（antiseptic，生体消毒薬）．手術部位の皮膚や皮膚の創傷部位をはじめ，口腔，膣などの粘膜にも適用が可能で，HBVやHIVにも有効である．皮膚に適用し被膜を形成させると持続的な殺菌効果を発揮するといわれているが，比較的短時間のうちに揮発し失活してしまうため，持続効果はクロルヘキシジンよりも劣る．被膜は褐色でハイポアルコールにより脱色するが，脱色は化学的な不活性化でもあるので効果が失われる．咽頭・口腔の消毒に7％のポビドンヨードガーグルが使用される．

In vitro では低濃度（0.1％付近）で速やかに殺菌力が認められているが，有機物で不活性化されるため臨床では 7.5〜10％ の製剤が用いられる．10％水溶液製剤はあまり速効性ではなく，黄色ブドウ球菌や腸球菌の殺滅まで数分はかかるため，塗布後乾燥まで十分に時間を取る（表3）．

グラム陽性菌，グラム陰性菌，結核菌，真菌，ウイルスの他，クロストリジウム属などの芽胞に有効であるが，バチルス属などの芽胞には無効である．

臨床コラム

強酸性電解水

電解水は，薄い食塩水あるいは水道水を電気分解して得られる．電解水のうち陽極側から得られるのが電解酸性水である．電解酸性水のうち pH 2.3〜2.7 のものが強酸性電解水，pH 5〜6 のものが弱酸性電解水である．陽極では塩素ガス，次亜塩素酸，水素イオンが生じる．またヒドロキシラジカル，過酸化水素もわずかだが生じる．

強酸性電解水の作用機序について様々な検討がなされており，主な有効成分は次亜塩素酸であると考えられている．強酸性電解水の有効塩素濃度は 7〜50 ppm と低く，わずかな有機物の存在でも不活化される他，経時的に濃度が低下するなど安定性に乏しい．このため強酸性電解水は，洗浄を主たる目的として生成直後のものを使用する．また，電解水生成時に発生する塩素ガスの毒性や金属腐蝕性にも留意する．医療機器としての電解酸性水製造機器は，流水式による手指の洗浄消毒と内視鏡洗浄消毒のみに適用される．

表3 ポビドンヨードの用途の例

濃度ほか	用途
10%ポビドンヨード液	手術部位の皮膚，手術部位の粘膜，皮膚・粘膜の創傷部位，熱傷皮膚面，感染皮膚面
10%ポビドンヨードエタノール液	手術部位の皮膚
10%ポビドンヨードゲル	皮膚・粘膜の創傷部位，熱傷皮膚面
7.5%ポビドンヨードスクラブ	手指・皮膚
7%ポビドンヨードガーグル	口腔創傷，口腔内
0.5%ポビドンヨードエタノール擦式製剤	手指

（小林寛伊，大久保憲，吉田製薬文献調査チーム．消毒薬テキスト エビデンスに基づいた感染対策の立場から 第5版．2016）

ポビドンヨードはヨウ素をキャリアである PVP（p.311参照）に結合させた水溶性の複合体である．ポビドンヨード1g中に含まれる有効ヨウ素は100 mgなので，10%ポビドンヨード液は有効ヨウ素1%の液である．ポビドンヨードは水溶液中で平衡状態を保ち，水中の遊離ヨウ素濃度が減少するにつれて，徐々に放出された遊離ヨウ素が殺菌作用を発揮する．

ヨウ素の作用機序としては，①アミノ酸，ヌクレオチドのN-H結合に作用してN-I誘導体を作り，タンパク質構造に影響を及ぼす，②アミノ酸のSH基を酸化して，タンパク質合成の重要な要素である2硫化（S-S）結合による架橋を阻害する，③アミノ酸のフェノール基に対し，1または2個のヨウ素誘導体を作り，そのオルト位置に結合したヨウ素によりフェノールのヒドロキシ基（-OH）による結合を阻害する，④不飽和脂肪酸のC＝C結合に作用して脂質を変性させることが考えられている．

副作用として，発疹の他，ショック，アナフィラキシー様症状（呼吸困難，紅潮，蕁麻疹など）がある．

2）ヨードチンキ（iodine tincture）

中水準消毒薬に分類される．ヨードチンキはヨウ素（I）にヨウ化カリウム（KI）を加えて可溶化しエタノール液とした製剤で，5〜10倍希釈して使用する（希ヨードチンキは原液または2〜5倍希釈で使用する）（表4）．

皮膚表面の消毒の他，歯科では歯内療法における根管の消毒に用いられる（35章Ⅶ-4 参照）．
ヨードチンキは速効的な殺菌力と広い抗微生物スペクトルをもち，さらに適用後皮膚にヨウ素の被膜を形成して持続効果をもたらす．ヨードチンキは健常皮膚の他，創傷，潰瘍，口腔粘膜などにも使用されるが，刺激性があり炎症の原因ともなる．口腔内専用のヨウ素製剤として複方ヨード・グリセリン（ルゴール）がある．

グラム陽性菌，グラム陰性菌，結核菌，真菌，一部の芽胞に有効であるが，一部の芽胞には無効である．ヨードチンキおよび希ヨードチンキにおいては，もっぱらポビドンヨードと同様に遊離ヨウ素が殺菌作用を発揮し，また希釈濃度によりエタノール成分も多少の殺菌作用を追加していることが考えられる．

ヨードへのアレルギーを起こす患者には使用できない．過敏症（ヨード疹）の他，皮膚に刺激症状を起こすことがある．

Ⅲ アルコール類

脂肪族炭化水素の水素をヒドロキシ基（-OH）で置換した化合物をアルコールといい，消毒

表4 ヨードチンキ・希ヨードチンキの組成

	組成	
ヨードチンキ （5〜10倍希釈で使用）	ヨウ素	60 g
	ヨウ化カリウム	40 g
	70 vol% エタノール	
	全量	1,000 mL
	組成	
希ヨードチンキ （原液または2〜5倍希釈で使用）	ヨウ素	30 g
	ヨウ化カリウム	20 g
	70 vol% エタノール	
	全量	1,000 mL

（小林寛伊，大久保憲，吉田製薬文献調査チーム．消毒薬テキスト　エビデンスに基づいた感染対策の立場から 第5版．2016）

薬としてはエタノールとイソプロパノールを用いる．消毒薬としての作用機序は，タンパク質の変性，代謝障害，溶菌作用である．揮発性が高く，乾きやすいため使用しやすい．器具・環境の消毒では残存している血液，膿汁などのタンパク質が凝固し，浸透を妨げることがあるので，十分な洗浄後に使用する．引火性に注意し，室内などで広範囲に散布しない．発疹などの皮膚症状が現れることがある．

1) エタノール（ethanol）（C_2H_5OH）

中水準消毒薬に分類される．人体および人体以外にしばしば使用される．抗微生物スペクトルは広く，芽胞を除くほとんどすべての微生物に有効である．**消毒用エタノール**の濃度（76.9〜81.4％）で一般細菌に対する効果が最も高い．濃度を増すと効果は強くなるが，90％以上ではタンパク質凝固作用や脱水作用により浸透性が低下するため，かえって効果が減少する．結核菌を含む細菌とエンベロープを有するウイルスには50％程度でも有効である．

消毒用エタノールにベンザルコニウム塩化物，クロルヘキシジンなどを添加した速乾性擦式消毒剤も広く使用されている（p.319 臨床コラム参照）．エタノールを含ませたガーゼや脱脂綿は，注射部位の皮膚の他，X線装置，モニタ，治療用ユニットなどのノンクリティカル器具・表面の消毒に用いる．刺激となるため粘膜や創傷部位への使用は避ける．

2) イソプロパノール（isopropanol）（C_3H_7OH）

中水準消毒薬である．エタノールと同様に人体の他，ノンクリティカル器具・表面に使用される．抗微生物スペクトルが広く，芽胞を除くほとんどすべての微生物に有効である．50〜70％で用い，低濃度においては同濃度のエタノールよりも効力が強い．エタノールよりも脱脂作用が強く，特異な臭気がある．エンベロープのないウイルスの不活性化には，消毒用エタノールよりも長時間を要する場合がある．

$CH_3-CH-CH_3$
　　　$|$
　　　OH
イソプロパノール

Ⅳ —アルデヒド類

アルデヒド基（-CHO）をもつ化合物である．強い還元性により微生物のタンパク質を変性させる．生体組織にも強い刺激性があり，高濃度では腐蝕作用を示し，組織タンパク質の強い変性，組織の破壊，固定を起こす．蒸気は呼吸器粘膜を強く刺激する．

1）グルタラール（$C_5H_8O_2$）

高水準消毒薬に分類される．化学名はグルタルアルデヒド（glutar-aldehyde）である．人体ではなく，しばしばセミクリティカル器具の消毒に使用される．芽胞を含むすべての微生物に有効で化学的滅菌剤と呼ばれることもあるが，大量の芽胞を殺滅するには長時間を要するため，滅菌に用いることは現実的でない．

グルタラール

金属，ゴム，プラスチックに対して腐食性がない．有機物による効力低下は小さいが，タンパク質を凝固させるので血液，体液などの付着は薬液の浸透の妨げとなる．したがって，器具をグルタラールに浸漬する場合は十分な予備洗浄を行う．薬液の付着による皮膚炎，蒸気による眼，咽頭，鼻への刺激などの毒性に注意する．使用時は，蒸気がなるべく拡散しないような容器を用い，換気を十分に行い，ゴム手袋，マスク，ゴーグルなどを着用する．浸漬後の器具は十分すすぐ．手術室などの環境へも使用しない．

グラム陽性菌，グラム陰性菌，真菌，結核菌，芽胞の他，HBV，HIV を含むウイルスに有効である．非定型抗酸菌の一部に抵抗性を示す株があり，長い接触時間が必要である．作用機序は，微生物中の SH 基，OH 基，COOH 基，NH 基をアルキル化し，DNA，RNA，タンパク質合成に影響を与えることである．

2）フタラール（$C_8H_6O_2$）

高水準消毒薬に分類される．化学名はオルトフタルアルデヒド（o-phthalaldehyde）である．医療器具専用の消毒薬で，特にセミクリティカル器具の消毒に使用される．金属，プラスチック，ゴムに対する影響が少ない．グラム陽性菌，グラム陰性菌，真菌，結核菌，芽胞，ウイルスに有効である．グルタラールよりも短時間で抗酸菌，ウイルスに対して効果を示すが，芽胞の場合，減少させるにはグルタラールよりも長時間を要し，殺滅にはさらに長時間を要する．

殺菌効果発現の機序として，菌体の細胞外膜や細胞外壁の第一級アミン，SH 基，タンパク質とアルデヒド基の結合が考えられている．粘膜刺激性はグルタラールより低いとされているが，マスク，ゴーグル，手袋，ガウンなどの着用が必要である．タンパク質をはじめ有機物を灰色に染色するので，誤って接触した皮膚・粘膜に変色が起こる．フタラールで消毒した医療器具でショック・アナフィラキシー様症状，水疱性角膜症，口唇・口腔・食道・胃などの着色，粘膜損傷，化学熱傷等が起きたとの報告があるため，浸漬した器具は十分すすいで使用する．

3）その他

アルデヒド類が配合された薬剤は歯内療法に用いられてきた（**35 章Ⅶ-3）参照**）．使用するのはごく微量なため，環境と人体にほとんど影響がないという考え方もあるが，使用時には危険性と有用性を比較し代替の薬品の採用を検討する．

（1）ホルマリン

タンパク質のアミノ基や SH 基，プリン塩基の環状窒素原子をアルキル化し，微生物を不活性化する．一部の芽胞を除くすべての微生物に有効である．室温で眼・呼吸器系粘膜に対する強い刺激のある蒸気が発生するため，皮膚炎，喘息，肺炎などの誘因となる．国際がん研究機関は発がん性があるとしている他，わが国では健康障害の発生に注意を要する労働安全衛生法に基づく特定化学物質第 2 類に分類している．このため環境の他，器具でも消毒に用いる機会は限られている．

日本薬局方でホルマリンはホルムアルデヒド（formaldehyde, HCHO）を 35.0～38.0％含有した水溶液で，重合によるパラホルムアルデヒドの生成を防ぐためメタノールが 5～13％添加されている．この液にクレゾールを添加した薬液は，感染根管の消毒のため根管内へごく微量貼薬する歯内療法に用いられてきたが，ホルマリンの刺激性と毒性を考慮して今日では使用されなくなりつつある．

(2) パラホルムアルデヒド〔$(CH_2O)_n$〕

ホルムアルデヒドの重合体で，n が 3 以上 10～100 の混合物である．粉末で，室温で解重合し，ホルマリンよりも優れた浸透性と殺菌性を示すホルムアルデヒドガスが発生する．環境・器具ではなく根管の消毒に用いる根管内貼薬剤にパラホルムアルデヒドを配合したものがある．

V ― フェノール類

中水準消毒薬に分類される．ベンゼン環やナフタレン環にヒドロキシ基が直接結合した化合物で，フェノール（phenol），クレゾール（cresol），木クレオソート（wood creosote），グアヤコール（guaiacol）などがある．親油性のベンゼン環と親水性のヒドロキシ基をもつため細菌細胞への浸透性に優れ，タンパク質変性により抗微生物作用を示す．

消毒薬としては結核菌に有効で，逆性石ケンなどと比較すると有機物による不活性化が少ないことは利点だが，特異な臭気があり高濃度液の付着で化学熱傷が生じる欠点がある．フェノール類には法的な排水規制（5 ppm）があり，病院では排泄物の消毒の他，結核菌の消毒が必要な場合の環境消毒（クレゾール）などに限定して使用される．グラム陽性菌，グラム陰性菌，結核菌，真菌，一部のウイルスに有効だが，一部のウイルスと芽胞には無効である．糸状菌に対しては長時間の接触が必要な場合がある．フェノール類は，低濃度で酵素の不活性化，酵素の漏出を起こす他，高濃度で細胞壁を破壊し細胞質内のタンパク質を沈殿させる原形質毒性を示す．

歯科領域では消毒の他，鎮痛・消炎作用も期待してフェノール，クレゾール，グアヤコールを配合した歯内療法剤が用いられてきた（**35 章 VII-2）参照**）．

1）フェノール

1865 年に Lister が無菌的手術に初めて成功した時に使用した消毒薬で石炭酸とも呼ぶ．古くから効力が確認されているため，消毒薬の効果の指標となっている（フェノール係数，**本章［総論］VII 参照**）．

2）クレゾール

クレゾールはタールから得られる o, m, p-クレゾールの混合物からなる．水に溶けにくいため石ケン液で可溶化し，クレゾール石ケン液として用いられる．フェノールより低毒性でかつ低濃度で微生物を殺滅できるため，公衆衛生で広く用いられてきた．

VI ― 精油類

種々の植物を水蒸気蒸留して得た芳香を有する揮発性油状物質を精油（essential oils）と呼ぶ．常温で液体のユージノール（eugenol），ユーカリプトール（eucalyptol），固体のメントール（menthol），カンフル（camphor），チモール（thymol）がある．ユージノールはチョウジ（丁字）由来のチョウジ油，ユーカリプトールはユーカリ由来のユーカリ油，天然のメントール（l-体）はハッカ由来のハッカ脳をそれぞれ精製して得る．カンフルにはクスノキから得たd-カンフルと合成の dl-カンフルがある．チモールは唇形科植物から得たサイム油などの主成

分である．いずれも脂溶性で細胞膜に浸透し，細胞の機能障害を起こし，殺菌作用や静菌作用を示す．人体や器具・環境の消毒には使用されていないが，精油類を配合した薬剤は歯内療法で用いる．

Ⅶ　第四級アンモニウム塩

陽イオン界面活性剤（陽性石ケンあるいは逆性石ケン）と両性界面活性剤は消毒薬として用いられている．陰イオン界面活性剤に普通の石ケンや合成洗剤がある．

陽性石ケンは次のような構造である．

$$\begin{bmatrix} & R_4 & \\ R_1-&N-&R_3 \\ & R_2 & \end{bmatrix} \cdot X \quad \text{または} \quad \begin{bmatrix} \underset{R}{\underset{|}{N}} \end{bmatrix} \cdot X \quad X：ハロゲン（Clであることが多い）$$

水溶液中では次のように解離する．

$$\begin{bmatrix} & R_4 & \\ R_1-&N-&R_3 \\ & R_2 & \end{bmatrix} \cdot X \longrightarrow \begin{bmatrix} & R_4 & \\ R_1-&N-&R_3 \\ & R_2 & \end{bmatrix}^+ + X^-$$

表面活性を現す分子団

一方，普通石ケンや合成洗剤は水中で次のような反応を起こす．

$$R-COO \cdot Me \longrightarrow R \cdot COO^- + Me^+ \quad (Me：アルカリ金属類，Naであることが多い)$$

普通石ケンの一般式　　表面活性を現す分子団

すなわち，陽性石ケンでは表面活性を現す分子団は陽イオンであるのに対し，普通石ケンでは陰イオンである．陽性石ケンでは主要な作用基の荷電が普通石ケンと逆なので逆性石ケンと呼ばれる．

1）ベンザルコニウム塩化物（benzalkonium chloride）

低水準消毒薬に分類される．陽イオン界面活性剤であり，石ケンとは逆の荷電を有する逆性石ケンである（オスバン®）．

$$\text{\Large 〇}-CH_2-\overset{\overset{CH_3}{|}}{\underset{\underset{CH_3}{|}}{N}}-R^* \cdot Cl^- \quad *RはC_8H_{17}からC_{18}H_{37}までのアルキル基ならどれでもよい．$$

床などノンクリティカルな環境に用いる．金属，繊維に対する腐蝕性は少ない．患者間で再利用するセミクリティカル，クリティカル器具の消毒には十分な殺菌力が期待できない．基本的には生体以外に用いる消毒薬（非生体消毒薬）であるが，わが国ではクロルヘキシジングルコン酸塩の粘膜適用が禁忌となっているため，皮膚粘膜に対する刺激性や臭気の少ない濃度の逆性石ケン液は粘膜に適用する場合がある．

グラム陽性菌，グラム陰性菌，真菌の一部，エンベロープを有するウイルスの一部に有効であるが，結核菌，多くのウイルス，芽胞には無効である．

殺菌作用は，タンパク質変性および酵素の切断，糖の分解と乳酸の酸化など代謝への作用，膜透過性障害による溶菌，リンおよびカリウムの漏出，解糖の促進，原形質膜の活動を支える酵素に対する作用により発現するものと考えられている．

沈殿物を生じて殺菌力が低下するため，陰イオン界面活性剤（普通石ケンや一部の合成洗剤）とは混合しない．粘膜，創傷部位に使用する場合は，滅菌済みのものを用いる．開封後は，微生物汚染に注意する．血液，体液などの有機物により殺菌力は低下する．金属器具を長時間浸漬する必要がある場合は，腐蝕を防止するために亜硝酸ナトリウムを添加する．こうしたことから，微生物汚染を減少させることを目的として 8〜12 vol% のエタノールを添加した 0.1% ベンザルコニウム塩化物液の他，防錆剤を加えた製剤もある．

2) ベンゼトニウム塩化物

陽イオン界面活性剤（逆性石ケン）である（ハイアミン®）．低水準消毒薬に分類される．特徴，抗微生物スペクトル，作用機序などはベンザルコニウム塩化物と同様である．

Ⅷ クロルヘキシジングルコン酸塩 (chlorhexidine gluconate)

低水準消毒薬に分類される．ビグアナイド系化合物で，クロルヘキシジンをグルコン酸塩とすることで水溶性にした（ヒビテン®）．

クロルヘキシジングルコン酸塩

皮膚に対する刺激が少なく臭気がほとんどない点で生体の消毒に向いている（生体消毒薬）．適用時の殺菌作用のみならず，皮膚に残留していれば持続的な抗菌作用が期待できる．したがって手術時の手洗い，手術部位の皮膚や創傷の周辺，血管へのカテーテル挿入部位の皮膚の消毒に適している．わが国では，結膜嚢を除いて粘膜への適用は禁忌である．

殺菌作用を期待してアルコールを加えた製剤がある．液状の製剤を手に取り泡立たせるか（泡状でポンプから取り出せる製品もある），速乾性擦式消毒剤（p.319 臨床コラム参照）として手指に用いる．金属（器具など），繊維製品（リネンなど）に対する腐蝕性が少なく生体以外への適用も可能だが，器具，環境などにはあまり使用されていない．

グラム陽性菌，グラム陰性菌，真菌の一部，エンベロープを有するウイルスの一部に有効だが，結核菌，ほとんどのウイルス，芽胞には無効である．ブドウ球菌に対しては，速やかな殺菌作用は起こし難いものの持続効果や静菌作用の面では優れている．

殺菌的な濃度（0.01〜0.05 w/v%，100〜500 mg/L）では，細胞内に急速に侵入し ATP や核酸を凝固し沈殿を生成する．静菌的な濃度（0.01 w/v%，100 mg/L 未満）では細菌表面のリン酸基部位に吸着して細胞壁を透過し，細胞膜透過性を障害する．その後カリウムイオンのような低分子成分の漏出を引き起こす他，膜結合酵素 ATPase も阻害する．MRSA（methicillin-resistant *Staphylococcus aureus*）を含む黄色ブドウ球菌，グラム陽性菌に対し静菌的に働き，ごく低濃度で優れた作用を発揮する（表5）．

皮膚に対する毒性，経口毒性とも低いが，膀胱・膣・口腔などの粘膜や創傷部位に比較的高濃度を使用した際にショックが発現したことが過去に報告されており，結膜嚢以外の粘膜（口腔・膀胱・膣など）への適用や創傷，熱傷への適用の一部（広範囲，高濃度）が禁忌である．

日光により着色するため遮光容器にて保存する他，微生物汚染を受けやすいので開封後は汚染に注意する．

表5 クロルヘキシジングルコン酸塩の用途の例

濃度ほか	用途
4％クロルヘキシジングルコン酸塩スクラブ	手指
1％クロルヘキシジングルコン酸塩エタノール液	手指・皮膚
1％クロルヘキシジングルコン酸塩エタノール擦式製剤	手指・皮膚
0.5％クロルヘキシジングルコン酸塩エタノール液	手術部位の皮膚，医療機器（金属，非金属）
0.2，0.5％クロルヘキシジングルコン酸塩エタノール擦式製剤	手指
0.1〜0.5％クロルヘキシジングルコン酸塩液	手指・皮膚，手術部位の皮膚，医療機器
0.05％クロルヘキシジングルコン酸塩液	皮膚の創傷部位，手術室・家具・器具・物品

(小林寛伊，大久保憲，吉田製薬文献調査チーム．消毒薬テキスト　エビデンスに基づいた感染対策の立場から 第5版．2016)

IX 両性界面活性剤

陰イオンと陽イオンを一分子中に含んでおり，いわば陰イオンの洗浄作用と陽イオンの殺菌作用を併せもっている．

1) アルキルジアミノエチルグリシン塩酸塩 (alkyldiaminoethylglycine hydrochloride)

逆性石ケンよりも殺菌作用の速効性は劣るが，幅広い pH 領域で殺菌効果がある．低水準消毒薬に分類されるが，グラム陽性菌，グラム陰性菌の他，真菌の一部に有効な他，高濃度（0.2〜0.5％）では結核菌などの抗酸菌にも殺菌効果がある．エンベロープを有するウイルスの一部に有効だが，多くのウイルスと芽胞には無効である．抗微生物スペクトルが比較的広い上に臭いがほとんどない点で環境の消毒に適している．生体に対する毒性は低いとされているが，脱脂作用があるのでもっぱら環境の他，物品，器具の消毒に用いる．

殺菌作用の機序は，逆性石ケンと同じく陽イオンによると考えられる．発疹，瘙痒などが現れた場合には使用を中止する．

臨床コラム

速乾性擦式消毒剤

エタノールにポビドンヨード（0.5％），クロルヘキシジングルコン酸塩（0.2〜1％），ベンザルコニウム塩化物（0.2％）のいずれかを配合した速乾性擦式消毒剤がある．この消毒剤は，一定量を直接手のひらに取り手指に擦り込むと，エタノールが蒸発して速やかに乾燥状態となる．優れた消毒効果により短時間で確実に微生物を減少させ感染症を防ぐ目的で，臨床現場のみならず，公共の場で広く用いられている．

X　その他の消毒薬

1. 有機色素類

色素類には，微生物の細胞表面に高濃度に蓄積して細胞内外の平衡状態を変化させ，呼吸系や代謝系を阻害して消毒薬として作用するものがある．

外用剤として比較的よく用いられる**アクリノール水和物**（アクリノール）は，アクリジン色素に属する．アクリノールは，各種の化膿菌，特にレンサ球菌，ブドウ球菌，淋菌，ウェルシュ菌などに対し，静菌ならびに殺菌作用がある．作用機序は明確ではないが，アクリジニウムイオンとなり細菌の呼吸酵素を阻害すると考えられている．局所適用時におけるアクリノールは副作用がほとんどなく，稀にアレルギーが発現する程度である．アクリノール溶液は，皮膚や衣類に付くとその着色（黄色）を落とすことが困難であることが短所である．

絆創膏の不織布製のパッド部分やガーゼにアクリノールをしみ込ませたものが市販されている．

2. 重金属

比重が4〜5以上の金属元素の重金属には，殺菌・静菌作用があるものが含まれている．解離した金属イオンが原形質毒として働き，殺菌作用を示す．つまり，微生物のタンパク質を沈殿させる他，酵素毒としての作用が金属の殺菌作用に関与すると考えられる．

水銀化合物や銀化合物は古くから防腐，消毒の目的で用いられてきた．他の優れた消毒薬の台頭でわが国ではかつてのようには使用されていない．

1）水銀化合物（mercury）

マーキュロクロムは有機水銀消毒薬として最も古いものの1つである．マーキュロクロムは水銀22.4〜26.7%を含む青緑色から帯緑赤色の小葉片または粒子で，臭気はない．水溶液は赤色を呈する．いわゆる赤チンとして知られ，かつて家庭常備薬の1つとしてポピュラーであった．

2）銀化合物（silver）

銀化合物は水銀化合物に劣らず古くから医療に用いられてきた．銀化合物の消毒作用は遊離してくる銀イオンの作用によるもので，強力である．銀イオンはタンパク質の変性を生じ，沈殿を起こす．また微量有効作用（**次頁臨床コラム参照**）により殺菌力を発揮する．

（1）硝酸銀（silver nitrate）

硝酸銀は容易に銀イオンを解離する．硝酸銀の濃厚溶液は強い表在性の腐蝕作用およびそれに伴う疼痛性知覚麻痺作用を示し，希薄液は収斂作用を現す．特に乳歯齲蝕の予防や象牙質知覚過敏症の治療（歯面塗布），多発性ではないアフタ性口内炎を除去するため患部に適用する（患部に適用し，速やかに生理食塩液で洗浄）などして，歯科領域で使用されていた．

（2）フッ化ジアンミン銀（silver diammine fluoride）

フッ化銀とフッ化アンモニウムから調製する．フッ化ジアンミン銀は，主に齲蝕予防，齲蝕進行抑制剤として用いられる．塗布で歯に黒色の着色が生じるので前歯部の使用を避ける．

XI　B型肝炎ウイルスの消毒

血液中のウイルスは，輸血，穿刺，性行為などにより血液を介して伝播するが，医療従事者は「針刺し」にも注意が必要である．血中ウイルスとしてB型肝炎ウイルス（hepatitis B virus；HBV），ヒト免疫不全ウイルス（human immunodeficiency virus；HIV）などがある．

器具に血液などが付着した場合，洗浄や拭き取りによって血液自体を除去することが最重要である．医療従事者の皮膚，粘膜，組織が血液などにさらされた場合もまず確実に洗浄するこ

とが肝要であり，消毒薬は念のため用いてもよいとされているに過ぎない．

HBVはB型肝炎の原因ウイルスである．母子感染の他，性行為，注射針の共用などで伝播する．献血スクリーニングが発達したため，輸血による感染は少ない．日本のHBs抗原陽性者は120〜140万人といわれ，そのうちHBe抗原陽性率は5.0〜7.5%と推定されている．HBe抗原陽性血における針刺しでは，30%以上の確率で感染伝播するといわれている．

1970年代にWHOがHBV消毒に推奨したのはグルタラールやホルマリンなど強力な消毒薬のみであったが，後の研究から，80 vol%エタノールが11℃ 2分間の接触でHBVを不活性化することが示された．次亜塩素酸ナトリウム，イソプロパノール，ポビドンヨードによる不活性化も確認されている．

血液の汚染の場合，ノンクリティカル表面のHBV消毒には次亜塩素酸ナトリウム（0.1%）をガーゼなどにしみ込ませて用いる．被消毒物の材質が金属であるなど次亜塩素酸ナトリウムの使用が不適切な場合には，消毒用アルコールによる清拭を選択する．

　ヒト免疫不全ウイルスおよび新型コロナウイルスの消毒

1）ヒト免疫不全ウイルス

HIVは後天性免疫不全症候群（acquired immunodeficiency syndrome；AIDS）の原因ウイルスである．感染力は弱く，通常の接触程度では伝播しない．針刺しによる感染率は0.3%程度といわれている．

HIVは消毒薬に対する抵抗性が弱い．WHOではHIVに有効な器具・環境を対象とした対処方法として**表6**のような処理方法を挙げている．表にはないが，生体の消毒にはポビドンヨード（2.5〜10 w/v%），エタノール（70 vol%），イソプロパノール（70 vol%）の使用をWHOは推奨している．

2）新型コロナウイルス

2019年に中国で確認された，新型コロナウイルスのSARS-CoV-2（severe acute respiratory syndrome coronavirus 2）による感染症であるCOVID-19（coronavirus disease 2019）の拡大は，世界の人々の暮らしに大きな影響を及ぼした．

この新型コロナウイルスはエンベロープを有し，同様の特徴がある他のウイルスでの知見に基づくと消毒薬への抵抗性は高くないと考えられている．高水準（グルタラール，フタラール）および中水準（次亜塩素酸ナトリウム，ポビドンヨード，エタノール，イソプロパノール）の消毒薬は有効だが，低水準消毒薬（クロルヘキシジングルコン酸塩，ベンザルコニウム塩化物）では効果が十分でない可能性がある．

臨床コラム

微量有効作用

蒸留水中にごく微量の金属銀を入れておくと殺菌作用を呈するが，この作用を微量有効作用（oligodynamic action）という．きわめて低い濃度で殺菌作用力をもっている金属の特性を表現したもので，このような作用をもつ金属は銀，銅，真鍮，スズ，コバルト，ニッケル，水銀などが知られている．

表6 WHOによるHIVに有効な処理方法

対象と目的	処理方法	処理条件
医療器具の滅菌	高圧蒸気滅菌	120℃　20分間
	乾熱滅菌	170℃　2時間
医療器具の高水準消毒	煮沸消毒	100℃　2分間
	グルタラール	2 w/v%　30分間
	過酸化水素	6 w/v%　30分間
環境表面の低～中水準消毒	次亜塩素酸ナトリウムなどの次亜塩素酸系	清潔条件：1,000 ppm　10～30分間 汚染条件：5,000 ppm　10～30分間

(小林寛伊, 大久保憲, 吉田製薬文献調査チーム. 消毒薬テキスト　エビデンスに基づいた感染対策の立場から　第5版. 2016)

　COVID-19拡大防止のため，医療機関では標準予防策の実施のほか，接触・飛沫の予防策を講じている．このウイルスは環境中の残存期間がインフルエンザウイルスA（数時間程度）に比べ長いと考えられており，患者の周囲の環境で高頻度に触れる場所・物品などに対する消毒用アルコールまたは0.05%の次亜塩素酸ナトリウムによる清拭が推奨されている．

　消毒薬と歯科臨床

　歯科臨床の場で消毒薬は，人体（患者と医療従事者）と人体以外（器具と環境）の消毒のため用いる．目的に合った消毒の水準（清浄度）を踏まえて（**本章[総論] Ⅲ参照**），対象微生物に有効で，使用する部位（人体，医療機器，環境など）に適した消毒薬を採用する（**表1参照**）．消毒薬は，接触皮膚炎，手荒れの他，アレルギー反応の原因になる危険もあるため，患者はもちろん医療従事者の安全にも留意して使用する．

　歯科治療で消毒薬は，口腔粘膜，歯周組織，抜歯窩の消毒以外に，齲窩，根管などに適用する薬剤に配合して用いられてきた．こうした薬剤を使用する場合，消毒薬の病原微生物への作用だけでなく歯髄や歯周組織に及ぼす影響も考慮し，期待した作用が目的とする領域に限局して発揮できるよう，適切な条件で使用する（**35章Ⅶ参照**）．

33章 薬理学 各論

唾液腺に作用する薬物

学修目標とポイント

- 口腔感染症や齲蝕の防御，咀嚼・嚥下，発音などにおける唾液の役割を説明できる．
- 唾液分泌における交感神経系と副交感神経系による協力的な二重支配を説明できる．
- ムスカリン性アセチルコリン受容体を抑制する薬物による口腔乾燥症について説明できる．
- Sjögren（シェーグレン）症候群や放射線による唾液腺障害を原因とした口腔乾燥症の治療に使用されるムスカリン性受容体作動薬について説明できる．

本章のキーワード

交感神経，副交感神経，アドレナリン受容体，ムスカリン性受容体，Gタンパク質，開口分泌，水電解質分泌，Sjögren症候群

I ― 唾液の生理作用

哺乳類の唾液腺は，大唾液腺（耳下腺，顎下腺，舌下腺）と小唾液腺（口唇腺，口蓋腺，舌腺，頰腺，臼後腺）とに大別される．ヒトは1日あたり1〜1.5Lの唾液を分泌するが，その60〜70%が顎下腺，25〜35%が耳下腺，5%あるいはそれ以下が舌下腺，5〜8%が小唾液腺から分泌されると考えられている．唾液の成分は99.5%が水，無機質が0.2%，有機質が0.3%から構成されており，多岐にわたる生理作用を有している（表1）．

表1 唾液の機能

機能	有効成分
口腔の洗浄	水
口腔粘膜および歯質の保護	水，ムチンなどの糖タンパク質
食物の咀嚼・嚥下の円滑化	水，ムチン
味覚発現の促進	水
消化作用	α-アミラーゼ
抗菌作用	ラクトフェリン，リゾチーム，ペルオキシダーゼ，ヒスタチン，シスタチン
免疫作用	免疫グロブリン（sIgA, IgG, IgM）
緩衝作用	炭酸（H_2CO_3）と重炭酸イオン（HCO_3^-）
抗脱灰・再石灰化作用	カルシウム，リン酸，高プロリン酸性タンパク質
組織修復作用	上皮成長因子（EGF），神経成長因子（NGF），線維芽細胞成長因子（FGF），トランスフォーミング成長因子（TGF-α, β）

sIg；secretory immunoglobulin, EGF；epidermal growth factor, NGF；nerve growth factor, FGF；fibroblast growth factor, TGF；transforming growth factor

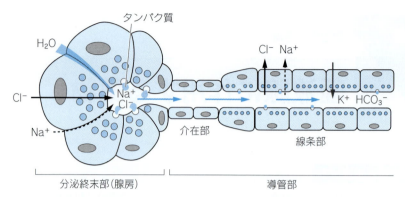

図1 分泌終末部（腺房部）および導管部における水，電解質，タンパク質の動き

　唾液中にはアミラーゼやムチン以外に，リゾチーム，ラクトフェリン，ヒスタチン，シスタチンなどの抗菌作用や抗ウイルス作用をもったタンパク質や，分泌型 IgA（sIgA）などの抗感染作用をもつタンパク質が含まれている．また，創傷治癒に関与すると考えられている上皮成長因子（EGF），神経成長因子（NGF），トランスフォーミング成長因子（TGF）やサイトカインなどのタンパク質に加えて，緩衝作用をもつ重炭酸イオンや，刺激で増加するカルシウムとリンなどのイオン類がエナメル質の脱灰を減らし再石灰化を促進する効果をもっている．

　臨床で使用されている薬物には，副作用として唾液分泌抑制や口渇を起こすものが少なくない．また，**Sjögren 症候群**や，頭頸部の悪性腫瘍に対する放射線治療によって，唾液分泌機能が著しく損なわれる．このような薬物や疾患によって唾液が減少し，唾液の質が変化する疾患が**口腔乾燥症**（xerostomia）であり，わが国での患者数は 800〜3,000 万人と推定されている．本章では唾液分泌の機序について概略するとともに，唾液分泌に影響する薬物および口腔乾燥症の改善薬について述べる．

◆II──唾液の分泌機構

　唾液腺組織は分泌終末部（secretory endpiece）と導管部から構成される（図1）．分泌終末部は，分泌顆粒を含んだ細胞が球状に集合した形態を示すことから腺房とも呼ばれる．ただし，漿液半月と粘液小管で構成されるヒト顎下腺の分泌終末部は腺房とは呼ばない．ヒト耳下腺は消化酵素であるアミラーゼを含む漿液性唾液を分泌するのに対し，顎下腺や舌下腺からは粘性のある糖タンパク質であるムチンを多く含む唾液が分泌される．唾液分泌では，血清由来の水分や電解質などが分泌終末部細胞あるいは細胞間隙を通って管腔内に輸送される過程と，分泌終末部細胞で合成されたタンパク質が分泌顆粒に蓄積された後，開口分泌（exocytosis）によって管腔内に分泌される過程が同時に進行する．この分泌終末部細胞から分泌されたばかりの唾液は，原唾液（primary saliva）と呼ばれ，血漿とほぼ同じ浸透圧を有している．導管系では Na^+ と Cl^- の再吸収と，K^+ と HCO_3^- の分泌が起こり，水はほとんど再吸収されないので，最終的に血漿に比べて低張の唾液が口腔内に分泌される．

　唾液中の有機質には，唾液腺細胞内で合成される内因性のものと外因性のものがある．唾液腺細胞内で合成された内因性のタンパク質は分泌顆粒内に蓄えられ，開口分泌によって放出される．水と電解質輸送のメカニズムを図2に示す．分泌終末部細胞の基底側膜と腺腔側膜にはそれぞれ K^+ チャネルと Cl^- チャネルが存在するが，いずれも Ca^{2+} 依存性イオンチャネルで，

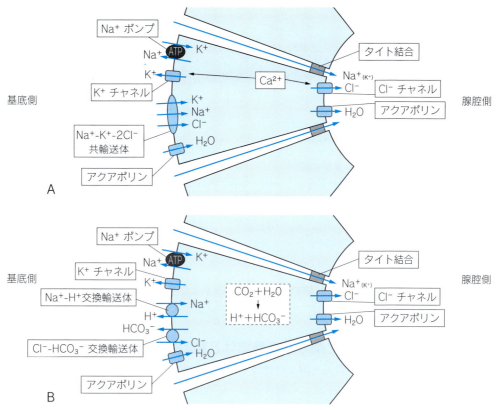

図2 唾液腺の分泌終末細胞における共輸送体（A）と対向輸送体（B）による水・電解質輸送

細胞内 Ca^{2+} 濃度の上昇が引き金となって開口する．その結果，細胞質の K^+ は濃度勾配に従い，K^+ チャネルを通って間質液側へ放出される．また，Cl^- は電気化学ポテンシャルに従って，腺腔側の Cl^- チャネルから放出される．

Cl^- の放出により，腺腔内は基底側に対して電気的に負となる．この電気的勾配に引かれて，Na^+ などの陽イオンが細胞間隙を通って腺腔側へ受動的に移動する．また腺腔側への NaCl の移動によって生じる浸透圧によって水が腺腔内に移動する結果，等張の原唾液が生成する．水の移動経路としては，細胞膜に存在する水チャネルである**アクアポリン（AQP5）**を通る経路と細胞間隙を通る経路で腺腔内に移動すると考えられている．

この分泌反応には，分泌終末部細胞内への Cl^- の取り込みが必要である．それを担うのが，基底側の**共輸送体（Na^+-K^+-$2Cl^-$ 共輸送体）**と対向輸送体（Na^+-H^+ 交換輸送体と Cl^--HCO_3^- 交換輸送体）である．Na^+-K^+-$2Cl^-$ 共輸送体は Na^+ ポンプ（Na^+, K^+-ATPase）が ATP の加水分解エネルギーを使って Na^+ を細胞外に汲み出すことで生じた Na^+ 濃度勾配を利用して，Cl^- を細胞内に取り込む**二次能動輸送**である（**図 2-A**）．フロセミド（furosemide）やブメタニド（bumetanide）などの**ループ利尿薬**は，腎尿細管の Na^+-K^+-$2Cl^-$ 共輸送体の強力な阻害薬である．これらの利尿薬は唾液腺の Na^+-K^+-$2Cl^-$ 共輸送体を阻害し，唾液分泌を抑制すると考えられている（**21 章 II-1. 参照**）．

対向輸送体では，炭酸脱水酵素（carbonic anhydrase）によって生じる重炭酸イオン（HCO_3^-）を使って，Cl^--HCO_3^- 交換輸送体によって Cl^- が細胞内に取り込まれる．この時 Na^+-H^+ 交換

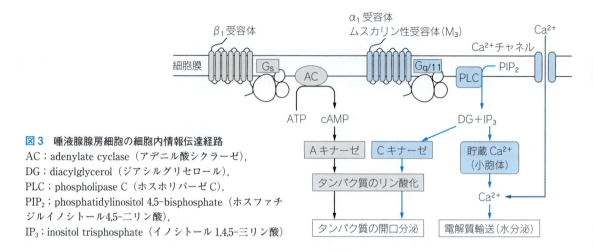

図3 唾液腺腺房細胞の細胞内情報伝達経路
AC；adenylate cyclase（アデニル酸シクラーゼ），
DG；diacylglycerol（ジアシルグリセロール），
PLC；phospholipase C（ホスホリパーゼC），
PIP$_2$；phosphatidylinositol 4,5-bisphosphate（ホスファチジルイノシトール4,5-二リン酸），
IP$_3$；inositol trisphosphate（イノシトール1,4,5-三リン酸）.

輸送体が共役することで，細胞内にH$^+$が蓄積することなくCl$^-$を取り込むことができる（図2B）．また重炭酸イオンの一部は，腺腔側のCl$^-$チャネルから腺腔内へ放出される．

唾液分泌の調節に関与する受容体と細胞内情報伝達 （17章Ⅱ参照）

唾液分泌は交感神経系と副交感神経系による**二重支配**を受けている．多くの臓器では，交感神経と副交感神経が拮抗的に作用するが，唾液腺では協力的に作用する（**17章Ⅰ-2.-2）参照**）．これらの作用には，唾液腺の分泌終末部細胞の2つの主要な細胞内情報伝達経路が関与する（**図3**）．Gタンパク質（G$_{q/11}$）を介するCa^{2+}をセカンドメッセンジャーとする細胞内情報伝達系（Ca^{2+}動員）と，Gタンパク質（G$_s$）を介するサイクリックAMP（cAMP）をセカンドメッセンジャーとする細胞内情報伝達系（cAMP生成）である．

交感神経系では，神経伝達物質のノルアドレナリンがアドレナリン**α$_1$受容体**を活性化することによるCa^{2+}動員と，アドレナリン**β$_1$受容体**の活性化によるcAMP生成が起こる．副交感神経系では，神経伝達物質のアセチルコリンが**ムスカリン性受容体**（M$_3$）を活性化することによって，Ca^{2+}動員が起こる．これらの神経伝達物質に加えて，サブスタンスP，vasoactive intestinal polypeptide（VIP），カルシトニン遺伝子関連ペプチド（calcitonin gene related peptide；CGRP），ソマトスタチン，神経ペプチドYなどが神経伝達物質として同定されている．さらにATPなどのヌクレオチドに反応するプリン受容体が存在する．

1. Ca^{2+}をセカンドメッセンジャーとする細胞内情報伝達系

分泌終末部細胞のM$_3$受容体やα$_1$受容体を刺激すると，G$_{q/11}$を介してホスホリパーゼC（PLC）が活性化し，イノシトール1,4,5-三リン酸（IP$_3$）とジアシルグリセロール（DG）が生成する．IP$_3$は小胞体膜上のIP$_3$受容体に作用し，小胞体からのCa^{2+}放出を引き起こす．さらに細胞膜のCa^{2+}チャネルが開口し，細胞外からのCa^{2+}の流入によって細胞質のCa^{2+}濃度が上昇する．唾液の水成分の分泌で重要な働きをするCl$^-$チャネル，K$^+$チャネルおよびNa$^+$-K$^+$-2Cl$^-$共輸送体は，この細胞内のCa^{2+}濃度によって活性化される．特に，血液からの水と電解質の供給が必要な唾液腺の**水・電解質分泌**では，血管拡張作用がある副交感神経系が重要である．実際，口腔乾燥症を起こす薬物の多くは，ムスカリン性受容体に対する抑制効果をもって

いる．また，ムスカリン性受容体を活性化する薬物によって唾液分泌が増加する．

　PLC の活性化によって生成する DG は，タンパク質リン酸化酵素であるプロテインキナーゼ C（C キナーゼ，PKC）を活性化する働きがある．耳下腺のムスカリン性受容体を刺激すると，水・電解質輸送ばかりでなくタンパク質分泌も起こるが，この反応には Ca^{2+} の動員とともに C キナーゼの活性化が関与すると考えられている．一方，舌下腺のタンパク質分泌は，Ca^{2+} の動員によって起こると考えられている．

2．cAMP をセカンドメッセンジャーとする細胞内情報伝達系

　唾液腺の分泌終末部細胞におけるタンパク質の開口分泌は cAMP によって調節されている．交感神経終末から放出されたノルアドレナリンは，分泌終末部細胞の **$β_1$ 受容体**を刺激し，G_S を介してアデニル酸シクラーゼ（AC）が活性化することによって合成される cAMP が，cAMP 依存性プロテインキナーゼ（A キナーゼ，PKA）を活性化してタンパク質の**開口分泌**が亢進する．したがって，交感神経活動が高い場合には，ムチンやアミラーゼを多く含む粘性の高い唾液が放出される．A キナーゼは開口分泌以外の様々な反応に関与する．その中には，水・電解質分泌に関与する Na^+-K^+-$2Cl^-$ 共輸送体や IP_3 受容体の機能亢進が含まれる．

Ⅳ．唾液分泌を促進する薬物と口腔乾燥症の治療薬

　口腔乾燥症および唾液腺機能低下は様々な原因によって出現する．最も一般的なものは薬物性口腔乾燥症である．**Sjögren 症候群**患者あるいは頭頸部への放射線照射では高頻度で口腔乾燥症状が現れる．それ以外に，炎症や閉塞などの唾液腺疾患，糖尿病などの全身疾患，ストレスなどが原因となる場合がある．

　口腔乾燥症に有効な薬物療法は非常に限られている．Sjögren 症候群や頭頸部への放射線療法による唾液腺障害に基づく口腔乾燥症状の適応症をもつ医薬品に，人工唾液とムスカリン性受容体刺激薬の**ピロカルピン塩酸塩**（pilocarpine hydrochloride）と**セビメリン塩酸塩水和物**（cevimeline hydrochloride hydrate）がある．それ以外の口腔乾燥症患者に対しては，漢方薬の白虎加人参湯や去痰薬のブロムヘキシン塩酸塩が用いられることがある．ブロムヘキシンは唾液分泌の促進よりは粘膜症状の改善に用いられる．薬物性口腔乾燥症の場合は，原因となる治療薬の中止によって症状は改善するが，主となる原疾患の治療が優先される場合が多い．

1．口腔乾燥症治療薬（17 章Ⅳ-1.-(2), (3) 参照）

　ピロカルピンとセビメリンは**ムスカリン性受容体**の作動薬であり，唾液分泌促進作用に加えて，心機能の抑制，気管支や消化管平滑筋の収縮，縮瞳などムスカリン性受容体刺激作用を有する．また，てんかんや Parkinson 病の患者に対して症状を悪化させるおそれがある．ピロカルピンは副作用として多汗が多く，セビメリンでは嘔気，腹痛，下痢などの消化器症状が多いといわれている．

2．副作用として唾液分泌を促進する薬物

　消化管機能の低下や尿閉の治療に用いられるベタネコール塩化物（コリンエステル類）やネオスチグミン臭化物（**コリンエステラーゼ阻害薬**）は，副作用として唾液分泌過多が起こることがある．抗精神病薬であるクロザピンは，流涎と呼ばれる過剰な唾液分泌を起こすが，その作用機序は不明である．

表2 口渇や口腔乾燥を起こす主な薬物

抗コリン薬（副交感神経遮断薬）	抗うつ薬	抗ヒスタミン薬（H₁受容体遮断薬）
①ベラドンナアルカロイド 　アトロピン，スコポラミン ②半合成および合成抗ムスカリン性作動薬 　ブチルスコポラミン臭化物， 　ピレンゼピン塩酸塩水和物	①三環系抗うつ薬 　イミプラミン塩酸塩， 　アミトリプチリン塩酸塩 ②四環系抗うつ薬 　マプロチリン塩酸塩	クロルフェニラミンマレイン酸塩， 　ジフェンヒドラミン塩酸塩， 　プロメタジン塩酸塩 Parkinson病治療薬 　レボドパ，アマンタジン塩酸塩
利尿薬 ①浸透圧利尿薬 　D-マンニトール ②チアジド系（サイアザイド系）利尿薬 　ヒドロクロロチアジド， 　トリクロルメチアジド ③ループ利尿薬 　フロセミド	抗精神病薬 ①フェノチアジン誘導体 　クロルプロマジン塩酸塩， 　フルフェナジン ②ブチロフェノン誘導体 　ハロペリドール 抗不安薬，催眠薬 ①ベンゾジアゼピン系薬物 　ジアゼパム， 　クロルジアゼポキシド， 　ニトラゼパム	高血圧治療薬 ①ラウオルフィアアルカロイド 　レセルピン ②自律神経節遮断薬 ③α₂受容体作動薬 　クロニジン塩酸塩 気管支拡張薬 ①β₂受容体作動薬 　サルブタモール硫酸塩， 　トリメトキノール塩酸塩水和物

唾液分泌を阻害する薬物

　臨床で使用されている薬物には，唾液の分泌量を減少させ，口腔乾燥症を起こすものが少なくない．**抗コリン薬**，**向精神薬**，**抗ヒスタミン薬**などが，唾液分泌を抑制して口腔乾燥を起こす代表的な薬物である（表2）．

1）抗コリン薬（anticholinergic drugs，17章Ⅳ-2．参照）

　アトロピン硫酸塩水和物（atropine sulfate hydrate），ブチルスコポラミン臭化物（scopolamine butylbromide）が代表的な抗コリン薬である．抗コリン薬は，ムスカリン性受容体に結合し，副交感神経終末から放出されたアセチルコリンの作用を競合的に阻害することによって副交感神経を介する唾液分泌を強く抑制する．

　アトロピンは吸入性の全身麻酔薬による唾液分泌や気道分泌の亢進を防ぎ，嘔吐や咳などの副交感神経反射を抑制するので，麻酔前投薬として用いられる．また，半合成および合成の抗ムスカリン薬は，散瞳薬，鎮痙薬，胃潰瘍治療薬，Parkinson病治療薬として広く臨床応用されている．口渇や口腔乾燥は，抗コリン薬の最も一般的な副作用の1つである．

2）抗うつ薬（antidepressants，19章Ⅵ［各論］3.-1）参照）

　古典的な**三環系抗うつ薬**であるイミプラミン塩酸塩（imipramine hydrochloride）やアミトリプチリン塩酸塩（amitriptyline hydrochloride）はアトロピン様作用を有し，通常量でムスカリン性受容体を遮断する．抗コリン薬の場合と同様の機序で唾液分泌を抑制し，口腔乾燥症を起こす．便秘，排尿困難などの抗コリン薬特有の副作用もしばしば見られる．四環系，SSRI（selective serotonin reuptake inhibitors），SNRI（serotonin and noradrenaline reuptake inhibitors）などの抗うつ薬は三環系抗うつ薬と比べて抗コリン作用が弱く，口渇を起こしにくい．

3) 抗精神病薬（antipsychotic drugs, 19章Ⅵ［各論］1.-5）参照）

クロルプロマジン塩酸塩（chlorpromazine hydrochloride）などの**フェノチアジン誘導体**は，ドパミン D_2 受容体を遮断して抗精神病作用を現す．他に，$α_1$ 受容体，ムスカリン性受容体，ヒスタミン H_1 受容体，5-HT_2 受容体とも結合する性質がある．フェノチアジン誘導体による唾液分泌の低下，胃腸管運動の抑制，排尿困難は抗コリン作用によると考えられており，口渇，口腔乾燥症は高頻度で現れる副作用の 1 つである．ブチロフェノン系抗精神病薬のハロペリドール（haloperidol）もまた抗コリン作用を有し，口渇を起こすが，その作用はフェノチアジン系薬物より弱い．

4) 催眠薬，抗不安薬

催眠薬，抗不安薬として用いられる**ベンゾジアゼピン系薬物**の多くが，副作用として口腔乾燥を引き起こす．

5) 抗ヒスタミン薬（antihistaminics, 25章Ⅳ-1.参照）

ジフェンヒドラミン塩酸塩（diphenhydramine hydrochloride）やプロメタジン塩酸塩（promethazine hydrochloride）などの古典的 H_1 受容体拮抗薬には抗コリン作用があり，ムスカリン性受容体を遮断して唾液分泌を低下させる．口腔乾燥は，抗ヒスタミン薬投与により最も高頻度で出現する副作用の 1 つである．しかし，エピナスチン塩酸塩（epinastine hydrochloride）などの第 2 世代の H_1 受容体拮抗薬の抗コリン作用は弱く，口腔乾燥を起こしにくいといわれている．

6) その他の薬物

口渇や口腔乾燥は，レボドパ（levodopa），アマンタジン塩酸塩（amantadine hydrochloride）などの Parkinson 病治療薬，高血圧治療薬，チアジド系利尿薬，ループ利尿薬などでも見られる．

Ⅵ 唾液腺に作用する薬物と歯科臨床

セビメリンとピロカルピンはムスカリン性受容体の部分作動薬であり，濃度を高くしてもアセチルコリンやカルバコールと比較して弱い作用しか起こさない．ムスカリン性受容体は，唾液分泌以外に気管支収縮作用，血管拡張作用，心機能抑制作用などの全身作用があるため，強力な作動薬は危険な副作用をもたらすリスクが高い．作用が弱いピロカルピンやセビメリンは，そのリスクが小さく比較的安全に使用できるが，多汗，嘔気，下痢などの副作用も知られている．

33 章　唾液腺に作用する薬物

歯科医師国家試験出題基準（令和 5 年版）では，歯科医学各論で，薬物の副作用としての口腔乾燥症を挙げている．実際の歯科医師国家試験では，唾液の分泌を促進する薬物と抑制する薬物，口腔乾燥症の原因となる薬物などが出題されている．また，唾液に含まれる電解質やタンパク質の役割，唾液腺の構造と機能に関する問題も頻繁に出題されている．

34章 薬理学 各論

口腔内科治療に用いる薬物

学修目標とポイント
- 口腔内科で扱う疾患とその治療薬について説明できる.
- 口腔粘膜疾患，口腔乾燥症，味覚障害の薬物療法を説明できる.

本章のキーワード
Ramsay Hunt 症候群，帯状疱疹後神経痛，口腔潜在的悪性疾患，デスモグレイン，BP180，BP230

I ― 口腔内科で用いる治療薬

口腔内科（oral medicine）とは，歯科および医科的知識に基づき全身状態を評価した上で口腔内の病変を診断し，内科的アプローチによる治療を担当する分野である．口腔内科で扱う疾患は，感染による炎症，口腔粘膜疾患，味覚障害，唾液腺疾患，神経疾患，歯科心身症，顎関節疾患，全身疾患の口腔内症状など多岐にわたっている．頻用される治療薬を表1に示す．下線を引いた薬物以外は，保険適応外の薬物もあるため，使用時に注意されたい．

II ― 代表的な疾患に対する治療法

1. ウイルス感染症
1）ヘルペス性口内炎（herpetic stomatitis，ヘルペス性歯肉口内炎）

単純ヘルペスウイルス（herpes simplex virus；HSV）の初期感染は幼児期における**不顕性感染**が多い．**顕性感染**ではヘルペス性口内炎の病態を呈するが，最近，成人の初感染例が増加傾向にあり重症化しやすい．口腔粘膜に小水疱が出現し，水疱は破れて，びらん・アフタ性潰瘍となるため，痛み，悪臭，発熱などの諸症状を呈する．症状発現後，1～2週間で治癒する．

治療は，重篤な場合には入院下に抗ウイルス薬（**アシクロビル**）の点滴静注，栄養管理が必要である．外来では発症5日以内のアシクロビル，バラシクロビル塩酸塩の内服が効果的である．痛みに対してはNSAIDs，アズノール軟膏塗布，含嗽などが行われる．また，口腔の清潔保持に心がけ，小さなブラシやタフトブラシなどを用いて病変を刺激しないように清掃を行う．摂食障害に対しては十分な水分補給，栄養補給を図る．

2）口唇ヘルペス（herpes labialis）

赤唇部と皮膚の移行部に直径1～3 mmの小水疱が群生し痛みを伴う．紫外線，疲労，ストレスが誘因になる．治療法は抗ウイルス薬含有軟膏を塗布する．水疱はすぐに膿疱化して自潰し，びらん状になり，やがて痂皮に覆われ7～10日で治癒する．

34章 口腔内科治療に用いる薬物

表1 頻用される口腔内科治療薬物
下線を引いた薬物以外は，保険適応外の薬物もあるため，使用時に注意されたい．

口内炎などに用いられる薬物

	種類	一般名（商品名）
内服薬	ステロイド性抗炎症薬	プレドニゾロン（プレドニン） ベタメタゾン（リンデロン）
	漢方薬	<u>半夏瀉心湯</u>，<u>茵蔯蒿湯</u>，<u>黄連解毒湯</u>，<u>黄連湯</u>
	消化性潰瘍治療薬	イルソグラジンマレイン酸塩（ガスロンN錠） レバミピド（ムコスタ錠など）
	白血球減少症治療薬	セファランチン（セファランチン錠，セファランチン末）
	非ステロイド性抗炎症薬	ロキソプロフェンナトリウム水和物（ロキソニン錠など） ジクロフェナクナトリウム（ボルタレン錠など）
	解熱鎮痛薬	アセトアミノフェン（カロナール錠）
	ビタミンA（製剤）	エトレチナート（チガソン）
	ビタミンB_2（製剤）	リボフラビン酪酸エステル（ハイボン）
	ビタミンB_6（製剤）	ピリドキシン塩酸塩（ビタミンB_6錠）
	ビタミンB_{12}（製剤）	メコバラミン（メチコバール）
	ビタミンB_1, B_2, B_6, C, ニコチン酸，パントテン酸（製剤）	混合ビタミン（ワッサーV配合顆粒）
	ビタミンC（製剤）	アスコルビン酸・パントテン酸カルシウム（シナール）
	造血薬（有機鉄製剤）	クエン酸第一鉄ナトリウム（フェロミア） フマル酸第一鉄（フェルムカプセル）
	造血薬（無機鉄製剤）	乾燥硫酸鉄（フェロ・グラデュメット）
	抗プラスミン薬	トラネキサム酸（トランサミン）
	抗ヒスタミン薬	フェキソフェナジン塩酸塩（アレグラ） クロルフェニラミンマレイン酸塩（ポララミン）
	肝臓疾患用剤・アレルギー用薬	グリチルリチン酸-アンモニウム・グリシン・DL-メチオニン配合錠（グリチロン）
	PDE4阻害薬（Behçet病における口腔潰瘍）	アプレミラスト（オテズラ錠）
外用薬	ステロイド性抗炎症薬（軟膏）	<u>トリアムシノロンアセトニド（オルテクサー口腔用軟膏）</u> <u>デキサメタゾン（デキサルチン，アフタゾロン，デルゾン）</u> <u>ヒドロコルチゾン（デスパ，テラ・コートリル）</u>
	消炎・鎮痛・鎮痒（抗炎症，抗潰瘍，創傷治癒促進作用）（軟膏）	<u>ジメチルイソプロピルアズレン（アズノール軟膏）</u> アズレンスルホン酸ナトリウム＋リドカイン塩酸塩（アズノール・キシロカイン混合軟膏）
	消炎・鎮痛・鎮痒薬（免疫抑制作用）（軟膏）	タクロリムス水和物（プロトピック軟膏）
	ステロイド性抗炎症薬（付着型アフタ性口内炎治療薬）	<u>トリアムシノロンアセトニド（アフタッチ貼付錠）</u>
	消炎・鎮痛・鎮痒薬（徐放性製剤）	<u>アズレンスルホン酸ナトリウム水和物（アズノールST錠口腔用，アズレミック）</u>
	消炎・鎮痛・鎮痒薬（含嗽剤）	<u>アズレンスルホン酸ナトリウム水和物（アズノールうがい液，アズノール細粒，アズノール錠，ハチアズレ）</u>
	消炎・鎮痛・鎮痒薬（含嗽剤）	アズレンスルホン酸ナトリウム＋リドカイン塩酸塩＋グリセリン（アズノール・キシロカイン・グリセリン混合含嗽剤）
	消毒薬（含嗽剤）	ポビドンヨード（イソジンガーグル）
	ステロイド性抗炎症薬（含嗽剤）	デキサメタゾン（デカドロンエリキシル）
	ステロイド性抗炎症薬（噴霧剤）	ベクロメタゾンプロピオン酸エステル（サルコート）

口腔カンジダ症に用いられる薬物

	種類	一般名（商品名）
内服薬	抗真菌薬（ポリエン系）	<u>アムホテリシンB</u>（ハリゾン）
	抗真菌薬（トリアゾール系）	<u>イトラコナゾール</u>（イトリゾール，イトラート）

表1 頻用される口腔内科治療薬物（つづき）

	種類	一般名（商品名）
内服＋外用薬	抗真菌薬（トリアゾール系）	イトラコナゾール（イトリゾール）
	抗真菌薬（イミダゾール系）	ミコナゾール（フロリードゲル経口用，オラビ錠） クロトリマゾール（エンペシドトローチ）
外用薬	抗真菌薬（ポリエン系）	アムホテリシンB（ファンギゾンシロップ，ハリゾンシロップ）

ウイルス性疾患に用いられる薬物

	種類	一般名（商品名）
内服薬	抗ウイルス薬	アシクロビル（ゾビラックスなど） バラシクロビル塩酸塩（バルトレックス） ファムシクロビル（ファムビル）
外用薬	抗ウイルス薬（軟膏剤）	アシクロビル（ゾビラックス軟膏など） ビダラビン（アラセナ-A軟膏など）

口腔乾燥症に用いられる薬物

	種類	一般名（商品名）
内服薬	コリン作動薬（口腔乾燥症状改善薬）	セビメリン塩酸塩水和物（サリグレン，エボザック） ピロカルピン塩酸塩（サラジェン）
	漢方薬	白虎加人参湯，麦門冬湯，五苓散
	去痰薬	アンブロキソール塩酸塩（ムコソルバン） ブロムヘキシン塩酸塩（ビソルボン）
外用薬	人工唾液	サリベート（サリベートエアゾール）
	消炎・鎮痛・鎮痒薬（含嗽剤）	アズレンスルホン酸ナトリウム・炭酸水素ナトリウム（含嗽用ハチアズレ）

味覚障害に用いられる薬物

	種類	一般名（商品名）
内服薬	消化性潰瘍治療薬（亜鉛含有胃潰瘍治療薬）	ポラプレジンク（プロマック）
	重金属拮抗薬（低亜鉛血症治療薬）	酢酸亜鉛水和物製剤（ノベルジン）
	漢方薬	小柴胡湯，黄連解毒湯，四逆散，半夏瀉心湯，加味逍遙散，八味地黄丸，補中益気湯，十全大補湯
	抗不安薬	ロフラゼプ酸エチル（メイラックス）
	抗うつ薬（選択的セロトニン再取り込み阻害薬）	パロキセチン塩酸塩水和物（パキシル錠）

神経障害に用いられる薬物

	種類	一般名（商品名）
内服薬 （三叉神経痛）	抗てんかん薬	カルバマゼピン（テグレトール） ガバペンチン（ガバペン） フェニトイン（アレビアチン，ヒダントール）
	中枢性筋弛緩薬	バクロフェン（リオレサール，ギャバロン）
内服薬 （三叉神経感覚障害）	ビタミンB$_{12}$（製剤）	メコバラミン（メチコバール）
	脳循環・代謝改善薬	アデノシン三リン酸二ナトリウム（アデホスコーワ腸溶錠）
	ステロイド性抗炎症薬	プレドニゾロン（プレドニン）

歯科心身症に用いられる薬物

	種類	一般名（商品名）
内服薬 （非定型顔面痛）	末梢性神経障害性疼痛治療薬	プレガバリン（リリカ），ミロガバリンベシル酸塩（タリージェ）
	抗うつ薬（三環系）	アミトリプチリン塩酸塩（トリプタノール）
	非麻薬性鎮痛薬・解熱鎮痛薬	トラマドール塩酸塩/アセトアミノフェン（トラムセット配合錠）
	抗てんかん薬（ベンゾジアゼピン系）	クロナゼパム（リボトリール）

表1 頻用される口腔内科治療薬物（つづき）

内服薬 (舌痛症)	抗うつ薬（三環系）	アミトリプチリン塩酸塩（トリプタノール）
	抗うつ薬（選択的セロトニン再取り込み阻害薬：SSRI）	パロキセチン塩酸塩水和物（パキシル錠） フルボキサミンマレイン酸塩（ルボックス錠，デプロメール錠）
	抗うつ薬（セロトニン・ノルアドレナリン再取り込み阻害薬：SNRI）	デュロキセチン（サインバルタ）
	抗うつ薬（ノルアドレナリン作動性・特異的セロトニン作動性抗うつ薬：NaSSA）	ミルタザピン（レメロン錠，リフレックス錠）
	抗てんかん薬（ベンゾジアゼピン系）	クロナゼパム（リボトリール）
	抗不安薬	ロフラゼプ酸エチル（メイラックス）
	生薬製剤	加工ブシ末（アコニンサン錠）
	漢方薬	立効散，半夏厚朴湯，加味逍遙散，柴朴湯，六君子湯，十全大補湯，補中益気湯，小柴胡湯，黄連解毒湯，五苓散，抑肝散加陳皮半夏，抑肝散，葛根湯

3）帯状疱疹 (herpes zoster)

帯状疱疹は水痘に罹患した後に，脳・脊髄神経節に潜伏したウイルスが後年，何らかの原因で免疫力が低下した際に再活性化（**回帰感染**）し，ある神経の支配領域に一致した皮膚・粘膜に帯状の小水疱を生じる疾患である．顔面では三叉神経の第2枝（上顎神経）か第3枝（下顎神経）に好発する．**Ramsay Hunt症候群**では，顔面や耳部の発疹と疼痛，味覚異常を伴って同側の顔面神経麻痺を生じるが，早期に対応しないと顔面神経麻痺の予後は不良である．

また，後遺症として**帯状疱疹後神経痛**（post herpetic neuralgia；PHN）がしばしば見られ，罹患部皮膚の感覚低下に加え，深部に焼けるような，刺すような痛みを生じる．帯状疱疹と帯状疱疹後神経痛は別々の疾患として扱われてきたが，痛みに関しては帯状疱疹の急性期から慢性期へと移行することから，最近では両者を合わせて**帯状疱疹関連痛**（zoster associated pain；ZAP）と呼ばれる．

治療は可及的に早期に抗ウイルス薬の点滴，内服，軟膏が第1選択である．顔面神経麻痺を伴うものでは，抗ウイルス薬とともにステロイド性抗炎症薬を早期から併用し，症状の軽減を図ることもある．疼痛に関しては，前駆期から急性期は侵害受容性疼痛が主でNSAIDsが選択される．高齢者や胃潰瘍，腎機能障害などの患者には，副作用を考慮して**COX-2阻害薬**が選択される．慢性期に移行し神経障害性疼痛の様相が強い時期には，**プレガバリン**，ミロガバリンベシル酸塩，カルバマゼピンや三環系抗うつ薬が選択される．星状神経節ブロック（stellate ganglion block；SGB）が行われることもある．

2. 口腔カンジダ症 (oral candidiasis)

口腔カンジダ症は，口腔内常在菌である主に *Candida albicans* により引き起こされる内因性の日和見感染症である．患者側の局所的（口腔乾燥，義歯の使用や清掃不良，ステロイド性抗炎症薬の外用など）あるいは全身的防御機構の異常（抗菌薬やステロイド性抗炎症薬，抗腫瘍薬の長期投与，免疫力の低下，加齢，栄養不足など）により感染が成立する．口内に拭い去ることができる白色の偽膜を形成する偽膜性と，偽膜がなく粘膜の発赤と萎縮を特徴とし，口腔乾燥症や義歯性口内炎で認められる萎縮性（紅斑性）に分類される．最近は，赤いカンジダの萎縮性の方が頻度的に多い．ヒリヒリとした舌痛や口の中が苦いと訴える味覚障害（自発性異常味覚）などの自覚症状もこのタイプの方が強く，診断も困難で難治性である．

カンジダ性口角炎では両側（片側のこともある）の口角びらん，潰瘍による口角炎を呈する．偽膜性，紅斑性カンジダ症どちらにも認められる．なお，義歯性口内炎では，義歯床下粘膜に *Candida albicans* のみならず non-albicans である *Candida glabrata* による感染が最近，増加傾向にある．肥厚性カンジダ症は口腔潜在的悪性疾患の1つである．

　診断には臨床症状の出現と，分離培養でカンジダ菌を同定するか，鏡検法で仮性菌糸の存在を証明する．カンジダ菌治療は抗真菌薬を投与するが，使用法を正しく守らないと十分な効果が得られない．ミコナゾールとアムホテリシンBが頻用されている．ミコナゾール，イトラコナゾールは，他の薬剤との相互作用があるため注意が必要である．ミコナゾールの口腔粘膜付着錠（オラビ錠）は1日1回1錠で持続的な抗真菌作用を示す．

3. 口腔扁平苔癬（oral lichen planus；OLP）

　慢性炎症性の角化病変で，白色病変が主要な部分を占める白色型（white type）と紅色病変が主要な部分を占める紅色型（red type）に分けられる．典型像では，両側頬粘膜に網状白斑が見られるが，その他，舌，歯肉，口唇で，両側性，多発性に生じることが多い．

　中年以降の女性に多く，薬物，金属アレルギー，ストレス，C型肝炎ウイルス，GVHD（graft versus host disease）との関連が報告されている．経過中に約1%が癌化することから，口腔扁平苔癬は，WHOにおいても**口腔潜在的悪性疾患**（以前は前癌状態）の1つに分類されている．診断は臨床症状と病理組織学的検査による．全例にカンジダ菌培養が推奨される．びらん・潰瘍型のOLPで通常よりも痛みが強い症例では，カンジダ症の合併を考慮すべきである．

　治療は，カンジダ症合併例ではカンジダ除菌が優先される．ステロイド性抗炎症薬含有軟膏（デキサメタゾン）による局所塗布が一般的である．疼痛の強い場合には，含嗽剤や噴霧剤も使用される．難治例には，タクロリムス水和物軟膏による奏効例も報告されている．タマサキツヅラフジ抽出アルカロイドや漢方の半夏瀉心湯も使われ有効性が報告されている．

4. 皮膚の慢性水疱症

　天疱瘡（pemphigus）と類天疱瘡（pemphigoid）は口腔内に水疱を生じる自己免疫疾患で，初発症状として口腔粘膜に認められる場合もあり，早期の発見が大切である．

　天疱瘡は上皮内の棘融解によって，細胞間の結合が失われ上皮内に水疱を形成する．診断には，接着分子デスモグレインに対する自己抗体である **Dsg1抗体**，**Dsg3抗体** の ELISA（enzyme linked immunosorbent assay）法が有用である．皮膚科との密な連携が必須である．腫瘍随伴性天疱瘡では血液系悪性腫瘍などを合併するため，全身精査が必要である．

　類天疱瘡は，高齢者の女性に多く，棘融解は認められず，表皮下に水疱を形成する．基底膜構成タンパク質（**BP180**，**BP230**，ラミニン）に対する自己抗体が存在する．症状は天疱瘡に類似するが一般に天疱瘡よりも軽く予後もよい．

　天疱瘡，類天疱瘡とも治療はいずれもステロイド性抗炎症薬の全身投与が第1選択になるが，良好な予後のためには口腔ケアが重要である．重症例には，含嗽剤や噴霧剤も使用される．類天疱瘡にはミノサイクリン塩酸塩も使用される．

5. アフタ・再発性アフタ（aphtha）

　アフタは口腔粘膜に発症する有痛性の10mm以下の小円形潰瘍で，日常臨床で最も多く遭遇する口腔粘膜疾患である．孤立性に見られる他，慢性再発性アフタとして再発を繰り返すア

フタもあり，Behçet病（ベーチェット）も視野に入れる必要がある．前駆症状や全身的症状は乏しく，原因も不明である．口唇粘膜，頬粘膜，舌，口底，歯槽粘膜などの非角化口腔粘膜に生じる．Behçet病の部分症状としてほぼ必発であり，また初発症状として最も頻度が高い．

治療は，対症的にアフタの数や発生部位に応じて，ステロイド性抗炎症薬含有軟膏，貼付剤，噴霧剤，含嗽剤を使い分ける．Behçet病の口腔潰瘍に対してPDE4阻害薬アプレミラスト（オテズラ）が保険適用された．

6. 口角炎（angular cheilitis，口角びらん）

口角部の亀裂，びらん，潰瘍または痂皮を形成する非特異的炎症疾患である．カンジダ症以外に，栄養障害（鉄やビタミンB欠乏），口呼吸，咬合高径の低い義歯，黄色ブドウ球菌との混合感染が原因の場合がある．ミコナゾールは局所滞留性がよく，グラム陽性球菌にも効果があるため適している．ジメチルイソプロピルアズレン（アズノール軟膏®）も頻用される．

7. 毛舌（hairy tongue）

舌背の糸状乳頭が著明に延長し角化が亢進し，褐色あるいは黒色の毛が生えた様相を呈する疾患で，黒色の場合は**黒毛舌**と呼ばれる．抗菌薬投与などによる**菌交代現象**で起こる口腔内細菌叢の変化（黒色，褐色の色素を産生する細菌の増殖）が原因と考えられており，カンジダ菌の関与も指摘されている．喫煙，放射線照射，口腔乾燥，消化器疾患，腎障害，糖尿病なども誘因となる．カンジダ菌の感染が確認される場合には，抗真菌薬を用いる．清掃器具で毛舌を物理的に切除することも有効である．誘因の除去・改善とともに口腔内の保清を指導することにより味覚障害などの自覚症状も改善される場合が多い．

8. 白板症（leukoplakia）

口腔粘膜に角化亢進により白斑を生じる臨床的診断名で，摩擦で除去できない白色の板状あるいは斑状病変で，他のいかなる診断可能な疾患にも分類できない．男性が女性の約2倍で，40歳以上の喫煙者に多く，舌，頬粘膜，歯肉に好発する．長期観察では4〜8％程度の悪性化が報告され，代表的な**口腔潜在的悪性疾患**とされており，生検による性状の確認が必要である．まず，禁煙指導し，外科的切除か経過観察をするかのどちらかである．ビタミンAやその誘導体が使われることがあるが悪性化を抑制したという報告はない．

9. 口腔乾燥症（dry mouth，xerostomia）

口腔乾燥症は自覚的あるいは他覚的口腔乾燥症状がある状態を示すが，様々な原因により唾液分泌が減少すると，舌乳頭萎縮，口角炎などの特徴的変化が現れる．症状として口腔乾燥症患者は口腔粘膜・口唇の乾燥感や疼痛，唾液の粘稠感，口腔不快感，味覚異常（酸っぱい，苦い），口臭などを訴えることが多い．他にも多発性齲蝕，歯周病の増悪，舌乳頭の萎縮による平滑舌，口腔粘膜の発赤，口角びらん，口臭，義歯不適合などを認め，さらに乾燥状態が重度で慢性化すると摂食嚥下障害，言語障害，口腔カンジダ症などの多彩な臨床症状を呈し，患者のQOLは低下する．口腔乾燥症に対する薬物は **33章**，**38章**も参照のこと．ピロカルピン塩酸塩，セビメリン塩酸塩水和物の他に白虎加人参湯，麦門冬湯，五苓散などの漢方も有用である．

表2　味覚障害の原因

1) **薬剤性**：薬剤が亜鉛とキレート結合し，体外への排出を促進
2) **特発性**：原因を特定できない味覚障害
3) **亜鉛欠乏性**：食事内容，食品添加物の影響
4) **心因性**：仮面うつ病，神経症など
5) **風味障害（嗅覚障害）**：感冒罹患時の風邪ウイルス
6) **全身性**：腎不全，肝不全，糖尿病，消化器疾患など
7) **口腔疾患**：口腔乾燥症，カンジダ症，舌炎，舌苔など
8) **味覚神経伝導性**：中耳手術，扁桃手術，顔面神経麻痺

10. 味覚障害（dysgeusia）

味覚障害は歯科に深くかかわっている．「味がわからない」「口の中がいつも苦い」など長年苦しんでいた症状が歯科的対応によって改善されることも多い．

1）味覚障害の原因（表2）

味覚障害の原因は従来，亜鉛欠乏の関与が一般に広く知られているが，カンジダ症や鉄欠乏などによる舌炎，口腔内乾燥などの口腔疾患が全体の約4割を占め最も多い．

2）味覚障害の治療

突発性，薬剤性，亜鉛欠乏性に対してポラプレジンク（polaprezinc）の補給によりある程度の効果を示す．酢酸亜鉛水和物製剤（ノベルジン）も歯科で頻用されている．しかし，上記のように味覚障害は亜鉛欠乏以外でも様々な原因で起こる．適切な診断，原因に基づいた治療法を選択しなければならない．口腔疾患の中でもカンジダ性味覚障害では，抗真菌薬を投与し，カンジダ培養とVAS（visual analog scale）で評価する．心因性に対しては，抗不安薬のロフラゼプ酸エチルや抗うつ薬の選択的セロトニン再取り込み阻害薬（selective serotonin reuptake inhibitors；SSRI）のパロキセチン塩酸塩水和物の有効性が報告されている．漢方も日常臨床では使われているが保険適応に注意が必要である．

35章 薬理学 各論

歯内治療に用いる薬物

学修目標とポイント
- 歯内治療における薬物の意義を説明できる．
- 歯内治療に用いる薬物の種類と特徴，使用目的および作用機序を説明できる．

本章のキーワード
歯髄，鎮静，覆髄，根管清掃薬，根管消毒薬，根管充填材，次亜塩素酸ナトリウム，水酸化カルシウム

I 歯内治療と薬物

歯内治療とは，歯の硬組織や歯髄，根尖歯周組織の疾患に対する診断と治療，予防を行い，歯を保存して機能させようというもので，対象となる代表的疾患には，**齲蝕，象牙質知覚過敏症，歯髄炎，根尖性歯周炎**などがある．歯内治療では，象牙質，歯髄，根管，根尖歯周組織に薬剤を作用させるが，象牙質や根管では，直接細胞に接触しないためきわめて高濃度の薬剤が適用される．

II 歯髄鎮痛・鎮静薬

齲蝕などで象牙質が露出すると，歯髄が刺激を受けやすくなり歯髄の知覚が亢進し刺激に対して敏感になる．この状態が持続すると漿液性炎症が生じ，冷水痛や擦過痛など様々な刺激に対する痛みが誘発されるようになる．このような場合に，原因を除去するだけでなく亢進した歯髄の知覚を正常な状態に戻すために窩洞内に使用されるのが，**歯髄鎮痛・鎮静薬**である．いずれの薬剤も歯髄に直接触れると障害を与えるので，象牙質の厚みが極端に薄い場合には慎重に適用すべきである．

1）フェノール（32章［各論］V参照）
(1) フェノールカンフル（カンファーカルボール，CC）

フェノールは強い腐食作用，タンパク質凝固作用があり，鎮痛効果がある．カンフルは知覚鈍麻作用がありフェノールの局所毒性を軽減させる．根管消毒にも使用される．

(2) パラモノクロロフェノールカンフル（CMCP）

パラクロロフェノールにカンフルを加えたもので腐食性と局所鈍麻作用があり，フェノールより殺菌作用が強い．

2）揮発油（32章［各論］VI参照）
(1) ユージノール

チョウジ油から得られるフェノール誘導体で，組織浸透性が優れ殺菌作用も示すが，歯髄への刺激性は小さく鎮痛消炎作用に優れている．酸化亜鉛と練和してセメントとして使用する．セメント硬化後も未反応のユージノールが鎮痛・鎮静作用を示すため，**酸化亜鉛ユージノールセメント**として窩洞の仮封を兼ねて使用されることが多い．

(2) グアヤコール

ブナの木から得られる植物油であるクレオソートからフェノールやクレゾールを除去したもので，殺菌作用はフェノールより低いが毒性が低く優れた鎮痛消炎作用を示す．

III 象牙質知覚過敏症治療薬

象牙質知覚過敏症では，象牙質が露出した部位への冷刺激や擦過刺激により，一過性の痛みが生じる．刺激は象牙細管内液を移動させて象牙芽細胞を刺激することによって痛みを発生させる（**動水力学説**，図1）ことから，治療は象牙細管内液の移動速度を低下させることが目的となる．具体的には，象牙細管の狭小化，象牙細管内容物の変性，神経の鈍麻である．象牙細管を長くすること（修復象牙質の形成促進）も象牙細管内液の移動速度を下げるが，これは覆髄法に分類される．

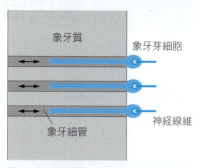

図1　動水力学説
象牙細管内液の移動が象牙芽細胞を刺激して痛みが発生する

1）歯磨剤

歯磨剤に含有されている知覚過敏に有効な成分として，乳酸アルミニウム，硝酸カリウム，シュウ酸カリウムなどがある．乳酸アルミニウムは象牙細管を物理的に閉塞し，硝酸カリウムはカリウムイオンが歯髄への刺激の伝達を阻害する．シュウ酸カリウムには象牙細管の閉塞と刺激伝達抑制の両方の作用がある．これらの成分を含有する歯磨剤は，即効性は低いが日常的に使用されるので持続性が高いが，塩化ストロンチウムは，日本国内では歯磨剤への添加が禁止されている．

2）象牙質コーティング

レジンコーティング材（象牙質ボンディング材），グラスアイオノマーセメントを象牙質面に塗布することで薄膜を形成する．いずれも物理的に象牙細管を閉鎖するので即効性に優れている．

3）バーニッシュ，塗布剤

パラホルムアルデヒドによるバーニッシュは，ホルムアルデヒドガスが象牙細管内に浸透してタンパク質と結合し知覚を鈍麻させるが，短期間で脱落しやすく再発しやすい．フッ化ナトリウムペーストによるバーニッシュは，フッ化カルシウムが生成され象牙細管を封鎖する．フッ化ジアンミン銀溶液の塗布も同様に，不溶性のフッ化カルシウムやリン酸銀の生成で象牙細管を閉鎖する他，銀によるタンパク質の凝固作用で刺激伝達抑制効果もある．脱灰した歯質は黒変するので審美性への配慮が必要である．

フルオロアルミノシリケートガラスとリン酸を混和して塗布することで，象牙細管にフルオロアルミノシリケートガラスを凝集させたり，スルホン酸基を有する共重合体とシュウ酸が同時に歯質のカルシウム成分と化学反応してシュウ酸カルシウム結晶を含む高分子被膜を形成し，歯質表面および象牙細管を閉塞する製品もある（図2）．

IV 覆髄薬

1）間接覆髄法

齲蝕の除去や歯の破折，窩洞形成などで健全な象牙質が菲薄になった場合に，修復象牙質の形成を促進して歯髄への刺激の伝達を減弱し，歯髄を健全に保存するために行われる治療である．齲蝕を除去し歯髄に近接した象牙質面に覆髄薬を塗布し仮封する（図3）．覆髄薬として

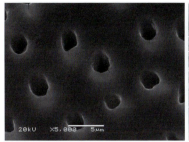

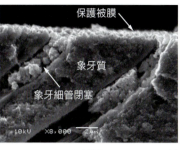

開口した象牙細管　　シュウ酸カルシウム結晶と高分子被膜　　保護被膜形成後の断面

図2　高分子とシュウ酸カルシウムを主成分とした保護被膜の形成前後　　　写真提供：サンメディカル社

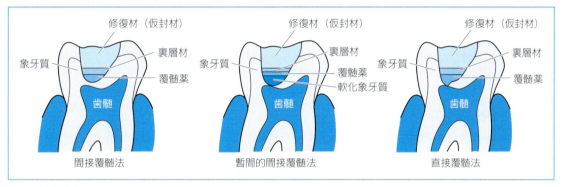

間接覆髄法　　暫間的間接覆髄法　　直接覆髄法

図3　各種覆髄法

用いられるのは，水酸化カルシウム製剤，mineral trioxide aggregate（MTA）セメント，酸化亜鉛ユージノールセメントである．

　水酸化カルシウム製剤は，硬組織誘導作用により象牙質形成を促進する．水酸化カルシウム粉末と水を練和して使用してもよいが，操作性が悪いため練和によって硬化する製品を用いることが多い．

　MTAセメントは，土木建築用のポルトランドセメントを原料としたもので，ケイ酸カルシウム（ケイ酸三カルシウム，ケイ酸二カルシウム）などを主成分としている．水と練和すると水和反応で硬化し，カルシウムイオンの放出が長期間持続して，水酸化カルシウムより高い修復象牙質形成効果が得られる[1]．水酸化物イオンも放出され，強アルカリ性が持続するため抗菌性にも優れている[1]．MTAセメントは操作性が悪く硬化時間が長いのが欠点で，MTAセメントにレジンなどを添加して操作性や硬化速度，封鎖性を向上させた製品もある．

　酸化亜鉛ユージノールセメントは，修復象牙質の形成はあまり促進されないが，鎮痛・鎮静作用があるため歯髄鎮静を兼ねて使用されることがある．

2）暫間的間接覆髄法（非侵襲性歯髄覆罩法）

　軟化象牙質をすべて除去すると歯髄が露出（露髄）して，歯髄の保存が困難になる場合に行われる方法で（図3），意図的に軟化象牙質を残して露髄を避け，3か月以上覆髄薬を貼付して軟化象牙質の再石灰化と修復象牙質形成後に，再石灰化しなかった軟化象牙質を再度除去する[2]．健全歯髄や歯髄充血など，治療によって歯髄の健全性が維持・回復が可能と考えられる症例が適応となる．水酸化カルシウム製剤やタンニン酸・フッ化物配合剤（HY材）が使用される．HY材はタンニンとフッ化物により抗菌作用と軟化象牙質の再石灰化を促進するが，修

復象牙質の形成効果は水酸化カルシウムより低い．

3）直接覆髄法

齲蝕の除去や歯の破折，窩洞形成などで歯髄が露出した場合に，修復象牙質の形成を促進して，歯髄を健全に保存するために行われる治療である（図3）．歯髄は炎症が生じると他の組織に比べて健全な状態に回復することが難しいことから，歯髄がほぼ健全で感染していないことや，歯髄の活性が高い若年者や根未完成歯，露髄面が小さい（直径2mm未満）ことが適応症例とされている．使用される薬剤は水酸化カルシウム製剤とMTAセメントで，MTAセメントの方が治療成績は優れている[2]．

V 生活断髄薬

齲蝕や歯の破折などで歯髄が露出し，すでに感染がある場合，歯髄を一部除去して感染のない健全歯髄を露出させ，歯髄の切断面に**修復象牙質（デンティンブリッジ）**の形成を促進して歯髄を健全な状態で保存する治療法である．歯髄切断面に貼付する薬剤は直接覆髄薬と同様で，水酸化カルシウム製剤とMTAセメントである．

VI 根管の化学的清掃薬

根管内で歯髄が壊死すると酵素によって分解されるが，その分解産物が根尖孔から歯周組織に漏出すると炎症を誘発する．また，齲蝕が歯髄腔に達して根管に細菌が侵入し増殖すると，細菌菌体，毒素，細菌の分解産物などが根尖歯周組織に炎症を誘発する．このような疾患では根管壁を切削しながら根管内の原因物質を機械的に除去すること（根管拡大形成）が治療の基本となる．しかし，根の形態は複雑なため切削器具が到達しない部位が多い．また，根管内に削片が散在したり根管壁に切削片が層状に付着（スミヤー層）したりしている．これらを水洗によりすべて物理的に除去することは不可能であることから[3]，根管清掃薬を用いて化学的効果も併用した化学的清掃が行われる．

1）次亜塩素酸ナトリウム（NaClO, 32章［各論］II-1.参照）

次亜塩素酸ナトリウム水溶液は，根管内のあらゆる微生物を死滅させるのに有効で，2.5〜10%の製品が市販されている．口腔粘膜に付着すると強い刺激性を示し，炎症を惹起する．根尖孔から歯周組織内に溢出すると，激しい痛みや腫脹を起こす．**有機質溶解作用**だけでなく漂白作用も強いため，衣服に付着すると脱色し線維を壊す．次亜塩素酸ナトリウムは有機質との接触で抗微生物効果が著しく低下するため，根管内では頻回の洗浄が必要である．

2）EDTA（ethylenediaminetetraacetic acid）

EDTAはキレート剤で，象牙質のカルシウムイオンと結合してカルシウムキレートを形成することで根管壁を溶解する．3〜18%の溶液が用いられており，スミヤー層を除去することで，その中に存在する細菌を取り除くとともに，象牙細管を開口させて根管消毒薬（**本章VII参照**）の浸透性を高める．

3）過酸化水素（32章［各論］I-1.参照）

過酸化水素（H_2O_2）は細菌や細胞内のカタラーゼで分解されて酸素が気泡となって発生し，この酸素が殺菌作用を示す．したがって，発泡時のみ殺菌性を示すことから持続性はなく，浸透性も弱い．3%過酸化水素水と次亜塩素酸ナトリウムで交互に洗浄する方法（交互洗浄）が古くから行われてきたが，次亜塩素酸ナトリウムの抗微生物効果が過酸化水素によって阻害されるため，交互洗浄は行われなくなった．

表 各根管消毒（貼薬）剤の特徴

	ホルマリン系	パラホルム系	パラクロロフェノール系	グアヤコール系	水酸化カルシウム系
消毒作用	◎	◎	○	△	○
持続性	△	◎	△	△	◎
組織壊死作用	○	◎	○	—	—
鎮痛鎮静作用	△	—	◎	◎	△
治癒促進作用	—	—	—	—	◎

根管消毒薬（根管貼薬）

根管拡大形成や化学的清掃で，根管内の微生物を完全に除去，殺菌することはきわめて困難である．そのために，根管内に消毒薬を貼付して一定期間作用させる根管貼薬が行われる．根管内では高濃度の消毒薬が多用されてきたが，近年はこれらの薬物の毒性が問題視されるようになり，組織親和性のある薬剤が使用されるようになっている．根管消毒薬の効果を発揮させ，口腔内に漏洩させないためには確実な仮封が必須である．根管消毒薬に求められるすべての作用を満たす薬物はないのが現状で（表），臨床症状や根管内の状態に応じて選択することになる．

1）水酸化カルシウム製剤

水酸化カルシウムは最も広く使用されている根管貼薬剤である．強アルカリ性（pH 12.5～12.8）のため，微生物タンパク質の変性，溶解，DNA 破壊が起こり[4]，抗菌作用を示すが，抗菌作用が緩徐なため 1 週間以上の貼薬が必要である．多くの細菌の生存限界が pH 9 以下であるが，*Enterococcus* 属には効果が不十分とされている．また，直接接触している細菌にしか抗菌性を発揮せず，象牙細管への浸透性も低い．抗菌性は長期間持続し 1 か月以上の貼薬が可能である．

有機質溶解性も高く，抜髄後に根管内に残存した歯髄残渣を溶解する作用もある．また，グラム陰性菌のリポ多糖を加水分解して不活化したり，根尖病変内で Ca^{2+} が毛細血管を収縮させて炎症を改善する他，線維芽細胞の増殖促進や硬組織誘導作用によるセメント質や骨形成が生じて治癒が促進される．根尖歯周組織に溢出すると強アルカリ性のため組織障害を起こしたり，血管を物理的に閉塞したりする可能性がある．

水酸化カルシウムは水と練和してペースト状にして用いるが，空気に触れていると二酸化炭素と反応して炭酸カルシウムとなり効果がなくなるため，シリンジに充填されたプレミックスの水酸化カルシウムペーストを用いることが多い．

2）フェノール製剤とフェノール誘導体製剤（32 章［各論］Ⅴ参照）

歯髄鎮痛・鎮静療法に使用されるフェノールカンフル（CC），パラモノクロロフェノールカンフル（CMCP），グアヤコールなどが根管消毒にも用いられる．抗微生物作用は他の根管消毒薬に比較すると弱いが，消炎，鎮痛作用に優れている．

3）アルデヒド製剤（32 章［各論］Ⅳ-3. 参照）

ホルムアルデヒド水溶液（ホルマリン）は強い殺菌力を有し，ほとんどすべての微生物を死滅させる．ペーパーポイントなどに浸潤させて根管内に貼付して仮封すると，根管内でガス化して象牙細管など微細な部位まで殺菌効果が期待できる．**ホルマリン**は組織刺激性が強いため，**クレゾール**のタンパク質凝固作用によりホルマリンの組織深達性，腐食性を抑制して刺激を減

弱させるとともに歯質への浸透性を向上させた**ホルムクレゾール**（FC）が市販されている．さらにエタノールを加えて合剤の分離や粘稠性が増大することを防いでいる．

しかし，細胞毒性，発がん性，変異原性（遺伝毒性）が報告され使用頻度が大きく減少している[5]．根管貼薬後30分で末梢血に検出されるようになり，8時間まで血中濃度が上昇し，48時間後には47％が尿や呼気に排出されるが，全身の臓器にホルマリンが移行することから，ホルマリン製剤の使用を避ける傾向が強い．薬疹などアレルギーの報告もあり，化学物質に過敏な患者には禁忌である．

ホルムアルデヒドの重合体であるパラホルムアルデヒドは，ホルムアルデヒドガスを徐々に発生するためホルムクレゾールに比べて長期安定性があり，作用は緩徐で持続的である．根尖部歯髄の残存に対して固定，消毒を目的として用いられることが多いが，局所刺激性が強く，ペースト状のため除去が難しいこともあり，慎重に使用する必要がある．

4）ヨウ素製剤（32章［各論］Ⅱ-2. 参照）

ヨウ素は広範囲な抗菌スペクトルを有し，細菌だけでなくウイルスや真菌にも有効である．強力な殺菌作用があり拡散性や浸透性に優れ，5分で象牙質1mmまで浸透するとされているが，組織刺激性は強く，過敏症が起こりやすい．エタノールに溶解しカリウムを加えたものがヨードチンキで，グリセリンの刺激緩和作用と硫酸亜鉛の防腐収斂作用を加えたものがヨード・グリセリンである．ヨードホルムは血液成分と接触して分解することでヨウ素を遊離して殺菌作用を示すため持続性がある．ヨードホルムに水酸化カルシウムを添加した製品は乳歯の根管充填にも使用される．

5）抗菌薬

抗菌薬は組織親和性が高く刺激性はないが，根管内には多種多様な微生物が生息しており，すべての微生物を殺菌できないこと，耐性菌が存在することが欠点である．クロラムフェニコールが使用されていたが1979年に根管貼薬の適応が取り消され[6]，市販も中止されている．

　根管充填材

根管充填とは，抜髄や感染根管治療で空洞となった根管を封鎖することである．空洞になった根管を放置すると，細菌などが新たに侵入したり，わずかに残存した細菌が再増殖したりして，根尖性歯周炎を生じる危険性がある．根管充填材は長期にわたって根管の封鎖性が高いこと，操作性がよいこと，根管が正しく封鎖されているかを確認できるようにエックス線造影性などが必要とされる．さらに，根尖部で歯周組織と接するため組織親和性に優れていることも必須である．ガッタパーチャ系根管充填材を主体とし，微細な間隙を封鎖するためのシーラーを併用して根管充填することが一般的である．

1）ガッタパーチャ系根管充填材

ガッタパーチャは樹木から採取した天然ゴムと類似の物質である．1-4トランスポリイソプレンを主体としているが，最多成分は酸化亜鉛で，造影剤やワックス，レジンなどが添加されて物性や軟化温度が調整されている．

2）シーラー

シーラーには，酸化亜鉛ユージノール系，水酸化カルシウム系，レジン系，MTA系などがある．

36章 薬理学 各論

歯周治療に用いる薬物

学修目標とポイント

- プラークコントロールに使用する薬物について説明できる．
- 局所投与抗菌薬について説明できる．
- 歯周組織再生治療薬と材料について説明できる．

本章のキーワード

歯周病原細菌，消毒薬，抗菌薬，濃度，バイオフィルム，歯周組織再生，成長因子

I ― 歯周病と歯周治療の概要

歯周病はデンタルプラーク中の歯周病原細菌により歯肉に炎症が生じ，さらに炎症が拡大すると歯根膜や歯槽骨などの歯周組織が破壊される疾患である（図1）．歯周病の治療は歯周病原細菌を減少，消失させることが基本であるが，特異的に歯周病原細菌を殺菌することはできず，患者自身のブラッシングによってデンタルプラークを除去し，さらに**歯周ポケット**内のプラークをスケーリングやルートプレーニングという治療によって取り除くことで，歯周組織の炎症を改善させる．

しかし，すべての患者がブラッシングで十分にプラークを除去できるとは限らず，感染症に抵抗性の低い患者ではわずかな歯周病原細菌が歯周病の改善を妨げることもある．また，歯周ポケットが深くなっていると歯周ポケット内のプラークをすべて除去することが難しくなるため，歯周外科手術によって歯肉を剝離して，プラークや歯石の除去を行うことが一般的な治療となるが，薬物を使用して細菌を死滅，減少させることもある．薬物を使用する場合には，プラークが**バイオフィルム**であり浮遊している細菌よりはるかに薬剤の効果が低いこと，口腔内の細菌を過剰に殺菌すると真菌が増殖するなど危険性があることなどを理解しておく必要がある．

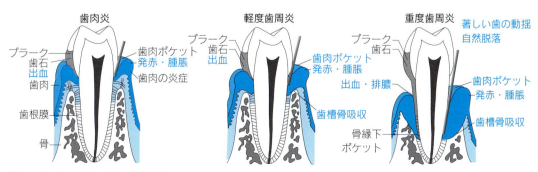

図1 歯周病の症状と歯周組織破壊

表1 各殺菌薬の推奨濃度と規制濃度，副作用

主成分	欧米の推奨濃度（%）	国内規制濃度（%）	副作用
クロルヘキシジングルコン酸塩	0.12〜0.2	0.001	アナフィラキシー，味覚異常
セチルピリジニウム塩化物水和物	0.05〜0.1	0.005〜0.05	刺激感，発疹
ベンゼトニウム塩化物		0.01	過敏症，刺激感
チモール，エポキシ-p-メンタン	―	―	味覚障害，ドライマウス
カミツレチンキ，ラタニアチンキ	―	―	発疹，発赤
ポビドンヨード	0.23〜0.46	0.1	アナフィラキシー，嘔気，びらん

また，原因を完全に除去するだけでは失われた歯周組織は再生しないことから，歯周外科手術時に歯周組織再生を促す薬剤を用いることがある．

洗口剤と歯磨剤

1．主成分

歯周病の予防や治療を目的に洗口剤や歯磨剤に配合される成分には，殺菌薬の他に抗炎症薬，収斂薬などがある．歯周病に効果を発揮するのは主に殺菌薬であり，代表的なものとして，クロルヘキシジングルコン酸塩，セチルピリジニウム塩化物水和物，ベンゼトニウム塩化物，イソプロピルメチルフェノール，チモール，ポビドンヨードの他，ハーブ系などがあげられる（表1）．

クロルヘキシジンは高い殺菌力を有するが，国内規制濃度の0.001%では *A. viscosus*，*P. gingivalis* の浮遊菌にすら抗菌性を示さないとの報告がある[1]．一方，セチルピリジニウムは0.004%でこれらの細菌に効果を示し，0.01%で検出できなくなることから，国内規制濃度でも浮遊菌に対しては効果が期待される．ユーカリなどに含まれるエポキシ-p-メンタン（シネオール）にチモールを配合した洗口剤は，欧米と同様の濃度で国内販売されており高い抗菌性が示されている．ポビドンヨードは強い殺菌力を有し，細菌だけでなくウイルスや真菌にも効果を発揮し，国内規制濃度で *A. viscosus*，*P. gingivalis* の浮遊菌は検出できなくなる．

2．有効性

いずれも歯周病への有効性が示されているが，これらは欧米で推奨されている薬剤濃度（表2）での結果である[2-4]．日本ではきわめて低い濃度に規制されている薬剤が多く（表1），濃度と殺菌力の関係を十分に把握した上で使用すべきである．また，浮遊菌に対する有効濃度と多種類の細菌がバイオフィルムを形成しているプラークに対する効果は大きく異なることも理解して，薬物を選択し，適応症例や使用法を決めなければならない（表3）．

3．副作用

手術後などブラッシングが行えない場合に短期的に用いる場合と異なり，日常のセルフケアとして洗口剤を用いる場合には，長期的に使用することになるため副作用に加えて刺激性や味についても十分な配慮が必要となる[5]（表1）．

表2 欧米推奨濃度による各殺菌薬の有効性

殺菌薬	プラーク抑制率（%）	歯肉炎抑制率（%）
クロルヘキシジングルコン酸塩	22～67	18～39
セチルピリジニウム塩化物水和物	15～42	15～24
チモール，エポキシ-p-メンタン	14～83	14～36

表3 各殺菌薬の特徴

殺菌薬	バイオフィルムへの浸透性	国内規制濃度での浮遊菌への抗菌性	歯面吸着	使用目的
クロルヘキシジングルコン酸塩	―	×	＋	プラーク再付着抑制
セチルピリジニウム塩化物水和物	―	〇	＋	プラーク再付着抑制
チモール，エポキシ-p-メンタン	±	〇	―	プラークの殺菌

III 抗菌薬

1. 抗菌薬の局所適用

1）局所薬物配送システム（local drug delivery system；LDDS）の特徴

　局所投与は経口投与に比べて投与量が少なく，局所に高濃度の抗菌薬を作用させることができ，長期間有効濃度が維持される上に副作用が少なく，腸内細菌への影響もほとんどないことが利点である．歯周病では歯周ポケット内での滞留性と徐放性を高めたLDDSによる抗菌薬投与が行われている．水溶性高分子ゲルでミノサイクリン塩酸塩をマイクロカプセル化して歯周ポケット内に注入する（図2）．水分で高分子ゲルが溶解することでミノサイクリンが溶出されるシステムで，1回の局所投与で主要な歯周病原細菌に対する有効濃度が3～5日間維持される[7]．重篤な副作用の報告はほとんどないが，局所投与であってもミノサイクリンにアレルギーがある場合は禁忌である．

図2 局所薬物配送システム（LDDS）の歯周ポケットへの注入

　歯周ポケットへ抗菌薬を繰り返し投与すると耐性菌の増殖が懸念されるが，テトラサイクリン耐性菌の出現率は，投与前10～30％であったのが7日後には30～60％，25日後には投与前のレベルであったことから，耐性菌の増加には影響しないという報告[8]もある．しかし，耐性菌に関する研究は少なくエビデンスの信頼性は十分とはいえないので，不用意な投与は避けるべきである．

（1）急性症状に対するポケットへの投与

　疼痛や腫脹がある急性症状が発現している時に，ポケット内への局所投与と，ポケット内洗浄およびセフェム系抗菌薬の経口投与の併用とで痛みや腫脹の改善効果を比較した研究によると，局所投与の方が早期に改善が認められている．しかし，強い疼痛や広範囲の腫脹が見られる場合には，抗菌薬の経口投与が推奨されている．

（2）スケーリング・ルートプレーニング後の深いポケットへの投与

　口腔清掃やプラークや歯石を機械的に除去するスケーリング・ルートプレーニング（SRP）

によって，歯周病の原因を歯周ポケット内から除去した後も，歯周ポケットが十分に改善しないことがある．このような部位に週1回で4回投与し，さらに効果が不十分な場合には1か月間延長して使用することで，歯周ポケットの改善効果が得られている．

2) その他の局所投与薬

抗菌作用のある薬物と抗炎症作用のある薬物を組み合わせて軟膏とした製品が数種類ある．テトラサイクリン塩酸塩とエピジヒドロコレステリンや，ヒノキチオールとヒドロコルチゾン酢酸エステルおよびアミノ安息香酸エチル，セチルピリジニウムとグリチルリチン酸二カリウムなどである．いずれも歯肉への塗布が1日数回必要であり，疼痛や腫脹などの症状緩和を目的として使用される．

2．経口抗菌薬

(1) 急性症状や菌血症予防に対する投与

歯周炎で疼痛が強く広範囲に腫脹している場合には，抗菌薬の経口投与が行われる．アモキシシリン水和物やアモキシシリン・クラブラン酸カリウムが第一選択とされており，症状に応じて3〜7日間投与される．スケーリング・ルートプレーニングや歯周外科手術，抜歯などを行うと，口腔内細菌が血液中に侵入して菌血症を生じる．健常者では血液中に侵入した細菌は免疫により短時間のうちに排除されるが，心臓弁膜症患者や人工心臓弁が入っている患者では心内膜炎を起こす危険性があり，患者によっては術前からの抗菌薬投与が推奨される．この場合の第一選択薬も，アモキシシリンやアモキシシリン・クラブラン酸である．

(2) スケーリング・ルートプレーニング時の投与

スケーリング・ルートプレーニング後に抗菌薬の経口投与を行うと，歯周炎がより改善されるとの報告はあるが，使用期間が長く大量であることなどから，日本歯周病学会のガイドライン[9]では繰り返し抗菌薬を経口投与しないことを推奨している．

(3) 侵襲性および重度歯周炎での投与

重度で広汎に歯周炎が進行している場合には，SRPに抗菌薬の経口投与を併用することにより，歯周ポケットの改善や歯周病原細菌の抑制に有効との報告があるが，エビデンスレベルは高いとはいえない．全身的に感染に対する抵抗性が低く，深い歯周ポケットが多く，毒性の高い歯周病原細菌がポケット内から大量に検出された場合に限って投与が勧められる[9]．

Ⅳ 歯周組織再生に用いられる薬物と材料

1) トラフェルミン

トラフェルミンは遺伝子組換えヒト塩基性線維芽細胞成長因子（FGF-2）で，歯周組織再生剤として販売されている．手術時に骨欠損内を本剤で満たして歯肉弁を縫合することで，欠損部に血管や未分化間葉細胞の増殖を促進させて，歯根膜や歯槽骨を再生させる（図3）．

2) エナメルマトリックスタンパク質

エナメルマトリックスタンパク質は，**幼若ブタ歯胚組織**から抽出・精製したエナメルマトリックスタンパク質で，**アメロジェニン**の他にも多くの成長因子を含んでいる．手術時に根面に塗布することで，間葉系細胞が欠損部に誘導され，誘導された間葉系細胞から様々な成長因子が放出されて再生に必要な細胞の増殖や分化を促進する．また，上皮組織に対しては増殖抑制効果がある．

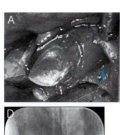
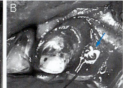
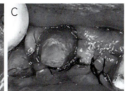
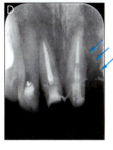
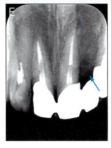

図3 FGF-2製剤による歯周組織再生療法
A：手術時．$\underline{1}$遠心に垂直性骨欠損（矢印）
B：骨欠損部にFGF-2製剤注入（矢印）
C：縫合後
D：術前エックス線写真．$\underline{1}$遠心に垂直性骨欠損（矢印）
E：手術3年後．矢印部まで骨再生

3) 人工骨

ヒドロキシアパタイト $Ca_{10}(PO_4)_6(OH)_2$ や β-リン酸三カルシウム $Ca_3(PO_4)_2$，炭酸アパタイト $CO_3Ap：Ca_{10}-a(PO_4)_6-b(CO_3)c$ が歯周組織欠損部に移植する人工骨として使用されている．これらの人工骨は単独で使用しても歯根膜やセメント質の再生にあまり効果がないという報告もあり，手術後に骨欠損部の歯肉が陥凹するのを避ける目的で使用したり，FGF-2製剤などと併用することが多い．

36章 歯周治療に用いられる薬物

　歯科医師国家試験出題基準（令和5年版）では，歯科医学各論の「歯周疾患，歯周疾患の治療」に「薬物療法」を挙げている．実際の歯科医師国家試験では，歯周ポケットに投与する抗菌薬の作用機序に関して出題されている．

37章 薬理学 各論

齲蝕予防薬

学修目標とポイント
- フッ化物による齲蝕予防効果の機序を説明できる．
- 臨床応用および齲蝕予防薬について説明できる．
- フッ化物の過剰摂取による影響を説明できる．

本章のキーワード
フッ化物，齲蝕予防，フッ化ナトリウム，歯のフッ素症

I──フッ化物とは

　フッ素（fluorine）はハロゲン族に分類される元素の1つである．陰イオンの状態にあるものを**フッ化物イオン**（fluoride ion）といい，フッ化物イオンが含まれるイオン性化合物のことを**フッ化物**（fluoride）と呼ぶ．一般的に自然界では，フッ素は単体ではなくフッ化物として存在している．一方，人工的に合成したフロンガスやフッ素樹脂など，炭素とフッ素が共有結合をもつ化合物はフッ素化合物（fluoro compound）という．

II──フッ化物による齲蝕予防

1．齲蝕予防の機序

　フッ化物の齲蝕予防効果は，米国における飲料水中のフッ化物イオン濃度と口腔保健に関する疫学調査によって明らかにされた．これにより，フッ化物による齲蝕予防が行われるようになった．

　フッ化物による齲蝕予防の機序には，歯質に対する効果と齲蝕原性細菌に対する効果があることが知られている．エナメル質を構成する**ヒドロキシアパタイト** $Ca_{10}(PO_4)_6(OH)_2$ はフッ化物が存在すると，水酸化物イオンとフッ化物イオンの置換反応により**フルオロアパタイト** $Ca_{10}(PO_4)_6F_2$ に変換される．フルオロアパタイトはヒドロキシアパタイトと比べて酸に対する溶解性が低く，エナメル質の耐酸性が増加する．また，エナメル質表層ではpHの変動に伴って脱灰と再石灰化が繰り返されるが，フッ化物イオンは脱灰された部分の再石灰化を促進する働きがある．これらの作用により，歯質に齲蝕抵抗性が付与される．

　さらに，齲蝕原性細菌の菌体内においてフッ化物イオンが解糖系酵素（エノラーゼ）の活性を阻害し，糖代謝による酸産生を抑制する．これによりプラークのpH低下を防ぎ，齲蝕予防効果を示す．

表 フッ化物の臨床応用

臨床応用	使用されるフッ化物	使用濃度
フッ化物歯面塗布剤 (医薬品)	フッ化ナトリウム	2%溶液 (フッ化物イオン濃度 9,000 ppm)
フッ化物洗口剤 (医薬品)	フッ化ナトリウム	週1回法：0.2%溶液 (フッ化物イオン濃度 900 ppm) 毎日法：0.05〜0.1%溶液 (フッ化物イオン濃度 225〜450 ppm)
フッ化物配合歯磨剤 (医薬部外品)	フッ化ナトリウム フッ化第一スズ モノフルオロリン酸ナトリウム	フッ化物イオン濃度の上限 1,500 ppm

2. フッ化物の臨床応用

フッ化物を用いる方法には，経口的に摂取する全身応用と口腔内に適用する局所応用とがある．全身応用には，水道水中へのフッ化物添加（water fluoridation），フッ化物錠剤やフッ化物添加食塩の摂取などの方法があるが，現在の日本では全身応用は普及していない．局所応用にはフッ化物歯面塗布法，フッ化物洗口法，フッ化物配合歯磨剤の使用などがある（表）．

1）フッ化物歯面塗布剤

フッ化物歯面塗布は歯科医師や歯科衛生士が行う．歯面塗布法には2%**フッ化ナトリウム**（フッ化物イオン濃度 9,000 ppm）が用いられる．また，フッ化物イオンの歯質への取り込みを向上させるためにリン酸を加えて酸性にしたものをリン酸酸性フッ化ナトリウムとも呼ぶ．一般的な塗布方法（綿球法）では，①歯面の清掃，②防湿・乾燥，③薬液の塗布（塗布後約30分間は洗口させない）の手順で行う．その他，歯列に適合したトレーを用いるトレー法などがある．歯面塗布剤にはフルオール液歯科用2%®，フルオール・ゼリー歯科用2%®，バトラーフローデンフォームN®，バトラーフローデンフォームA酸性2%®，弗化ナトリウム液「ネオ」®がある．

2）フッ化物洗口剤

洗口法には，毎日法と週1回法がある．毎日法は0.05〜0.1%フッ化ナトリウム（フッ化物イオン濃度 225〜450 ppm），週1回法では0.2%フッ化ナトリウム（フッ化物イオン濃度 900 ppm）を用いる．洗口剤にはオラブリス洗口用顆粒11%®，ミラノール顆粒11%®，オラブリス洗口液0.2%®，バトラーF洗口液0.1%®，フッ化ナトリウム洗口液0.1%【ライオン】®，フッ化ナトリウム洗口液0.1%「ビーブランド」®，フッ化ナトリウム洗口液0.1%「ジーシー」®がある．

3）フッ化物配合歯磨剤

フッ化物イオン濃度 1,500 ppm を上限としてフッ化物が配合された歯磨剤であり，医薬部外品に分類される．フッ化ナトリウムの他，フッ化第一スズ，モノフルオロリン酸ナトリウムが用いられ，成分表示の薬用成分の欄に記載されている．

フッ化物の過剰摂取による影響

1. 急性中毒

一度に大量のフッ化物を摂取すると，急性中毒を起こす可能性がある．中毒量は文献により幅が見られるが，Whitford が提唱した即時に治療または入院を必要とする推定中毒量（PTD；probably toxic dose）は体重 1 kg あたりフッ素量 5 mg となっている．急性中毒では悪心，嘔吐，腹痛，下痢などの胃腸症状が現れる．通常，フッ化物の歯面塗布法や洗口法で過剰摂取になることはないが，小児によるフッ化物配合歯磨剤の誤飲・誤食などは急性中毒を起こす危険性がある．誤って大量のフッ化物を摂取して急性中毒症状を起こした場合には，牛乳，グルコン酸カルシウム水和物などのカルシウム剤を服用させ，医療機関を受診させる対応が必要である．

2. 慢性毒性

一定量以上のフッ化物を長期間にわたり摂取すると，**歯のフッ素症**（dental fluorosis）や**骨フッ素症**（skeletal fluorosis）といった慢性中毒症を発症することが知られている．

歯のフッ素症とは，白斑や褐色斑を特徴とするエナメル質形成不全のことをいう．歯の形成時期において過剰なフッ化物がエナメル芽細胞の機能を阻害し，エナメル質の石灰化不全を引き起こすと考えられている．飲料水中のフッ化物イオン濃度が 1.2 ppm を超えるあたりから軽度の歯のフッ素症が現れはじめ，1.8 ppm 以上では審美的に問題となる中等度（歯面全体の白濁および褐色斑が見られる状態）以上の症状が発現することがわかっている．ちなみにわが国では，水道水のフッ化物濃度は 0.8 ppm 以下と規定されている．

骨フッ素症とは，全身性の骨硬化，関節硬直，靱帯内の石灰化などが生じた状態をいう．熱帯地方や乾燥地帯のフッ化物濃度が著しく高い飲料水（4〜8 ppm 以上）を利用している地域で発症が報告されている．

37章 齲蝕予防薬

歯科医師国家試験出題基準（令和5年版）では，歯科医学総論の「薬物療法，疾患に応じた薬物療法」に「齲蝕予防薬」を挙げている．実際の歯科医師国家試験では，フッ化物などに関して出題されている．

38章 薬理学 各論

和漢薬（漢方薬）

学修目標とポイント

- 生薬および和漢薬（漢方薬）の副作用，有害作用を説明できる．
- 和漢薬と西洋薬との相互作用を説明できる．
- 和漢薬適用上の注意を説明できる．
- 全身疾患で頻用される和漢薬を概説できる．
- 歯科で保険適応の和漢薬 13 種類の特徴を概説できる．

本章のキーワード

漢方，和漢薬（漢方薬），生薬，副作用，有害作用，相互作用，歯科適応

I ― 漢方とは

　漢方は，中国大陸を示す「漢」と方技すなわち，医学を示す「方」からなる言葉である．江戸時代後期にオランダから伝わってきた新しい医学と，その当時まで日本に普及していた中国伝来の医学を区別するために，前者を「蘭方」，後者を「漢方」と呼ぶようになった．

　漢方は，中国から伝来してきた医学を基に日本で独自に発展してきたものであるが，中国医学の三大古典である『黄帝内経』，『神農本草経』，『傷寒雑病論』が，基礎となっている．『黄帝内経』は，『素問』と『霊枢』の 2 部からなり，『素問』は，生理，病理に関する記載が中心で，『霊枢』は，鍼灸に関する記載が中心に論じられている．『神農本草経』は，動・植・鉱物 365 種類の生薬に関する薬効について記した薬物学書である．

　『傷寒雑病論』は，張仲景によって治療薬について系統的に著されたもので，『傷寒論』と『金匱要略』からなり，漢方の最も重要な基盤となった書物である．『傷寒論』は，急性熱性病の病態とそれに応じた治療法について論じ，各病証に対応した処方をまとめたもので，葛根湯や麻黄湯など 113 方剤が収載されている．『金匱要略』は，慢性疾患を含めた様々な疾患に対する治療法について，症状別に整理し対応した処方をまとめたもので，八味地黄丸，桂枝茯苓丸，当帰芍薬散など 262 方剤が収載されている．

漢方の特徴

1．和漢薬の構成

　和漢薬は 2 種類以上の**生薬**（自然界に存在する動・植・鉱物由来のもので，薬効があるとされているもの）を組み合わせた複合剤である．このため，同じ薬理作用をもった生薬の複合によりその作用が増強したり，異なる薬理作用をもった生薬の複合により複数の愁訴や病態に効果を示すことがある．また，生薬そのものがもつ特有の副作用・有害作用により，それらを含有する和漢薬では，共通の副作用・有害作用が認められることがある．

2. 漢方の診断および治療法

西洋医学は身体所見,血液検査,画像検査などの検査所見を基に病名が決定され,その診断された病名に対して,治療が行われる.一方,漢方では,望診(体格,顔色,皮膚,爪,舌[*1]などを診る),聞診(患者の声,咳などの音を聞く,口臭などのにおいを嗅ぐ),問診,切診(脈の状態を診る脈診や腹部の状態を診る腹診)からなる四診を基に病名ではなく証(患者がその時点で表している病態を総合したもの)を決定(弁証)して,それに基づいて,治療方針を決定する(弁証論治)[*2].この治療は証に基づいて行われるので,随証治療と呼ぶ.

西洋医学的には異なる疾患であっても,証が同じであれば,同じ和漢薬が処方される(異病同治).例えば,過敏性腸症候群(下痢型),逆流性食道炎,口内炎と異なった疾患であっても,半夏瀉心湯が処方されることがある.一方,同じ疾患であっても,証が異なることもあり,用いられる和漢薬も異なってくる(同病異治).例えば,同じ感冒の初期であっても,発汗が見られ,項頸部の凝りもない場合は桂枝湯を,ほとんど発汗が見られず,項頸部の凝りがある場合は葛根湯が用いられる.

3. 証を決定するための概念

和漢薬を処方する上で,証を決定することは重要なことであり,証を決定する際に,八綱(陰陽,表裏,寒熱,虚実)弁証,気血津液弁証,臓腑弁証,六経弁証などの概念が用いられる.

1) 八綱弁証

八綱弁証では,陰陽,表裏,寒熱,虚実の概念を基に証を決定する.陰陽は,表裏,寒熱,虚実を総合的に捉えた概念であり,表裏,寒熱,虚実は,「表熱」,「裏寒」などのように組み合わせて用いることが多い.

(1) 陰・陽

非活動性,沈降性,寒性の病態を「陰証」,活動性,発揚性,熱性の病態を「陽証」という.

(2) 表・裏

生体内における病巣の位置を表現する場合に必要となる概念で,生体の表層部を「表」,生体の内部を「裏」,肺や気管支などはその中間に位置すると考え,「半表半裏」と定義する.

(3) 寒・熱

新陳代謝の低下,冷えている状態を「寒」,新陳代謝の亢進,熱くなっている状態を「熱」と表現する.

(4) 虚・実

気,血,水などが不足しているのが「虚」,それらが過剰になっているのが「実」と表現する.

2) 気血津液弁証

気血津液弁証では,気,血,津液(水)の状態や機能を基に証を決定する.

(1) 気

気は,臓腑や血を動かすエネルギーのような役割を果たしている.例えば,気の不足(気虚)により病気が発症したと考えられる場合には,人参,黄耆などの気を補う補気作用のある生薬を含有している四君子湯や補中益気湯などが用いられる.

[*1] 舌の形態,色および舌苔の色,量などを診るのを舌診と呼び,診断する上で重要とされている.

[*2] 日本の漢方では,中医学と異なり,証の決定とともに自動的に治療に用いる和漢薬が決定される方証相対という治療システムが広く行われている.

(2) 血

血は，全身に栄養を送る役割を果たしている．例えば，血の不足（血虚）により病気が発症したと考えられる場合には，当帰，芍薬，地黄などの血を補う補血作用のある生薬が含有されている四物湯などが用いられる．

(3) 水

水は，体内を潤す働きと冷やす働きがある．例えば，水の流れが悪くなり停滞（水毒あるいは水滞）により病気が発症したと考えられる場合には，茯苓，沢瀉，蒼朮（白朮），猪苓などの水の流れを改善する利水作用のある生薬が含有されている五苓散などが用いられる．

3）臓腑弁証

臓は，肝，心，脾，肺，腎の5つからなり，腑は，胆，小腸，胃，大腸，膀胱，三焦の6つからなり，これらを合わせて五臓六腑という．臓腑弁証では，五臓六腑の病態を基に証を決定する．

4）六経弁証

傷寒論に記載された概念で，太陽病，少陽病，陽明病，太陰病，少陰病，厥陰病の6つのステージに分けて，病気がどのステージにあるのかで証を決定する．

Ⅲ 生薬および和漢薬の副作用・有害作用

1．単一生薬の副作用・有害作用

和漢薬は，2種類以上の生薬を組み合わせた複合剤であるため，配合されている生薬そのものがもつ副作用や有害作用により，それらの作用が生じることがある．

1）甘草

甘草の主成分であるグリチルリチン酸は，生体内でグリチルレチン酸になる．グリチルレチン酸はコルチゾールからコルチゾンへ代謝させる酵素（11β-水酸基ステロイド脱水素酵素Ⅱ）の活性を阻害するので，甘草を含有する和漢薬の服用により，代謝されず過剰になったコルチゾールが，腎臓の尿細管上皮細胞にある鉱質コルチコイド受容体に作用して，カリウムイオンの排泄とナトリウムイオンの再吸収を促進させる．その結果，低カリウム血症，高ナトリウム血症，血圧上昇，浮腫など，あたかもアルドステロンが過剰になって起こるような症状が認められる偽アルドステロン症を発症することがある．

甘草は漢方エキス製剤の全体の約7割に含有されていて，特にその含有量の多いものは，偽アルドステロン症，ミオパチーの出現に注意を払うとともに，甘草を含有する製剤同士の併用には特に注意が必要である．また，1日量として甘草を2.5g以上含む方剤はアルドステロン症，ミオパチー，低カリウム血症の患者には禁忌であり，歯科適応のある和漢薬では，半夏瀉心湯，黄連湯，排膿散及湯，芍薬甘草湯などが該当する．

2）麻黄

麻黄の主成分であるエフェドリンは，アドレナリンα，β受容体への直接作用および神経終末におけるノルアドレナリンの遊離促進作用をもつので交感神経を興奮させる．その結果，血圧上昇，頻脈，動悸，発汗過多をきたすことがある．したがって，虚血性心疾患のある患者，またはその既往のある患者，重度の高血圧症の患者，甲状腺機能亢進症の患者には，麻黄を含有する和漢薬を慎重に投与する必要がある．

3）附子

附子にはアコニチン，メサコニンなどのアコニットアルカロイドが含まれていて，鎮痛作用

をもつ一方で毒性も強いので，附子中毒と呼ばれる舌のしびれ，動悸，悪心，嘔吐などの症状が現れることがある．このため，附子を含有する和漢薬の多くは劇薬に指定されている．しかし，医療用漢方製剤は，加圧加熱処理などによる減毒加工がされていて，常用量を用いる限りは附子中毒が起こる危険性はほとんどない．

4) 大黄
大黄に含有されるセンノシド類には主作用として瀉下作用があるため，副作用として下痢や腹痛などの症状が現れることがある．

5) 山梔子
山梔子の主成分であるゲニポシドの長期投与により，大腸の色素異常，大腸壁内から腸間膜にかけての静脈の石灰化を伴う腸間膜静脈硬化症になる危険性が指摘されている[1]．このため，加味逍遙散，黄連解毒湯，茵蔯蒿湯などの山梔子が含有されている和漢薬の添付文書には，重大な副作用として腸間膜静脈硬化症が現れることがあると記載されている．

2．和漢薬の副作用・有害作用

1) 間質性肺炎
1996年，小柴胡湯による間質性肺炎の死亡例が報告され，緊急安全性情報が出された．現在，小柴胡湯の他，半夏瀉心湯，黄連解毒湯，柴苓湯，芍薬甘草湯，麦門冬湯，補中益気湯など30種類の和漢薬で，重大な副作用として間質性肺炎が現れると添付文書に記載されている．小柴胡湯は間質性肝炎の発生リスクを高める危険性があることより，インターフェロン製剤を投与中の患者，肝硬変，肝癌の患者，慢性肝炎における肝機能障害で血小板数が10万/mm^{3}以下の患者への使用は禁忌である．

2) 薬剤性肝機能障害
柴胡剤などの黄芩を含有する和漢薬での発症が多く報告されているが，葛根湯や桂枝茯苓丸などの黄芩を含有しないものでも報告がある．

3) 薬疹
薬疹はほとんどの和漢薬で起こる可能性はあるが，特に桂皮あるいは地黄を含有する和漢薬で生じやすい．

4) 消化器症状
麻黄，地黄，当帰，川芎を含有する和漢薬で，胃部不快感，悪心，食欲不振などの症状が生じることがある．

5) 膀胱炎症状
小柴胡湯，柴朴湯，柴苓湯などの服用で，排尿痛，頻尿，血尿，残尿感などの膀胱炎症状が現れることがある．

Ⅳ ― 和漢薬と西洋薬との相互作用

和漢薬と西洋薬との相互作用により，西洋薬の薬効が増加したり低下したりすることがある．また，西洋薬の併用により，和漢薬のもつ有害作用が増強することもある．

1) 甘草含有漢方製剤
甘草はカリウムイオンの排泄促進作用をもつため，カリウムイオンの尿中排泄量を増加させるループ利尿薬やチアジド系利尿薬との併用により，さらなる血清カリウムの低下をもたらす危険性がある．

2) 麻黄含有漢方製剤

麻黄にはエフェドリンが含有されているため，エフェドリン類含有製剤，MAO阻害薬，カテコラミン製剤，甲状腺ホルモン製剤などの併用により交感神経刺激作用が増強されるため，併用する際には注意が必要である．

3) 小柴胡湯

インターフェロン製剤の併用により，間質性肺炎や肝機能障害を起こす危険性を高めるため，併用禁忌である．

4) カルシウムイオンを多く含有する漢方製剤

テトラサイクリン系抗菌薬やニューキノロン系抗菌薬は，カルシウムイオンと難溶性のキレートを形成する．その結果，抗菌薬の消化管からの吸収が阻害されるので，石膏，竜骨，牡蠣などのカルシウムイオンを多く含有する漢方製剤の併用は，これらの抗菌薬の作用を減弱する．

5) タンニンを多く含有する漢方製剤

タンニンは鉄と結合しやすいので，桂皮や芍薬などのタンニンを含む漢方製剤と鉄剤との併用で，これらの製剤の吸収が阻害されることがある．

Ⅴ ― 和漢薬適用上の注意

1) 妊婦や授乳婦に投与する際の注意点

医療用漢方製剤の添付文書には，「妊娠中の投与に関する安全性は確立していないので，妊娠または妊娠している可能性のある婦人には，治療上の有益性が危険性を上回ると判断される場合にのみ投与すること」と記載されている．特に，妊娠初期は，大黄，芒硝などの瀉下薬や桃仁，牡丹皮，紅花，牛膝などの駆瘀血薬の服用により流早産の危険性があるので慎重に投与する．また，大黄中の成分のアントラキノン類や麻黄中の成分のエフェドリンは母乳に移行しやすいため，乳児に下痢や興奮症状の影響を起こす可能性があり，これらを含む製剤を投与する際には注意を払う．

2) 小児に投与する際の注意点

医療用漢方製剤の添付文書には，「小児等に対する安全性は確立していない」と記載されている．小児は成人に比べて薬物に対する感受性が高いので，西洋薬と同様に年齢に応じて減量して投与する．また，附子を含有する漢方製剤は特に慎重に投与する．

3) 高齢者に投与する際の注意点

肝機能や腎機能が低下しているため，減量するなどの注意を払う．

Ⅵ ― 全身疾患で頻用される和漢薬

一般的に全身疾患には，西洋薬が第一選択として薬物療法に用いられ，和漢薬は補助的に用いられることが多い．しかし，一部の疾患に関しては，和漢薬が積極的に用いられることがある．例えば，かぜ症候群（急性上気道炎）などの呼吸器疾患，過敏性腸症候群などの消化器疾患，更年期障害などの産婦人科領域疾患，尿路不定愁訴などの泌尿器疾患である．本項では，和漢薬が積極的に用いられる疾患について述べる．

1. 呼吸器疾患
1）かぜ症候群（急性上気道炎）

　かぜ症候群には，葛根湯，麻黄湯，小青竜湯などが用いられる．これらの和漢薬には，発汗促進作用をもつ麻黄や桂皮が含まれている．葛根湯は，葛根，麻黄，大棗，桂皮，芍薬，甘草，生姜から構成され，悪寒があり，発汗の見られない感冒の初期に用いると効果的であるとされている．葛根湯の構成生薬である芍薬や甘草には，鎮痙，鎮痛作用があり，葛根には，筋肉の凝りを緩和する効果がある．

　麻黄湯は，麻黄，杏仁，桂皮，甘草から構成され，葛根湯と同様に，感冒の初期に用いると効果的とされている．小青竜湯は，麻黄，芍薬，乾姜，甘草，桂皮，細辛，五味子，半夏から構成され，鼻汁，くしゃみを伴うかぜに効果があるとされている．また，小青竜湯は，花粉症やアレルギー性鼻炎にもよく用いられる．

　これらの和漢薬には麻黄が含有されているので，エフェドリン類含有製剤，MAO阻害薬，カテコラミン製剤，甲状腺ホルモン製剤などと併用する際には注意が必要である．また，甘草も含有されているので，偽アルドステロン症，ミオパチーの出現に注意を払う．特に，小青竜湯に含有する甘草の量は多いため（甘草3.0 g/1日量），アルドステロン症，ミオパチー，低カリウム血症の患者には禁忌である．

2）気管支炎

　気管支炎には麦門冬湯などが用いられる．麦門冬湯は，麦門冬，半夏，粳米，大棗，人参，甘草から構成されていて，麦門冬には鎮咳作用があるため，むせるような乾性の咳に効果があるとされている[2]．麦門冬湯は甘草を含有しているので，偽アルドステロン症，ミオパチーの出現に注意を払う．

2. 消化器疾患
1）胃炎

　器質的異常がない胃炎，胃下垂，食欲不振，胃もたれなどには，六君子湯，半夏瀉心湯，安中散などが用いられる．

　六君子湯は，人参，白朮（蒼朮），茯苓，半夏，陳皮，大棗，甘草，生姜から構成され，半夏瀉心湯は，半夏，黄芩，乾姜，甘草，大棗，人参，黄連から構成される．どちらの和漢薬にも脾胃の補気作用があり，胃腸の機能を整える人参，甘草，大棗と，嘔気を抑える作用のある半夏が含有されている．安中散は，桂皮，延胡索，牡蠣，茴香，縮砂，甘草，良姜から構成され，神経性の胃炎，胃痛に用いられる．構成生薬である桂皮，茴香，縮砂，良姜には，脾胃を温める作用があり，延胡索には，肝気の流れを改善する作用があり，さらに牡蠣には胃酸中和作用があるので，安中散は胃痛を緩和する作用をもつ[3]．

　これらの和漢薬には甘草が含有されているので，偽アルドステロン症，ミオパチーの出現に注意を払う．また，安中散には牡蠣が含有されているため，テトラサイクリン系抗菌薬やニューキノロン系抗菌薬との相互作用に注意が必要である．

2）便秘

　便秘には，麻子仁丸，桂枝加芍薬大黄湯などが用いられる．麻子仁丸は，麻子仁，大黄，枳実，杏仁，厚朴，芍薬から構成され，桂枝加芍薬大黄湯は，桂皮，芍薬，大黄，大棗，甘草，生姜から構成される．どちらの和漢薬にも，瀉下作用をもつ大黄が含有されている．桂枝加芍薬大黄湯には甘草が含有されているので，偽アルドステロン症，ミオパチーの出現に注

意を払う．

3) 過敏性腸症候群

過敏性腸症候群は，炎症，潰瘍などの器質的異常が認められないにもかかわらず，慢性的に腹部膨満感があったり腹痛を生じたり，下痢，便秘などの便通の異常を感じる症候群であり，桂枝加芍薬湯，小建中湯，大建中湯などが用いられる．

桂枝加芍薬湯は，桂皮，芍薬，大棗，甘草，生姜から構成され，大棗，甘草，生姜には，脾胃の補気作用があり，胃腸の機能を整える．桂皮，生姜には，冷えた脾を温め，その機能を高めることで消化機能を正常化する働きがあり，芍薬，甘草には鎮痙，鎮痛作用がある．小建中湯は，桂枝加芍薬湯に脾胃の補気作用がある膠飴を加えたもので，高齢者や虚弱体質の患者に用いられる．また，小建中湯は，夜尿症，夜泣きの改善の目的に小児に用いられることもある．

桂枝加芍薬湯，小建中湯ともに，甘草が含有されているので，偽アルドステロン症，ミオパチーの出現に注意を払う．大建中湯は，山椒，乾姜，人参，膠飴から構成され，山椒，乾姜には，冷えた脾胃を温める作用があり，人参，膠飴には，補気作用があるので，脾胃の機能が高まり消化機能を正常化する．

3. 産婦人科領域疾患

1) 更年期障害

更年期障害には，加味逍遙散などが用いられる．加味逍遙散は，当帰，芍薬，白朮（蒼朮），茯苓，柴胡，牡丹皮，山梔子，甘草，生姜，薄荷から構成される．更年期障害は，ストレスにより自律神経系や情緒をコントロールしているとされる肝の気血の流れが悪くなったり，肝が発熱することで現れることがあると考えられていて，加味逍遙散の構成生薬である当帰，柴胡，薄荷による肝の気血の流れの改善作用と，牡丹皮，山梔子による肝の熱を冷やす作用により，イライラ，のぼせ，動悸などの症状が見られる更年期障害に効果があるとされる．

加味逍遙散には甘草が含有されているので，偽アルドステロン症，ミオパチーの出現に注意を払う．また，構成生薬の山梔子の長期投与により，腸間膜静脈硬化症が現れることがあるとされているので注意が必要である．さらに，構成生薬の牡丹皮は，駆瘀血薬であるため，妊婦に投与する際には注意が必要である．

2) 月経異常

月経不順や月経痛などの月経異常には，桂枝茯苓丸，当帰芍薬散などが用いられる．桂枝茯苓丸は，桂皮，茯苓，牡丹皮，桃仁，芍薬から構成され，牡丹皮，桃仁は，駆瘀血薬であり，血の流れを改善する作用をもつ．また，当帰芍薬散は，当帰，川芎，芍薬，茯苓，白朮（蒼朮），沢瀉から構成され，当帰，川芎には，肝の気血の流れを改善し，茯苓，白朮（蒼朮），沢瀉には，水毒（水分代謝異常）を改善する作用がある．

4. 泌尿器疾患

1) 尿路不定愁訴

頻尿，排尿痛，残尿感など尿路疾患で見られる症状があるが，器質的異常が認められない場合を尿路不定愁訴と定義し，八味地黄丸，牛車腎気丸などが用いられる．八味地黄丸は，地黄，山茱萸，山薬，沢瀉，茯苓，牡丹皮，桂皮，附子から構成され，地黄，山茱萸，山薬には腎精の不足を，桂皮，附子には腎陽の不足を補う作用がある．また，沢瀉，茯苓には，膀胱の働きを助ける作用がある[3]．牛車腎気丸は，八味地黄丸に膀胱の働きを助ける牛膝と水分代謝異

常を改善する車前子(しゃぜんし)を追加したものである[3].

5. 精神, 神経疾患

自律神経失調症, 精神不安, 軽症例の抑うつ状態, 軽症例の睡眠障害などに, 加味逍遙散(かみしょうようさん), 抑肝散(よくかんさん), 半夏厚朴湯(はんげこうぼくとう)などが用いられることがある.

加味逍遙散は, 更年期障害, 精神不安などに用いられる. 抑肝散は, 当帰, 釣藤鈎(ちょうとうこう), 川芎(せんきゅう), 白朮(びゃくじゅつ)(蒼朮(そうじゅつ)), 茯苓(ぶくりょう), 柴胡(さいこ), 甘草(かんぞう)から構成され, イライラや不眠を伴う症状に用いられる. 漢方では, 怒りやすくイライラが強くなるのは, 肝熱で発生する内風(肝陽化風)により起こるとされ, その内風を抑える働きのある釣藤鈎が抑肝散には構成生薬として含有されている. また, 抑肝散には甘草が含有されているので, 偽アルドステロン症, ミオパチーの出現に注意を払う.

半夏厚朴湯は, 半夏, 厚朴, 茯苓, 蘇葉(そよう), 生姜(しょうきょう)から構成され, 喉のつかえや圧迫感があり, 精神不安や抑うつ状態の患者に用いられる. ストレスにより肝気の流れが悪くなると, 胃気や肺気の流れも悪くなると考えられていて, 構成生薬である半夏, 厚朴, 蘇葉, 生姜には, 胃気や肺気の流れを正常化する働きがある[3].

VII ― 歯科保険適用の和漢薬

歯科で保険適用されている和漢薬は13方剤で, 1) 立効散(りっこうさん), 2) 半夏瀉心湯(はんげしゃしんとう), 3) 黄連湯(おうれんとう), 4) 茵蔯蒿湯(いんちんこうとう), 5) 平胃散(へいいさん), 6) 五苓散(ごれいさん), 7) 白虎加人参湯(びゃっこかにんじんとう), 8) 排膿散及湯(はいのうさんきゅうとう), 9) 葛根湯(かっこんとう), 10) 芍薬甘草湯(しゃくやくかんぞうとう), 11) 補中益気湯(ほちゅうえっきとう), 12) 十全大補湯(じゅうぜんだいほとう), 13) 桂枝加朮附湯(けいしかじゅつぶとう)である(表). これらの方剤は, 歯痛・抜歯後疼痛, 口内炎, 口腔乾燥症, 歯周炎, 神経痛, 筋肉・関節痛, 病後の体力低下に適用される.

表 歯科保険適用の和漢薬と, その構成生薬

和漢薬名	構成生薬
立効散(りっこうさん)	細辛(さいしん), 升麻(しょうま), 防風(ぼうふう), 甘草(かんぞう), 竜胆(りゅうたん)
半夏瀉心湯(はんげしゃしんとう)	半夏, 黄芩(おうごん), 乾姜(かんきょう), 甘草, 大棗(たいそう), 人参(にんじん), 黄連(おうれん)
黄連湯(おうれんとう)	半夏, 黄連, 乾姜, 甘草, 桂皮(けいひ), 大棗, 人参
茵蔯蒿湯(いんちんこうとう)	茵蔯蒿, 山梔子(さんしし), 大黄(だいおう)
平胃散(へいいさん)	蒼朮(そうじゅつ), 厚朴(こうぼく), 陳皮(ちんぴ), 大棗, 甘草, 生姜(しょうきょう)
五苓散(ごれいさん)	沢瀉(たくしゃ), 猪苓(ちょれい), 茯苓(ぶくりょう), 蒼朮(白朮(びゃくじゅつ)), 桂皮
白虎加人参湯(びゃっこかにんじんとう)	石膏(せっこう), 粳米(こうべい), 知母(ちも), 甘草, 人参
排膿散及湯(はいのうさんきゅうとう)	桔梗(ききょう), 甘草, 大棗, 芍薬(しゃくやく), 枳実(きじつ), 生姜
葛根湯(かっこんとう)	葛根, 麻黄(まおう), 大棗, 桂皮, 芍薬, 甘草, 生姜
芍薬甘草湯(しゃくやくかんぞうとう)	芍薬, 甘草
補中益気湯(ほちゅうえっきとう)	黄耆(おうぎ), 白朮(蒼朮), 人参, 当帰(とうき), 陳皮, 大棗, 柴胡, 甘草, 升麻, 生姜
十全大補湯(じゅうぜんだいほとう)	人参, 黄耆, 白朮(蒼朮), 茯苓, 当帰, 地黄(じおう), 芍薬, 川芎(せんきゅう), 桂皮, 甘草
桂枝加朮附湯(けいしかじゅつぶとう)	桂皮, 芍薬, 蒼朮, 大棗, 甘草, 生姜, 附子(ぶし)(末)

1）立効散
　抜歯後の疼痛や歯痛に対して保険適用である．この効果は，構成生薬の細辛，防風による鎮痛作用と，竜胆，升麻による消炎作用によるものである[4]．歯科臨床では抜歯後疼痛や歯痛に対して酸性 NSAIDs が主に用いられるが，アスピリン喘息患者や，その既往歴をもつ患者に対しては用いることができないため，アスピリン喘息患者にも発作誘発作用をもたない立効散を代替的に用いることがある．しかし，鎮痛作用は酸性 NSAIDs と比べて弱いので，埋伏抜歯などの深部の疼痛には効果が小さい．甘草が含有されているので，偽アルドステロン症，ミオパチーの出現に注意を払う．

2）半夏瀉心湯
　口内炎に対して保険適用であり，みぞおちのつかえや嘔気を伴う場合に用いられる．また，胃腸機能の低下や精神的ストレスにより生じる口内炎に投与される場合が多い．構成生薬の人参，甘草，大棗には脾胃の補気作用があり，胃腸の機能を整え，半夏には嘔気を抑える作用がある．甘草が含有されているので，偽アルドステロン症，ミオパチーの出現に注意を払う．1日量として甘草を 2.5 g 含むためアルドステロン症，ミオパチー，低カリウム血症の患者には禁忌である．また，その他の副作用として，間質性肺炎，肝機能障害がある．

3）黄連湯
　口内炎に対して保険適用がある．半夏瀉心湯から清熱の黄芩を除き，散寒の桂皮を加えた和漢薬で，胃痛を伴う場合に投与されることがある．甘草が含有されているので，偽アルドステロン症，ミオパチーの出現に注意を払う．1日量として甘草を 3.0 g 含むためアルドステロン症，ミオパチー，低カリウム血症の患者には禁忌である．

4）茵蔯蒿湯
　口内炎に対して保険適用がある．三焦の熱を取り除くことで尿量減少や口渇を改善する山梔子や，便秘を改善する大黄が含有されているので，便秘，口渇，尿量減少を伴う口内炎に投与される．構成生薬の山梔子の長期投与により，腸間膜静脈硬化症が現れることがあるとされているので注意が必要である．また，その他の副作用として，肝機能障害がある．

5）平胃散
　口内炎に対して保険適用がある．構成生薬の甘草，蒼朮，大棗，生姜には脾胃の補気作用があり，胃腸機能を整える作用があるので，消化不良があり胃痛や胃炎を伴う場合に投与されることがある[3]．甘草が含有されているので，偽アルドステロン症，ミオパチーの出現に注意を払う．

6）五苓散
　口腔乾燥症に対して保険適用である．水毒（水分代謝異常）に効果のある利水作用をもつ沢瀉，猪苓，茯苓，蒼朮（白朮）が含有されている代表的な利水薬である．

7）白虎加人参湯
　口腔乾燥症に対して保険適用である．構成生薬の石膏，知母は清熱効果をもち，人参，甘草は脾の機能を高め，気や水の生成を促進させる．また，構成生薬として石膏が含有されているため，テトラサイクリン系抗菌薬やニューキノロン系抗菌薬との相互作用に注意が必要である．さらに，甘草も含有されているので，偽アルドステロン症，ミオパチーの出現にも注意を払う．

8）排膿散及湯
　歯周炎に対して保険適用であり，患部が発赤，腫脹して疼痛を伴った化膿症や炎症性浸潤が強く，排膿が続く場合に有効である．構成生薬には脾の機能を高める甘草，疼痛を軽減する

芍薬，排膿を促進する桔梗などが含まれている．甘草が含有されているので，偽アルドステロン症，ミオパチーの出現に注意を払う．1日量として甘草を3.0g含むためアルドステロン症，ミオパチー，低カリウム血症の患者には禁忌である．

9）葛根湯

上半身の神経痛に対して保険適用であり，顎顔面の筋肉痛などに用いられる．構成生薬である葛根には筋肉の凝りを緩和する効果がある．また，構成生薬である麻黄にはエフェドリンが含有されているため，交感神経刺激作用をもつ薬物との併用には注意が必要である．さらに，甘草も含有されているので，偽アルドステロン症，ミオパチーの出現にも注意を払う．また，その他の副作用として，肝機能障害がある．

10）芍薬甘草湯

急激に起こる筋肉のけいれんを伴う疼痛，筋肉・関節痛に対して保険適用である．構成生薬である芍薬，甘草には鎮痙，鎮痛作用がある．また，含有する甘草の量が他の和漢薬と比べて非常に多い（甘草6.0g/1日量）ので，副作用である偽アルドステロン症，ミオパチーの出現に特に注意を払い，アルドステロン症，ミオパチー，低カリウム血症の患者には禁忌である．また，その他の副作用として，間質性肺炎，肝機能障害，うっ血性心不全，心室細動，心室頻拍がある．

11）補中益気湯

病後の体力補強に対して保険適用である．構成生薬である人参，黄耆，白朮（蒼朮）は補気作用をもつので，体力がない，元気がない，疲れやすい，疲労倦怠感や食欲不振があるなどの症状に効果がある．構成生薬に甘草が含有されているので，偽アルドステロン症，ミオパチーの出現に注意が必要である．また，その他の副作用として，間質性肺炎，肝機能障害がある．

12）十全大補湯

病後の体力低下に対して保険適用である．補中益気湯と同様に補気作用をもつ人参，黄耆，白朮（蒼朮）を含有しているので，体力の低下，疲労倦怠感，食欲不振があるなどの症状に効果があるとともに，補血作用のある地黄，当帰，芍薬，血の流れを改善する作用のある川芎も含有しているので，貧血に関連する症状を併発する場合に用いられる．構成生薬に甘草が含有されているので，偽アルドステロン症，ミオパチーの出現に注意が必要である．また，その他の副作用として，肝機能障害がある．

13）桂枝加朮附湯

神経痛に対して保険適用がある．構成生薬の附子には鎮痛作用があり，桂皮，附子には体表面の寒を温める作用があるので，冷え性で関節痛のある患者に効果があるとされている[3]．甘草が含有されているので，偽アルドステロン症，ミオパチーの出現に注意を払う．

38章　和漢薬（漢方薬）

歯科医師国家試験出題基準（令和5年版）では，近年の歯科医療をめぐる状況や歯学教育における教授内容を踏まえ，歯科医師として必要な，和漢薬を服用する高齢者や全身疾患を持つ者等への対応に関する内容について出題を行うとしている．歯科医学総論の「薬物療法，疾患に応じた薬物療法」に「和漢薬（漢方薬）」を挙げている．

参考文献

2章
1) Rang HP et al, 樋口宗史ほか監訳：ラング・デール薬理学．西村書店，2011．
2) Katzung BG, 柳澤輝行ほか監訳：カッツング薬理学，原書10版．丸善出版，2009．
3) Golan DE et al（eds）, 渡邉裕司監訳：ハーバード大学講義テキスト 臨床薬理学，原書3版．丸善出版，2015．
4) 田中千賀子ほか編：NEW 薬理学，改訂第6版．南江堂，2011．

4章
1) Brunton LL et al（eds）, 髙折修二ほか監訳：グッドマン・ギルマン薬理書〈上・下〉—薬物治療の基礎と臨床，第12版．廣川書店，2013．
2) Harvey RA et al（eds）, 柳澤輝行ほか監訳：リッピンコットシリーズ イラストレイテッド薬理学，原書6版．丸善出版，2016．
3) Golan DE et al（eds）, 清野 裕日本語監修：病態生理に基づく臨床薬理学—ハーバード大学テキスト．メディカル・サイエンス・インターナショナル，2006．

5章
1) 大谷啓一監修：現代歯科薬理学，第6版．医歯薬出版，2018．

6章
1) 田中千賀子ほか編：NEW 薬理学，改訂第6版．南江堂，2012．
2) Golan DE et al（eds）, 清野 裕日本語監修：病態生理に基づく臨床薬理学—ハーバード大学テキスト．メディカル・サイエンス・インターナショナル，2006．
3) Takasaki K et al：Tachyphylaxis of indirectly acting sympathomimetic amines. I. Difference of pressor effect produced by repeated administration of ephedrine, methamphetamine and pheniprazine in dogs. *Kurume Med J*. 1972；19（1）：1-10.
4) Hirabayashi M et al：Enhancing effect of methamphetamine on ambulatory activity produced by repeated administration in mice. *Pharmacol Biochem Behav*. 1981；15（6）：925-932.

7章
1) 加藤隆一：薬物相互作用．田中千賀子ほか編：New 薬理学，第7版．南江堂，2018, 14, 626-634．
2) 安藤 仁：薬物の動態．金井好克ほか編：エース薬理学．南山堂，2020, 57-60．
3) 藤村昭夫：薬の臨床応用．鹿取 信監修：標準薬理学，第6版．医学書院，2010, 41-43．
4) 大谷啓一：薬理作用．大谷啓一ほか編：現代歯科薬理学，第6版．医歯薬出版，2020, 2-7．
5) 宮川幸子：薬物代謝，薬物毒性学．渡邉祐司監訳：ハーバード大学講義テキスト臨床薬理学，第3版．丸善出版，2019, 62-64, 71-72．
6) 渡邉祐司：併用化学療法の原理．渡邉祐司監訳：ハーバード大学講義テキスト臨床薬理学，第3版．丸善出版，2019, 849-853．
7) Brunton LL et al：Goodman & Gilman's the pharmacological basis of therapeutics, 13th ed. McGraw-Hill Education, 2018, 36-38, 58-59, 108-111.
8) 三澤美和：重要な薬物相互作用とその機序．柳沢輝行ほか編：カッツング薬理学，第10版．丸善出版，2009, 1196-1207．
9) 石井邦雄：薬物動態学．柳沢輝行ほか編：リッピンコットシリーズ イラストレイテッド薬理学，第4版．丸善，2009, 1-29．
10) 吉成浩一：シトクロム P-450 の阻害に基づく薬物相互作用．日薬理誌．2009；134：285-288．
11) 永井純也：トランスポーターを介した薬物相互作用．日薬理誌．2010；135：34-37．
12) 安原 一：医薬品の適正使用：薬物相互作用．臨床薬理．2001；32：167-171．
13) 吉成浩一：薬物代謝酵素が関わる薬物相互作用．ファルマシア．2014；50：654-658．
14) 小林真一ほか：薬物血中濃度と薬理作用との関連．臨床薬理．1985；16：451-456．

8章
1) 厚生労働省：重篤副作用疾患別対応マニュアル．https://www.mhlw.go.jp/stf/seisakunitsuite/bunya/kenkou_iryou/iyakuhin/topics/tp061122-1.html
2) 大谷啓一監修：現代歯科薬理学，第6版．医歯薬出版，2018．

9章
1) 大谷啓一監修：現代歯科薬理学，第6版．医歯薬出版，2018．
2) 髙久史麿ほか監修：治療薬マニュアル2022．医学書院，2022．
3) 飯野正光監修：標準薬理学，第8版．医学書院，2021．
4) 大橋京一ほか編：疾患からみた臨床薬理学，第3版．じほう，2012．
5) 筒井健機ほか：歯科薬物療法学，第5版．一世出版，2015．
6) 日本循環器学会ほか：小児期心疾患における薬物療法ガイドライン2012．
7) 筒井健夫：歯科薬物療法学，第6版．一世出版，2017．
8) 独立行政法人医薬品医療機器総合機構．https://www.pmda.go.jp/rs-std-jp/standards-development/jp/0013.html
9) 筒井健夫：歯科薬物療法学，第7版．一世出版，2020．
10) 田中千賀子ほか：NEW 薬理学，第7版．南江堂，2017．
11) 小林真一ほか：臨床薬理学，第4版．医学書院，2017．
12) 筒井健夫：歯科薬物療法学，第8版．一世出版，2023．
13) 髙久史麿ほか監修：治療薬マニュアル2023．医学書院，2023．
14) 矢﨑義雄監修：治療薬マニュアル2024．医学書院，2024．

10章
1) 飯野正光監修：標準薬理学，第8版．医学書院，2021, 39-42．
2) 京都大学 iPS 細胞研究財団ホームページ．https://www.cira-foundation.or.jp/j/
3) 京都大学 iPS 研究所 CIRA ホームページ．https://www.cira.kyoto-u.ac.jp/
4) 西尾和人編：ゲノム医療時代のがん分子標的薬と診断薬研究．実験医学増刊号．2020；38（15）：73-77, 109-113．

5) 国立がん研究センターがんゲノム情報管理センターホームページ．https://for-patients.c-cat.ncc.go.jp/
6) 長野哲雄ほか編：次世代医薬とバイオ医療，東京化学同人，2022，245-254．
7) 科学技術振興機構 研究開発戦略センター 俯瞰報告書，2021．AI創薬・インシリコ創薬．https://www.jst.go.jp/crds/report/CRDS-FY2020-FR-TOC.html
8) Life Intelligence Consortium（LINC）ホームページ．https://linc-ai.jp/_old/pj/index.html
9) 日本医療研究開発機構ホームページ．https://www.amed.go.jp/program/list/11/02/001_02-04.html
10) 厚生労働省ホームページ．https://www.mhlw.go.jp/stf/seisakunitsuite/bunya/hokabunya/kenkyujigyou/i-kenkyu/index.html

11章
1) Olivier J et al：Estimated research and development investment needed to bring a new medicine to market, 2009-2018. *JAMA*. 2020；323（9）：844-853.

14章
1) Brunton LL, et al (eds)，高折修二ほか監訳：グッドマン・ギルマン薬理書 上・下—薬物治療の基礎と臨床，第12版．廣川書店，2013．
2) Harvey RA, et al (eds)，柳澤輝行ほか監訳：リッピンコットシリーズ イラストレイテッド薬理学，原書6版．丸善出版，2016．
3) Golan DE, et al (eds)，清野 裕日本語監修：病態生理に基づく臨床薬理学—ハーバード大学テキスト．メディカル・サイエンス・インターナショナル，2006．

15章
1) 大谷啓一監修：現代歯科薬理学，第6版．医歯薬出版，2020，25-29, 207-217．
2) 田中千賀子ほか編：NEW薬理学，改訂第7版．南江堂，2021，184, 501-529．
3) 丸山 敬：FLASH薬理学．羊土社，2021，165-188．
4) 野村隆英ほか編：シンプル薬理学，改訂第6版．南江堂，2021，239-249．
5) 石井邦明ほか監修：カラー新しい薬理学．西村書店，2018，165-214．
6) 飯野正光監修：標準薬理学，第8版．医学書院，2021，310, 363-395．
7) 弘世貴久編：薬がみえる vol.2．メディックメディア，2021，109-168．
8) 田村和広編：薬がみえる vol.4．メディックメディア，2020，15-28．
9) 川合眞一編：今日の治療薬2023．南江堂，2023．
10) 貴邑冨久子ほか：シンプル生理学，改訂第8版．南江堂，2021，139-190．
11) 松尾 理編：QUICK生理学・解剖学．羊土社，2022，277-294．
12) 岡田泰伸監修：ギャノング生理学，原書26版．丸善出版，2022，345-437．
13) 難病情報センターホームページ．https://www.nanbyou.or.jp/
14) 日本内分泌学会ホームページ．http://www.j-endo.jp/modules/patient/index.php?content_id=1
15) 本間研一監修：標準生理学，第9版．医学書院，2019，951-1033．

16章
1) 田中千賀子ほか編：NEW薬理学，改訂第7版．南江堂，2017，214-224．
2) 大内尉義ほか編：疾患と治療薬—医師・薬剤師のためのマニュアル，改訂第6版．南江堂，2016．
3) 石田 甫ほか編：歯科薬理学，第5版．医歯薬出版，2005，430-437．
4) 柳沢輝行編著：新薬理学入門，改訂3版．南山堂，2008．
5) 高柳一成ほか編：薬理学マニュアル，第4版．南山堂，2002，133-139．
6) 市田公美ほか編：疾病と病態生理，改訂第4版．南江堂，2016．

18章
1) 本間研一監修：標準生理学，第9版．医学書院，2019．
2) Brunton LL et al (eds)，橋本敬太郎ほか監訳：グッドマン・ギルマン薬理書〈上・下〉—薬物治療の基礎と臨床，第13版．廣川書店，2022．
3) 安達一典ほか編著：わかる！歯科薬理学，第3版．学建書院，2019，265-274．
4) 日本歯科薬物療法学会編：新版 日本歯科用医薬品集．永末書店，2015．

19章
1) Wouden J, et al，植月信雄訳：全身麻酔薬の薬理学．病態生理に基づく臨床薬理学—ハーバード大学テキスト（Golan, et al (eds)，清野 裕日本語版監修）．メディカル・サイエンス・インターナショナル，2006，221-224．
2) 入舩正浩：全身麻酔薬の作用機序．福島和昭監修：歯科麻酔学，第8版．医歯薬出版，2019，200-204．
3) 丸山一男：痛みの考えかた．南江堂，2016，43-60, 181-202．
4) 日本緩和医療学会・緩和医療ガイドライン作成委員会編：がん疼痛の薬物療法に関するガイドライン2014年版．金原出版，2014，42-73．
5) Rang HP et al，樋口宗史ほか監訳：ラング・デール薬理学．西村書店，2011．
6) Katzung BG，柳澤輝行ほか監訳：カッツング薬理学，原書10版．丸善出版，2009．
7) Golan DE et al (eds)，渡邉裕司監訳：ハーバード大学講義テキスト 臨床薬理学，原書3版．丸善出版，2015．
8) 田中千賀子ほか編：NEW薬理学，改訂第7版．南江堂，2017，277-298, 318-324．
9) Brunton LL et (eds)：Goodman & Gilman's the Pharmacological Basis of Therapeutics, 12th ed. McGraw-Hill Medical, 2010, 397-455.
10) American Psychiatric Association：Diagnostic and statistical manual of mental disorders, 5th ed text revision (DSM-5TR). American Psychiatric Publishing Inc., 2022.

23章
1) 大谷啓一監修：現代歯科薬理学，第6版．医歯薬出版，2020．
2) 金井好克監修：エース薬理学．南山堂，2020．
3) 貴邑冨久子ほか編：シンプル生理学，改訂第6版．南江堂，2010．
4) 島田和幸ほか編：今日の治療薬2022．南江堂，2022．
5) 日本消化器病学会：消化性潰瘍診療ガイドライン2020（改訂第3版）．

24章
1) Brunton LL, et al（eds），髙折修二ほか監訳：グッドマン・ギルマン薬理書 上・下—薬物治療の基礎と臨床，第12版．廣川書店，2013．
2) 田中千賀子，加藤隆一編：NEW薬理学，改訂第6版．南江堂，2011．
3) 石田 甫ほか編：歯科薬理学，第5版．医歯薬出版，2005，135-176．
4) 鈴木宏治：血栓治療薬の進歩—新しい経口抗凝固薬を中心に．鈴鹿医療科学大学紀要．2012；19：1-14．
5) Vermeer C：γ-carboxyglutamate-containing proteins and the vitamin K-dependent carboxylase. Biochem J. 1990；266（3）：625-636.

25章
1) 熊谷俊一ほか：免疫抑制薬・免疫刺激薬と抗アレルギー薬．田中千賀子ほか編：NEW薬理学，改訂第6版．南江堂，東京，2011，444-452．
2) Krensky AM et al, 鈴木琢雄訳：炎症・免疫調節・増血薬．Brunton Lほか編，髙折修二ほか監訳：グッドマン・ギルマン薬理書〈上〉—薬物治療の基礎と臨床，第12版．廣川書店，2013，1286-1320．
3) 大原直也ほか：免疫学．川端重忠ほか編：口腔微生物学・免疫学，第5版．医師薬出版，2021，82-137．
4) 宮坂信之：リウマチ治療の基本戦略．髙久史麿ほか監修：治療薬マニュアル2022．医学書院，2022，120-123．
5) 日本リウマチ学会：関節リウマチ診療ガイドライン2020．診断と治療社，2021．

26章
1) Krause DS et al：Tyrosine kinases as targets for cancer therapy. *N Engl J Med*. 2005；353（2）：172-187.
2) 冨田章弘：がん分子標的薬の基礎研究における話題—その体制と作用部位としての微小環境—．ファルマシア．2010；44（3）：197-201．
3) 鶴尾 隆：がんの分子標的治療．南山堂，2008．
4) 西尾和人，西条長宏：がんの分子標的と治療薬事典．羊土社，2010．
5) 相引眞幸：抗がん薬の臨床薬理，第1版．南山堂，2013．
6) 池末裕明ほか：がん化学療法ワークシート，第5版．じほう，2020．

27章
1) 大谷啓一監修：現代歯科薬理学，第6版．医歯薬出版，2018．
2) 金井好克監修：エース薬理学．南山堂，2020．
3) 貴邑冨久子ほか編：シンプル生理学，改訂第6版．南江堂，2010．
4) 島田和幸ほか編：今日の治療薬2022．南江堂，2022．
5) 日本糖尿病学会：糖尿病診療ガイドライン2019．
6) 顎骨壊死検討委員会：薬剤関連顎骨壊死の病態と管理：顎骨壊死検討委員会ポジションペーパー2023．
7) 骨粗鬆症の予防と治療ガイドライン作成委員会編：骨粗鬆症の予防と治療ガイドライン2015年版．

28章
1) 横田敏勝：急性痛のメカニズム．日臨麻会誌．1994；14（3）：181-189．
2) Golan DEほか編，清野 裕日本語版監修：ハーバード大学テキスト 病態生理に基づく臨床薬理学．MEDSi，2006，345，690．
3) 厚生労働省 インフルエンザ脳症研究班：インフルエンザ脳症ガイドライン 改訂．2009，1-42．

30章
1) 笠原正貴：救急医薬品．福島和昭監修：歯科麻酔学，第8版．医歯薬出版，2019，563-571．
2) 丹羽 均：歯科治療における全身的偶発症．福島和昭監修：歯科麻酔学，第8版．医歯薬出版，2019，504-521．
3) 佐久間泰司：心肺蘇生法．福島和昭監修：歯科麻酔学，第8版．医歯薬出版，2019，533-550．

31章
1) Brunton LL, et al（eds），髙折修二ほか監訳：グッドマン・ギルマン薬理書 上・下—薬物治療の基礎と臨床，第12版．廣川書店，2013．
2) Harvey RA, et al（eds）．柳澤輝行ほか監訳：リッピンコットシリーズ イラストレイテッド薬理学，原書6版．丸善出版，2016．
3) Golan DE, et al（eds），清野 裕日本語版監修：病態生理に基づく臨床薬理学—ハーバード大学テキスト．メディカル・サイエンス・インターナショナル，2006．
4) 大谷啓一監修：現代歯科薬理学，第6版．医歯薬出版，2018，265-287．
5) 日本歯科薬物療法学会編：日本歯科用医薬品集 必携！歯科の処方に役立つ本，改訂第5版．永末書店，2022，2-40．
6) 坂上 宏ほか編：解る！歯科薬理学，第2版．学建書院，2008，220-225．
7) 藤村昭夫編：類似薬の使い分け，第3版．羊土社，2021，177-198．
8) 金子明寛ほか編：歯科におけるくすりの使い方，2019＞＞2022．デンタルダイヤモンド社，2018，64-79．
9) 日本歯周病学会編：歯周病疾患における抗菌薬適正使用のガイドライン．2022，8-19．
10) 根本健司：結核の診断と治療．日呼吸ケアリハ会誌．2020；29：228-233．
11) 三鴨廣繁監修：もう迷わない！抗菌薬Navi，改訂3版．南山堂，2021．
12) 髙久史麿ほか監修：治療薬マニュアル2022．医学書院，2022．
13) 日本結核病学会治療委員会：「結核医療の基準」の改訂—2018年．Kekkaku, 93（1）：61-68，2018．
14) 根本健司：結核の診断と治療．日呼吸ケアリハ会誌，29（2）：228-233，2020．

32章
1) 吉田製薬文献調査チーム：消毒薬テキスト エビデンスに基づいた感染対策の立場から，第5版．2016．http://www.yoshida-pharm.com/category/countermeasure/texts/
2) 小林寛伊：新版増補版 消毒と滅菌のガイドライン，第3版．へるす出版，2016．
3) 尾家重治：シチュエーションに応じた消毒薬の選び方・使い方，第2版．じほう，2016．

33章
1) Edgar M et al（eds），渡部 茂監修：唾液 歯と口腔の健康，原著第3版．医歯薬出版，2004．
2) 日本唾液腺学会編：徹底レクチャー 唾液・唾液腺．金原出版，2016．

3) 岩渕博史ほか：シェーグレン症候群に伴う口腔乾燥症に対する塩酸ピロカルピンの有効性．日口粘膜誌．2008；14（2）：31-28．
4) 丸山和容ほか：口腔乾燥症状改善薬 塩酸ピロカルピン（サラジェン®錠5 mg）の薬理学的特徴および臨床試験成績．日薬理誌．2006；127（5）：399-407．
5) 塩沢 明：口腔乾燥症改善薬 塩酸セビメリン水和物（サリグレン®カプセル30 mg）の薬理学的特性と臨床効果．日薬理誌．2002；120（4）：253-258．
6) 東城庸介ほか：器官—その新しい視点 唾液腺．生体の化学．1996；47（5）：359-362．
7) 谷村明彦ほか：唾液分泌とシグナルトランスダクション．日薬理誌．2006；127（4）：249-255．

34章
1) 北川善政, 山崎 裕：高齢者に多い口腔粘膜疾患．特集：高齢者医療における歯科医療連携．Geriatr med（老年医学）．2009；47（12）：1625-1631．
2) 北川善政, 山崎 裕：さまざまな原因より惹起する口腔疾患．褥瘡＆口腔ケア・マネジメント．薬局．2010；61（3）：358-369．
3) 山根源之ほか編：口腔内科学, 第2版．永末書店, 2020．
4) 戸塚靖則ほか監修：口腔科学, 朝倉書店, 2013．
5) 日本口腔内科学会ウェブサイト．https://jsom.sakura.ne.jp/?page_id=28

35章
1) Hosoya N et al：A review of the literature on the efficacy of mineral trioxide aggregate in conservative dentistry．Dent Mater J．2019；38：693-700．
2) 日本歯科保存学会編：う蝕治療ガイドライン, 第2版．113-123, 2015．
3) Siqueira JF Jr et al：What happens to unprepared root canal walls：a correlative analysis using microcomputed tomography and histology/scanning electron microscopy．Int Endod J．2018；5：501-508．
4) 前田英史：根管貼薬における水酸化カルシウムの応用について．日歯内誌．2016；37：137-143．
5) Lewis B：The obsolescence of formocresol．Br Dent J．2009；207：525-528．
6) 斎藤義夫：歯科における医薬品再評価結果．歯薬療法．2008；27：151-156．

36章
1) 森嶋清二ほか：インビトロバイオフィルムに対する抗菌剤の動態とその殺菌活性について．口腔衛生会誌．2004；54：437．
2) Van Strydonck DA et al：Effect of a chlorhexidine mouthrinse on plaque, gingival inflammation and staining in gingivitis patients：a systematic review．J Clin Periodontol．2012；39：1042-1055．
3) Haps S et al：The effect of cetylpyridinium chloride-containing mouth rinses as adjuncts to toothbrushing on plaque and parameters of gingival inflammation：a systematic review．Int J Dent Hyg．2008；6：290-303．
4) Stoeken JE et al：Comparative efficacy of an antiseptic mouthrinse and an antiplaque/antigingivitis dentifrice. A six-month clinical trial．J Periodontol．2007；78：1218-1228．
5) Sahrmann P et al：Systematic review on the effect of rinsing with povidone-iodine during nonsurgical periodontal therapy．J Periodontal Res．2010；45：153-164．
6) Van Leeuwen MP et al：Essential oils compared to chlorhexidine with respect to plaque and parameters of gingival inflammation：a systematic review．J Periodontol．2011；82：174-194．
7) 里見綾子ほか：LS-007投与後の歯周ポケット内ミノサイクリン濃度．日歯周誌．1987；29（3）：937-943．
8) Nakao R et al：Impact of minocycline ointment for periodontal treatment of oral bacteria．Jpn J Infect Dis．2011；64（2）：156-160．
9) 日本歯周病学会編：歯周病患者における抗菌薬適正使用のガイドライン．26-43, 2020．

37章
1) 大谷啓一監修：現代歯科薬理学, 第6版．医歯薬出版, 2018．
2) 日本口腔衛生学会 フッ化物応用委員会編：う蝕予防の実際 フッ化物局所応用実施マニュアル．社会保険研究所, 2017．
3) 宇田川信之ほか：硬組織（歯・骨）とフッ素．腎と骨代謝．2017；30（1）：63-70．
4) 筒井昭仁：フッ化物応用と公衆衛生．保健医療科学．2003；52（1）：34-45．
5) 厚生労働省：e-ヘルスネット．https://www.e-healthnet.mhlw.go.jp

38章
1) 内藤裕史：漢方薬副作用百科 事例・解説・対策・提言．丸善出版, 2014, 21-27．
2) 稲木一元：臨床医のための漢方薬概論．南山堂, 2014, 562．
3) 川添和義：図解漢方処方のトリセツ, 第2版．じほう, 2021, 50-51, 114-115, 140-141, 312-313, 328-329．
4) 山口孝二郎：口腔内違和感．日本東洋医学会学術教育委員会編：専門医のための漢方医学テキスト 漢方専門医研修カリキュラム準拠．南江堂, 2010, 151．
5) 稲木一元ほか：ファーストチョイスの漢方薬．南山堂, 2006．
6) 稲木一元ほか：漢方治療のファーストステップ, 改訂2版．南山堂, 2011．

付表　主な掲載薬物一覧

医薬品一般名	薬物名略称	英名
D-マンニトール	D-マンニトール	D-mannitol
ℓ-イソプレナリン塩酸塩	ℓ-イソプレナリン	ℓ-isoprenaline
アカルボース	アカルボース	acarbose
アクチノマイシンD	アクチノマイシンD	actinomycin D
アクリノール水和物	アクリノール	acrinol
アザチオプリン	アザチオプリン	azathioprine
アシクロビル	アシクロビル	aciclovir
アジスロマイシン水和物	アジスロマイシン	azithromycin
アスコルビン酸	アスコルビン酸，ビタミンC	ascorbic acid
アズトレオナム	アズトレオナム	aztreonam
アスピリン	アスピリン	aspirin
アズレンスルホン酸ナトリウム水和物	アズレンスルホン酸ナトリウム	sodium gualenate
アセタゾラミド	アセタゾラミド	acetazolamide
アセチルコリン塩化物	アセチルコリン	acetylcholine
アセチルサリチル酸	アセチルサリチル酸	acetylsalicylic acid
アセチルシステイン	アセチルシステイン	acetylcysteine
アセトアミノフェン	アセトアミノフェン	acetaminophen
アセメタシン	アセメタシン	acemethacin
アゼラスチン塩酸塩	アゼラスチン	azelastine
アゾセミド	アゾセミド	azosemide
アテノロール	アテノロール	atenolol
アトルバスタチンカルシウム水和物	アトルバスタチン	atorvastatin
アドレナリン	アドレナリン	adrenaline
アトロピン硫酸塩水和物	アトロピン	atropine
アマンタジン塩酸塩	アマンタジン	amantadine
アミオダロン塩酸塩	アミオダロン	amiodarone
アミカシン硫酸塩	アミカシン	amikacin sulfate
アミトリプチリン塩酸塩	アミトリプチリン	amitriptyline
アミノ安息香酸エチル	アミノ安息香酸エチル	ethyl aminobenzoate
アミノフィリン	アミノフィリン	aminophylline
アムホテリシンB	アムホテリシンB	amphotericin B
アムロジピンベシル酸塩	アムロジピン	amlodipine
アモキサピン	アモキサピン	amoxapine
アモキシシリン水和物	アモキシシリン	amoxicillin
アモバルビタール	アモバルビタール	amobarbital
アルガトロバン水和物	アルガトロバン	argatroban
アルテプラーゼ	アルテプラーゼ	alteplase
アルファカルシドール	アルファカルシドール	alfacalcidol
アルプラゾラム	アルプラゾラム	alprazolam
アルベカシン硫酸塩	アルベカシン	arbekacin
アレンドロン酸ナトリウム水和物	アレンドロン酸	alendronic acid
アロプリノール	アロプリノール	allopurinol
アンピシリン水和物	アンピシリン	ampicillin
アンピロキシカム	アンピロキシカム	ampiroxicam
アンブロキソール塩酸塩	アンブロキソール	ambroxol
アンベノニウム塩化物	アンベノニウム	ambenonium
イコサペント酸エチル	イコサペント酸エチル	ethyl icosapentate
イソソルビド	イソソルビド	isosorbide
イソニアジド	イソニアジド	isoniazid
イソフルラン	イソフルラン	isoflurane
イソプレナリン塩酸塩	イソプレナリン	isoprenaline
イソプロパノール	イソプロパノール	isopropanol
イソプロピルアンチピリン	イソプロピルアンチピリン	isopropylantipyrine
イダルビシン塩酸塩	イダルビシン	idarubicin
イドクスウリジン	イドクスウリジン	idoxuridine
イトラコナゾール	イトラコナゾール	itraconazole
イフェンプロジル酒石酸塩	イフェンプロジル	ifenprodil
イブジラスト	イブジラスト	ibudilast
イブプロフェン	イブプロフェン	ibuprofen
イプラトロピウム臭化物水和物	イプラトロピウム	ipratropium
イマチニブメシル酸塩	イマチニブ	imatinib

医薬品一般名	薬物名略称	英名
イミプラミン塩酸塩	イミプラミン	imipramine
イミペネム	イミペネム	imipenem
イミペネム・シラスタチン配合薬	イミペネム・シラスタチン配合薬	imipenem, cilastatin
イリノテカン塩酸塩水和物	イリノテカン	irinotecan
インスリンアスパルト	インスリンアスパルト	insulin aspart
インスリンアナログ	インスリンアナログ	insulin analog
インスリングラルギン	インスリングラルギン	insulin glargine
インスリン製剤	インスリン製剤	insulin preparation
インスリンリスプロ	インスリンリスプロ	insulin lispro
インターフェロン	インターフェロン	interferon；INF
インダパミド	インダパミド	indapamide
インドメタシン	インドメタシン	indometacin
ウルソデオキシコール酸	ウルソデオキシコール酸	ursodeoxycholic acid
ウロキナーゼ	ウロキナーゼ	urokinase
エカベトナトリウム水和物	エカベトナトリウム	ecabet sodium
エスタゾラム	エスタゾラム	estazolam
エストロゲン製剤	エストロゲン製剤	estrogen preparation
エゼチミブ	エゼチミブ	ezetimibe
エタノール	エタノール	ethanol
エダラボン	エダラボン	edaravone
エタンブトール	エタンブトール	ethambutol
エチゾラム	エチゾラム	etizolam
エチドロン酸二ナトリウム	エチドロン酸	etidronic acid
エデト酸ナトリウム水和物	EDTA	ethylenediaminetetraacetic acid
エテンザミド	エテンザミド	ethenzamide
エトスクシミド	エトスクシミド	ethosuximide
エトドラク	エトドラク	etodolac
エトレチナート	エトレチナート	etretinate
エドロホニウム塩化物	エドロホニウム	edrophonium
エナラプリルマレイン酸塩	エナラプリル	enalapril
エピナスチン塩酸塩	エピナスチン	epinastine
エピルビシン塩酸塩	エピルビシン	epirubicin
エフェドリン塩酸塩	エフェドリン	ephedrine
エプレレノン	エプレレノン	eplerenone
エポエチンアルファ	エポエチンアルファ	epoetin alfa
エポエチンベータ	エポエチンベータ	epoetin beta
エリスロマイシン	エリスロマイシン	erythromycin
エルカトニン	エルカトニン	elcatonin
エルゴカルシフェロール	エルゴカルシフェロール	ergocalciferol
エルゴタミン酒石酸塩	エルゴタミン	ergotamine
エロビキシバット水和物	エロビキシバット	elobixibat
エンタカポン	エンタカポン	entacapone
エンビオマイシン	エンビオマイシン	enviomycin
オキサリプラチン	オキサリプラチン	oxaliplatin
オキシコドン塩酸塩水和物	オキシコドン	oxycodone
オキシドール	オキシドール	oxydol
オザグレルナトリウム	オザグレル	ozagrel
オメプラゾール	オメプラゾール	omeprazole
オランザピン	オランザピン	olanzapine
カナマイシン硫酸塩	カナマイシン	kanamycin
ガバペンチン	ガバペンチン	gabapentin
カフェイン水和物	カフェイン	caffeine
カプトプリル	カプトプリル	captopril
ガベキサート	ガベキサート	gabexate
カペシタビン	カペシタビン	capecitabine
カベルゴリン	カベルゴリン	cabergoline
カルシトリオール	カルシトリオール	calcitriol
カルバゾクロムスルホン酸ナトリウム	カルバゾクロム	carbazochrome
カルバマゼピン	カルバマゼピン	carbamazepine
カルビドパ	カルビドパ	carbidopa
カルベジロール	カルベジロール	carvedilol
カルペリチド	カルペリチド	carperitide

医薬品一般名	薬物名略称	英名
カルボシステイン	カルボシステイン	carbocysteine
カルボプラチン	カルボプラチン	carboplatin
カルメロースナトリウム	カルメロース	carmellose
カルモナムナトリウム	カルモナム	carumonam
カンデサルタンシレキセチル	カンデサルタン	candesartan
カンフル	カンフル	camphor
カンレノ酸カリウム	カンレノ酸カリウム	potassium canrenoate
キニジン硫酸塩水和物	キニジン	quinidine
金チオリンゴ酸ナトリウム	金チオリンゴ酸ナトリウム	sodium aurothiomalate
クアゼパム	クアゼパム	quazepam
グアナベンズ酢酸塩	グアナベンズ	guanabenz
クエチアピン	クエチアピン	quetiapine
クエン酸第一鉄ナトリウム	クエン酸第一鉄ナトリウム	sodium ferrous citrate
クラブラン酸カリウム	クラブラン酸カリウム	potassium clavulanate
クラリスロマイシン	クラリスロマイシン	clarithromycin
グリクラジド	グリクラジド	gliclazide
グリセリン	グリセリン	glycerin
グリチルリチン	グリチルリチン	glycyrrhizin
グリベンクラミド	グリベンクラミド	glibenclamide
グリメピリド	グリメピリド	glimepiride
クリンダマイシン塩酸塩	クリンダマイシン	clindamycin
クレゾール	クレゾール	cresol
クロトリマゾール	クロトリマゾール	clotrimazole
クロナゼパム	クロナゼパム	clonazepam
クロニジン塩酸塩	クロニジン	clonidine
クロピドグレル硫酸塩	クロピドグレル	clopidogrel
クロフィブラート	クロフィブラート	clofibrate
クロモグリク酸ナトリウム	クロモグリク酸ナトリウム	sodium cromoglicate
クロラムフェニコール	クロラムフェニコール	chloramphenicol
クロルプロマジン塩酸塩	クロルプロマジン	chlorpromazine
クロルヘキシジングルコン酸塩	クロルヘキシジン	chlorhexidine
ケタミン塩酸塩	ケタミン	ketamine
ケトチフェンフマル酸塩	ケトチフェン	ketotifen
ケノデオキシコール酸	ケノデオキシコール酸	chenodeoxycholic acid
ゲフィチニブ	ゲフィチニブ	gefitinib
ゲンタマイシン硫酸塩	ゲンタマイシン	gentamicin
合成ケイ酸アルミニウム	合成ケイ酸アルミニウム	synthetic aluminum silicate
コカイン塩酸塩	コカイン	cocaine
コデインリン酸塩水和物	コデイン	codeine
コルチゾン	コルチゾン	cortisone
コルヒチン	コルヒチン	colchicine
コレカルシフェロール	コレカルシフェロール	cholecalciferol
コレスチミド	コレスチミド	cholestymide
コレスチラミン	コレスチラミン	cholestyramine
サイクロセリン	サイクロセリン	cycloserine
サラゾスルファピリジン	サラゾスルファピリジン	salazosulfapyridine
サリチル酸フィゾスチグミン	サリチル酸フィゾスチグミン	physostigmine salicylate
ザルトプロフェン	ザルトプロフェン	zaltoprofen
サルブタモール硫酸塩	サルブタモール	salbutamol
サルポグレラート塩酸塩	サルポグレラート	sarpogrelate
サルメテロールキシナホ酸塩	サルメテロール	salmeterol
酸化マグネシウム	酸化マグネシウム	magnesium oxide
酸素	酸素	oxygen
ジアスターゼ	ジアスターゼ	diastase
ジアゼパム	ジアゼパム	diazepam
シアノコバラミン	シアノコバラミン, ビタミン B_{12}	cyanocobalamin
シクロスポリン	シクロスポリン	cyclosporin
ジクロフェナクナトリウム	ジクロフェナク	diclofenac
シクロホスファミド水和物	シクロホスファミド	cyclophosphamide
ジゴキシン	ジゴキシン	digoxin
次硝酸ビスマス	次硝酸ビスマス	bismuth subnitrate
ジスチグミン臭化物	ジスチグミン	distigmine

医薬品一般名	薬物名略称	英名
シスプラチン	シスプラチン	cisplatin
ジソピラミド	ジソピラミド	disopyramide
シタグリプチンリン酸塩水和物	シタグリプチン	sitagliptin
シタフロキサシン水和物	シタフロキサシン	sitafloxacin
シタラビン	シタラビン	cytarabine
ジドブジン	ジドブジン	zidovudine
ジヒドロコデインリン酸塩	ジヒドロコデイン	dihydrocodeine
ジピリダモール	ジピリダモール	dipyridamole
ジフェンヒドラミン塩酸塩	ジフェンヒドラミン	diphenhydramine
ジブカイン塩酸塩	ジブカイン	dibucaine
シプロフロキサシン塩酸塩	シプロフロキサシン	ciprofloxacin
シメチジン	シメチジン	cimetidine
ジモルホラミン	ジモルホラミン	dimorpholamine
硝酸イソソルビド	硝酸イソソルビド	isosorbide
硝酸銀	硝酸銀	silver nitrate
ジョサマイシン	ジョサマイシン	josamycin
ジルチアゼム塩酸塩	ジルチアゼム	diltiazem
シロスタゾール	シロスタゾール	cilostazol
シンバスタチン	シンバスタチン	simvastatin
水酸化アルミニウム	水酸化アルミニウム	aluminum hydroxide
水酸化カルシウム	水酸化カルシウム	calcium hydroxide
スキサメトニウム塩化物水和物	スキサメトニウム	suxamethonium
スクラルファート水和物	スクラルファート	sucralfate
スコポラミン臭化水素酸塩水和物	スコポラミン	scopolamine
ストレプトマイシン硫酸塩	ストレプトマイシン	streptomycin
スピラマイシン酢酸エステル	スピラマイシン	spiramycin
スピロノラクトン	スピロノラクトン	spironolactone
スプラタストトシル酸塩	スプラタスト	suplatast
スマトリプタンコハク酸塩	スマトリプタン	sumatriptan
スリンダク	スリンダク	sulindac
スルバクタムナトリウム	スルバクタム	sulbactam
スルピリド	スルピリド	sulpiride
スルピリン水和物	スルピリン	sulpyrine
セコバルビタールナトリウム	セコバルビタール	secobarbital
セツキシマブ	セツキシマブ	cetuximab
セトラキサート塩酸塩	セトラキサート	cetraxate
セビメリン塩酸塩水和物	セビメリン	cevimeline
セファクロル	セファクロル	cefaclor
セファゾリンナトリウム無水和物	セファゾリン	cefazolin
セファレキシン	セファレキシン	cephalexin
セファロチンナトリウム	セファロチン	cephalothin
セフェピム塩酸塩水和物	セフェピム	cefepime
セフォゾプラン塩酸塩	セフォゾプラン	cefozopran
セフォタキシムナトリウム	セフォタキシム	cefotaxime
セフォチアム塩酸塩	セフォチアム	cefotiam
セフォペラゾンナトリウム	セフォペラゾン	cefoperazone
セフカペンピボキシル塩酸塩水和物	セフカペンピボキシル	cefcapene pivoxil
セフジトレンピボキシル	セフジトレンピボキシル	cefditoren pivoxil
セフスロジンナトリウム	セフスロジン	cefsulodin
セフミノクスナトリウム水和物	セフミノクス	cefminox
セフメタゾール	セフメタゾール	cefmetazole
セボフルラン	セボフルラン	sevoflurane
ゼラチン	ゼラチン	gelatin
セレギリン塩酸塩	セレギリン	selegiline
セレコキシブ	セレコキシブ	celecoxib
ゾニサミド	ゾニサミド	zonisamide
ゾピクロン	ゾピクロン	zopiclone
ゾルピデム酒石酸塩	ゾルピデム	zolpidem
ダウノルビシン塩酸塩	ダウノルビシン	daunorubicin
タクロリムス水和物	タクロリムス	tacrolimus
タゾバクタム	タゾバクタム	tazobactam
ダビガトランエテキシラートメタンスルホン酸塩	ダビガトラン	dabigatran

医薬品一般名	薬物名略称	英名
タムスロシン塩酸塩	タムスロシン	tamsulosin
タモキシフェンクエン酸塩	タモキシフェン	tamoxifen
炭酸水素ナトリウム	炭酸水素ナトリウム	sodium bicarbonate
炭酸マグネシウム	炭酸マグネシウム	magnesium carbonate
炭酸リチウム	炭酸リチウム	lithium carbonate
タンドスピロンクエン酸塩	タンドスピロン	tandospirone
ダントロレンナトリウム	ダントロレン	dantrolene
タンニン酸アルブミン	タンニン酸アルブミン	albumin tannate
チアミラールナトリウム	チアミラール	thiamylal
チアミン塩化物塩酸塩	チアミン，ビタミン B_1	thiamine
チアラミド塩酸塩	チアラミド	tiaramide
チオトロピウム	チオトロピウム	tiotropium
チオペンタールナトリウム	チオペンタール	thiopental
チクロピジン塩酸塩	チクロピジン	ticlopidine
チモール	チモール	thymol
チモロールマレイン酸塩	チモロール	timolol
沈降炭酸カルシウム	沈降炭酸カルシウム	precipitated calcium carbonate
テオフィリン	テオフィリン	theophylline
テガフール	テガフール	tegafur
デキサメタゾン	デキサメタゾン	dexamethasone
デキストロメトルファン臭化水素酸塩水和物	デキストロメトルファン	dextromethorphan
デスフルラン	デスフルラン	desflurane
デスモプレシン酢酸塩水和物	デスモプレシン	desmopressin
テトラカイン塩酸塩	テトラカイン	tetracaine
テトラサイクリン塩酸塩	テトラサイクリン	tetracycline
テプレノン	テプレノン	teprenone
テルビナフィン塩酸塩	テルビナフィン	terbinafine
ドキサゾシンメシル酸塩	ドキサゾシン	doxazosin
ドキサプラム塩酸塩水和物	ドキサプラム	doxapram
ドキシサイクリン塩酸塩	ドキシサイクリン	doxycycline
ドキシフルリジン	ドキシフルリジン	doxifluridine
ドキソルビシン塩酸塩	ドキソルビシン	doxorubicin
トコフェロール酢酸エステル	トコフェロール，ビタミン E	tocopherol
ドセタキセル水和物	ドセタキセル	docetaxel
ドネペジル塩酸塩	ドネペジル	donepezil
ドパミン塩酸塩	ドパミン	dopamine
ドブタミン塩酸塩	ドブタミン	dobutamine
トブラマイシン	トブラマイシン	tobramycin
トラスツズマブ	トラスツズマブ	trastuzumab
トラゾリン塩酸塩	トラゾリン	tolazoline
トラニラスト	トラニラスト	tranilast
トラネキサム酸	トラネキサム酸	tranexamic acid
トラマドール塩酸塩	トラマドール	tramadol
トリアゾラム	トリアゾラム	triazolam
トリアムシノロンアセトニド	トリアムシノロン	triamcinolone
トリアムテレン	トリアムテレン	triamterene
トリクロルメチアジド	トリクロルメチアジド	trichlormethiazide
トリヘキシフェニジル塩酸塩	トリヘキシフェニジル	trihexyphenidyl
ドリペネム	ドリペネム	doripenem
トレピブトン	トレピブトン	trepibutone
ドロキシドパ	ドロキシドパ	droxidopa
トロピカミド	トロピカミド	tropicamide
トロンビン	トロンビン	thrombin
ドンペリドン	ドンペリドン	domperidone
ナイスタチン	ナイスタチン	nystatin
ナテグリニド	ナテグリニド	nateglinide
ナファモスタット	ナファモスタット	nafamostat
ナロキソン塩酸塩	ナロキソン	naloxone
ニカルジピン塩酸塩	ニカルジピン	nicardipine
ニコチン酸	ニコチン酸	nicotinic acid
ニコランジル	ニコランジル	nicorandil
ニザチジン	ニザチジン	nizatidine

医薬品一般名	薬物名略称	英名
ニセルゴリン	ニセルゴリン	nicergoline
ニトラゼパム	ニトラゼパム	nitrazepam
ニトログリセリン	ニトログリセリン	nitroglycerin
ニフェジピン	ニフェジピン	nifedipine
ニボルマブ	ニボルマブ	nivolumab
ネオスチグミンメチル硫酸塩	ネオスチグミン	neostigmine
ノルアドレナリン	ノルアドレナリン	noradrenaline
ノルトリプチリン塩酸塩	ノルトリプチリン	nortriptyline
バカンピシリン塩酸塩	バカンピシリン	bacampicillin
パクリタキセル	パクリタキセル	paclitaxel
バシトラシン	バシトラシン	bacitracin
パニペネム	パニペネム	panipenem
パニペネム・ベタミプロン	パニペネム・ベタミプロン	panipenem, betamipron
パラアミノサリチル酸	パラアミノサリチル酸	p-aminosalicylic acid
バラシクロビル塩酸塩	バラシクロビル	valaciclovir
パラホルムアルデヒド	パラホルムアルデヒド	paraformaldehyde
バルプロ酸ナトリウム	バルプロ酸	valproate
ハロキサゾラム	ハロキサゾラム	haloxazolam
パロキセチン塩酸塩水和物	パロキセチン	paroxetine
ハロタン	ハロタン	halothane
ハロペリドール	ハロペリドール	haloperidol
パンクレアチン	パンクレアチン	pancreatin
バンコマイシン塩酸塩	バンコマイシン	vancomycin
ピオグリタゾン塩酸塩	ピオグリタゾン	pioglitazone
ビカルタミド	ビカルタミド	bicalutamide
ピコスルファートナトリウム水和物	ピコスルファート	picosulfate
ビサコジル	ビサコジル	bisacodyl
ヒトインスリン	ヒトインスリン	human insulin
ヒドララジン塩酸塩	ヒドララジン	hydralazine
ヒドロクロロチアジド	ヒドロクロロチアジド	hydrochlorothiazide
ヒドロコルチゾン	ヒドロコルチゾン	hydrocortisone
ピモベンダン	ピモベンダン	pimobendane
ピラジナミド	ピラジナミド	pyrazinamide
ピリドキサールリン酸エステル水和物	ピリドキサール,ビタミンB_6	pyridoxal
ピリドキシン塩酸塩	ピリドキシン,ビタミンB_6	pyridoxine
ピリドスチグミン臭化物	ピリドスチグミン	pyridostigmine
ピルシカイニド塩酸塩水和物	ピルシカイニド	pilsicainide
ピレンゼピン塩酸塩水和物	ピレンゼピン	pirenzepine
ピロカルピン塩酸塩	ピロカルピン	pilocarpine
ピロキシカム	ピロキシカム	piroxicam
ビンクリスチン硫酸塩	ビンクリスチン	vincristine
ビンブラスチン硫酸塩	ビンブラスチン	vinblastine
ファモチジン	ファモチジン	famotidine
ファロペネムナトリウム水和物	ファロペネム	faropenem
フィゾスチグミン	フィゾスチグミン	physostigmine
フィトナジオン	フィトナジオン,ビタミンK_1	phytonadione
フェキソフェナジン塩酸塩	フェキソフェナジン	fexofenadine
フェニトイン	フェニトイン	phenytoin
フェニレフリン塩酸塩	フェニレフリン	phenylephrine
フェノール	フェノール	phenol
フェノールカンフル	フェノールカンフル	phenol camphor
フェノバルビタール	フェノバルビタール	phenobarbital
フェルビナク	フェルビナク	felbinac
フェロジピン	フェロジピン	felodipine
フェンタニルクエン酸塩	フェンタニル	fentanyl
フェントラミンメシル酸塩	フェントラミン	phentolamine
フェンブフェン	フェンブフェン	fenbufen
複方ヨード・グリセリン	複方ヨード・グリセリン	compound iodine glycerin
ブシラミン	ブシラミン	bucillamine
ブチルスコポラミン臭化物	ブチルスコポラミン	scopolamine butylbromide
ブピバカイン塩酸塩水和物	ブピバカイン	bupivacaine
ブプレノルフィン塩酸塩	ブプレノルフィン	buprenorphine

医薬品一般名	薬物名略称	英名
ブメタニド	ブメタニド	bumetanide
フラジオマイシン硫酸塩	フラジオマイシン	fradiomycin
プラゾシン塩酸塩	プラゾシン	prazosin
プラバスタチンナトリウム	プラバスタチン	pravastatin
プラリドキシムヨウ化物	プラリドキシム	pralidoxime
プランルカスト水和物	プランルカスト	pranlukast
プリミドン	プリミドン	primidone
フルオロウラシル	フルオロウラシル	fluorouracil
フルコナゾール	フルコナゾール	fluconazole
フルシトシン	フルシトシン	flucytosine
フルタミド	フルタミド	flutamide
フルチカゾンプロピオン酸エステル	フルチカゾン	fluticasone
フルニトラゼパム	フルニトラゼパム	flunitrazepam
フルフェナジン	フルフェナジン	fluphenazine
フルボキサミンマレイン酸塩	フルボキサミン	fluvoxamine
フルマゼニル	フルマゼニル	flumazenil
フルラゼパム塩酸塩	フルラゼパム	flurazepam
フルルビプロフェン	フルルビプロフェン	flurbiprofen
ブレオマイシン塩酸塩	ブレオマイシン	bleomycin
フレカイニド酢酸塩	フレカイニド	flecainide
プレドニゾロン	プレドニゾロン	prednisolone
プロカイン塩酸塩	プロカイン	procaine
プロカインアミド塩酸塩	プロカインアミド	procainamide
プロカテロール塩酸塩水和物	プロカテロール	procaterol
フロセミド	フロセミド	furosemide
プロタミン硫酸塩	プロタミン	protamine
ブロチゾラム	ブロチゾラム	brotizolam
プロパフェノン塩酸塩	プロパフェノン	propafenone
プロパンテリン臭化物	プロパンテリン	propantheline
プロピトカイン塩酸塩	プロピトカイン	propitocaine
プロブコール	プロブコール	probucol
プロプラノロール塩酸塩	プロプラノロール	propranolol
プロベネシド	プロベネシド	probenecid
プロポフォール	プロポフォール	propofol
ブロムヘキシン塩酸塩	ブロムヘキシン	bromhexine
プロメタジン塩酸塩	プロメタジン	promethazine
ブロモクリプチンメシル酸塩	ブロモクリプチン	bromocriptine
ベクロニウム臭化物	ベクロニウム	vecuronium
ベクロメタゾンプロピオン酸エステル	ベクロメタゾン	beclomethasone
ベタネコール塩化物	ベタネコール	bethanechol
ベタメタゾン	ベタメタゾン	betamethasone
ペチジン塩酸塩	ペチジン	pethidine
ヘパリンナトリウム, ヘパリンカルシウム	ヘパリン	heparin
ペプロマイシン硫酸塩	ペプロマイシン	peplomycin
ベラパミル塩酸塩	ベラパミル	verapamil
ベラプロスト	ベラプロスト	beraprost
ペルゴリドメシル酸塩	ペルゴリド	pergolide
ベルベリン塩化物水和物	ベルベリン	berberine
ペロスピロン	ペロスピロン	perospirone
ベンザルコニウム塩化物	ベンザルコニウム	benzalkonium
ベンジルペニシリンカリウム	ベンジルペニシリン	benzylpenicillin
ベンズブロマロン	ベンズブロマロン	benzbromarone
ベンゼトニウム塩化物	ベンゼトニウム	benzethonium
ベンセラジド	ベンセラジド	benserazide
ペンタゾシン	ペンタゾシン	pentazocine
ペントバルビタールカルシウム	ペントバルビタール	pentobarbital
ボグリボース	ボグリボース	voglibose
ホスホマイシンナトリウム, ホスホマイシンカルシウム水和物	ホスホマイシン	fosfomycin
ポビドンヨード	ポビドンヨード	povidone-iodine
ボリコナゾール	ボリコナゾール	voriconazole

医薬品一般名	薬物名略称	英名
ポリミキシンB	ポリミキシンB	polymyxin B
ホルマリン	ホルマリン	formalin
マイトマイシンC	マイトマイシンC	mitomycin C
マプロチリン塩酸塩	マプロチリン	maprotiline
ミグリトール	ミグリトール	miglitol
ミコナゾール	ミコナゾール	miconazole
ミソプロストール	ミソプロストール	misoprostol
ミゾリビン	ミゾリビン	mizoribine
ミダゾラム	ミダゾラム	midazolam
ミノサイクリン塩酸塩	ミノサイクリン	minocycline
ミルナシプラン塩酸塩	ミルナシプラン	milnacipran
メキシレチン塩酸塩	メキシレチン	mexiletine
メキタジン	メキタジン	mequitazine
メクロフェノキサート塩酸塩	メクロフェノキサート	meclofenoxate
メタンフェタミン塩酸塩	メタンフェタミン	methamphetamine
メチルドパ水和物	メチルドパ	methyldopa
メトクロプラミド	メトクロプラミド	metoclopramide
メトトレキサート	メトトレキサート	methotrexate
メトプロロール酒石酸塩	メトプロロール	metoprolol
メトホルミン塩酸塩	メトホルミン	metformin
メドロキシプロゲステロン酢酸エステル	メドロキシプロゲステロン	medroxyprogesterone
メナテトレノン	メナテトレノン, ビタミン K_2	menatetrenone
メピバカイン塩酸塩	メピバカイン	mepivacaine
メフェナム酸	メフェナム酸	mefenamic acid
メルカプトプリン水和物	メルカプトプリン	mercaptopurine
メロペネム	メロペネム	meropenem
メントール	メントール	menthol
モサプリドクエン酸塩水和物	モサプリド	mosapride
モルヒネ塩酸塩水和物	モルヒネ	morphine
モンテプラーゼ	モンテプラーゼ	monteplase
モンテルカストナトリウム	モンテルカスト	montelukast
薬用炭	薬用炭	medical carbon
葉酸	葉酸	folic acid
ヨードチンキ	ヨードチンキ	iodine tincture
ラクツロース	ラクツロース	lactulose
ラタモキセフナトリウム	ラタモキセフ	latamoxef
ラベタロール塩酸塩	ラベタロール	labetalol
ラベプラゾールナトリウム	ラベプラゾール	rabeprazole
ラロキシフェン塩酸塩	ラロキシフェン	raloxifene
ランソプラゾール	ランソプラゾール	lansoprazole
リスペリドン	リスペリドン	risperidone
リセドロン酸ナトリウム水和物	リセドロン酸	risedronate
リツキシマブ	リツキシマブ	rituximab
リドカイン塩酸塩	リドカイン	lidocaine
リトドリン塩酸塩	リトドリン	ritodrine
リバーロキサバン	リバーロキサバン	rivaroxaban
リバビリン	リバビリン	ribavirin
リファンピシン	リファンピシン	rifampicin
リボフラビン	リボフラビン, ビタミン B_2	riboflavin
硫酸鉄	硫酸鉄	ferrous sulfate
硫酸マグネシウム水和物	硫酸マグネシウム	magnesium sulfate
リルマザホン塩酸塩水和物	リルマザホン	rilmazafone
リンコマイシン塩酸塩水和物	リンコマイシン	lincomycin
レチノールパルミチン酸エステル	レチノールパルミチン酸, ビタミンA	retinol palmitate
レナンピシリン塩酸塩	レナンピシリン	lenampicillin
レバミピド	レバミピド	rebamipide
レバロルファン酒石酸塩	レバロルファン	levallorphan
レボドパ	レボドパ	levodopa
レボフロキサシン水和物	レボフロキサシン	levofloxacin
ロキサチジン酢酸エステル塩酸塩	ロキサチジン	roxatidine
ロキシスロマイシン	ロキシスロマイシン	roxithromycin
ロキソプロフェンナトリウム水和物	ロキソプロフェンナトリウム	loxoprofen sodium

医薬品一般名	薬物名略称	英名
ロクロニウム臭化物	ロクロニウム	rocuronium
ロサルタンカリウム	ロサルタン	losartan
ロペラミド塩酸塩	ロペラミド	loperamide
ロラゼパム	ロラゼパム	lorazepam
ロルメタゼパム	ロルメタゼパム	lormetazepam
ワルファリンカリウム	ワルファリン	warfarin

付表　主な商品名一覧

商品名	薬物名略称	商品名	薬物名略称
5-FU	フルオロウラシル	アンプラーグ	サルポグレラート
ATP	アデノシン三リン酸	アンプリット	ロフェプラミン
S・M散	ジアスターゼ・生薬配合剤	イーシー・ドパール	レボドパ・ベンセラジド
SG顆粒	アセトアミノフェン	イソジン	ポビドンヨード
SPトローチ	デカリニウム	イソゾール	チアミラール
アーチスト	カルベジロール	イトリゾール	イトラコナゾール
アーテン	トリヘキシフェニジル	イノバン	ドパミン
アービタックス	セツキシマブ	イプシロン	イプシロン-アミノカプロン酸
アイピーディ	スプラタスト	イミドール	イミプラミン
アキネトン	ビペリデン	イレッサ	ゲフィチニブ
アクセノン	エトトイン	インタール	クロモグリク酸
アクチバシン	アルテプラーゼ	インダシン	インドメタシン
アクトス	ピオグリタゾン	インテバン	インドメタシン
アクトネル	リセドロン酸	インデラル	プロプラノロール
アクロマイシン	テトラサイクリン	ウインタミン	クロルプロマジン
アコファイド	アコチアミド	ウエルアップ	クロルヘキシジン
アザクタム	アズトレオナム	ウエルパス	ベンザルコニウム・エタノール
アシノン	ニザチジン	ウゴービ	セマグルチド
アズノール	アズレンスルホン酸	ウルグート	ベネキサート
アズロキサ	エグアレン	ウルソ	ウルソデオキシコール酸
アセオシリン	タランピシリン	エクセグラン	ゾニサミド
アセサイド	過酢酸	エクセラーゼ	サナクターゼ配合剤
アセチルスピラマイシン	スピラマイシン	エタノール液IP	エタノール・イソプロパノール
アゼプチン	アゼラスチン	エタプロコール	エタノール・イソプロパノール
アダラート	ニフェジピン	エバステル	エバスチン
アタラックス	ヒドロキシジン	エパデール	イコサペント酸
アデホスコーワ	アデノシン三リン酸	エバミール	ロルメタゼパム
アドナ	カルバゾクロム	エピペン	アドレナリン
アトロベント	イプラトロピウム	エピレオプチマル	エトスクシミド
アナフラニール	クロミプラミン	エフピー	セレギリン
アネキセート	フルマゼニル	エボザック	セビメリン
アバスチン	ベバシズマブ	エホチール	エチレフリン
アピドラ	インスリングルリジン	エリスロシン	エリスロマイシン
アフタゾロン	デキサメタゾン	エンペシド	クロトリマゾール
アフタッチ	トリアムシノロン	オイグルコン	グリベンクラミド
アプレース	トロキシピド	オーグメンチン	アモキシシリン・クラブラン酸
アベロックス	モキシフロキサシン	オーラ注	リドカイン
アマリール	グリメピリド	オステラック	エトドラク
アミティーザ	ルビプロストン	オスバン	ベンザルコニウム
アムロジン	アムロジピン	オスポロット	スルチアム
アモキサン	アモキサピン	オゼックス	トスフロキサシン
アモバン	ゾピクロン	オゼンピック	セマグルチド
アラセナ-A	ビダラビン	オテズラ	アプレミラスト
アリセプト	ドネペジル	オノン	プランルカスト
アリナミンF	フルスルチアミン	オパイリン	フルフェナム酸
アルサルミン	スクラルファート	オプジーボ	ニボルマブ
アルダクトンA	スピロノラクトン	オメプラール	オメプラゾール
アルタット	ロキサチジン	オメプラゾン	オメプラゾール
アルト	アルギン酸ナトリウム	オラセフ	セフロキシムアキセチル
アルファロール	アルファカルシドール	オラドール	ドミフェン
アルボ	オキサプロジン	オラビ	ミコナゾール
アレギサール	ペミロラスト	オラブリス	フッ化ナトリウム
アレグラ	フェキソフェナジン	オルテクサー	トリアムシノロン
アレジオン	エピナスチン	カイロック	シメチジン
アレビアチン	フェニトイン	ガスコン	ジメチコン
アレロック	オロパタジン	ガスター	ファモチジン
アンカロン	アミオダロン	ガストローム	エカベト

付表　主な商品名一覧　375

商品名	薬物名略称	商品名	薬物名略称
ガスモチン	モサプリド	サアミオン	ニセルゴリン
ガスロンN	イルソグラジン	サイトテック	ミソプロストール
カタクロット	オザグレル	ザイボックス	リネゾリド
カチーフN	フィトナジオン	サイレース	フルニトラゼパム
ガチフロ	ガチフロキサシン	ザイロリック	アロプリノール
ガナトン	イトプリド	サインバルタ	デュロキセチン
カバサール	カベルゴリン	ザジテン	ケトチフェン
ガバペン	ガバペンチン	サラジェン	ピロカルピン
カピステン	ケトプロフェン	サリグレン	セビメリン
カプトリル	カプトプリル	サリチゾン	アスピリン
カムリード	エンプロスチル	サリベート	リン酸水素カリウム・無機塩類配合剤
カルデナリン	ドキサゾシン	サルコート	ベクロメタゾン
カルビスケン	ピンドロール	ザロンチン	エトスクシミド
カルベニン	パニペネム・ベタミプロン	サワシリン	アモキシシリン
カルボカイン	メピバカイン	サンディミュン	シクロスポリン
カロナール	アセトアミノフェン	サンリズム	ピルシカイニド
カロマイド	コバマミド	ジェニナック	ガレノキサシン
ガンマオーゼット	ガンマ-オリザノール	ジカベリン	サリチル酸・ジブカイン
キイトルーダ	ペムブロリズマブ	ジゴシン	ジゴキシン
キシロカイン	リドカイン	ジスロマック	アジスロマイシン
キプレス	モンテルカスト	ジセタミン	セトチアミン
ギャバロン	バクロフェン	シタネスト-オクタプレシン	プロピトカイン・フェリプレシン
キョーリンAP2	シメトリド	シナール	アスコルビン酸・パントテン酸
グーフィス	エロビキシバット	ジフルカン	フルコナゾール
グラクティブ	シタグリプチン	シプロキサン	シプロフロキサシン
クラビット	レボフロキサシン	シベノール	シベンゾリン
クラリシッド	クラリスロマイシン	ジャヌビア	シタグリプチン
クラリス	クラリスロマイシン	ジルテック	セチリジン
クラリチン	ロラタジン	ジンジカイン	アミノ安息香酸
グランダキシン	トフィソパム	シンメトレル	アマンタジン
クランポール	アセチルフェネトライド	スインプロイク	ナルデメジン
グリコラン	メトホルミン	スーグラ	イプラグリフロジン・L-プロリン
グリセオール	グリセリン	スーテント	スニチニブ
グリチロン	グリチルリチン	スキャンドネスト	メピバカイン
グリベック	イマチニブ	スターシス	ナテグリニド
グリミクロン	グリクラジド	ステイパン	フルルビプロフェン
グルトパ	アルテプラーゼ	ステリハイドL	グルタラール
グルトハイドL	グルタラール	ストガー	ラフチジン
グルファスト	ミチグリニド	スパントール	フェンプロバメート
グルマール	アセグルタミド	スピリーバ	チオトロピウム
グルミン	L-グルタミン	スポンゼル	ゼラチン
グレースビット	シタフロキサシン	スリノフェン	ロキソプロフェン
クロダミン	クロルフェニラミン	スルモンチール	トリミプラミン
クロロマイセチン	クロラムフェニコール	セイブル	ミグリトール
クロンモリン	マプロチリン	ゼスラン	メキタジン
ケイツー	メナテトレノン	セディール	タンドスピロン
ケタス	イブジラスト	セパゾン	クロキサゾラム
ゲファニール	ゲファルナート	セファメジン	セファゾリン
ケフラール	セファクロル	セフゾン	セフジニル
ケフレックス	セファレキシン	セフメタゾン	セフメタゾール
コートリル	ヒドロコルチゾン	セルシン	ジアゼパム
コートン	コルチゾン	セルタッチ	フェルビナク
コレミナール	フルタゾラム	ゼルフォーム	ゼラチン
コンサータ	メチルフェニデート	セルベックス	テプレノン
コンスタン	アルプラゾラム	セレナール	オキサゾラム
コントール	クロルジアゼポキシド	セレベント	サルメテロール
コントミン	クロルプロマジン	セロクラール	イフェンプロジル
コンラックス	プリジノール	セロケン	メトプロロール
サージセル	酸化セルロース		

商品名	薬物名略称	商品名	薬物名略称
ゾビラックス	アシクロビル	ドプス	ドロキシドパ
ゾメタ	ゾレドロン酸	トフラニール	イミプラミン
ソメリン	ハロキサゾラム	トミロン	セフテラムピボキシル
ソラナックス	アルプラゾラム	ドラール	クアゼパム
ソランタール	チアラミド	トラムセット	トラマドール・アセトアミノフェン
ソル・コーテフ	ヒドロコルチゾン	トランサミン	トラネキサム酸
ソルミラン	イコサペント酸	トリプタノール	アミトリプチリン
ソレトン	ザルトプロフェン	トリモール	ピロヘプチン
タガメット	シメチジン	トリラホン	ペルフェナジン
タケキャブ	ボノプラザン	ドルナー	ベラプロスト
タケプロン	ランソプラゾール	ドルミカム	ミダゾラム
タゴシッド	テイコプラニン	トレドミン	ミルナシプラン
タザレスト	タザノラスト	ナイキサン	ナプロキセン
タゾシン	タゾバクタム・ピペラシリン	ナウゼリン	ドンペリドン
タベジール	クレマスチン	ナパゲルン	フェルビナク
ダラシン	クリンダマイシン	ニトロール	イソソルビド
タリージェ	ミロガバリン	ニトロペン	ニトログリセリン
タリオン	ベポタスチン	ニバジール	ニルバジピン
タリビッド	オフロキサシン	ニフラン	プラノプロフェン
ダルメート	フルラゼパム	ニポラジン	メキタジン
ダントリウム	ダントロレン	ニューレプチル	プロペリシアジン
タンボコール	フレカイニド	ニューロタン	ロサルタン
ヂアミトール	ベンザルコニウム・エタノール	ネオザロカイン	アミノ安息香酸合剤
チウラジール	プロピルチオウラシル	ネオステリングリーン	ベンゼトニウム
チエナム	イミペネム・シラスタチン	ネオドパストン	レボドパ・カルビドパ
チガソン	エトレチナート	ネオドパゾール	レボドパ・ベンセラジド
チスタニン	エチルシステイン	ネオフィリン	アミノフィリン
チョコラA	ビタミンA	ネキシウム	エソメプラゾール
チラーヂンS	レボチロキシン	ネルボン	ニトラゼパム
チロナミン	リオチロニン	ノイエル	セトラキサート
ツイミーグ	イメグリミン	ノイビタ	オクトチアミン
つくしA・M	カンゾウ末配合剤	ノイロトロピン	ワクシニアウイルス接種家兎炎症皮膚抽出液
ディプリバン	プロポフォール	ノイロビタン	ビタミンB_1・B_2・B_6・B_{12}配合剤
テオドール	テオフィリン
デカドロン	デキサメタゾン	ノバスタン	アルガトロバン
テグレトール	カルバマゼピン	ノバミン	プロクロルペラジン
テシプール	セチプチリン	ノベルジン	酢酸亜鉛製剤
デジレル	トラゾドン	ノボラピッド	インスリンアスパルト
デスパコーワ	クロルヘキシジン・ジフェンヒドラミン・ヒドロコルチゾン・ベンザルコニウム合剤	ノボリン	ヒトインスリン
		ノリトレン	ノルトリプチリン
テトラミド	ミアンセリン	ノルバスク	アムロジピン
テノーミン	アテノロール	ハーセプチン	トラスツズマブ
デパケン	バルプロ酸	パーロデル	ブロモクリプチン
デパス	エチゾラム	バイアスピリン	アスピリン
デプロメール	フルボキサミン	ハイアミン	ベンゼトニウム
デポ・メドロール	メチルプレドニゾロン	ハイシー	アスコルビン酸
デュロテップ	フェンタニル	ハイゼット	ガンマオリザノール
テラ・コートリル	オキシテトラサイクリン・ヒドロコルチゾン	ハイペン	エトドラク
		ハイボン	リボフラビン
テルネリン	チザニジン	パキシル	パロキセチン
テレミンソフト	ビサコジル	バキソ	ピロキシカム
デンターグル	フラジオマイシン	バクシダール	ノルフロキサシン
デンタカイン	リドカイン・アドレナリン	ハチアズレ	アズレンスルホン酸
ドグマチール	スルピリド	パナルジン	チクロピジン
トスキサシン	トスフロキサシン	バナン	セフポドキシムプロキセチル
ドセラン	ヒドロキソコバラミン	バファリン	アスピリン・ダイアルミネート
ドパストン	レボドパ	ハベカシン	アルベカシン
ドパゾール	レボドパ	バラシリン	レナンピシリン

付表　主な商品名一覧

商品名	薬物名略称
パラミヂン	ブコローム
バランス	クロルジアゼポキシド
パリエット	ラベプラゾール
ハリケイン	アミノ安息香酸
ハリゾン	アムホテリシンB
ハルシオン	トリアゾラム
バルトレックス	バラシクロビル
パルミコート	ブデソニド
バレオン	ロメフロキサシン
パンカル	パントテン酸
パントシン	パンテチン
パンビタン	複合ビタミン剤
ピーゼットシー	ペルフェナジン
ビーゾカイン	アミノ安息香酸
ビオタミン	ベンフォチアミン
ビオフェルミン	ラクトミン
ビオフェルミンR	耐性乳酸菌
ビクシリン	アンピシリン
ビクトーザ	リラグルチド
ピシバニール	抗悪性腫瘍溶連菌製剤
ビソルボン	ブロムヘキシン
ビタノイリン	ビタミン$B_1 \cdot B_2 \cdot B_6 \cdot B_{12}$配合剤
ビタミンB_6	ピリドキシン
ビタメジン	ビタミン$B_1 \cdot B_6 \cdot B_{12}$配合剤
ヒダントール	フェニトイン
ピトレシン	バソプレシン
ヒノポロン	ヒノキチオール・ヒドロコルチゾン・アミノ安息香酸
ヒビソフト	クロルヘキシジン・エタノール
ヒビテン	クロルヘキシジン
ビブラマイシン	ドキシサイクリン
ピメノール	ピルメノール
ヒューマリン	イソフェンインスリン
ヒューマログ	インスリンリスプロ
ピューラックス	次亜塩素酸ナトリウム
ピラマイド	ピラジナミド
ヒルナミン	レボメプロマジン
ピレチア	プロメタジン
ファーストシン	セフォゾプラン
ファスティック	ナテグリニド
ファムビル	ファムシクロビル
ファロム	ファロペネム
ファンギゾン	アムホテリシンB
フェノバール	フェノバルビタール
フェルビテン	アネトールトリチオン
フェルム	フマル酸第一鉄
フェロ・グラデュメット	乾燥硫酸鉄
フェロミア	クエン酸第一鉄
フェントステープ	フェンタニル
フォサマック	アレンドロン酸
フォシーガ	ダパグリフロジンプロピレングリコール
フォリアミン	葉酸
ブスコパン	ブチルスコポラミン
プラビックス	クロピドグレル
プリズバインド	イダルシズマブ
プリンペラン	メトクロプラミド
フルイトラン	トリクロルメチアジド
フルオール	フッ化ナトリウム

商品名	薬物名略称
プルゼニド	センノシド
フルタイド	フルチカゾン
ブルフェン	イブプロフェン
フルメジン	フルフェナジン
プレステロン	エピジヒドロコレステリン
プレタール	シロスタゾール
ブレディニン	ミゾリビン
プレドニン	プレドニゾロン
プレポダイン	ポロクサマーヨード・エタノール
プロカニン	プロカイン
プロサイリン	ベラプロスト
プロトピック	タクロリムス
ブロニカ	セラトロダスト
プロネス	アミノ安息香酸・ジブカイン・テトラカイン
プロパジール	プロピルチオウラシル
ブロプレス	カンデサルタン
フロベン	フルルビプロフェン
プロマック	ポラプレジンク
フロモックス	セフカペンピボキシル
フロリード	ミコナゾール
ベイスン	ボグリボース
ベストン	ビスベンチアミン
ベナスミン	ジフェンヒドラミン
ベナパスタ	ジフェンヒドラミン
ベネシッド	プロベネシド
ベネット	リセドロン酸
ベネトリン	サルブタモール
ペリアクチン	シプロヘプタジン
ペリオクリン	ミノサイクリン
ベリチーム	膵臓性消化酵素配合剤
ベルケイド	ボルテゾミブ
ペルサンチン	ジピリダモール
ペルジピン	ニカルジピン
ヘルベッサー	ジルチアゼム
ペルマックス	ペルゴリド
ベロテック	フェノテロール
ペングッド	バカンピシリン
ベンザリン	ニトラゼパム
ボーンワックス	ミツロウ
ホクナリン	ツロブテロール
ホスミシン	ホスホマイシン
ボスミン	アドレナリン
ポテリジオ	モガムリズマブ
ボナロン	アレンドロン酸
ポピヨドン	ポビドンヨード
ポララミン	クロルフェニラミン
ホリゾン	ジアゼパム
ボルタレン	ジクロフェナク
ポンタール	メフェナム酸
マーカイン	ブピバカイン
マーズレンS	アズレンスルホン酸
マイスタン	クロバザム
マイスリー	ゾルピデム
マスキンR	クロルヘキシジン・エタノール
マドパー	レボドパ・ベンセラジド
マンジャロ	チルゼパチド
ミオコール	ニトログリセリン
ミオナール	エペリゾン

商品名	薬物名略称
ミニプレス	プラゾシン
ミノ・アレビアチン	トリメタジオン
ミノマイシン	ミノサイクリン
ミヤBM	酪酸菌配合剤
ミラノール	フッ化ナトリウム
ミリスロール	ニトログリセリン
ミルクポン	次亜塩素酸ナトリウム
ミルトン	次亜塩素酸ナトリウム
ムコスタ	レバミピド
ムコソルバン	アンブロキソール
ムコダイン	カルボシステイン
メイアクトMS	セフジトレンピボキシル
メイラックス	ロフラゼブ酸
メイロン	炭酸水素ナトリウム
メキニスト	トラメチニブ
メソトレキセート	メトトレキサート
メチコバール	メコバラミン
メトグルコ	メトホルミン
メドロール	メチルプレドニゾロン
メネシット	レボドパ・カルビドパ
メプチン	プロカテロール
メルカゾール	チアマゾール
メレックス	メキサゾラム
メロペン	メロペネム
モービック	メロキシカム
ユーロジン	エスタゾラム
ユナシン	スルタミシリン
ユベラ	トコフェロール
ユベラN	トコフェロールニコチン酸
ユリノーム	ベンズブロマロン
ラキソベロン	ピコスルファート
ラジカット	エダラボン
ラシックス	フロセミド
ラックビー	ビフィズス菌
ラボナ	ペントバルビタール
ラボナール	チオペンタール
ランタス	インスリングラルギン
ランツジール	アセメタシン
ランドセン	クロナゼパム
リーゼ	クロチアゼパム
リーマス	リチウム
リオレサール	バクロフェン
リグノスパン	リドカイン・アドレナリン
リコモジュリン	遺伝子組換えトロンボモデュリン製剤

商品名	薬物名略称
リザベン	トラニラスト
リスミー	リルマザホン
リスモダン	ジソピラミド
リタリン	メチルフェニデート
リツキサン	リツキシマブ
リフレックス	ミルタザピン
リベルサス	セマグルチド
リボトリール	クロナゼパム
リポバス	シンバスタチン
リリカ	プレガバリン
リンデロン	ベタメタゾン
リンラキサー	クロルフェネシン
ルジオミール	マプロチリン
ルボックス	フルボキサミン
ルリッド	ロキシスロマイシン
レカルブリオ	イミペネム・レレバクタム・シラスタチン
レキソタン	ブロマゼパム
レスタミン	ジフェンヒドラミン
レスミット	メダゼパム
レスリン	トラゾドン
レダコート	トリアムシノロン
レニベース	エナラプリル
レプチラーゼ	ヘモコアグラーゼ
レミカット	エメダスチン
レメロン	ミルタザピン
レンドルミン	ブロチゾラム
ロカイン	プロカイン
ロキソニン	ロキソプロフェン
ロセフィン	セフトリアキソン
ロノック	オルノプロスチル
ロバキシン	メトカルバモール
ロピオン	フルルビプロフェンアキセチル
ロプレソール	メトプロロール
ロペミン	ロペラミド
ロメット	レピリナスト
ロメバクト	ロメフロキサシン
ロラメット	ロルメタゼパム
ロルカム	ロルノキシカム
ワーファリン	ワルファリン
ワイパックス	ロラゼパム
ワソラン	ベラパミル
ワッサーV	混合ビタミン

索引語太字は近年の歯科医師国家試験で出題された語句の抜粋,
頁数太字は特に詳細に記載されている箇所を示す.

索引　379

数字索引

1α, 25-ジヒドロキシビタミンD_3　242
1回膜貫通型受容体　74
5,6,7,8-tetrahydrofolic acid　112
5,6,7,8-テトラヒドロ葉酸　112
5-FU　40, 47, **227**
5-HT　85, 150
5-HT$_{1A}$受容体作動薬　168
5-HT神経　149
5-hydroxytryptamine　85
5-ヒドロキシトリプトファンデカルボキシラーゼ　88
7回膜貫通型受容体　74
11-cis-レチナール　106
50%致死量　8
50%中毒量　8
50%有効量　8
Ⅰ型アレルギー反応　217
Ⅱ型アレルギー反応　218
Ⅲ型アレルギー反応　218
Ⅳ型アレルギー反応　218

和文索引

あ

アイソボログラム　36
亜鉛欠乏　49
アカルボース　238
アクアポリン　325
悪性高熱症　46, **141**, 167
悪性症候群　166
悪性貧血　112, 214
アクチノマイシンD　80, 228
アクリノール水和物　320
アコチアミド塩酸塩水和物　200
アゴニスト　72
アコニチン　353
アザチオプリン　219
亜酸化窒素　143, 145
アシクロビル　300, 330
アジスロマイシン水和物　289, 290
アスコルビン酸　113
アズトレオナム　288
アスナプレビル　303
アスパラギン酸アミノトランスフェラーゼ　89
アスピリン　29, 41, 49, 53, 55, 79, 81, 173, 183, 209, **262**
アスピリンジレンマ　209, 263
アスピリン喘息　45, 55, **261**, 267
アズレンスルホン酸ナトリウム水和物　199
アセタゾラミド　81, **189**
アセチルCoA　121
アセチルコリンエステラーゼ　86, 122, 129
アセチルコリン塩化物　74, 85, 86, 116, **128**
アセチルコリン受容体　**122**, 123
アセチルコリンムスカリン性M_3受容体　197
アセチルサリチル酸　262
アセチルシステイン　195
アセトアミノフェン　21, 39, 46, 47, **269**
アセトアミノフェン・NSAIDs　271

アセトアルデヒド　148
アセトアルデヒド代謝能　148
アセトヘキサミド　55
アセプトロール塩酸塩　125, 127
アセメタシン　264, 266
アゼラスチン塩酸塩　194, 222
アゾール系抗真菌薬　297
アゾセミド　188
アタザナビル硫酸塩　304
アダパレン　107
アデニル酸シクラーゼ　327
アデノシンA$_{2A}$受容体拮抗薬　173
アデノシン三リン酸二ナトリウム水和物　**75**, 173
アテノロール　125, 127, 176, 183
アデホビルピボキシル　303
アドヒアランス　29
アトモキセチン塩酸塩　171
アトルバスタチンカルシウム水和物　81, **251**
アドレナリン　55, 74, 79, **85**, 87, 103, 118, **124**, 136, 179, 193, 209, 274, 278
────の血圧反転　128
アドレナリンα受容体　121
アドレナリンα$_1$受容体　87
アドレナリンα$_1$受容体遮断薬　46, **176**
アドレナリンα$_2$受容体　87
アドレナリンαβ受容体遮断薬　176
アドレナリンβ受容体　121
アドレナリンβ$_1$受容体　87
アドレナリンβ$_2$受容体　87
アドレナリンβ$_3$受容体　87
アドレナリンβ受容体遮断薬　176
アドレナリン含有歯科用局所麻酔薬　55
アドレナリン作動性神経　116
アドレナリン作動薬　123, 274
アドレナリン自己注射　50
アドレナリン受容体　121, **123**, 124
アドレナリン受容体サブタイプの特徴　121
アドレナリン受容体に対するカテコラミンの作用　125
アドレノクロム　207
アトロピン代用薬　131
アトロピン硫酸塩水和物　46, 48, 74, **122**, 130, 276, 277, 328
アナフィラキシー　43
アナフィラキシーショック　43, 141, 278
アバカビル硫酸塩　304
アバロパラチド　244
アピキサバン　211
アフタ　334
アプレミラスト　335
アポモルヒネ塩酸塩水和物　172
アマンタジン塩酸塩　172, **302**, 329
アミオダロン塩酸塩　21, 38, 18, **276**
アミカシン硫酸塩　64, 288
アミド型局所麻酔薬　138
アミトリプチリン塩酸塩　56, 126, **169**, 272, 328
アミノ安息香酸エチル　138
アミノグリコシド系抗菌薬　46, 52, 281, **283**, 288
アミノ酸抱合　21
アミノフィリン水和物　81, **191**, 193
アムホテリシンB　80, **297**, 334
アムロジピンベシル酸塩　47, **177**, 180, 183
アメロジェニン　346
アモキサピン　169

アモキシシリン・クラブラン酸カリウム　**288**, 346
アモキシシリン水和物　199, **284**, 346
アモバルビタール　160
アラキドン酸　**94**, 256
アラキドン酸カスケード　**94**, 256
アリール酢酸誘導体　264
アリスキレンフマル酸塩　178
アリピプラゾール　167, **168**, 170
アルガトロバン水和物　212
アルキル化薬　226
アルキルジアミノエチルグリシン塩酸塩　319
アルギン酸ナトリウム　199, **208**
アルコール　33, 34, 35, **313**
アルコール脱水素酵素　27, 148
アルデヒド脱水素酵素　27
アルデヒド脱水素酵素2型　148
アルデヒド類　314
アルテプラーゼ　173, **213**
アルドステロン　93, **177**, 186, 187
アルドステロン受容体拮抗薬　**177**, 179
アルドステロン症　102, 103
アルファカルシドール　102, **247**
アルブミン　18, 22, 28, 39, 51, 54, 55
アルプラゾラム　160
アルベカシン硫酸塩　64, **288**
アルミニウム製剤　30
アレルギー　283
アレルギー性疾患　259
アレンドロン酸ナトリウム水和物　102, **246**
アロステリックアンタゴニスト　**37**, 38
アロステリック部位　73
アロディニア　272
アロプリノール　81, **253**
アンジオテンシノーゲン　93
アンジオテンシンⅠ　93, 177
アンジオテンシンⅡ　**92**, 93, 177, 178
アンジオテンシンⅡタイプ1受容体　177
アンジオテンシンⅡ受容体拮抗薬　187
アンジオテンシン受容体　93
────のサブタイプ　93
アンジオテンシン変換酵素　92, **93**, 177
アンジオテンシン変換酵素阻害薬　43, 51, 55, **79**
安全域　10
アンタゴニスト　73
アンチトロンビン　211
アンチポーター　78
安中散　356
アンデキサネットアルファ　211
アントラサイクリン系抗腫瘍薬　229
アンドロゲン　103, 104
アンピシリン水和物　285
アンピロキシカム　265
アンフェタミン　33, **53**, 126
アンフェナクナトリウム水和物　265
アンブリセンタン　177
アンブロキソール塩酸塩　195
アンベノニウム塩化物　**130**, 131

い

胃炎（和漢薬）　356
イオン共輸送体　78
イオンチャネル　**76**, 77
イオンチャネル内蔵型受容体　**75**, 123, 157

胃潰瘍治療薬　*131*
イグラチモド　*224*
イコサペント酸エチル　*210*
イサブコナゾール　*298*
胃酸分泌抑制薬　*197*
異常高血圧　*278*
移植片対宿主病　*218*
異所性骨化症　*247*
イストラデフィリン　*173*
イソグラジンマレイン酸塩　*199*
イソソルビド　*189*
イソニアジド　*27, 111, 296*
イソフルラン　*146*
イソプレナリン塩酸塩　*275*
イソプロテレノール　*124*
イソプロパノール　*314*
イソプロピルアンチピリン　*47, 268*
イソプロピルメチルフェノール　*344*
依存性薬物　*33*
　　――の急性中毒　*35*
　　――の慢性中毒　*35*
イダルシズマブ　*211*
イダルビシン塩酸塩　*229*
一塩基多型　*57*
一次救命処置　*277*
一次作用　*5*
一次ニューロン　*149*
胃腸障害　*261*
一過性作用　*6*
一酸化窒素　*95*
一般作用　*6*
一般用医薬品　*69*
遺伝子組換えトロンボモデュリン製剤
　213
遺伝子多型　*20, 27, 57*
遺伝的素因　*27*
イドクスウリジン　*301*
イトプリド塩酸塩　*200*
イトラコナゾール　*38, 82, 190, 296, 298*
胃内容排出時間　*53*
胃内容物排出速度　*29, 39*
イノシトール 1,4,5-三リン酸受容体　*77*
イバンドロン酸ナトリウム水和物　*246*
イフェンプロジル酒石酸塩　*173*
イブジラスト　*173*
イブプロフェン　*21, 26, 265*
イプラグリフロジン L-プロリン　*239*
イプラトロピウム臭化物水和物　*131, 193*
イホスファミド　*227*
イマチニブメシル酸塩　*64, 82, 233*
イミダゾール系　*297, 298*
イミプラミン塩酸塩　*53, 56, 169, 272, 328*
イミペネム　*286*
イミペネム・シラスタチン配合薬　*286*
イムデビマブ　*305*
イメグリミン塩酸塩　*239*
医薬品　*68*
医薬品，医療機器等の品質，有効性及び安全性の確保等に関する法律　*62, 66, 68*
医薬品 GLP 基準　*62*
医薬品医療機器総合機構　*49, 61*
医薬品・医療機器等安全性情報　*49*
医薬品医療機器等法　*64, 66, 68, 70*
医薬品開発プロセス　*59*
医薬品等安全性関連情報　*30*
医薬品の開発　*60*
　　――管理および法規　*70*
　　――表示と保管方法　*69*
　　――保管　*30, 71*

　　――臨床試験の実施に関する基準　*61*
医薬品副作用被害救済制度　*50, 65*
医薬部外品　*68*
イリノテカン塩酸塩水和物　*57, 230*
医療安全確保　*67*
医療ビッグデータ　*59*
医療面接　*30*
医療用医薬品　*64, 69*
医療用漢方製剤　*354, 355*
イレッサ®　*233*
陰イオン界面活性剤　*317*
陰イオン交換樹脂　*38, 251*
インクレチン　*104, 236*
インクレチン関連薬　*238*
インスリン　*4, 75, 104, 236*
インスリンアナログ　*237*
インスリン製剤　*237*
インスリン抵抗性　*236*
インスリン抵抗性改善薬　*238*
インスリン様成長因子　*96*
陰性変時作用　*177*
陰性変力作用　*177*
インターフェロン　*96, 216, 221, 302*
インターフェロン-γ　*75*
インターロイキン　*96, 216*
インターロイキン-2　*221*
インダパミド　*188*
茵蔯蒿湯　*354, 358, 359*
インテグラーゼ阻害薬　*304*
インドール酢酸系　*264*
インドメタシン　*5, 23, 41, 189, 264*
インドメタシン ファルネシル　*264, 266*
院内感染　*306*
インバースアゴニスト　*73*
インフォームド・コンセント　*59*
インフュージョンリアクション　*235*
インフルエンザウイルス治療薬　*301*
インフルエンザ脳症　*262*

――― う ―――

齲蝕予防薬　*348*
内向き整流性 K^+ チャネル　*76, 77*
うつ病　*168*
ウパシカルセトナトリウム水和物　*102*
ウルソデオキシコール酸　*201*
ウロキナーゼ　*213*
ウロキナーゼ型プラスミノゲンアクチベーター　*213*
運動神経　*131*

――― え ―――

エイコサノイド　*94, 256*
エイコサノイド受容体　*94*
　　――のサブタイプと機能　*95*
エイコサペンタエン酸　*252*
栄養状態　*28*
エーテル　*146*
エーテル麻酔深度表　*144*
エカベトナトリウム水和物　*199*
エグアレンナトリウム水和物　*199*
エサキセレノン　*102*
エスタゾラム　*160*
エステル型局所麻酔薬　*138*
エステル型ペニシリン　*285*
エストロゲン　*25, 104, 249*
エストロゲン受容体　*249*
エストロゲン製剤　*249*

エスモロール　*278*
エゼチミブ　*252*
エゼリン　*130*
エソメプラゾールマグネシウム水和物
　198
エタノール　*21, 23, 27, 147, 314*
エダラボン　*173*
エタンブトール　*296*
エチオナミド　*48*
エチゾラム　*160*
エチドロン酸二ナトリウム　*246*
エテルカルセチド塩酸塩　*102*
エテンザミド　*262*
エドキサバン　*211*
エトスクシミド　*163, 165*
エトドラク　*265*
エトポシド　*21*
エトラビリン　*304*
エトレチナート　*107*
エドロホニウム塩化物　*130, 132*
エナメル質形成不全　*47, 283, 291*
エナメルマトリックスタンパク質　*346*
エナラプリルマレイン酸塩　*178*
エノキサシン水和物　*37, 294*
エノキサパリンナトリウム　*212*
エピナスチン塩酸塩　*193, 194*
エピリゾール　*266*
エピルビシン塩酸塩　*48, 229*
エファビレンツ　*304*
エフェドリン塩酸塩　*26, 32, 125, 126, 193, 275, 277, 353*
エプレレノン　*102, 189*
エベロリムス　*219*
エポエチンアルファ　*214*
エポエチンベータ　*214*
エボカルセト　*102*
エボキシ-*p*-メンタン　*344*
エモルファゾン　*266*
エリスロポエチン　*104, 214*
エリスロマイシン　*21, 190, 290*
エルカトニン　*102, 249*
エルゴカルシフェロール　*108, 241*
エルゴステロール　*296*
エルゴタミン酒石酸塩　*53, 271*
エルデカルシトール　*247*
エルトロンボパグ　*208*
エルビテグラビル　*304*
エレヌマブ　*270, 271*
エロビキシバット水和物　*201*
塩化カルシウム水和物　*102*
塩基性 NSAIDs　*260*
塩基性非ステロイド性抗炎症薬　*260, 266*
エンケファリン　*150, 151*
塩酸ロメフロキサシン　*293*
炎症性サイトカイン　*259*
炎症性疼痛　*255*
炎症性病理変化　*255*
炎症の経過　*255*
炎症のケミカルメディエーター　*254, 256*
炎症の五大徴候　*254*
エンタカポン　*120, 126, 172*
エンテカビル水和物　*303*
エンテロクロマフィン細胞　*91*
エンドセリン　*93, 104*
エンドセリン受容体拮抗薬　*177*
エンドモルフィン　*151*
エンビオマイシン　*296*
エンフビルチド　*304*

索引 381

お

黄体ホルモン 104
黄連湯 353, 358, **359**
オーソライズドジェネリック 61
オーダーメイド医療 63
オータコイド 83, 88, **91**
オートクリン 84
オーファンドラッグ 71
オキサセフェム系 286
オキサプロジン 253
オキサリプラチン 230
オキシカム誘導体 265
オキシコドン塩酸塩水和物 153, **269**
オキシドール 27, **310**
オキシトロピウム臭化物 131
オキシブチニン塩酸塩 131
オクトチアミン 109
オザグレル塩酸塩水和物 82, 209, **223**
オザグレルナトリウム 173
オシロドロスタットリン酸塩 102
オステオカルシン 76, **249**
オステオポンチン 76
オセルタミビルリン酸塩 82, **302**
オピオイドκ受容体 195
オピオイドμ受容体 195
オピオイド拮抗薬 155
オピオイド系薬物 34
オピオイド受容体 150, **151**, **269**
オピオイドスイッチング 154, **269**
オピオイド鎮痛薬 269
オピオイド薬 30
オピカポン 172
オプシン 106
オフロキサシン 293
オマリズマブ 193, **194**
オミックス情報 59
オメプラゾール 21, 40, 77, 81, **198**
オランザピン 167, **168**, 170
オルト-トルイジン 141
オルトフタルアルデヒド 315
オレキシン 162
オレキシン受容体拮抗薬 162
オンライン服薬指導 64

か

壊血病 113
開口分泌 16, **84**
カイニン酸 75
カイニン酸受容体 89
外部環境 28
解離性麻酔薬 147
カイロミクロン 250
化学受容器引き金帯 152
化学的拮抗 37
化学的滅菌剤 309
化学療法薬 279
過換気症候群 141, **277**
過感受性 32, **126**
可逆的コリンエステラーゼ阻害薬 130
核酸アナログ製剤 303
核酸医薬 59
核酸合成阻害 281
拡散性低酸素症 145
覚醒剤 34, **126**
覚せい剤取締法 33
獲得免疫系 216
核内受容体 72, **100**

下行性疼痛抑制系 149
過酢酸 310
過酸化水素 310, **340**
カシリビマブ 305
下垂体前葉・後葉ホルモン 103
加水分解 20
ガストリン 104, **198**
ガス麻酔薬 143
かぜ症候群（和漢薬） 356
カタラーゼ 27, **310**
脚気 109
顎骨壊死 48
葛根湯 354, **356**, **358**, **359**
活性型ビタミン D₃ 76, 100, **240**, **242**, 247
ガッタパーチャ系根管充填材 342
活動電位 **131**, **134**
カテコール-O-メチルトランスフェラーゼ 87, **120**
カテコール-O-メチル基転移酵素阻害薬 172
カテコラミン 85, **87**
カナマイシン硫酸塩 49, **288**, **296**
ガバペンチン 64, 163, **165**
過敏症 43
過敏性腸症候群（和漢薬） 357
カフェイン水和物 4, 21, 29, 77, 81, **171**
カプサイシン受容体 255
カプトプリル 21, 81, **178**, **187**
ガベキサート 213
カペシタビン 228
カベルゴリン 172
加味逍遙散 **357**, **358**
空咳 178
ガランタミン臭化水素塩 174
カリウムイオン競合型酸分泌抑制薬 198
カリウム保持性利尿薬 189
カリクレイン 187
カリクレイン-キニン系 92
カリジン 92
ガルカネズマブ 270, **271**
カルシウム拮抗薬 26, 47, 50, 77, **180**, **183**
カルシウム感知受容体 241
カルシウム受容体作動薬 100
カルシウム製剤 100
カルシウム代謝調節ホルモン 240
カルシウム調節ホルモンの標的器官と作用 240
カルシトニン 99, 100, **240**, **243**
カルシトニン遺伝子関連ペプチド 270
カルシトニン受容体 243
カルシトニン製剤 249
カルシトリオール 102, **247**
カルテオロール塩酸塩 125, **127**
カルバコール 129
カルバゾクロムスルホン酸ナトリウム 207
カルバペネム系抗菌薬 285
カルバマゼピン 21, 47, 48, 51, 64, 163, **164**, 170, 272, 333
カルビドパ 172
カルベジロール 21, **176**
カルペリチド 181
カルボキシペプチダーゼ 280
カルボプラチン 230
カルメロースナトリウム 201
カルモナムナトリウム 288
がん遺伝子検査 58
がん遺伝子パネル検査 58

冠血管拡張薬 183
がんゲノム医療 59
がんゲノム情報管理センター 59
還元 20
還元型ビタミン C 113
ガンシクロビル 301
カンジダ性味覚障害 336
間質性腎炎 46
間接型アドレナリン作動薬 126
間接型コリン作動薬 130
間接作用 5
間接覆髄法 338
関節リウマチ 218, **223**
完全作動薬 8, **37**, **72**
甘草 353
肝臓ホルモン 104
カンデサルタンシレキセチル 179
がん疼痛治療 154
眼内筋の神経支配 129
肝庇護薬 201
カンフル 316
漢方 351
漢方薬 351
カンレノ酸カリウム 189

き

偽アルドステロン症 353
気管支炎（和漢薬） 356
気管支拡張薬 131, **274**
気管支喘息 191
気管支喘息治療薬 191
気管支喘息治療薬の分類 193
気管支喘息の病態生理 192
気管支喘息発作時 191
気血津液弁証 352
キサンチンオキシダーゼ 253
キサンチン誘導体 81, **171**, 194
器質的変化 3
基準最高用量 140
希少疾病用医薬品 71
偽性コリンエステラーゼ 27, **122**, **129**
基礎研究 60
拮抗作用 37
拮抗的二重神経支配 118
拮抗薬 73
偽伝達物質 128
気道潤滑薬 195
気道粘液修復薬 195
気道粘液溶解薬 195
気道分泌促進薬 195
キニジン硫酸塩水和物 38, 40, 64, **182**
キニナーゼⅠ 92
キニナーゼⅡ 92
機能性ディスペプシア治療薬 200
機能的拮抗 37
機能的耐性 31
機能的変化 3
機能麻痺 4
キノロン系抗菌薬 81
揮発性麻酔薬 143
気分安定薬 164, **170**
偽膜性腸炎 45, **283**
気密容器 71
偽薬 30
逆作動薬 73
逆性石ケン 317
逆耐性 32
キャンディン系抗真菌薬 298

吸収　16
吸収性止血薬　208
吸収とpHの関係　17
吸収におけるpHの影響　16
　——脂溶性と水溶性　17
急性循環不全　275
急性腎障害　190
急性腎不全　46
急性耐性　32
急性中毒（フッ化物の）　350
吸入抗コリン薬　191
吸入ステロイド薬　191, 194
吸入投与　13
吸入麻酔薬　23, 142, 143
狭域性抗菌薬　280
凝固因子　203
競合的アンタゴニスト　73
競合的拮抗　37, 38
競合的拮抗薬　37, 73, 74
競合的筋弛緩薬　75, 132
強酸性電解水　312
狭心症治療薬　183
強心配糖体　179
強心薬の作用機序　180
共輸送　78
協力作用　36
局所作用　5
局所性止血薬　208
局所適用　11
局所投与　11
局所ホルモン　91
局所麻酔の注意すべき生体反応　141
局所麻酔法　134
局所麻酔薬　134
局所麻酔薬アレルギー　141
局所麻酔薬中毒　141, 277
局所麻酔薬により生じる欠点　137
局所麻酔薬の炎症組織への適用　137
　——炎症などの局所の状態と作用部位のpH　136
　——解離型と非解離型の割合　135
　——基本構造　138
　——局所の血流と血管分布　136
　——血管収縮薬　137
　——血管収縮薬の併用　136
　——血管収縮薬を添加する目的　136
　——作用機構　135
　——作用部位での有効濃度に影響する因子　136
　——水溶液中での安定性とpH　136
局所薬物配送システム　345
虚血性心疾患の病態と治療薬　184
巨赤芽球性貧血　43, 112
拒絶反応　218
去痰薬　195
キレート作用　80
禁煙補助薬　196
銀化合物　320
禁忌　64
菌交代現象　283, 335
菌交代症　45, 48, 283, 287
筋弛緩薬　132
筋収縮　131
筋収縮までの過程　132
筋小胞体　131, 133
金チオリンゴ酸ナトリウム　224
筋肉内注射　13

■■■ く ■■■

クアゼパム　160
グアナベンズ酢酸塩　125, 176
グアニル酸シクラーゼ型　75
グアノシン5'-三リン酸　74
グアヤコール　316, 338, 341
グアンファシン塩酸塩　171
クエチアピン　167, 170
クエン酸第一鉄ナトリウム　213
クエン酸第二鉄水和物　102
クマリン系抗凝固薬　210
クラミジア肺炎　290
クラリスロマイシン　190, 199, 289, 290
クリアランス　62
クリーゼ　126
グリクラジド　237
グリシン　89, 90
グリシンアミノトランスフェラーゼ　89
グリシン受容体　89, 90
グリシントランスポーター　89
グリセオフルビン　299
グリセリン　201
グリチルリチン　201, 353
クリティカル器具　307
グリニド薬　237
グリベンクラミド　39, 55, 237
グリミン薬　239
グリメピリド　237
クリンダマイシン塩酸塩　290
グルカゴン　104
グルカゴン様ペプチド　236
グルクロン酸抱合　20, 21, 51
グルコース依存性インスリン分泌刺激ホルモン　236
グルコーストランスポーター　79
グルコース輸送体　79
グルココルチコイド受容体　258
グルコン酸カルシウム水和物　102
グルタミン酸　89, 90, 150
グルタミン酸作動性神経　163
グルタミン酸受容体　75, 90
グルタミン酸デカルボキシラーゼ　89
グルタミン酸トランスポーター　89
グルタラール　315
グルタルアルデヒド　315
くる病　241
クレアチニン　186
クレアチニンクリアランス　23
グレイ症候群　54, 283, 292
グレープフルーツジュース　21, 29, 40
クレゾート　316
クレゾール石ケン液　316
クレチン症　99
グレリン　104
クレンブテロール塩酸塩　125
黒毛舌　48, 335
黒後家グモ毒　122
クロザピン　167, 328
クロトリマゾール　298
クロドロン酸二ナトリウム　246
クロナゼパム　20, 48, 164
クロニジン塩酸塩　120, 125, 176
クロピドグレル硫酸塩　21, 45, 210
クロフィブラート　252
クロム親和性細胞　118
クロモグリク酸ナトリウム　193, 194, 223
クロラムフェニコール　52, 53, 281, 283, 292
クロラムフェニコール系　54

■■■ け ■■■

クロルギリン　120, 126
クロルプロマジン塩酸塩　20, 23, 48, 53, 56, 167, 329
クロルヘキシジングルコン酸塩　318, 319, 344

経口抗菌薬　346
経口投与　11, 17
経口投与の短所　11
経口投与の長所　11
経口薬　11
桂枝加芍薬大黄湯　356
桂枝加芍薬湯　357
桂枝加苓朮附湯　360
桂枝茯苓丸　357
系統差　26
経皮投与　13
傾眠　158, 161
けいれん誘発　294
劇薬　70
下剤　201
ケタミン塩酸塩　21, 143, 147
血圧調節機構　176
血液/ガス分配係数　143, 144
血液凝固因子　203
血液凝固と線溶系　205
血液睾丸関門　18
血液製剤　205
血液胎盤関門　18, 47
血液脳関門　18, 152
血液脳脊髄液関門　18
血管拡張薬　177, 180
血管収縮薬　136, 209
血管透過性　18
血管内皮細胞　93, 94
血管内皮成長因子　232
血管内皮成長因子受容体　234
血管平滑筋の収縮・弛緩と治療薬　178
血管ホルモン　104
血管迷走神経反射　141, 277
月経異常（和漢薬）　357
結合型血漿タンパク質　18
結合型薬物　39
結合タンパク質　74
血漿キニン　92
血漿キニンの産生と代謝　92
血漿タンパク質　39, 40
血小板　203
血小板活性化因子　95, 258
血小板凝集抑制薬　209
血小板減少症　43
血小板の粘着，活性化，凝集　204
血小板輸血　205
血小板由来成長因子　75, 96
血小板由来成長因子受容体　234
欠神発作　164
血清カルシウム濃度によるPTHとカルシトニンの分泌調節　242
血栓溶解薬　213
血中濃度-時間曲線　15, 16, 19
血中濃度-時間曲線下面積　15, 62
血中薬物濃度　24
血糖降下薬　237
血友病A　205
血友病B　205
ケトコナゾール　21
ケトチフェンフマル酸塩　193, 194

索引　383

ゲニポシド　354
解熱作用　263
解熱鎮痛薬　43, **268**
ケノデオキシコール酸　201
ゲノム薬理学　57
ゲフィチニブ　57, 82, 96, **233**
ケモカイン　96
健胃消化薬　199
原因療法　3
嫌酒薬　287
ゲンタマイシン硫酸塩　49, 64, 188, **288**

── こ ──

誤飲と誤嚥　278
抗CGRP抗体　270
抗CGRP受容体抗体　270
抗IgE抗体　191
抗IL-6受容体抗体　224
抗RANKL抗体製剤　247
抗TNF-α抗体　224
抗アドレナリン薬　126
抗アルドステロン薬　189
抗アレルギー薬　194
抗アレルギー薬の作用点　222
抗アンドロゲン薬　231
広域性抗菌薬　280
広域性ペニシリン　285
抗うつ薬　**168**, 328
抗エストロゲン薬　230
抗炎症作用　259
口角炎　335
交感神経　117
交感神経作動薬　**123**, **126**
交感神経ニューロン遮断薬　128
抗感染作用　4
抗感染症薬　279
──による副現象　283
──の作用機序　280
──の生体内分布　282
──の副作用　283
交換輸送　78
抗凝固薬　**209**, 210
抗菌スペクトル　280
抗菌薬　279
口腔カンジダ症　48, **305**, 333
口腔乾燥症　48, 130, **324**, 326, 327, 335
口腔乾燥を起こす主な薬物　328
口腔ジスキネジア　166
口腔潜在的悪性疾患　**334**, 335
口腔内科　330
口腔内科治療薬物　**331**, 332, 333
口腔内崩壊錠　12
口腔粘膜炎　47
口腔扁平苔癬　334
口腔領域の有害作用　47
高血圧患者　55
高血圧緊急症　278
高血圧治療薬　175
高血圧発症　126
抗結核薬　295
抗血小板作用　264
抗血小板薬　173
抗血栓薬　173, **209**
抗甲状腺薬　99
抗コリン薬　30, **130**, 173, 191, 193, 276, 328
交叉感受性　137
交叉耐性　31, **282**
鉱質コルチコイド　103

鉱質コルチコイド機能亢進症　**102**, 103
鉱質コルチコイド機能低下症　**102**, 103
鉱質コルチコイド受容体　186
鉱質コルチコイド受容体拮抗薬　103
抗腫瘍性抗生物質　228
抗腫瘍薬　31, 46, 47, **51**
──の作用機序と作用点　226
──の作用点と細胞周期　227
──の副作用対策　235
甲状腺機能亢進症　**99**, 102
甲状腺機能低下症　**99**, 102
甲状腺ホルモン　75, **99**
甲状腺ホルモン製剤　99
甲状腺ホルモンの合成・分泌　101
抗真菌薬　**296**, 297, 336
抗真菌薬の作用機序　297
口唇ヘルペス　330
高水準消毒　309
高水準消毒薬　**309**, 310
抗スクレロスチン抗体製剤　245
合成局所麻酔薬　137
合成ケイ酸アルミニウム　199
合成鉱質コルチコイド製剤　103
合成糖質コルチコイド製剤　258
抗精神病薬　**165**, 329
抗精神病薬の各受容体に対する拮抗作用　167
向精神薬　70, **165**
合成糖質コルチコイド　258
抗生物質　279
酵素　72
抗躁薬　170
酵素活性を促進あるいは抑制する薬理作用　**81**, 82
酵素関連型受容体　**74**, 75, 100
酵素共役型受容体　**75**, 100
酵素止血薬　208
酵素内蔵型受容体　**75**, 100
酵素に作用する薬物　79
酵素誘導　**31**, 40
抗体依存性細胞傷害　220
抗体医薬　59, **221**
抗てんかん薬　47, 155, 161, **163**
抗てんかん薬の作用機序　163
後天性免疫不全症候群　**303**, 321
抗トロンビン薬　212
口内炎　47
高尿酸血症　252
更年期障害（和漢薬）　357
後発医薬品　61
広範囲抗菌薬　280
抗ヒスタミン薬　85, 162, **221**, 329
抗不安薬　155, **156**, 159, **168**
後負荷の軽減　175
抗不整脈薬　181
抗不整脈薬の作用機序　182
抗プラスミン薬　208
興奮作用　4
興奮収縮連関　78, **131**
興奮性アミノ酸　89, **90**
硬膜外麻酔　140
抗リウマチ薬　223
抗利尿ホルモン　186, 189
効力　7, 8
高齢者　25
──に対する薬物投与　54
──の生理学的変化　**54**, 55
──の薬理学的影響　**54**, 55
抗ロイコトリエン薬　223

コカイン塩酸塩　33, 34, 51, 53, **120**, 126, 138, **171**
呼吸促進薬　196
牛車腎気丸　357
個人情報　59
個体差　27
骨格筋収縮タンパク質　131
骨吸収抑制薬　48, **244**
骨形成促進薬　244
骨髄止血薬　209
骨粗鬆症　**242**, 244
骨粗鬆症治療薬　**244**, 249
骨代謝　240
骨フッ素症　350
コデインリン酸塩水和物　21, 33, **153**, 195, 201
コハク酸セミアルデヒド脱水素酵素　163
個別化医療　57, 58, **62**, 63
固有活性　72
コリスチンメタンスルホン酸ナトリウム　80
コリン　121
コリンアセチルトランスフェラーゼ　86, **121**
コリンエステラーゼ　129
コリンエステラーゼ再賦活薬　130
コリンエステラーゼ阻害薬　174
コリンエステル類　**128**
コリンエステル類および天然アルカロイドの薬理学的特徴　129
コリン作動性神経　**116**, 121
コリン作動性神経伝達　122
コリン作動性神経伝達経路　85
コリン作動薬　128
コリントランスポーター　86, **121**
コルチゾン　258
コルヒチン　253
コルホルシンダロパート塩酸塩　180
五苓散　335, 358, **359**
コレカルシフェロール　108, **241**
コレシストキニン　104
コレスチミド　251
コレスチラミン　38, **251**
コレステロール　250
コロニー刺激因子　96, **216**, 221
根管充填　342
根管消毒薬　341
根管清掃薬　340
コンコーダンス　29
コンパートメントモデル　19
コンパニオン診断　58

── さ ──

サーカディアンリズム　29
サーチュイン　110
催奇形性　51
サイクロセリン　296
剤形　12, **28**
最高血中濃度　**15**, 62
最高血中濃度到達時間　62
最小殺菌濃度　280
最小致死量　10
最小中毒量　9
最小治療量　9
最小肺胞内濃度　144
最少発育阻止濃度　29, **280**
最小有効量　9
再生医療　58
再生不良性貧血　43, **283**, 292

再石灰化促進　348
最大耐量　9
最大治療量　9
最大有効量　9
最低血中濃度　62
サイトカイン　83, 96, 216, 217, 221, 258
サイトメガロウイルス　301
サイトメガロウイルス治療薬　301
再燃　34
再発性アフタ　334
細胞医薬　58
細胞質内受容体　72, 100
細胞内受容体　100
細胞壁合成阻害　280
細胞膜受容体　72, **100**
細胞膜障害　280
細胞膜トランスポーター　79
催眠鎮静薬　155
催眠薬　4, **155**
サキナビルメシル酸塩　304
酢酸亜鉛水和物製剤　336
サクシニルコリン　132
殺菌作用　279
作動薬　72
作動薬と競合的拮抗薬の代表例　74
ザナミビル水和物　13, 82, **302**
サフィナミドメシル酸塩　172
サブスタンスP　150
作用薬　72
サラゾスルファピリジン　224
サリチルアミド　262
サリチル酸中毒　264
サリチル酸誘導体　262
サリドマイド　51
サリン　81, **130**
ザルトプロフェン　265
サルファ薬　281, **284**
サルブタモール硫酸塩　120, **125**, 193, **274**
サルポグレラート塩酸塩　210
サルメテロールキシナホ酸塩　125, **195**
サロメテロールキシナホ酸塩・フルチカゾンプロピオン酸エステル　49
酸化　20
酸化亜鉛ユージノールセメント　337, **339**
酸化剤　310
酸化セルロース　208
酸化マグネシウム　199, 301
三環系抗うつ薬　77, **169**, 328, 333
暫間的間接覆髄法　339
三叉神経痛　164, **272**
酸産生抑制　348
山梔子　354
酸性 NSAIDs　39, 252, **260**, 268
　　——の作用機序と薬理作用　260
　　——の副作用・有害作用　261
　　——のプロドラッグ　266
　　——の薬物相互作用　262
酸性非ステロイド性抗炎症薬　37, **260**
酸素　274, 277, 278
酸素吸入　50
三段階除痛ラダー　154
散瞳薬　131

し

次亜塩素酸ナトリウム　310, **311**, 312, **340**
ジアスターゼ　199
ジアゼパム　21, 40, 53, **160**, **164**, 277
シアノコバラミン　112, **214**
ジアフェニルスルホン　282
シーラー　342
ジェネリック医薬品　61
視覚サイクル　106
歯科用局所麻酔薬　139, 140
時間依存性抗菌薬　29
ジギタリス　4, 35, 38, **179**
ジギトキシン　77, 81, **179**
糸球体濾過　22, 40, **185**
糸球体濾過量　185
シグモイド曲線　7
シクロオキシゲナーゼ　94, **256**
シクロスポリン　29, 47, 53, 64, 82, **219**, **296**
ジクロフェナクナトリウム　21, 47, 81, **189**, **264**
シクロホスファミド水和物　21, 53, 80, **219**, **227**
刺激作用　4
止血-線溶機構　203
止血薬と抗凝固薬の作用点　206
時限放出型製剤　12
ジゴキシン　5, 38, 40, 64, 77, 81, **179**
自己受容体　87, **120**
自己免疫疾患　218, **259**
脂質異常症　250
脂質異常症治療薬　251
脂質異常症治療薬の作用点　251
脂質溶解性仮説　143
止瀉薬　201
歯周病　343
歯周ポケット　343
視床下部ホルモン　103
次硝酸ビスマス　201
歯髄鎮痛・鎮静薬　337
ジスキネジア　172
ジスチグミン臭化物　130, **131**
シスプラチン　48, 49, **230**
ジスルフィラム　148
ジスルフィラム嫌酒薬様作用　287
持続性作用　6
ジソピラミド　182
シタグリプチンリン酸塩水和物　238
シタフロキサシン水和物　293, **294**
シタラビン　228
室温　71
疾患修飾性抗リウマチ薬　223
実験薬理学　26
疾病　27
至適時間　307
至適濃度　307
シトクロム P-450　20, 26, 31, 37, 51, 158, **243**
シトシンアラビノシド類　228
ジドブジン　304
歯内治療　337
シナカルセト塩酸塩　102
シナプス　118
シナプス小胞　84, **120**
歯肉増殖　47, **164**, **220**
シネオール　344
市販後調査　61
市販直後調査　61
ジヒドロコデインリン酸塩　195
ジヒドロピリジン系　177
ジピリダモール　209
ジフェンヒドラミン塩酸塩　5, 48, 74, **162**, **222**, 329
ジブカイン塩酸塩　139
ジプラシドン　170
シプロフロキサシン塩酸塩　293, **294**
ジペプチジルペプチダーゼ-4　238
歯磨剤　344
ジメチコン　201
シメチジン　74, 79, **198**
ジメチルイソプロピルアズレン　335
ジメチルフェニルピペラジニウム　131
ジメルカプロール　80
ジモルホラミン　196
芍薬甘草湯　353, 354, 358, **360**
瀉下薬　201
遮断薬　73
シュウ酸カリウム　338
重症筋無力症　131
自由神経終末　149
十全大補湯　358, **360**
重篤副作用疾患別対応マニュアル　43, 44, 45, 49, 50
終板電位　131
収斂薬　209
縮瞳　152
種差　26
主作用　5, **46**
出血傾向　43, **261**, 262
受動拡散　16, 38, 40
授乳婦に対する薬物投与　53
腫瘍壊死因子　96, **216**
受容体　72
常温　71
消化管運動改善薬　200
消化管ホルモン　104
消化器症状　354
消化性潰瘍　45, **197**
消化性潰瘍治療薬　197
消化性潰瘍治療薬の作用点　198
笑気　145
笑気吸入鎮静法　145
使用期限　71
小建中湯　357
硝酸イソソルビド　183
硝酸カリウム　338
硝酸銀　320
脂溶性ビタミン　75, **105**
小青竜湯　356
小腸コレステロールトランスポーター阻害薬　252
消毒　306
消毒薬　306
消毒薬と抗微生物スペクトル・適用部位　308
消毒薬の効力の比較　309
消毒薬の作用機序　309
消毒薬の作用に影響を与える因子　307
消毒用エタノール　314
小児　25
小児に対する薬物投与　53
小児薬用量　54
上皮成長因子　75, **96**
上皮成長因子受容体　96
小胞 GABA トランスポーター　89
小胞アセチルコリントランスポーター　86, **122**
小胞型グルタミン酸トランスポーター　89
小胞トランスポーター　79, **84**

索引　385

小胞モノアミントランスポーター　87, 88, 118
静脈内注射　12
静脈内鎮静法　157
静脈麻酔薬　142, **145**, 146, 161
生薬　351
生薬の副作用・有害作用　353
常用量　9
初回通過効果　11, 12, 13, 17, 20, 55
食事　29
ジョサマイシン　290
女性ホルモン　104
徐放性製剤　12
徐放性テオフィリン　191
処方箋　64
自律神経系　116
自律神経刺激効果　119
自律神経節　117
シルガビマブ　305
ジルチアゼム塩酸塩　77, **177**, 276
シロシビン　33
シロスタゾール　173, **209**
侵害受容器　149
新型コロナウイルス感染症　304
新型コロナウイルスの消毒　321
神経筋接合部　75, 131
神経症　156
神経障害性疼痛　272, 333
神経障害性疼痛治療薬　272
神経成長因子　96
神経節興奮薬　131
神経節遮断薬　75, **131**
神経伝達物質　83, 84
神経伝達物質の受容体と性質　86, 88
人工多能性幹細胞　58
人工知能　59
心室性不整脈　182
人種差　26
浸潤麻酔　140
親水性　75
真性コリンエステラーゼ　129
腎臓　185
腎臓傍糸球体細胞　93
心臓ホルモン　104
心臓ホルモン　104
身体依存　34, 148
心停止　277
浸透圧利尿　187
浸透圧利尿薬　189
腎排泄型薬物　55
シンバスタチン　81, **251**
心不全治療薬　179
心不全における前負荷・後負荷と治療薬　180
心房性Na利尿ホルモン　104
心房性ナトリウム利尿ペプチド　75, 93, **181**, 187
心房性不整脈　182
シンポーター　78

す

水銀化合物　320
水酸化アルミニウム　199
水酸化カルシウム製剤　339, 340, **341**
水酸化マグネシウム　199
随証治療　352
膵臓ホルモン　104
錐体外路障害　166

スイッチOTC　69
水痘・帯状疱疹ウイルス　299
睡眠改善薬　222
睡眠のパターンと催眠薬　156
水溶性ビタミン　105
スガマデクスナトリウム　132
スキサメトニウム塩化物水和物　27, 122, **132**
スクラルファート水和物　199
スクロオキシ水酸化鉄　102
スコポラミン臭化水素酸塩水和物　48, 74, **122**, **130**
スタチン　251
ステロイド性抗炎症薬　34, 223, **258**, 334, 335
　——の作用機序　258, **259**
　——の副作用　259
　——の薬理作用と適応症　259
ステロイドホルモン　75
ステロイドホルモン応答性エレメント　75
ステロイドホルモン受容体　75
ストリキニーネ　171
ストレプトマイシン硫酸塩　49, 281, **288**
スニチニブリンゴ酸塩　64, **234**
スパルフロキサシン　293
スピペロン　167
スピラマイシン酢酸エステル　290
スピロノラクトン　102, **179**, 189
スプラタスト トシル酸塩　193, **223**
スボレキサント　162
スマトリプタンコハク酸塩　271
スリンダク　264
スルバクタムナトリウム・アンピシリンナトリウム　288
スルピリド　167
スルピリン水和物　47, **268**
スルホニル尿素薬　237

せ

生化学的拮抗　37
生活断髄薬　340
静菌作用　280
性差　25
制酸薬　80, 199
静止膜電位　134
生殖細胞系列遺伝子検査　57
精神, 神経疾患（和漢薬）　358
精神依存　34
精神刺激薬　170
精神神経安定薬　166
製造販売後臨床試験　61
生体消毒薬　312, 318
生体内生理活性物質　83
生体内におけるビタミンDの活性化　243
成長因子　83, **96**
整腸薬　201
制吐薬　166
生物学的同等性　17
生物学的半減期　15, 35
生物学的利用能　17
性ホルモン　104
精油類　316
生理学的拮抗　37
生理活性アミン　91
生理活性ペプチド　91
脊髄クモ膜下麻酔　140
セクレチン　104
セコバルビタールナトリウム　160

セチルピリジニウム塩化物水和物　344
舌下投与　13
セツキシマブ　232
節後線維　117
節前線維　117
セトラキサート塩酸塩　199
セビメリン塩酸塩水和物　130, **327**, **335**
セファクロル　286
セファゾリンナトリウム無水和物　286
セファマイシン系　286
セファレキシン　**284**, 286
セファロスポリナーゼ　282
セファロスポリンC　286
セファロスポリン系　286
セファロチンナトリウム　286
セフェピム塩酸塩水和物　287
セフェム系抗菌薬　47, 81, 286
セフェム系抗菌薬の構造と特徴　287
セフォゾプラン塩酸塩　287
セフォタキシムナトリウム　286
セフォチアム塩酸塩　286
セフォペラゾンナトリウム　287
セフカペンピボキシル塩酸塩水和物　287
セフジトレンピボキシル　287
セフスロジンナトリウム　286
セフタロリン　286
セフミノクスナトリウム水和物　286
セフメタゾール　287
セベラマー塩酸塩　102
セボフルラン　146
セマグルチド　238
セミクリティカル器具　307
ゼラチン　208
セラトロダスト　193, **223**
セリン／スレオニンキナーゼ活性　75
セレギリン塩酸塩　81, **172**
セレコキシブ　266
セロトニン　85, 88, 91, 149, 210, **254**, 256
セロトニン・ノルアドレナリン再取り込み阻害薬　77, **169**, 273
セロトニン5-HT$_{1B/1D}$　271
セロトニン5-HT$_{1F}$受容体作動薬　271
セロトニン作動性抗不安薬　168
セロトニン症候群　167
セロトニン受容体　85, 88, 166
セロトニン・ドパミン拮抗薬　168
セロトニントランスポーター　88, 169
線維芽細胞成長因子　**96**, 346
線維芽細胞成長因子23　244
洗口剤　344
前向性健忘　159
全身クリアランス　23
全身作用　5
全身疾患を有する患者への薬物投与　55
全身静脈麻酔　153
全身性止血薬　205
全身適用　11
全身投与　11
全身麻酔　142
全身麻酔薬　4, **142**
喘息長期管理薬　191
喘息誘発　261
選択的アドレナリン作動薬　124
選択的エストロゲン受容体モジュレーター　**230**, **249**, 249
選択的作用　5
選択的セロトニン再取り込み阻害薬　169
選択的ムスカリン性受容体拮抗薬　198
選択毒性　279

センナ　4, **201**
センノシドA・Bカルシウム塩　201
センノシド類　354
全般性強直-間代発作　164
前負荷の軽減　175
センブリ・重曹　199

━━━ **そ** ━━━

相加作用　36
臓器移植　259
双極性障害　170
双極性障害躁病エピソード　164
象牙質知覚過敏症治療薬　338
相乗作用　36
相対摂取量　53
相対的乳児投与量　53
臓腑弁証　353
創薬モダリティ　59
促進拡散　76, 79
組織移行性　18
組織型PA　204
組織プラスミノゲンアクチベーター　173, 213
疎水性　75
速乾性擦式消毒剤　314, 318, **319**
速効性作用　6
ソトロビマブ　305
ゾニサミド　64, **174**
ゾピクロン　160
ソファルコン　199
ソホスブビル　303
ソマトスタチン　104
ソマトメジンC　104
ソリブジン　40
ゾルピデム酒石酸塩　34, 160, **162**
ゾルミトリプタン　271
ゾレドロン酸水和物　246

━━━ **た** ━━━

第1世代抗うつ薬　169
第1世代抗精神病薬　167
第2世代H₁受容体拮抗薬　222
第2世代抗うつ薬　169
第2世代抗精神病薬　168
第4世代抗うつ薬　169
第Ⅰ相試験　61
第Ⅱ相試験　61
第Ⅲ相試験　61
第Ⅳ相試験　61
第Ⅷ因子製剤　205
第Ⅷ脳神経障害　46, **283, 289**
第Ⅸ因子製剤　205
大うつ病性障害　168
大黄　354
大建中湯　357
対向輸送　78
体細胞遺伝子検査　57
胎児毒性　**51**, 52
体脂肪　28
代謝　20
代謝拮抗薬　80
代謝性耐性　31
代謝阻害による相互作用　40
代謝促進による相互作用　40
代謝における相互作用　40
体重　28
帯状疱疹　333

帯状疱疹関連痛　333
帯状疱疹後神経痛　272, **333**
対症療法　3
耐性　31, 148, 161, **282**
耐性獲得の機序　282
体性神経系　116
耐性乳酸菌製剤　201
代替酵素　282
体表面積　54
ダイベナミン　127
大麻　33
大麻取締法　33
退薬症候群　34
第四級アンモニウム塩　317
耐量　9
ダウノルビシン塩酸塩　48, **229**
唾液　323
唾液分泌過多　327
唾液分泌量過剰　48
唾液分泌の調節　326
タキサン類　229
タキフィラキシー　**32**, 126
ダクラタスビル　303
タクロリムス水和物　21, 82, **219**, **220**, 224, 334
多形滲出性紅斑　47
多血小板血漿　205
多元受容体作用抗精神病薬　168
多剤耐性菌　282
多剤併用療法　303
タゾバクタムナトリウム・ピペラシリンナトリウム　288
脱感作　4, **31**, 32
脱共役　32
脱分極性筋弛緩薬　132
ダパグリフロジンプロピレングリコール水和物　239
ダビガトランエテキシラートメタンスルホン酸塩　38, **211**
タブン　81, **130**
タペンタドール塩酸塩　153, **270**
タミバロテン　107
タムスロシン塩酸塩　125, **127**
タモキシフェンクエン酸塩　21, **230**
タリペキソール塩酸塩　172
ダルテパリンナトリウム　212
ダルナビルエタノール付加物　304
段階的の用量-反応関係　**7**, 8
炭酸アパタイト　347
炭酸水素ナトリウム　41, 80, **199**
炭酸脱水酵素　189
炭酸脱水酵素阻害薬　189
炭酸マグネシウム　199
炭酸ランタン水和物　102
炭酸リチウム　170
短時間作用型β₂作動薬　191
胆汁酸　251
単純ヘルペスウイルス　299, **330**
単純ヘルペスウイルスおよび水痘・帯状疱疹ウイルス治療薬　299
男性ホルモン　104
タンドスピロンクエン酸塩　168
ダントロレンナトリウム水和物　50, **133**, 167
タンニン酸・フッ化物配合剤　339
タンニン酸アルブミン　201
タンパク結合型薬物　18
タンパク質合成阻害　281

━━━ **ち** ━━━

チアジド系利尿薬　160, 175, **188**
チアジド系類似利尿薬　188
チアゾリジン薬　238
チアマゾール　102
チアミラールナトリウム　147
チアミン　109
チアミン二リン酸　109
チアラミド塩酸塩　266
チェーン・ストークス型呼吸　152
チェックポイント阻害薬　232
チオトロピウム　**195**
チオペンタールナトリウム　18, **147**, 160
チカグレロル　210
チキサゲビマブ　305
蓄積　30, **35**
チクロピジン塩酸塩　45, **210**
チゲサイクリン　292
治験　61
遅効性作用　6
致死量　10
遅発性ジスキネジア　166
チモール　316, **344**
チモロールマレイン酸塩　125, 127
チュアブル錠　12
注意欠陥多動性障害　170
注射投与　12
　──の種類　12
　──の短所　12
　──の長所　12
中水準消毒　309
中水準消毒薬　309
中枢興奮薬　170
中枢神経障害　46
中枢性交感神経遮断薬　176
中枢性尿崩症　190
中毒域　9
中毒性障害　46
中毒性表皮壊死融解症　43
中毒量　9
腸肝循環　23, 251, 290
腸間膜静脈硬化症　354
長時間作用型β₂受容体作動薬　191
長時間作用型抗コリン薬　193
腸溶錠　12
直接型アドレナリン作動薬　123
直接型コリン作動薬　128
直接作用　5
直接作用型経口抗凝固薬　210
直接作用型抗ウイルス薬　303
直接第Xa因子阻害薬　211
直接的血管拡張薬　177
直接トロンビン阻害薬　211
直接覆髄法　340
直腸内投与　14
チラミン　126
治療域　9
治療係数　10, 46
治療薬物モニタリング　24**35**, 49, **63**
治療量　9
チルゼパチド　238
チルドロン酸二ナトリウム　246
チロキシン　99
チロシン　87
チロシンキナーゼ活性　75
チロシン水酸化酵素阻害薬　103
チロシンヒドロキシラーゼ　87, **118**
鎮咳作用　152

鎮咳薬　195
鎮痙薬　200
沈降炭酸カルシウム　102, **199**
鎮静薬　155
鎮痛作用　**151**, **263**
鎮痛補助薬　165

=== つ ===

ツロブテロール　125

=== て ===

低 Ca 血症　240
低アルブミン血症　55
低カリウム血症　**189**
定型抗精神病薬　**165**, 167
低血糖　262
テイコプラニン　293
定常状態　24
定常状態分布容積　62
低水準消毒　309
低水準消毒薬　309
デオキシアデノシルコバラミン　112
テオフィリン　21, 29, 35, 64, 81, **171**, 191, 193, 194
テオブロミン　171
テガフール　21, 82, **228**
デキサメタゾン　49, 102, **258**, 304, 334
デキストロメトルファン臭化水素酸塩水和物　195
デシプラミン　48, **120**
テストステロン　25
デスフルラン　146
デスモプレシン酢酸塩水和物　190
鉄剤　4, **213**
テトラカイン塩酸塩　138
テトラサイクリン塩酸塩　37, 51, **291**
テトラサイクリン系抗菌薬　**38**, 47, 52, 54, 281, 283, **291**
テトラサイクリン歯　291
テトラヒドロトリアジン　239
テトラヒドロ葉酸　281
テトラメチルアンモニウム　131
デノスマブ　48, 224, **247**
デノパミン　**125**, 179
テノホビル　**303**, 304
テビペネム　286
テプレノン　199
デュピルマブ　**193**, 194
デュロキセチン塩酸塩　**169**, 273
デラマニド　296
テリパラチド　244
テルビナフィン塩酸塩　299
電位依存性 Ca^{2+} チャネル　76, 77, 122, 163, 177
電位依存性 Ca^{2+} チャネル遮断薬　272
電位依存性 K$^+$ チャネル　76
電位依存性 Na$^+$ チャネル　**76**, 77, 134, 163
電位依存性 Na$^+$ チャネル遮断薬　272
電位依存性 T 型 Ca^{2+} チャネルの遮断　163
電位依存性イオンチャネル　76
電解質異常　190
電気化学ポテンシャル　76
伝達麻酔　140
点滴静脈内注射　13
天然糖質コルチコイド　258
天然ペニシリン　284
添付文書　26, 47, **64**

天疱瘡　334

=== と ===

当帰芍薬散　357
頭頸部癌　**229**, 230, 232
統合失調症　165
糖質コルチコイド　52, **103**, 223, 258
糖質コルチコイド受容体　258
糖尿病　236
糖尿病患者　56
糖尿病治療薬　**237**
動脈内注射　13
投与経路　11
投与経路と血中濃度-時間曲線　12
投与時刻　29
ドキサゾシンメシル酸塩　176
ドキサプラム塩酸塩水和物　196
ドキシサイクリン　291
ドキシフルリジン　228
ドキソルビシン塩酸塩　48, 53, 80, **229**
特異体質　27
特異体質性障害　46
毒薬　70
特定生物由来製品　70
特定の背景を有する患者に関する注意　64
ドコサヘキサエン酸　252
トコトリエノール　108
トコフェロール酢酸エステル　108
トシリズマブ　304
トスフロキサシントシル酸塩水和物　293, **294**
ドセタキセル水和物　229
ドネペジル塩酸塩　174
ドパ　87
ドパ脱炭酸酵素阻害薬　172
ドパミン D$_2$ 受容体　165
ドパミンアゴニスト　172
ドパミン塩酸塩　79, **85**, 87, **118**, 179, 275
ドパミン受容体　87
ドパミン受容体作動薬　172
ドパミントランスポーター　87
ドパミン部分作動薬　168
ドパミン分解酵素阻害薬　172
ドパミン β-ヒドロキシラーゼ　87, **118**
トファシチニブクエン酸塩　224
ドブタミン塩酸塩　**120**, **125**, 179
トブラマイシン　288
トポイソメラーゼ阻害薬　230
トポイソメラーゼⅣ　281
トラスツズマブ　96, 231
トラセミド　188
トラゾリン塩酸塩　127
ドラッグデリバリーシステム　28
ドラッグリポジショニング　58
トラニラスト　193, 194, **223**
トラネキサム酸　81, **208**
トラフェルミン　346
トラフ値　24
トラマドール塩酸塩　**155**, 273
トラメチニブ ジメチルスルホキシド付加物　234
トランスフォーミング成長因子　96
トランスポーター　76, 77, **79**, 87
トランスポーターの分類　78
トリアゾール系　297
トリアゾール系抗真菌薬　298

トリアゾラム　40, 41, **159**, 160
トリアムシノロン　258
トリアムテレン　**176**, 189
トリグリセリド　250
トリクロルメチアジド　77, **175**, 188
トリパミド　188
トリプタン系剤　271
トリプトファンヒドロキシラーゼ　88
トリヘキシフェニジル塩酸塩　**131**, 173
ドリペネム　286
トリメタファン　131
トリメトプリム　282
トリヨードチロニン　99
トリロスタン　102
ドルテグラビルナトリウム　304
トルブタミド　189
トレチノイン　107
トレピブトン　201
トローチ錠　12
ドロキシドパ　173
トロピカミド　131
トロポニン C　131
トロンビン　**204**, 208
トロンボキサン　**94**, 256
トロンボキサン A$_2$　203
トロンボキサン A$_2$ 受容体拮抗薬　191
トロンボキサン A$_2$ 阻害薬　**223**
トロンボキサン合成酵素阻害薬　173
トロンボキサン受容体拮抗薬　194
トロンボポエチン受容体作動薬　208
頓服　11
ドンペリドン　**200**, 271
頓用　11

=== な ===

ナイアシン　110
内因性交感神経作用　127
内因性発痛物質　254
内活性　72
ナイスタチン　80, **297**
内服　11
内服薬処方箋　65
ナテグリニド　237
ナトリウム・グルコース共輸送体-2 阻害薬　238
ナトリウム利尿　187
ナトリウム利尿ペプチド　93
ナトリウム利尿ペプチド受容体　104
ナファゾリン硝酸塩　**124**, 125
ナファモスタット　213
ナプロキセン　253
ナラトリプタン塩酸塩　271
ナリジクス酸　**281**, 293
ナルコレプシー　156
ナルコレプシー治療薬　171
ナルデメジントシル酸塩　**155**, 201
ナロキソン塩酸塩　**155**, 196
難聴　46

=== に ===

ニカルジピン塩酸塩　47, **276**, 278
ニコチン　21, 33, 34, 48, 53, **122**
ニコチンアミドアデニンジヌクレオチド　110
ニコチンアミドアデニンジヌクレオチドリン酸　110
ニコチン酸　**110**, 252
ニコチン酸欠乏症　110

ニコチン性アセチルコリン受容体 86
ニコチン性受容体 75, 122, 123
ニコチンパッチ剤 13
ニコランジル 183
ニザチジン 198
二次ガス効果 143
二次救命処置 278
二次作用 5
二次性能動輸送系 79
二次ニューロン 149
二次能動輸送 325
二重盲検法 30
ニセルゴリン 173
日内変動 29
ニトラゼパム 159, 160
ニトログリセリン 6, 13, 81, 181, 183, 276, 278
ニトロプルシド 278
ニフェジピン 40, 47, 77, 177, 183
ニボルマブ 232
日本薬局方 68, 70
ニムスチン塩酸塩 227
ニューキノロン系抗菌薬 38, 47, 293
ニューキノロン系の分類 293
乳酸アルミニウム 338
乳酸カルシウム水和物 102
乳汁/血漿薬物濃度比 53
ニューマクロライド 289
尿細管再吸収 23, 40, 186
尿細管分泌 22, 40, 186
尿酸生合成阻害薬 253
尿酸排泄促進薬 253
尿中未変化排泄率 55
尿路不定愁訴(和漢薬) 357
ニルマトレルビル 304
妊娠 26
認知症治療薬 174
妊婦に対する薬物投与 51

=== ぬ ===

ヌクレオシド系逆転写酵素阻害薬 304

=== ね ===

ネオスチグミン臭化物 81, 130, 131, 327
ネダプラチン 230
熱ショックタンパク質 75
ネビラピン 304
年齢 25

=== の ===

濃縮血小板血漿 205
脳循環代謝改善薬 173
脳性ナトリウム利尿ペプチド 93
濃度依存的 288
能動輸送 16
濃度効果 143
脳保護薬 173
ノルアドレナリン 74, 85, 87, 103, 116, 124, 136, 150, 275
ノルアドレナリン作動性・特異的セロトニン作動性抗うつ薬 169
ノルアドレナリン神経 149
ノルアドレナリントランスポーター 120, 169
ノルエピネフリン 87
ノルエピネフリントランスポーター 169

ノルトリプチリン塩酸塩 169
ノルフロキサシン 293, 294
ノンクリティカル器具 307

=== は ===

パーキンソン病診療ガイドライン2018 172
胚・胎児毒性試験 26
バイオアベイラビリティ 17, 28
バイオフィルム 343
バイオフィルム破壊作用 289
バイオマーカー 58
ハイシーリング利尿薬 188
排泄 22
排膿散及湯 353, 358, 359
バカンピシリン塩酸塩 285
白板症 335
麦門冬湯 335, 356
パクリタキセル 48, 229
破骨細胞 243
破骨細胞分化促進因子 247
バシトラシン 293
橋本病 99
播種性血管内凝固症 213
バゼドキシフェン酢酸塩 249
バソプレシン 32, 52, 186, 187, 189
バソプレシンV_2受容体 186
バソプレシンV_2受容体拮抗薬 189
八味地黄丸 357
バッカル錠 12
白金化合物 230
八網弁証 352
発痛増強物質 254
発痛物質 92
パニペネム 286
パニペネム・ベタミプロン 286
歯の形成不全 47
歯のフッ素症 350
歯の変色 47
パパベリン塩酸塩 200
パミテプラーゼ 213
パミドロン酸二ナトリウム水和物 246
パラアミノ安息香酸 281
パラアミノサリチル酸 282, 296
パラクリン 84
パラシクロビル塩酸塩 300, 330
パラセタモール 269
パラチオン 81, 122, 130
パラトルモン 99
パラホルムアルデヒド 316, 338, 342
パラモノクロロフェノールカンフル 337, 341
バランス麻酔 142, 153
バリシチニブ 304
バルガンシクロビル塩酸塩 301
バルサルタン 187
バルビツール酸系薬物 31, 33, 34, 75, 143, 146, 156, 160, 163
──の基本骨格と代表的催眠薬 161
──の欠点 161
──の作用時間による分類 160
バルプロ酸ナトリウム 47, 51, 64, 163, 165, 170, 272
バレニクリン酒石酸塩 196
ハロキサゾラム 160
パロキセチン塩酸塩水和物 169, 336
ハロゲン 310
ハロタン 146

ハロペリドール 21, 48, 56, 64, 167, 329
パンクレアチン 199
半夏厚朴湯 358
半夏瀉心湯 353, 354, 356, 358, 359
半減 62
半合成ペニシリン 284
バンコマイシン塩酸塩 35, 64, 293
バンコマイシン耐性腸球菌 293
斑状歯 47
反跳現象 33, 34, 159
反跳性不眠 159
パンテチン 111
パンテノール 111
パントテン酸 111
反復投与 24, 31

=== ひ ===

ピオグリタゾン塩酸塩 26, 238
ビオチン 111
皮下気腫 278
非可逆的コリンエステラーゼ阻害薬 130
皮下注射 13
ビカルタミド 231
ビキサロマー 102
非競合的アンタゴニスト 73
非競合的拮抗 37, 38
非競合的拮抗薬 73, 74
ビグアナイド 238
ピクロトキシン 171
ピコスルファートナトリウム水和物 201
ビサコジル 201
微小管阻害薬 229
ヒスタミン 26, 74, 85, 88, 91, 149, 254, 256
ヒスタミンH_1受容体拮抗薬 50, 221
ヒスタミンH_2受容体 197
ヒスタミン受容体 88
ヒスタミンメチルトランスフェラーゼ 88
ヒスチジンデカルボキシラーゼ 88
非ステロイド性抗炎症薬 29, 43, 52, 197, 260
ビスホスホネート 28, 100, 245
ビスホスホネート系薬物 48
ビスホスホネートの構造式と活性 246
非選択的α受容体遮断薬 127
非選択的β受容体遮断薬 127
非選択的アドレナリン作動薬 124
非選択的作用 6
ビタミンA 106
ビタミンA過剰症 107
ビタミンA欠乏症 107
ビタミンAの代謝経路と生理作用 107
ビタミンA油製剤 107
ビタミンB_1 109
ビタミンB_1欠乏症 109
ビタミンB_2 109
ビタミンB_6 111
ビタミンB_6依存症 111
ビタミンB_6拮抗薬 111
ビタミンB_6欠乏症 111
ビタミンB_{12} 112, 214
ビタミンB_{12}欠乏性貧血 43
ビタミンB群 109
ビタミンC 113, 207
ビタミンC欠乏症 113
ビタミンD 108, 241
ビタミンD応答性エレメント 76
ビタミンD受容体 76, 242

索引　389

ビタミンD_2　108, **241**
ビタミンD_3　108, **241**
ビタミンE　108
ビタミンE欠乏症　108
ビタミンK　108, 206
ビタミンK依存性凝固因子　205
ビタミンK拮抗薬　206
ビタミンKサイクルとワルファリンの作用点　207
ビタミンK製剤　249
ビタミンK_1　108, **249**
ビタミンK_1製剤　206
ビタミンK_2　108, **249**
ビタミンK_2製剤　206
ビタミン依存症　105
ビタミン欠乏症　105, 283
ビダラビン　301
ヒダントイン誘導体　164
非定型抗精神病薬　165, 166, 168
ヒトインスリン　237
ヒト型抗FGF23モノクローナル抗体　250
ヒト免疫不全ウイルス　303, 320, 321
ヒト免疫不全ウイルスの消毒　321
ヒドララジン塩酸塩　27, 111, **177**
ヒドロキシアパタイト　347, 348
ヒドロキソコバラミン酢酸塩　112
ヒドロクロロチアジド　48, **175**, 188
ヒドロコルチゾン　102, 258
ヒドロモルフォン塩酸塩　270
皮内注射　13
非ヌクレオシド系逆転写酵素阻害薬　304
非ピリン系　268
ビフィズス菌製剤　201
皮膚粘膜眼症候群　43
ピペミド酸　281
ピペラシリンナトリウム　285
ビペリデン　131, **173**
非ベンゾジアゼピン系薬物　162
非麻薬性オピオイド鎮痛薬　154
非麻薬性鎮痛薬　154
肥満細胞　91
肥満症治療薬　238
ピモベンダン　180
白虎加人参湯　327, 335, 358, **359**
標準温度　71
表面麻酔　139
表面麻酔薬　139
ピラジナミド　296
ピラゾロン系　47, 268
ピリドキサール酵素　111
ピリドキサールリン酸　111
ピリドキサミン　111
ピリドキシン塩酸塩　111
ピリドスチグミン臭化物　**130**, 131
ピリドンカルボン酸系抗菌薬　281, **293**
ピリミジン代謝拮抗薬　227
微量有効作用　321
ピリン系解熱鎮痛薬　268
非臨床試験　60
ピルシカイニド塩酸塩水和物　182
ピレタニド　188
ピレンゼピン塩酸塩水和物　**131**, 198
ピロカルピン塩酸塩　48, 129, 327, 335
ピロキシカム　265
ビンカアルカロイド類　229
ビンクリスチン硫酸塩　229
貧血　213
ビンデシン硫酸塩　229
ピンドロール　**125**, 127

ビンブラスチン硫酸塩　229

ふ

ファムシクロビル　300
ファモチジン　198
ファレカルシトリオール　102
ファロペネムナトリウム水和物　285
フィードバック機構　97
フィゾスチグミン　**122, 130**
フィダキソマイシン　290
フィトナジオン　81, 108, 206, **249**
フィブリノゲン　203, 204, 205
フィブリン　**204**, 213
フェキソフェナジン塩酸塩　222
フェナム酸誘導体　265
フェニトイン　21, 29, 47, 51, 64, 77, 163, **164**, 242
フェニルエタノールアミン-N-メチルトランスフェラーゼ　87, **118**
フェニル酢酸系　264
フェニレフリン塩酸塩　**120, 124**, 125, 136, 275
フェノール　**4**, 316
フェノールカンフル　**337**, 341
フェノール係数　309
フェノール類　316
フェノキシベンザミン　**125**, 127
フェノチアジン誘導体　167, 329
フェノテロール臭化水素酸塩　125
フェノバルビタール　53, 160, **164**, 242
フェリプレシン　137
フェルビナク　265
フェロジピン　181
フェンタニルクエン酸塩　33, **153**, 270
フェントラミンメシル酸塩　74, **125**, 127, 176
フェンブフェン　265
負荷投与量　24
副交感神経　117
副交感神経作動薬　128
副交感神経遮断薬　130
副甲状腺機能亢進症　**100**, 102
副甲状腺機能低下症　102
副甲状腺ホルモン　**99**, 240
副甲状腺ホルモン1型受容体　240
副甲状腺ホルモン1型受容体作動薬　244
副甲状腺ホルモン関連ペプチド　244
副作用　**5**, 42
副作用情報　30
副作用の種類と原因薬物　**44**, 45
副腎髄質機能亢進症　**102**, 103
副腎髄質ホルモン　103
副腎皮質機能亢進症　**102**, 103
副腎皮質機能低下症　**102**, 103
副腎皮質機能不全　259
副腎皮質刺激ホルモン　103
副腎皮質ステロイド薬　103
副腎皮質ホルモン　103
副腎皮質ホルモン合成阻害薬　103
服薬アドヒアランス　64
服薬回数　29
服薬管理　55
服薬コンプライアンス　28, 64
服薬指導　64
服薬指導計画　64
服薬遵守　64
附子　353
ブシラミン　224

不整脈　181
フタラール　315
付着錠　12
ブチルコリンエステラーゼ　122
ブチルスコポラミン臭化物　13, 131, 200, 328
ブチロフェノン誘導体　167
フッ化カルシウム　338
フッ化ジアンミン銀　**320**, 338
フッ化第一スズ　349
フッ化ナトリウム　349
フッ化ピリミジン類　227
フッ化物　**47, 348**, 350
フッ化物歯面塗布剤　349
フッ化物洗口剤　349
フッ化物配合歯磨剤　349
フッ素　47
物理化学的作用　80
ブトキサミン　**120, 125**, 127
ブピバカイン塩酸塩水和物　139
ブプレノルフィン塩酸塩　154
部分作動薬　**8, 37**, 73
部分的β受容体刺激作用　127
部分発作　164
ブメタニド　188
フラジオマイシン硫酸塩　288
ブラジキニン　**92**, 149, 178, 187, **254**, 268
ブラジキニン受容体　92
ブラジキニン受容体のサブタイプ　93
プラスグレル塩酸塩　210
プラスミド耐性遺伝子 tet　282
プラスミノゲン　204
プラスミノゲンアクチベーター　81, **204**
プラスミン　204
プラセボ効果　30
プラゾシン塩酸塩　**120, 125, 127**, 176, 188
フラッシュバック現象　34
プラノプロフェン　253
プラバスタチンナトリウム　81, **251**
フラビンアデニンジヌクレオチド　109
フラビンモノヌクレオチド　109
プラミペキソール塩酸塩水和物　172
プラリドキシムヨウ化物　130
プランルカスト水和物　**193**, 223
プリミドン　64, **164**
プリロカイン　139
プリン代謝拮抗薬　228
フルオロアパタイト　348
フルオロウラシル　21, 40, 47, 82, **227**
フルオロピリジン系抗真菌薬　299
フルコナゾール　298
フルシトシン　299
フルスルチアミン塩酸塩　109
フルタミド　231
フルチカゾンプロピオン酸エステル　**193**, 195
フルドロコルチゾン酢酸エステル　102
フルニトラゼパム　160
フルフェナジン　48, **167**
フルフェナム酸アルミニウム　265
フルボキサミンマレイン酸塩　21, **169**
フルマゼニル　**147, 196**
フルラゼパム塩酸塩　**159**, 160
フルルビプロフェン　265, **294**
ブレオマイシン塩酸塩／硫酸塩　80, **228**
フレカイニド酢酸塩　182
プレガバリン　272, 333
プレグナンX受容体　**40**, 41

プレドニゾロン　102, 253, **258**
フレマネズマブ　**270**, 271
プロカインアミド塩酸塩　182
プロカイン塩酸塩　138
プロカテロール塩酸塩水和物　125
プロゲステロン　104
プロスタグランジン　79, **94**, **254**, 256
プロスタグランジンE_2　187
プロスマブ　250
フロセミド　48, 49, 77, **188**
プロタミン硫酸塩　212
プロチゾラム　160
プロテアーゼ阻害薬　304
プロテインキナーゼA　327
プロテインキナーゼC　327
プロドラッグ　21, 265
プロトロンビン　**204**, 205
プロトンポンプ　**78**, 197
プロトンポンプ阻害薬　50, **198**
プロパフェノン塩酸塩　182
プロパンテリン臭化物　131
プロピオン酸誘導体　265
プロピトカイン塩酸塩　**139**, 141, 278
プロピトカイン-フェリプレシン　139
プロピベリン塩酸塩　131
プロピルチオウラシル　102
プロブコール　252
プロプラノロール塩酸塩　21, 74, 125, **127**, 176, 182, 272, 276
プロベネシド　40, **253**
プロポフォール　**143**, 146, 157
ブロムヘキシン塩酸塩　**195**, 327
ブロムペリドール　64
ブロメタジン塩酸塩　**222**, 329
ブロモクリプチンメシル酸塩　53, **172**
分子標的治療薬　6, 57, 58, 194, **231**
分布　18
分布容積　**18**, 19

━━　へ　━━

平胃散　**359**
平均滞留時間　62
併用　30, 36
ヘキサメトニウム　122, **131**
ヘキソバルビタール　**25**, 26
ベクロニウム臭化物　74, **132**
ベクロメタゾンプロピオン酸エステル　193
ベダキリン　295
ベタネコール塩化物　**129**, 327
ベタメタゾン　258
ペチジン塩酸塩　33, **153**, **270**
ヘテロ五員体構造　157
ペナム系　284
ペナム系抗菌薬の構造と特徴　284
ペニシラミン　111
ペニシリナーゼ　282
ペニシリン　**40**, 41
ペニシリン系抗菌薬　**47**, 81, 284
ペネム系抗菌薬　285
ベバシズマブ　232
ヘパリン　211
ヘパリンの抗凝固作用機序　212
ペプチドグリカン　280
ペプチド系抗菌薬　293
ペプチド転移酵素　280
ペプチドトランスポーター　79
ペプリジル塩酸塩水和物　183
ペプロマイシン硫酸塩　228

ヘミコリニウム　122
ペムブロリズマブ　232
ヘモコアグラーゼ　208
ペラグラ　110
ベラドンナアルカロイド　130
ベラパミル塩酸塩　38, 47, 77, **183**, 272, 276
ベラプロスト　209
ペラミビル水和物　302
ヘリコバクター・ピロリ　197
ヘリコバクター・ピロリ除菌治療　199
ヘルクスハイマー現象　283
ペルゴリドメシル酸塩　172
ヘルペス性口内炎　330
ベルベリン塩化物水和物　201
ヘロイン　**33**, 34, 53
ペロスピロン　167
ベンザルコニウム塩化物　317
ペンシクロビル　300
弁証論治　352
ベンジルペニシリンカリウム　285
片頭痛治療薬　270
ベンズブロマロン　253
ベンゼトニウム塩化物　**318**, 344
ベンセラジド　172
ベンゾジアゼピン系抗不安薬　168
ベンゾジアゼピン系鎮静薬　50, **52**
ベンゾジアゼピン系などの薬物の分類　160
ベンゾジアゼピン系薬物　33, 34, 34, 75, 147, 156, **157**, 163, 168
　──の基本骨格と代表的催眠薬　158
　──の利点　159
ベンゾチアゼピン系　177
ペンタゾシン　154
ベンチルヒドロクロロチアジド　188
ペンテトラゾール　171
変伝導作用　177
ペントバルビタールカルシウム　160
便秘（和漢薬）　356
ベンラリズマブ　**193**, 194

━━　ほ　━━

抱合反応　21
ボグリボース　238
補酵素A　111
ポサコナゾール　298
補充作用　4
母集団薬物動態試験法　62
補充療法　3
ホスカルネットナトリウム水和物　301
ホスホジエステラーゼ　194
ホスホジエステラーゼⅢ阻害薬　179
ホスホジエステラーゼ阻害薬　209
ホスホマイシン　295
ホスホリパーゼA_2　**94**, 256
ホスホリパーゼC　92
ボセンタン水和物　177
保存温度　71
保存場所　71
ボタロー管閉塞　262
補中益気湯　354, 358, **360**
ボツリヌス毒素　122, 133
母乳への薬物の移行　53
ボノプラザンフマル酸塩　**198**, 199
ポビドンヨード　311, **312**, 313, 344
ポラプレジンク　336
ポリエン系抗真菌薬　296

ボリコナゾール　298
ポリビニルピロリドン　311
ポリファーマシー　55
ポリミキシンB硫酸塩　80, 91, **293**
ポリモーダル侵害受容器　92
ボルテゾミブ　234
ホルマリン　315
ホルムアルデヒド　316
ホルムクレゾール　342
ホルモン　83, **97**
　──と受容体　100
　──の機能亢進症・低下症と治療薬　102
　──の作用機序　99
　──の分泌臓器と種類　98
　──分泌の調節　97
　──分泌の視床下部-下垂体系による　調節　101
　──分泌の自律神経や物理化学的刺激　による調節　101

━━　ま　━━

マーキュロクロム　320
マイコプラズマ肺炎　290
マイトマイシンC　229
味覚障害　49, **336**
麻黄湯　356
マキサカルシトール　102
膜安定化作用　127
膜受容説　143
膜タンパク質　143
膜輸送　16
膜輸送タンパク質　72
マクロライド系抗菌薬　**47**, 52, 281, **289**
麻子仁丸　356
末梢神経系　116
マプロチリン塩酸塩　169
麻薬　70
麻薬及び向精神薬取締法　33, **70**, 165
麻薬拮抗性鎮痛薬　154
麻薬拮抗薬　155
麻薬性鎮痛薬　**39**, 146, 149, **150**, 269
マラチオン　81, **130**
マラビロク　304
マリファナ　33
満月様顔貌　260
慢性疼痛と麻薬性オピオイド鎮痛薬への　精神依存　154
慢性閉塞性肺疾患治療薬　195

━━　み　━━

ミアンセリン塩酸塩　169
ミオクローヌス発作　164
味覚障害　49, **336**
ミカファンギンナトリウム　299
ミグリトール　238
ミコナゾール硝酸塩　82, **298**, 334, 335
ミコフェノール酸モフェチル　219
水・電解質分泌　326
水利尿　187
ミソプロストール　199
ミゾリビン　**219**, 224
ミダゾラム　**147**, 157, **160**, 277
密封容器　71
密閉容器　71
ミツロウ　209
ミトタン　102
ミドドリン塩酸塩　124, 125
ミノサイクリン塩酸塩　**47**, 49, **291**, 345

索引　391

― む ―

ミノドロン酸水和物　246
ミルタザピン　169
ミルナシプラン塩酸塩　169
ミルリノン　180
ミロガバリンベシル酸塩　272, 333

無顆粒球症　43
無効量　9
ムスカリン　122, 129
ムスカリン性アセチルコリン受容体　86, 122, 123
無フィブリノゲン血症　205

― め ―

メキシレチン塩酸塩　64, 182
メキタジン　223
メクロフェノキサート塩酸塩　173
メコバラミン　112
メサコニン　353
メサドン塩酸塩　270
メジャートランキライザー　167
メシル酸ガレノキサシン水和物　293
メスカリン　33, 34
メタコリン塩化物　128
メタノール　22, 148
メタンフェタミン塩酸塩　32, 33, 34, 126
メチオニルリジルブラジキニン　92
メチクラン　188, 285
メチシリン耐性黄色ブドウ球菌　282, 285
メチラポン　102
メチルコバラミン　112
メチルドパ水和物　128, 176
メチルパラベン　141
メチルフェニデート塩酸塩　33, 170, 171
メチレンブルー　50, 278
メチロシン　102
滅菌　309
メディエーター遊離抑制薬　191
メトクロプラミド　200, 271
メトトレキサート　47, 51, 53, 64, 79, 219, 224, 227
メトプロロール酒石酸塩　120, 125, 127, 176
メトヘモグロビン血症　43, 139, 141
メトホルミン塩酸塩　238
メドロキシプロゲステロン酢酸エステル　231
メトロニダゾール　53, 199
メナキノン　108
メナテトレノン　81, 206, 249
メピバカイン塩酸塩　139
メフェナム酸　38, 265
メフルシド　188
メポリズマブ　193, 194
メマンチン塩酸塩　75, 174
メラトニン受容体作動薬　162
メルカプトプリン水和物　228
メロキシカム　266
メロペネム　286
免疫関連有害事象　235
免疫チェックポイント分子　232
免疫反応　215
免疫賦活薬　221
免疫不全症　218
免疫抑制作用　259

免疫抑制薬　47, 219
メントール　316

― も ―

毛細血管強化薬　207
毛舌　335
燃え上がり現象　33
モガムリズマブ　232
モキシフロキサシン塩酸塩　293
モサプリドクエン酸塩水和物　200
モダフィニル　171
持ち越し効果　159, 161
モノアミンオキシダーゼ　87, 88, 120
モノアミン仮説　168
モノアミン酸化酵素-B 阻害薬　172
モノアミントランスポーター　77, 87, 169
モノクローナル抗体　231
モノバクタム系抗菌薬　288
モノフルオロリン酸ナトリウム　349
モフェゾラク　265
モルヌピラビル　304
モルヒネ塩酸塩水和物　23, 26, 31, 33, 34, 39, 91, 151, 201, 269
モルヒネの構造式　151
モルヒネ硫酸塩水和物　269
モンテプラーゼ　213
モンテルカストナトリウム　193, 223

― や ―

薬害　66
薬剤　6
薬剤関連顎骨壊死　48, 247, 248, 250
薬剤性潰瘍　197
薬剤性肝機能障害　354
薬剤性貧血　43
薬事・食品衛生審議会　61, 69
薬疹　43, 47, 354
薬物　2, 6
薬物アレルギー　285
薬物依存　30, 33, 162
薬物受容体　7
薬物性肝障害　46
薬物性口腔乾燥症　327
薬物性難聴　49
薬物性パーキンソニズム　166
薬物性味覚障害　49
薬物相互作用　37
薬物代謝酵素　11, 20, 25, 37, 161
薬物代謝酵素の誘導と阻害　21
薬物代謝反応　20
薬物耐性　30
薬物動態　8, 15
薬物動態学　2
薬物動態学的因子　25
薬物動態学的相互作用　38
薬物動態学的耐性　31
薬物動態試験法　62
薬物の効果　25
薬物の効果に影響する生体側の因子　25
　　――人の責任分担や心理などに関与する因子　28
　　――薬物側の因子　28
薬物の生体内変化と除去　20
薬物の尿中排泄過程　22
薬物標的　7
薬物乱用　34
薬物療法　2

薬物療法の種類　3
薬用炭　201
薬用量　9
薬理学　2
薬理学的拮抗　37
薬力学　2
薬力学的因子　25
薬力学的相互作用　37
薬力学的耐性　31
薬理作用　2, 7
薬理作用の基本形式　4
薬理作用の様式　3
薬局方医薬品　70
薬局方外医薬品　70
夜盲症　107

― ゆ ―

有害作用　5, 9, 42, 43
　　――の機序　46
　　――の種類と機序　43
有害事象　43
　　――の機序　46
　　――の種類と機序　43
有害反応　42
ユーカリプトール　316
有機アニオントランスポーター　40
有機イオントランスポーター　79
有機質溶解作用　340
有機硝酸塩　181
有機硝酸薬　183
有機リン化合物　130
有効期限　71
有効性　7, 8
ユージノール　316, 337
有痛性糖尿病性神経障害　272
遊離型血漿タンパク質　18
遊離型薬物　39, 40, 51, 55
遊離脂肪酸　250
ユニポーター　78

― よ ―

陽イオン界面活性剤　317
ヨウ化カリウム　102
ヨウ化ナトリウム　102
葉酸　112
葉酸合成阻害　281
葉酸代謝拮抗薬　227
要指導医薬品　69
陽性変時作用　275
陽性変力作用　275
ヨウ素　48
ヨウ素製剤　18
用量　7
用量-反応関係　7
用量-反応曲線　73
用量-反応曲線の右方移動　37
ヨード・グリセリン　313, 342
ヨード疹　313
ヨードチンキ　313, 342
ヨードホール　311
抑肝散　358
抑制作用　4
抑制性アミノ酸　85, 89
余剰受容体　73
予備受容体　73
ヨヒンビン　120, 125, 127
予防療法　3

与薬原則6つのR　67
四環系抗うつ薬　169

══ ら ══

ラウオルフィアアルカロイド　128
酪酸菌製剤　201
ラクタム系抗菌薬　79
ラクツロース　201
ラスミジタンコハク酸塩　271
ラタモキセフナトリウム　286, 287
ラニナミビルオクタン酸エステル水和物　13
ラベタロール塩酸塩　127, 176, 278
ラベプラゾールナトリウム　198
ラマトロバン　223
ラミブジン　303
ラメルテオン　162
ラモトリギン　170
ラルテグラビルカリウム　304
ラロキシフェン塩酸塩　249
ランソプラゾール　21, 77, 81, 198
卵胞ホルモン　104

══ り ══

リアノジン受容体　77, 78, 133
リオチロニンナトリウム　102
リガンド　72
リスデキサンフェタミンメシル酸塩　171
リスペリドン　167, 168, 170
リセドロン酸ナトリウム水和物　6, 246
離脱症候群　34
利胆薬　201
リツキシマブ　232
六君子湯　356
立効散　358
リドカイン塩酸塩　64, 77, 138, 182, 276
リトドリン塩酸塩　125, 126
リトナビル　304
利尿薬　175, 181, 187
　──の作用部位　186
　──の名称および適用　188
リバーストリヨードチロニン　99
リバーロキサバン　211
リバスチグミン　174
リバビリン　303
リファブチン　296
リファンピシン　21, 40, 41, 242, 281, 295
リフィル処方箋　65
リポキシゲナーゼ　94, 257
リポコルチン　259
リポコルチン遺伝子　259
リボフラビン　109
流涎　48, 328
硫酸鉄　213
硫酸抱合　20, 21
硫酸マグネシウム水和物　201, 276
量的用量-反応関係　7, 8
量的用量-反応曲線　8, 9
両性界面活性剤　317, 319
緑内障治療薬　129
リラグルチド　238
リルピビリン塩酸塩　304
リルマザホン塩酸塩水和物　160
リンコマイシン系抗菌薬　281, 290
リン酸酸性フッ化ナトリウム　349
リン脂質　250
臨床試験　60

══ る ══

類天疱瘡　334
ループ利尿薬　188, 325
ルゴール　313
ルストロンボパグ　208
ルビプロストン　201

══ れ ══

冷所　71
レジパスビル　303
レセルピン　128
レチナール　106
レチナールオキシダーゼ　106
レチノイド　106
レチノイドX受容体　106
レチノイン酸　106
レチノイン酸応答配列　107
レチノイン酸受容体　76, 106
レチノール　106
レチノール結合タンパク質　106
レチノール脱水素酵素　106
レチノールパルミチン酸エステル　107
レッド・パーソン症候群　293
レナンピシリン塩酸塩　285
レニン　93
レニン-アンジオテンシン-アルドステロン系　92, 177, 187
レニン-アンジオテンシン系とその阻害薬　178
レニン阻害薬　177
レバミピド　199
レバロルファン酒石酸塩　155, 196
レフルノミド　224
レボチロキシンナトリウム水和物　102
レボドパ　172, 329
レボフロキサシン水和物　293, 294
レミフェンタニル塩酸塩　146, 153
レミマゾラムベシル酸塩　147
レムデシビル　304
レレバクタム水和物　288
レレバクタム水和物/イミペネム水和物/シラスタチンナトリウム　288
連用　30, 31

══ ろ ══

ロイコトリエン　94, 254, 256
ロイコトリエン受容体拮抗薬　191, 194
ロートエキス　200
ロキサチジン酢酸エステル塩酸塩　198
ロキシスロマイシン　289, 290
ロキソプロフェンナトリウム水和物　47, 81, 265, 266
ロクロニウム臭化物　132
ロサルタンカリウム　179
ロチゴチン　172
六経弁証　353
ロドプシン　106
ロピニロール塩酸塩　172
ロフラゼプ酸エチル　336
ロペラミド塩酸塩　201
ロベリン　131
ロミプロスチム　208
ロメフロキサシン　294
ロメリジン塩酸塩　272
ロモソズマブ　245
ロラゼパム　160

ロルノキシカム　266
ロルメタゼパム　160

══ わ ══

和漢薬　351
和漢薬適用上の注意　355
和漢薬と西洋薬との相互作用　354
和漢薬と全身疾患　355
和漢薬の歯科保険適用　358
和漢薬の副作用・有害作用　354
ワクシニアウイルス接種家兎炎症皮膚抽出液　273
ワルファリンカリウム　6, 18, 21, 37, 38, 39, 40, 210, 296

欧文索引

α-, β-adrenoceptor blocking drugs　127
α, β受容体遮断薬　127
α-adrenoceptor blocking drugs　126
α-amino-3-hydroxy-5-methyl-4-isoxazolepropionic acid　89
α-amino-3-hydroxy-5-methylisoxazole-4-propionic acid　75
α-methyldopa　128
α-グルコシダーゼ阻害薬　238
α受容体遮断薬　126
α-トコフェロール　108
α-メチルドパ　128
α-メチルノルアドレナリン　128
α_1-酸性糖タンパク質　18, 39
α_1受容体作動薬　124
α_1受容体遮断薬　127, 180
α_{1A}受容体　127
α_2受容体作動薬　125, 176
α_2受容体遮断薬　127
β-adrenoceptor blocking drugs　127
β-carotene　106
βエンドルフィン　150, 151
β-カロテン　106
β受容体拮抗薬　181
β受容体遮断薬　127, 181, 183
β-ブンガロトキシン　122
β-ラクタマーゼ　282
β-ラクタマーゼ阻害薬　288
β-ラクタム系抗菌薬　283, 284
β-リン酸三カルシウム　347
β_1受容体作動薬　125
β_1受容体遮断薬　127
β_2受容体作動薬　125, 193
β_2受容体遮断薬　127
γ-aminobutyric acid　75, 85, 89, 157
γ-carboxylase　205
γ-アミノ酪酸　85, 89, 157
γ-カルボキシグルタミン酸残基　206
γ-カルボキシラーゼ　205
δ　150
κ　150
μ　150

══ A ══

abacavir sulfate　304
abaloparatide　244
ABCトランスポーター　78, 79

索引　393

absorbable hemostatics　208
absorption　16
acarbose　238
accumulation　35
ACE　79, 92, 93, 177
acebutolol hydrochloride　127
acetaminophen　269
acetazolamide　189
acetylcholine chloride　85, 116, 128
acetylcholine esterase　86
acetylcholinesterase　122
acetyl-CoA　121
acetylcysteine　195
ACE 阻害薬　55, 178, 180, 187
Ach　85, 116
AChE　86, 122
aciclovir　300
ACLS　278
acotiamide hydrochloride hydrate　200
acquired immunodeficiency syndrome　321
ACTH　103
actinomycin D　228
active transport　16
acute tolerance　32
adapalene　107
Addison 病　102, 103, 259
additive effect　36
adefovir　303
adenosine diphosphate　78
adenosine triphosphate disodium hydrate　78, 173
ADH　148
ADHD　170
ADHD 治療薬　170
adherence　29
ADME　15
administration time　29
ADP　78
ADP 受容体阻害薬　210
Adr　118
adrenaline　85, 118, 124, 136, 179, 274
adrenergic drugs　123
adrenergic nerve　116
adrenergic neuron blockers　128
adrenochrome　207
advanced cardiovascular life support　278
adverse effect　9
adverse event　43
age　25
agonist　72
AIDS　303, 321
AI 創薬　59
albumin tannate　201
alcohol dehydrogenase　148
aldehyde dehydrogenase 2　148
ALDH2　148
aldosterone　186
alfacalcidol　247
alkyldiaminoethylglycine hydrochloride　319
allopurinol　253
allosteric site　73
alprazolam　160
alteplase　173, 213
aluminum hydroxide　199
amantadine hydrochloride　172, 302, 329
ambenonium chloride　130

ambrisentan　177
ambroxol hydrochloride　195
amikacin sulfate　288
amino acid polyamine choline　79
aminophylline　191
amiodarone hydrochloride　183, 276
amitriptyline hydrochloride　126, 169, 272, 328
amlodipine besilate　177
amoxapine　169
amoxicillin hydrate　284
amoxicillin hydrate, potassium clavulanate　288
AMPA　75, 89
AMPA 受容体　89
amphetamine　126
amphotericin B　297
ampicillin hydrate　285
andexanet alfa　211
angiotensin II　92
angiotensin II receptor blocker　177
angiotensin converting enzyme　79, 92, 177
angular cheilitis　335
ANP　75, 93, 104, 181, 187
antagonism　37
antagonist　73
antiadrenergic drugs　126
antianxiety drugs　155
antibiotics　279
antibody dependent cellular cytotoxicity　221
anticholinergic drugs　130, 328
antidepressants　168, 328
antidiuretic hormone　189
antiepileptic drugs　155
antihistaminics　329
antimicrobial action　4
antimicrobial agents　279
antipsychotic drugs　165, 329
antiseptic　312
antithrombin III　211
anxiolytics　168
APC　79
aphtha　334
apixaban　211
apomorphine hydrochloride hydrate　172
AQP5　325
ARB　177, 179, 180
arbekacin sulfate　288
area under the blood concentration-time curve　15
argatroban hydrate　212
aripiprazole　168
ariskiren fumarate　178
artificial intelligence　59
ascorbic acid　113
aspirin　173
AST　89
astringents　209
asunaprevir　303
AT_1　177
AT_1 受容体　93
AT_2 受容体　93
atazanavir sulfate　304
atenolol　127, 176
atomoxetine hydrochloride　171
atorvastatin calcium hydrate　251
ATP　75, 78

ATP-sensitive K^+ channels　76
ATP 感受性 K^+ チャネル　76, 77
atrial natriuretic peptide　93, 181, 187
atropine sulfate hydrate　130, 276, 328
attention-deficit hyperactivity disorder　170
AUC　15, 62
Augsberger 式　54
autacoid　83, 91
autocrine　84
autonomic ganglion　117
autonomic nervous system　116
azathioprine　219
azelastine hydrochloride　194, 222
azithromycin hydrate　289
azosemide　188
aztreonam　288

B

B_1 受容体　92
bacampicillin hydrochloride　285
bacitracin　293
barbiturates　75, 146
Basedow 病　99, 102
basic life support　277
bazedoxifene acetate　249
BBB　18
benralizumab　194
benserazide　172
benzalkonium chloride　317
benzbromarone　253
benzodiazepines　75, 157
benzylhydrochlorothiazide　188
beraprost　209
berberine chloride hydrate　201
bethanechol chloride　129
bevacizumab　232
bicalutamide　231
biguanide　238
bioavailability　17
biological half-life　15
biotin　111
biperiden　131, 173
bipolar disorder　170
bisacodyl　201
bismuth subnitrate　201
bisphosphonate　245
BK　92
bleomycin hydrochloride　228
blocker　73
blood brain barrier　18
blood concentration-time curve　15
BLS　277
BNP　93
body weight　28
bortezomib　234
bosentan hydrate　177
botulinum toxin　133
bradykinin　92, 254
brain natriuretic peptide　93
bromhexine hydrochloride　195
bucillamine　224
bumetanide　188
bupivacaine hydrochloride hydrate　139
buprenorphine hydrochloride　154
butoxamine　127
butylscopolammonium bromide　328
B 型肝炎ウイルス　302, 320

B型肝炎ウイルスの消毒　320

C

C_6　131
Ca-sensing receptor　241
Ca 感知受容体　243
Ca^{2+}-ATPase　78
Ca^{2+}-induced Ca^{2+} release　77
Ca^{2+} ストア　77
Ca^{2+} チャネル遮断薬　180, 181
Ca^{2+} ポンプ　78
cabergoline　172
caffeine　171
calcitonin　243
calcitonin gene-related peptide　270
calcitriol　247
camphor　316
candesartan cilexetil　179
capecitabine　228
captopril　178
carbachol　129
carbamazepine　164, 272
carbazochrome sodium sulfonate hydrate　207
carbidopa　172
carbocysteine　195
carbonic anhydrase　189
carboplatin　230
carmellose sodium　201
carperitide　181
carteolol hydrochloride　127
carumonam sodium　288
carvedilol　176
CAT　121
catecholamine　85
catechol-*O*-methyltransferase　87, 120
causal therapy　3
CBDCA　230
C-CAT　59
CCK_B 受容体　197
CDDP　230
cefaclor　286
cefcapene pivoxil hydrochloride hydrate　287
cefditoren pivoxil　287
cefepime hydrochloride hydrate　287
cefmetazole　287
cefoperazone sodium　287
cefotaxime sodium　286
cefozopran hydrochloride　287
cefsulodin sodium　286
cellulosic acid　208
central diabetes insipidus　190
cephalexin　284
cetraxate hydrochloride　199
cetuximab　232
cevimeline hydrochloride hydrate　130, 327
cGMP 依存性プロテインキナーゼ　95
CGRP　270
ChAT　86
ChE　129
chemical mediator　256
chemical sterilants　309
chemoreceptor trigger zone　152
chemotherapeutic agents　279
chenodeoxycholic acid　201
chloramphenicol　281

chlorhexidine gluconate　318
chlorpromazine hydrochloride　167, 329
cholecalciferol　108
cholestymide　251
cholestyramine　251
choline　121
choline acetyltransferase　86, 121
choline transporter　86, 121
cholinergic drugs　128
cholinergic nerve　116
cholinesterase　129
ChT　86, 121
chylomicron　250
CICR　77
cilostazol　173, 209
cimetidine　198
ciprofloxacin hydrochloride　294
circumstances　28
cisplatin　230
clarithromycin　190, 289
CL_{cr}　23
clenbuterol hydrochloride　125
$Cl^--HCO_3^-$ 交換輸送体　325
clindamycin hydrochloride　290
clofibrate　252
clonazepam　164
clonidine hydrochloride　125, 176
clopidogrel sulfate　210
clorgiline　126
clotrimazole　298
CL_{tot}　23
C_{max}　15, 62
C_{min}　62
CNP　93
CoA　111
cocaine hydrochloride　126, 138
codeine phosphate hydrate　152, 195, 201
coenzyme A　111
colchicine　253
colforsin daropate hydrochloride　180
colony-stimulating factor　96, 216
competitive antagonist　37, 73
compliance　28
COMT　87, 120, 172
concordance　29
conduction anesthesia　140
COPD　195
coronavirus disease 2019　321
COVID-19　304, 321
COX　94, 256
COX-1　257
COX-2　257, 259
COX-2 選択的 NSAIDs　266
creatinine　186
cresol　316
critical items　307
cross resistance　282
cross tolerance　31
CSF　96
C-type natriuretic peptide　93
CTZ　152
Cushing 症候群　102, 103
cyanocobalamin　112
cyclooxygenase　94
cyclophosphamide hydrate　219, 227
cycloserine　296
cyclosporin　219
CYP　11, 20, 26, 39

CYP2C19　40
CYP3A　40
CYP3A4　21
CYP3A の誘導　41
CYP アイソザイム　21
CYP アイソザイムと代謝される薬物　21
CYP の誘導　161
cytarabine　228
cytochrome P-450　20
cytokine　83, 96, 216
cytomegalovirus　301
C 型肝炎ウイルス　302
C 型ナトリウム利尿ペプチド　93

D

dabigatran etexilate methanesulfonate　211
daclatasvir　303
dalteparin sodium　212
dantrolene sodium hydrate　133
dapagliflozin propylene glycolate hydrate　239
darunavir ethanolate　304
DAT　87
daunorubicin hydrochloride　229
DDS　28
delamanid　296
delayed action　6
denopamine　125
denosumab　247
dental fluorosis　350
deoxyadenosyl cobalamin　112
depressant action　4
desensitization　32
desflurane　146
desmopressin acetate hydrate　190
dextromethorphan hydrobromide hydrate　195
DHA　252
DHP 受容体　78
diaphenylsulfone　282
diastase　199
diatomic iodine　311
diazepam　160, 164
dibenamine　127
dibucaine hydrochloride　139
DIC　213
digitoxin　179
digoxin　179
dihydrocodeine phosphate　195
diltiazem hydrochloride　177, 276
dimethicone　201
dimethylphenylpiperazinium　131
dimorpholamine　196
diphenhydramine hydrochloride　222, 329
dipyridamole　209
direct acting antivirals　303
direct action　5
direct oral anticoagulant　210
disease-modifying antirheumatic drugs　223
diseases　27
disopyramide　182
disseminated intravascular coagulation　213
distigmine bromide　130
distribution　18

索引

distribution volume　*18*
D-mannitol　*189*
DMPP　*131*
DNAジャイレース　**281**, *293*
DOAC　*210*
dobutamine hydrochloride　**125**, *179*
docetaxel hydrate　*229*
dolutegravir sodium　*304*
domperidone　**200**, *271*
donepezil hydrochloride　*174*
dopa decarboxylase　*118*
dopamine hydrochloride　**85**, **118**, *179*, *275*
dopamine transporter　*87*
dopamine β-hydroxylase　*118*
doripenem　*286*
dose　*7*
dose-response relationship　*7*
double blind test　*30*
doxapram hydrochloride hydrate　*196*
doxazosin mesilate　*176*
doxifluridine　*228*
doxorubicin hydrochloride　*229*
doxycycline　*291*
DPP-4　*238*
DPP-4阻害薬　*238*
droxidopa　*173*
drug abuse　*34*
drug adverse action　*42*
drug adverse effect　*42*
drug delivery system　*28*
drug dependence　*33*
drug interaction　*37*
drug target　*7*
drug-metabolizing enzyme　*20*
dry mouth　*48*, **335**
DSM-5　*156*
duloxetine hydrochloride　**169**, *273*
dupilumab　*194*
dysgeusia　*336*
d-ツボクラリン　*74*, **122**, *132*
D-マンニトール　*189*

E

e.p.p.　*131*
EC coupling　*78*
ecabet sodium hydrate　*199*
ED$_{50}$　*7*, **8**, *10*
edaravone　*173*
edoxaban　*211*
edrophonium chloride　*130*
EDTA　*80*, **340**
efavirenz　*304*
effective dose 50%　*7*, **8**
efficacy　*7*
EGF　**96**, *231*
EGFR　*96*
egualen sodium hydrate　*199*
eicosanoid　*94*
elcatonin　*249*
eldecalcitol　*247*
elobixibat hydrate　*201*
elvitegravir　*304*
enalapril maleate　*178*
endothelin　*93*
end-plate potential　*131*
enfuvirtide　*304*
eNOS　*95*

enoxaparin sodium　*212*
entacapone　**126**, *172*
entecavir　*303*
enterohepatic circulation　*23*
enzyme　*72*
enzyme-linked receptor　*74*
EPA　*252*
ephedrine hydrochloride　**126**, *275*
epidermal growth factor　**96**, *231*
epidural anesthesia　*140*
epinastine hydrochloride　**194**, *229*
eplerenone　*189*
EPO　*214*
erenumab　*271*
ergocalciferol　*108*
ergotamine tartrate　*271*
erythromycin　*190*, **290**
erythropoietin　*214*
esmolol　*278*
esomeprazole magnesium hydrate　*198*
ET　*104*
ET$_A$受容体　*93*
ET$_B$受容体　*93*
ethambutol　*296*
ethanol　*314*
ether　*146*
ethosuximide　*165*
ethyl aminobenzoate　*138*
ethyl icosapentate　*210*
ethylenediaminetetraacetic acid　*340*
etizolam　*160*
etravirine　*304*
etretinate　*107*
eucalyptol　*316*
eugenol　*316*
everolimus　*219*
excitatory-contraction coupling　*78*
excretion　*22*
exocytosis　*84*
ezetimibe　*252*

F

FAD　*109*
false transmitter　*128*
famciclovir　*300*
famotidine　*198*
faropenem sodium hydrate　*285*
fat-soluble vitamins　*105*
FC　*342*
felodipine　*181*
felypressin　*137*
fenoterol hydrobromide　*125*
fentanyl citrate　**153**, *270*
ferrous sulfate　*213*
fexofenadine hydrochloride　*223*
FGF　*96*
FGF-2　*346*
FGF23　*244*
fibroblast growth factor　*96*
fibroblast growth factor 23　*244*
fidaxomicin　*290*
first pass effect　*11*
FK506　*220*
flavin adenine dinucleotide　*109*
flavin mononucleotide　*109*
flecainide acetate　*182*
fluconazole　*298*
flucytosine　*299*

flumazenil　*196*
fluoride　*348*
fluorouracil　*227*
flurazepam hydrochloride　*159*
flutamide　*231*
fluvoxamine maleate　*169*
FMN　*109*
folic acid　*112*
folic acid antagonists　*227*
food　*29*
formaldehyde　*316*
formulation　*28*
foscarnet sodium hydrate　*301*
fradiomycin sulfate　*288*
fremanezumab　*271*
frequency　*29*
full agonist　*73*
functional change　*3*
furosemide　*188*
fursultiamine hydrochloride　*109*

G

GABA　*75*, **85**, *89*, *150*, **157**
GABA$_A$受容体　*75*, **85**, *89*, *143*, **157**, *161*, *163*
GABA$_A$受容体の模式図　*157*
gabapentin　*165*
GABAアミノトランスフェラーゼ　*89*
GABAアミノ基転移酵素　*163*
GABAトランスアミナーゼ　*163*
GABAトランスポーター　**89**, *163*
gabexate　*213*
GAD　*89*
galantamine hydrobromide　*174*
galcanezumab　*271*
ganciclovir　*301*
gastric emptying rate　**29**, *39*
GAT　*89*
GC　*103*
GCP　**42**, *61*, *62*
gefitinib　*233*
gelatin　*208*
general action　*6*
general anesthesia　*142*
general anesthetics　*142*
gentamicin sulfate　*188*, **288**
GER　*29*, *39*, *185*
G$_i$　*86*
G$_{i/o}$　*74*
GIP　*236*
GIP/GLP-1受容体作動薬　*238*
GIRKチャネル　*76*
Gla残基　*206*
Glaタンパク質　*206*
glibenclamide　*237*
gliclazide　*237*
glimepiride　*237*
glinide　*237*
glomerular filtration rate　*185*
GLP-1　*236*
GLP-1受容体作動薬　*238*
GLP基準　*62*
glucocorticoid　*103*
glucose transporter　*79*
GLUT　*79*
glutamate decarboxylase　*89*
glutamic acid　*90*
glutaraldehyde　*315*

glycerin *201*
glycine *90*
glycyrrhizin *201*
good clinical practice *42*
good laboratory practice *62*
GPCR *74*
G-protein coupled receptor *74*
G_q *86*
$G_{q/11}$ *74*
graded dose-response relationship *7*
graft-versushost disease *218*
gray syndrome **283**, **292**
gray-baby 症候群 *54*
griseofulvin *299*
growth factor *83*, **96**
G_s *74*
G_S *86*
GTP *74*
guaiacol *316*
guanabenz acetate **125**, *176*
guanfacine hydrochloride *171*
guanosine 5′-triphosphate *74*
Guedel *144*
gyrase *281*
Gタンパク質 *74*
Gタンパク質共役型受容体 *73*, **74**, *100*
Gタンパク質共役型受容体と平滑筋収縮 *124*

H

H^+,K^+-ATPase **78**, *197*
H^+ポンプ *77*, **78**
H_1受容体拮抗薬 *91*, **191**, *194*, *329*
H_2 receptor antagonist *198*
H_2受容体拮抗薬 *198*
HAART *303*
hairy tongue *335*
halogen *310*
haloperidol **167**, *329*
halothane *146*
HBV **302**, **320**
HCV *302*
HDL *250*
heat shock protein *75*
Helicobacter pylori *197*
Henderson-Hasselbalchの式 *17*, *135*
heparin *211*
hepatitis B virus **302**, **320**
hepatitis C virus *302*
hereditary factor *27*
herpes labialis *330*
herpes simplex virus **299**, *330*
herpes zoster *333*
herpetic stomatitis *330*
Herxheimer現象 *48*
hexamethonium *131*
high density lipoprotein *250*
high-level disinfection *309*
Highly Active Anti-Retroviral Therapy *303*
histamine *85*
HIV **303**, **320**
HIV感染治療薬 *303*
HMG-CoA還元酵素 *251*
hormone *83*
HSP *75*
HSV *330*

human immunodeficiency virus **303**, **320**
Hunter舌炎 *214*
hydantoin derivatives *164*
hydralazine hydrochloride *177*
hydrochlorothiazide *188*
hydrogen peroxide *310*
hydromorphone hydrochloride *270*
hydroxocobalamin acetate *112*
hydroxymethylglutaryl CoA reductase *251*
hypersalivation, ptyalism *48*
hypertensive crisis *126*
hypervitaminosis A *107*
hypnotics *155*
hypochlorous acid *310*
hypoglycemic agent *237*
hypovitaminosis A *107*
HY材 *339*

I

IAI *13*
ibudilast *173*
ICS/LABA *193*
ICS/LAMA/LABA *193*
ID *13*
idarubicin hydrochloride *229*
idiosyncrasy *27*
idoxuridine *301*
ifenprodil tartrate *173*
IFN *302*
IFN-γ *75*
ifosfamide *227*
IGF *96*
IGF-1 *96*
IGF-2 *96*
iguratimod *224*
IICR *77*
IL *96*
IM *13*
imatinib mesilate *233*
imeglimin hydrochloride *239*
imipenem *286*
imipenem, cilastatin combination *286*
imipramine hydrochloride **169**, *272*, *328*
immediate action *6*
immune-related adverse event *235*
indapamide *188*
indirect action *5*
individual difference *27*
induced pluripotent stem cell *58*
ineffective dose *9*
INF *96*
infiltration anesthesia *140*
infusion reaction *235*
inhalational anesthetics *142*
inhaled corticosteroid *191*
iNOS *95*
inositol 1, 4, 5-triphosphate *77*
insulin preparation *237*
insulin-like growth factor *96*
integrase strand transfer inhibitor *304*
interferon **96**, *216*
interleukin **96**, *216*
intermediate-level disinfection *309*
intraarterial injection *13*
intradermal injection *13*
intramuscular injection *13*

intravenous anesthetics *142*
intravenous injection *12*
intravenous instillation *13*
intrinsic activity *72*
intrinsic sympathomimetic action *127*
inverse agonist *73*
iodine tincture *313*
iodophor *311*
ion channel *76*
ionotropic receptor *75*
IP_3 *77*
IP_3-induced Ca^{2+} release *77*
IP_3受容体 *77*
ipragliflozin L-proline *239*
ipratropium bromide hydrate *131*
iPS細胞 *58*
iPS創薬 *58*
irAE *235*
irinotecan hydrochloride hydrate *230*
irritant action *4*
irsogladine maleate *199*
ISA *127*
isavuconazole *298*
isoflurane *146*
isoniazid *296*
isopropanol *314*
isopropylan tipyrine *268*
isosorbide dinitrate **183**, *189*
istradefylline *173*
itopride hydrochloride *200*
itraconazole *190*, **298**
IV *12*

J

josamycin *290*

K

K^+-Cl^-共輸送体 *79*
K^+チャネル *77*
K^+チャネル遮断薬 *181*
kainate *75*
kallidin *92*
kallikrein *187*
kanamycin *288*
K_{ATP} *76*
ketamine hydrochloride *147*
ketotifen fumarate *194*
kindling *33*
Korsakoff精神病 *109*
K保持性利尿薬 *175*

L

L-アスコルビン酸 *207*
L-アスパラギン酸 *90*
ℓ-イソプレナリン塩酸塩 *74*, **124**, *179*, *193*
L-カルボシステイン *195*
L-チロシン *118*
L-ドパ *118*
L-ドパデカルボキシラーゼ *87*, *118*
L型Ca^{2+}チャネル **76**, *77*, *78*, *177*
LABA *191*
labetalol hydrochloride **127**, *176*, *278*
lactulose *201*
LAMA *193*
lamivudine *303*

索引　397

lansoprazole　198
lasmiditan succinate　271
latamoxef　287
LD_{50}　8, 10
LDDS　283, **345**
L-dihydroxyphenylalanine　118
LDL　250
L-DOPA　**118**, **172**
ledipasvir　303
lethal dose　10
lethal dose 50%　8
leukoplakia　335
leukotriene　254
levallorphan tartrate　**155**, 196
levodopa　**172**, 329
levofloxacin hydrate　294
lidocaine hydrochloride　**138**, 182, 276
Life Intelligence Consortium　59
ligand　72
LINC　59
lincomycin　290
lipid solubility and water solubility　17
lipoxygenase　94
liraglutide　238
lisdexamfetamine mesilate　171
ℓ-isoprenaline hydrochloride　**124**, 179, 275
lithium carbonate　170
loading dose　24
lobeline　131
local action　5
local anesthesia　134
local anesthetics　134
local drug delivery system　283, **345**
lomerizine hydrochloride　272
long-acting muscarinic antagonist　193
long-acting $β_2$-agonist　191
loperamide hydrochloride　201
losartan potassium　179
low density lipoprotein　250
low-level disinfection　309
LOX　**94**, 257
LSD-25　33
LT　94
L-tyrosine　118
lubiprostone　201
Lyell 症候群　43

=== M ===

M/P 比　53
MAC　144
magnesium carbonate　199
magnesium hydroxide　199
magnesium oxide　199
magnesium sulfate hydrate　**201**, 276
major depressive disorder　168
malathion　130
malignant hyperthermia　167
MAO　87, 88, **120**
MAO-B　172
maprotiline hydrochloride　169
maraviroc　304
MARTA　168
Maxi K^+ チャネル　76
maximum blood concentration　15
maximum effective dose　9
maximum therapeutic dose　9
maximum tolerance dose　9

MBC　280
MC　103
MDR1　79
meclofenoxate hydrochloride　173
mecobalamin　112
medical carbon　201
medical interview　30
medication adherence　64
medication compliance　64
medication-related osteonecrosis of the jaw　48, **250**
medroxyprogesterone acetate　231
mefruside　188
megaloblastic anemia　112
memantine hydrochloride　174
membrane receptor　72
membrane stabilizing activity　127
membrane trafficking　16
membrane-transport protein　72
menaquinone　108
menatetrenone　**206**, 249
menthol　316
mepivacaine hydrochloride　139
mepolizumab　194
mequitazine　223
mercaptopurine hydrate　228
mercury　320
meropenem　286
metabolism　20
metformin hydrochloride　238
methacholine chloride　129
methadone hydrochloride　270
methamphetamine hydrochloride　126
methicillin-resistant *Staphylococcus aureus*　282
methionyl lysylbradykinin　92
methotrexate　**219**, 227
methylcobalamin　112
methyldopa hydrate　**128**, 176
methylphenidate hydrochloride　170
methyl-*p*-hydroxybenzoate　141
meticrane　188
metoclopramide　**200**, 271
metoprolol tartrate　127, **176**
mexiletine hydrochloride　182
mianserin hydrochloride　169
MIC　29, **280**
micafungin sodium　299
miconazole　298
midodrine hydrochloride　124
miglitol　238
milk-to-plasma drug concentration ratio　53
milnacipran hydrochloride　169
milrinone　180
mineral trioxide aggregate セメント　339
mineralcorticoid receptor　186
mineralocorticoid　103
minimum alveolar concentration　144
minimum bactericidal concentration　280
minimum effective dose　9
minimum inhibitory concentration　280
minimum lethal dose　10
minimum therapeutic dose　9
minocycline　291
mirogabalin besilate　272
mirtazapine　169
misoprostol　199
mitomycin C　229

mizoribine　219
modafinil　171
mogamulizumab　232
monoamine oxidase　87, **120**
montelukast sodium　223
monteplase　213
moon face　260
morphine hydrochloride hydrate　**151**, 201, **269**
morphine sulfate hydrate　269
mosapride citrate hydrate　200
MRONJ　48, **248**, 250
MRP　79
MRSA　**282**, 285, 293
MRSA 感染症治療薬　288
MRT　62
MSA　127
MTA セメント　339, **340**
multidrugs resistant tuberculosis drugs　295
multi-acting receptor targeting antipsychotic　168
multidrug resistance-associated protein　79
muscarinic acetylcholine receptor　123
muscle-type　86
mycophenolate mofetil　219

=== N ===

NA　116
Na^+-Ca^{2+} exchanger　179
Na^+-Ca^{2+} 交換輸送体　77, **79**, 179
Na^+-Cl^- 共輸送体　77, **79**, 188
Na^+-H^+ 交換輸送体　325
Na^+-HCO_3^- 共輸送体　79
Na^+-K^+-$2Cl^-$ 共輸送体　77, **79**, 188, 325
Na^+, K^+-ATPase　**78**, **179**, 325
Na^+, K^+ ポンプ　77, **78**
Na^+-グルコース共輸送体　79
Na^+ チャネル遮断薬　181
Na^+ ポンプ　**78**, 325
nACh 受容体　75, **86**
NAD　110
NADP　110
nafamostat　213
naldemedine tosylate　**155**, 201
nalidixic acid　281
naloxone hydrochloride　**155**, 196
naphazoline nitrate　124
naratriptan hydrochloride　271
narcolepsy　156
narcotic analgesics　150
NaSSA　169
NAT　87, **121**, 169
natriuretic peptide　93
natriuretic peptide receptor　93
NCX　77, **179**
nedaplatin　230
neostigmine bromide　130
nerves growth factor　96
N-ERD　45
NET　87, **169**
neuromuscular junction　75
neurotransmitter　83
nevirapine　304
NGF　96
niacin　110
nicardipine hydrochloride　**276**, 278

nicergoline *173*
nicorandil *183*
nicotinamide adenine dinucleotide *110*
nicotinamide adenine dinucleotide phosphate *110*
nicotinic acetylcholine receptor *75, 86,* **123**
nicotinic acid **110**, *252*
nifedipine *177*
nimustine hydrochloride *227*
nitrazepam *159*
nitric oxide *95*
nitric oxide synthase *95*
nitroglycerin **181**, *276*
nitroprusside *278*
nitrous oxide *145*
nivolumab *232*
nizatidine *198*
N_M *86*
NMDA *75,* **89**
NMDA 型グルタミン酸受容体 *33, 89, 90, 143*
NMDA 受容体拮抗薬 *174*
N-methyl-D-aspartic acid *75,* **89**
N_N *86*
nNOS *95*
NO *95*
nociceptor *149*
non-competitive antagonist *73*
non-critical items *307*
non-nucleic acid reverse transcriptase inhibitor *304*
non-steroidal anti-inflammatory drugs *197,* **260**
noradrenaline *85, 116,* **124**, *136, 275*
noradrenaline transporter *87,* **121**
noradrenergic and specific serotonergic antidepressant *169*
norepinephrine transporter *87*
nortriptyline hydrochloride *169*
NOS *95*
NO 合成酵素 *95*
NO による血管平滑筋弛緩作用 *94*
NPR *93*
NSAIDs *29, 46, 197,* **260**
NSAIDs-exacerbated respiratory disease *45*
NSAIDs 過敏喘息 *45*
NSAIDs 投与時の特別な注意事項 *267*
nuclear receptor *72*
nucleic acid reverse transcriptase inhibitor *304*
nutritional conditions *28*
nystatin *297*
N-アセチルトランスフェラーゼ *27*
N 型 Ca^{2+} チャネル *76, 77*

━━━ O ━━━

octotiamine *109*
olanzapine *168*
oligodynamic action *321*
omalizumab *194*
omeprazole *198*
o-phthalaldehyde *315*
opicapone *172*
opsin *106*
oral candidiasis *333*
oral dyskinesia *166*
oral lichen planus *334*
oral medicine *330*
oseltamivir phosphate *302*
osmotic diuretics *189*
OTC 医薬品 *69*
oxaliplatin *230*
oxidized cellulose *208*
oxitropium bromide *131*
oxybutynin hydrochloride *131*
oxycodone hydrochloride hydrate *153,* **269**
oxygen *274*
ozagrel hydrochloride hydrate *209,* **223**
ozagrel sodium *173*

━━━ P ━━━

P2X 受容体 *75*
paclitaxel *229*
PAF *95*
PAM *130*
p-aminobenzoic acid **281**, *282*
pamiteplase *213*
pancreatin *199*
panipenem *286*
panipenem, betamipron *286*
pantethine *111*
panthenol *111*
pantothenic acid *111*
papaverine hydrochloride *200*
paracrine *84*
parasympathetic nerve *117*
parasympatholytic drugs *130*
parasympathomimetic drugs *128*
parathion *130*
parathyroid hormone *240*
parathyroid hormone-related peptide *244*
Parkinson 病 *172*
Parkinson 病治療薬 *131,* **172**
paroxetine hydrochloride hydrate *169*
partial agonist *73*
PAS **282**, *296*
passive diffusion *16*
PC *205*
PDE-Ⅲ阻害薬 *179*
PDGF *96*
PDGFR *234*
pellagra *110*
pembrolizumab *232*
pemphigoid *334*
pemphigus *334*
penciclovir *300*
penicillin-resistant *Streptococcus pneumoniae* *293*
pentazocine *154*
pentobarbital calcium *160*
peplomycin sulfate *228*
per os *11*
peracetic acid *310*
peramivir hydrate *302*
pergolide mesilate *172*
peripheral nervous system *116*
pernicious anemia *214*
pethidine hydrochloride **153,** *270*
PG *94*
PGE_2 *187,* **257**, *261*
$PGF_{2\alpha}$ *257*
PGI_2 *257*
P-glycoprotein *16*
P-gp **16**, *79*
pharmaceuticals and medical devices agency *61*
pharmacodynamics **2**, *57*
pharmacokinetics **2, 15**
Pharmacokinetics/Pharmacodynamics 試験 *62*
pharmacological action **2, 7**
phenobarbital *164*
phenol *316*
phenol coefficient *309*
phenoxybenzamine *127*
phentolamine mesilate *127, 176*
phenylephrine hydrochloride **124**, *136, 275*
phenylethanolamine-N-methyltransferase *118*
phenytoin *164*
phospholipase C *77*
physical dependence *34*
physostigmine *130*
phytonadione **108**, *206*
pilocarpine hydrochloride **129**, *327*
pilsicainide hydrochloride hydrate *182*
pimobendane *180*
pindolol *127*
pioglitazone hydrochloride *238*
pipemidic acid *281*
pirenzepine hydrochloride hydrate **131**, *198*
piretanide *188*
PIVKA 型凝固因子 *210*
PK/PD 試験 *62*
PKG *95*
PLA_2 **94**, *259*
placebo effect *30*
plasma kinin *92*
plasminogen activator *204*
platelet activating factor *258*
platelet concentrate *205*
platelet rich plasma *205*
platelet-activating factor *95*
platelet-derived growth factor *96*
PLC *77*
PLP *111*
PMDA *49,* **61**, *65*
PO *11*
polaprezinc *336*
polymyxin B *293*
polypharmacy *55*
polyvinylpyrrolidone *311*
population pharmacokinetic approach *62*
posaconazole *298*
positive chronotropic action *275*
positive inotropic action *275*
post herpetic neuralgia *333*
postganglionic fiber *117*
potassium canrenoate *189*
potassium sparing diuretics *189*
potency *7*
potentialization **36**
povidone-iodine *311*
powdered swertia herb and sodium bicarbonate *199*
PPI *198*
pralidoxime iodide *130*
pramipexole hydrochloride hydrate *172*
pranlukast hydrate *223*

prasugrel hydrochloride　*210*
pravastatin sodium　*251*
prazosin hydrochloride　**127**, *176*
precipitated calcium carbonate　*199*
pregabalin　*272*
preganglionic fiber　*117*
prilocaine　*139*
primidone　*164*
principal action　*5*
probenecid　*253*
probucol　*252*
procainamide hydrochloride　*182*
procaine hydrochloride　*138*
procaterol hydrochloride hydrate　*125*
prolonged action　*6*
promethazine hydrochloride　*222*, *329*
propafenone hydrochloride　*182*
propantheline bromide　*131*
prophylactic treatment　*3*
propitocaine hydrochloride　*139*
propiverine hydrochloride　*131*
propofol　*146*
propranolol hydrochloride　**127**, *176*, *182*, *272*, *276*
prostaglandin　*254*
prostaglandin E_2　*187*
protamine sulfate　*212*
protease inhibitor　*304*
protein induced by vitamin K absence or antagonist　*210*
prothrombin time-international normalized ratio　*210*
proton pump inhibitor　*198*
PRP　*205*
PRSP　*293*
pseudocholinesterase　*122*
psychoactive drugs　*165*
psychological dependence　*34*
psychostimulant　*170*
psychotropic psychoactive drugs　*165*
PTH　*99*, **240**
PTH1R　*241*
PTH1R 作動薬　*244*
PTHrP　*244*
PTHrP 製剤　*244*
PTH 製剤　*244*
PT-INR　*210*
pyridostigmine bromide　*130*
pyridoxal　*111*
pyridoxal phosphate　*111*
pyridoxamine　*111*
pyridoxine hydrochloride　*111*
pyrimidine antagonists　*227*
P 糖タンパク質　*16*, *31*, *38*, *40*, *79*

Q

quantal dose-response relationship　*7*
quinidine sulfate　*182*

R

RAA 系　**92**, *177*, *187*
rabeprazole sodium　*198*
racial difference　*26*
raloxifene hydrochloride　*249*
raltegravir potassium　*304*
ramatroban　*223*
Ramsay Hunt 症候群　*333*

RANKL　**241**, *247*
rebamipide　*199*
rebound phenomenon　*33*
receptor　*7*, **72**
receptor activator of NF-κB ligand　*247*
reciprocal double innervation　*118*
recombinant thrombomodulin　*213*
rectal administration　*14*
red person syndrome　*293*
relative infant dose　*53*
relebactam hydrate　*288*
remifentanil hydrochloride　*153*
remimazolam besylate　*147*
renin-angiotensin-aldosterone system　**92**, *177*
replacement action　*4*
reserpine　*128*
resistance　*282*
retinal　*106*
retinal oxidase　*106*
retinoic acid　*106*
retinoic acid receptor　*106*
retinoid X receptor　*106*
retinol　*106*
retinol dehydrogenase　*106*
retinol palmitate　*107*
retinol-binding protein　*106*
Reye 症候群　*54*, **262**
rhodopsin　*106*
ribavirin　*303*
riboflavin　*109*
RID　*53*
rifabutin　*296*
rifampicin　*295*
rilpivirine hydrochloride　*304*
risperidone　*168*
ritodrine hydrochloride　*126*
ritonavir　*304*
rituximab　*232*
rivaroxaban　*211*
rivastigmine　*174*
RNA ポリメラーゼ　*281*
rocuronium bromide　*132*
ropinirole hydrochloride　*172*
rotigotine　*172*
roxatidine acetate hydrochloride　*198*
roxithromycin　*289*
ryanodine receptor　*77*

S

safinamide mesilate　*172*
SAIDs　*258*
salbutamol sulfate　**125**, *274*
salmeterol xinafoate　*125*
saquinavir mesilate　*304*
sarcoplasmic reticulum　*133*
sarin　*130*
sarpogrelate hydrochloride　*210*
SARS-CoV-2　**304**, *321*
SARS-CoV-2 治療薬　*304*
SC　*13*
schizophrenia　*165*
scopolamine butylbromide　**131**, *200*
scopolamine hydrobromide hydrate　*130*
scopolia extract　*200*
scurvy　*113*
SDA　*168*
sedatives　*155*

selective action　*5*
selective estrogen receptor modulator　**230**, *249*
selective serotonin-reuptake inhibitors　*169*
selegiline hydrochloride　*172*
semaglutide　*238*
semi-critical items　*307*
senna extract　*201*
sennoside A・B calcium　*201*
seratrodast　*223*
SERM　**230**, *249*
serotonin　*85*
serotonin noradrenaline reuptake inhibitor　**169**, *273*
serotonin syndrome　*167*
serotonin transporter　*88*
serotonin-dopamine antagonists　*168*
SERT　*88*, **169**
severe acute respiratory syndrome coronavirus 2　*321*
sevoflurane　*146*
sexual difference　*25*
SGLT　*238*
side action　*5*
side effect　**5**, *42*
silver　*320*
silver diammine fluoride　*320*
silver nitrate　*320*
simvastatin　*251*
single nucleotide polymorphism　*57*
sirtuin　*110*
sitafloxacin hydrate　*294*
sitagliptin phosphate hydrate　*238*
Sjögren 症候群　*48*, *130*, **324**, *327*
SJS　*43*
SK I チャネル　*76*
skeletal fluorosis　*350*
SLC トランスポーター　*78*
SMART 療法　*193*
SNARE　*133*
SNARE タンパク質　*133*
SNP　*57*
SNRI　**169**, *273*
sodium alginate　**199**, *208*
sodium aurothiomalate　*224*
sodium bicarbonate　*199*
sodium channel　*134*
sodium cromoglicate　*194*, **223**
sodium ferrous citrate　*213*
sodium gualenate hydrate　*199*
sodium hypochlorite　*311*
sodium picosulfate hydrate　*201*
sodium valproate　**165**, *272*
sofalcone　*199*
sofosbuvir　*303*
soluble N-ethylmaleimide-sensitive factor attachment protein receptor　*133*
solute carrier トランスポーター　*78*
somatic nervous system　*116*
spare receptor　*73*
Spaulding による器具分類　*307*
Spaulding による消毒水準分類　*307*
species difference　*26*
spinal anesthesia　*140*
spiramycin acetate　*290*
spironolactone　*189*
SSRI　*169*
standard pharmacokinetic study　*62*

sterilization　*309*
steroidal anti inflammatory drugs　*258*
Stevens-Johnson 症候群　*43*
stimulant action　*4*
strains difference　*26*
streptomycin sulfate　*281*, **288**
structural change　*3*
SU　*237*
subcutaneous injection　*13*
substitution therapy　*3*
succinylcholine　*133*
sucralfate hydrate　*199*
sugammadex sodium　*132*
sulbactam sodium, ampicillin sodium　*288*
sulfonylurea　*237*
sulpyrine hydrate　*268*
sumatriptan succinate　*271*
sunitinib malate　*234*
supersensitivity　**32**, *126*
suplatast tosylate　*223*
suxamethonium chloride hydrate　*132*
SU 受容体　*237*
symbicort maintenance and reliever therapy　*193*
sympathetic nerve　*117*
sympatholytic drugs　*126*
sympathomimetic drugs　*123*
symptomatic therapy　*3*
synaptic vesicle　*84*
syndrome malin　*166*
synergism　*36*
synthetic aluminum silicate　*199*
systemic action　*5*

T

$t_{1/2}$　**15**, *62*
T_3　*99*
T_4　*99*
tabun　*130*
tachyphylaxis　*32*
tacrolimus hydrate　*220*
talipexole hydrochloride　*172*
tamibarotene　*107*
tamoxifen citrate　*230*
tamsulosin hydrochloride　*127*
tandospirone citrate　*168*
tapentadol hydrochloride　**153**, *270*
tazobactam sodium, piperacillin sodium　*288*
TD_{50}　*8*
TDM　*24, 35, 49,* **63**
TDM が行われる代表的な薬物　*64*
tegafur　*228*
teicoplanin　*293*
TEN　*43*
tenofovir　*303*
teprenone　*199*
terbinafine hydrochloride　*299*
teriparatide　*244*
tetracaine hydrochloride　*138*
tetracyclic antidepressants　*169*
tetracycline　*291*
tetrahydrofolic acid　*281*
tetramethylammonium　*131*
TGF　*96*
TGF-β　*75*
Th2 サイトカイン合成酵素阻害薬　*191*

theobromine　*171*
theophylline　**171**, *191*
therapeutic dose　*9*
therapeutic drug monitoring　*24, 35, 49,* **63**
therapeutic index　*10*
therapeutic range　*9*
THF　*281*
THFA　*112*
thiamine　*109*
thiamine pyrophosphate　*109*
thiazolidinediones　*238*
thrombin　*208*
thromboxan　*256*
thymol　*316*
ticagrelor　*210*
ticlopidine hydrochloride　*210*
tigecycline　*292*
timolol maleate　*127*
tirzepatide　*238*
tissue-type plasminogen activator　*213*
TIVA　*153*
TMA　*131*
T_{max}　*62*
TNF　**96**, **216**
tobramycin　*288*
tocopherol acetate　*108*
tocotrienol　*108*
tofacitinib citrate　*224*
tolazoline hydrochloride　*127*
tolerance　*31*
tolerated dose　*9*
tolvaptan　*189*
topical anesthesia　*139*
torasemide　*188*
total intravenous anesthesia　*153*
toxic dose　*9*
toxic dose 50%　*8*
toxic epidermal necrolysis　*43*
toxic range　*9*
t-PA　*173, 204,* **213**
TPP　*109*
tramadol hydrochloride　**155**, *273*
trametinib dimethyl sulfoxide　*234*
tranilast　*194,* **223**
transdermal administration　*13*
transforming growth factor　*96*
transforming growth factor-β　*75*
transient action　*6*
transporter　*76*
trastuzumab　*231*
trepibutone　*201*
tretinoin　*107*
triamterene　*189*
triazolam　*159*
trichlormethiazide　*188*
tricyclic antidepressants　*169*
trihexyphenidyl hydrochloride　**131**, *173*
trimethaphan　*131*
trimethoprim　*282*
tripamide　*188*
tropicamide　*131*
TRPV1　**255**, *260*
tulobuterol　*125*
tumor necrosis factor　**96**, **216**
TX　*94*
TXA_2　*203,* **257**
TXA_2 産生抑制薬　*209*
tyramine　*126*

tyrosine hydroxylase　*118*

U

uncoupling　*32*
urokinase-type plasminogen activator　*213*
ursodeoxycholic acid　*201*
usual dose　*9*

V

VAChT　**86**, *122*
valaciclovir　*300*
valganciclovir hydrochloride　*301*
vancomycin　*293*
varenicline tartrate　*196*
varicella-zoster virus　*299*
vascular endothelial growth factor　*232*
vasopressin　*186*
vasopressin V_2 receptor　*186*
vasopressin V_2 receptor antagonists　*189*
Vd　**18**, *19*
Vd_{ss}　*62*
vecuronium bromide　*132*
VEGF　*232*
VEGFR　*234*
verapamil hydrochloride　**183**, *276*
very low density lipoprotein,　*250*
vesicular acetylcholine transporter　**86**, *122*
vesicular GABA transporter　*89*
vesicular glutamate transporter　*89*
vesicular monoamine transporter　*87,* **118**
vesicular transporter　*84*
VGAT　*89*
VGLUT　*89*
vidarabine　*301*
vinblastine sulfate　*229*
vincristine sulfate　*229*
vindesine sulfate　*229*
visual cycle　*106*
vitamin A　*106*
vitamin B　*109*
vitamin B_1　*109*
vitamin B_2　*109*
vitamin B_6　*111*
vitamin B_{12}　*112*
vitamin C　*113*
vitamin D　*108*
vitamin deficiency　*105*
vitamin dependency　*105*
vitamin E　*108*
vitamin K　*108*
VLDL　*250*
VMAT　*87,* **88**, *120*
voglibose　*238*
voltage-dependent Ca^{2+} channel　*76*
voltage-dependent K^+ channel　*76*
voltage-dependent Na^+ channel　*76, 134*
voltage-gated Ca^{2+} channel　*76*
voltage-gated K^+ channel　*76*
voltage-gated Na^+ channel　*76*
von Harnack 表　*54*
vonoprazan fumarate　*198*
voriconazole　*298*

索引　401

──W──

warfarin potassium　*210*
water-soluble vitamins　*105*
wearing off 現象　*172*
Wernicke 脳症　*109*
WHO 方式がん疼痛治療法　*154*
withdrawal syndrome　*34*
wood creosote　*316*

──X──

xanthines　*171*
xerostomia　*48*, **324**, **335**

──Y──

yohimbine　*127*
Young 式　*54*

──Z──

zanamivir hydrate　*302*
zidovudine　*304*
zolmitriptan　*271*
zolpidem tartrate　*162*
zonisamide　*174*
zoster associated pain　*333*

【監修者・編者略歴】

鈴木邦明
- 1979年 北海道大学歯学部卒業
- 2001年 北海道大学大学院歯学研究科教授
- 2016年 北海道大学大学院歯学研究科特任教授・名誉教授
- 2018年 北海道大学名誉教授

戸苅彰史
- 1979年 名古屋市立大学大学院薬学研究科修了
- 1989年 愛知学院大学歯学部助教授
- 1996年 愛知学院大学歯学部教授
- 2022年 愛知学院大学名誉教授

青木和広
- 1988年 東京医科歯科大学歯学部卒業
- 1992年 東京医科歯科大学大学院修了
- 2009年 東京医科歯科大学大学院医歯学総合研究科准教授
- 2017年 東京医科歯科大学（現 東京科学大学）大学院医歯学総合研究科教授

兼松 隆
- 1990年 九州大学歯学部卒業
- 1994年 九州大学大学院歯学研究科修了
- 1998年 九州大学歯学部助教授
- 2009年 広島大学大学院医歯薬保健学研究科教授
- 2019年 九州大学大学院歯学研究院教授

筑波隆幸
- 1990年 長崎大学歯学部卒業
- 1994年 九州大学大学院歯学研究科修了
- 2000年 九州大学大学院歯学研究院助教授
- 2007年 長崎大学大学院医歯薬学総合研究科教授

八田光世
- 1998年 北海道大学歯学部卒業
- 2002年 北海道大学大学院歯学研究科修了
- 2016年 福岡歯科大学准教授
- 2019年 福岡歯科大学教授

本書の内容に訂正等があった場合には，弊社ホームページに掲載いたします．
下記URL，または二次元コードをご利用ください．

https://www.ishiyaku.co.jp/corrigenda/details.aspx?bookcode=456770

| 現代歯科薬理学　第7版 | ISBN978-4-263-45677-4 |

1979年 8月30日 第1版第1刷発行
2024年 1月20日 第7版第1刷発行
2025年 2月20日 第7版第2刷発行

監修者　鈴　木　邦　明
編　者　戸　苅　彰　史
　　　　青　木　和　広
　　　　兼　松　　　隆
　　　　筑　波　隆　幸
　　　　八　田　光　世
発行者　白　石　泰　夫

発行所　医歯薬出版株式会社
〒113-8612 東京都文京区本駒込1-7-10
TEL.（03）5395-7638（編集）・7630（販売）
FAX.（03）5395-7639（編集）・7633（販売）
https://www.ishiyaku.co.jp/
郵便振替番号　00190-5-13816

乱丁，落丁の際はお取り替えいたします　　印刷・永和印刷／製本・明光社
Ⓒ Ishiyaku Publishers, Inc., 1979, 2024. Printed in Japan

本書の複製権・翻訳権・翻案権・上映権・譲渡権・貸与権・公衆送信権（送信可能化権を含む）・口述権は，医歯薬出版(株)が保有します．
本書を無断で複製する行為（コピー，スキャン，デジタルデータ化など）は，「私的使用のための複製」などの著作権法上の限られた例外を除き禁じられています．また私的使用に該当する場合であっても，請負業者等の第三者に依頼し上記の行為を行うことは違法となります．

[JCOPY] ＜出版者著作権管理機構 委託出版物＞
本書をコピーやスキャン等により複製される場合は，そのつど事前に出版者著作権管理機構（電話03-5244-5088，FAX 03-5244-5089，e-mail:info@jcopy.or.jp）の許諾を得てください．